최상위권 유형별

문제기본서 하이 하이

Hi High

KB121560

미적분

수학의 최고 실력

역시! 믿고 보는 아샘 하이하이 와 함께...

샘으로 정복하는
수학 만점 비법!

수학의 샘으로 기본기를 충실히!

수학 기본서 '수학의 샘'은 자세한 개념 설명으로 수학의
원리를 쉽게 이해할 수 있는 교재입니다. 최고의 기본서
수학의 샘으로 수학의 기본기를 충실히 다질 수 있습니다.

Hi Math로 학교 시험에
대한 자신감을!

충분한 기본 문제, 학교 시험에 자주 출제되는
문제를 수록하여 구성한 교재입니다.
유형별 문제기본서 '아샘 Hi Math'로 학교 시험에
대한 자신감을 가질 수 있습니다.

Hi High로 최고난도 문제에
대한 자신감을!

중간 난이도 수준의 문제부터 심화 문제까지
충분히 수록하여 구성한 교재입니다.
출제빈도가 높은 최상위권 유형을 충분히 연습하여
학교 시험 100점을 자신하게 됩니다.

● **대표저자 :** 이창주(前 한영고, EBS·강남구청 강사, 7차 개정 교과서 집필위원), 이명구(한영고, 수학의 샘, 수학의 뿌리-3점짜리 시리즈, 전국 모의고사 집필위원)
● **편집 및 연구 :** 박상원, 전신영, 신혜미, 김윤희, 장혜진, 정흥래, 권유림, 김지민, 김세리
● **일러스트 출처 :** 1쪽_좌, 2쪽, 3쪽_상, 4쪽_상 designed by freepik.com

짱시리즈의 완결판!

짱 Final
실전모의고사

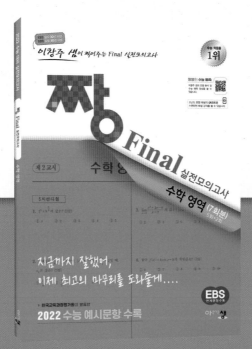

짱 시리즈는 연계가 아니라 적중입니다!!!

수능 문제지와
가장 유사한
난이도와 문제로 구성된
실전 모의고사 7회

EBS교재
연계 문항을 수록한
실전 모의고사 교재

Hi High

미적분

"아름다운 샘 Hi High는?"

Hi High의 특징

개념기본서 「수학의 샘」, 문제기본서 「Hi Math」와 연계된 교재

개념기본서 「수학의 샘」, 문제기본서 「Hi Math」에서 공부한 개념과 문제들로 쌓은 실력으로 보다 수준 높은 문제 연습을 할 수 있는 교재입니다. 단원의 구성과 순서가 동일하여 「수학의 샘」, 「Hi Math」와 연계하여 공부할 수 있습니다.

최고 수준의 수학 실력에 도달할 수 있는 문제기본서

난이도 있는 문제들을 풀면서 수학 실력을 향상시키기를 원하는 학생을 위한 교재입니다. 학교 시험에 잘 나오는 문제들을 시작으로 하여 깊이 있는 유형 문제 연습을 거쳐 최고 수준의 심화 문제 연습도 가능합니다.

변별력 있는 문제들을 충분히 연습할 수 있는 문제기본서

이 교재의 구성은 [쌤이 꼭 내는 기본 문제] – [유형 문제] – [1등급 문제] – [최고난도 문제]입니다. 특히, [1등급 문제], [최고난도 문제] 코너에서는 높은 수학적 사고력을 요하는 문제들을 충분히 연습할 수 있습니다.

내신 1등급, 모의고사 1등급을 책임지는 문제기본서

학교 시험 및 모의고사 등에 출제되는 고난도 문제 유형들을 분석하고 분류하여 수록하였습니다. 상위권 변별력 문제를 충분히 실어 깊이 있는 내신 고득점 및 모의고사 문제까지 완벽하게 대비할 수 있도록 하였습니다.

Hi High의 구성

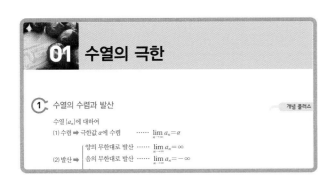

● **개념 정리**

각 단원의 중요 개념, 공식을 한눈에 볼 수 있도록 정리하였습니다. 알아두면 유용한 공식이나 개념, 문제 풀이에 직접적으로 도움이 될 만한 문제 해결 팁 등을 개념 플러스에서 추가하여 제시하였습니다.

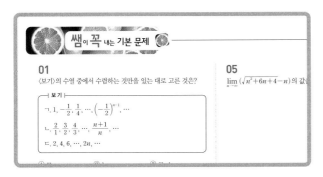

● **쌤이 꼭 내는 기본 문제**

각 단원에서 출제 빈도가 높아 꼭 풀고 가야 하는 기본 유형의 문제들을 선별하였습니다. 선생님이 강조하여 가르치는 대표 문제들을 풀고 갈 수 있습니다.

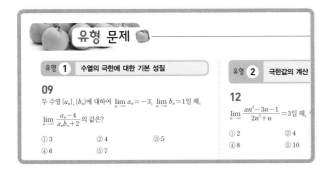

● **유형 문제**

수학적 사고력을 향상시킬 수 있도록 문제 유형을 통합적으로 제시하고 보다 깊이 있는 문제 연습을 할 수 있습니다. 꼭 풀어 보고 기억해 두어야 할 문제에는 '중요' 표시를 하였습니다.

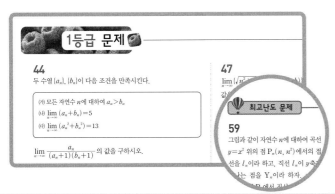

● **1등급 문제**

시험에서 1등급을 결정지을 수 있는 변별력 있는 문제들을 선별하여 수록하였습니다. 수학적 사고력과 응용력을 높일 수 있는 문제들을 다양하게 연습할 수 있도록 하였습니다. 특히, '최고난도 문제'도 풀어 볼 수 있도록 하였습니다.

차례

• [　]은 기본 + 유형 + 1등급의 문항 수입니다.

01 수열의 극한

1 ⌇ 수열의 수렴과 발산

수열 $\{a_n\}$에 대하여

(1) 수렴 ➡ 극한값 α에 수렴 ...... $\lim\limits_{n\to\infty} a_n = \alpha$

(2) 발산 ➡ $\begin{cases} \text{양의 무한대로 발산 ......} \lim\limits_{n\to\infty} a_n = \infty \\ \text{음의 무한대로 발산 ......} \lim\limits_{n\to\infty} a_n = -\infty \\ \text{진동} \end{cases}$

개념 플러스

2 ⌇ 수열의 극한에 대한 기본 성질

수렴하는 두 수열 $\{a_n\}$, $\{b_n\}$에 대하여 $\lim\limits_{n\to\infty} a_n = \alpha$, $\lim\limits_{n\to\infty} b_n = \beta$ (α, β는 실수)일 때,

(1) $\lim\limits_{n\to\infty} ka_n = k \lim\limits_{n\to\infty} a_n = k\alpha$ (단, k는 상수)

(2) $\lim\limits_{n\to\infty} (a_n \pm b_n) = \lim\limits_{n\to\infty} a_n \pm \lim\limits_{n\to\infty} b_n = \alpha \pm \beta$ (복부호 동순)

(3) $\lim\limits_{n\to\infty} a_n b_n = \lim\limits_{n\to\infty} a_n \times \lim\limits_{n\to\infty} b_n = \alpha\beta$

(4) $\lim\limits_{n\to\infty} \dfrac{a_n}{b_n} = \dfrac{\lim\limits_{n\to\infty} a_n}{\lim\limits_{n\to\infty} b_n} = \dfrac{\alpha}{\beta}$ (단, $b_n \neq 0$, $\beta \neq 0$)

◀ 수열의 극한에 대한 기본 성질은 두 수열 $\{a_n\}$, $\{b_n\}$이 모두 수렴할 때만 성립함에 유의 한다.

◀ 수렴하는 수열 $\{a_n\}$에 대하여 $\lim\limits_{n\to\infty} a_n = \alpha$ (α는 실수)이면 $\lim\limits_{n\to\infty} a_{n-1} = \lim\limits_{n\to\infty} a_{n+1} = \lim\limits_{n\to\infty} a_{n+2} = \cdots$ $= \lim\limits_{n\to\infty} a_{2n} = \cdots = \alpha$

3 ⌇ 수열의 극한값의 계산

(1) $\dfrac{\infty}{\infty}$ 꼴의 극한

➡ 분모의 최고차항으로 분모, 분자를 각각 나눈다.

(2) $\infty - \infty$ 꼴의 극한

➡ $\begin{cases} ① \text{ 근호가 있을 때: 분모 또는 분자를 유리화한다.} \\ ② \text{ 근호가 없는 다항식일 때: 최고차항으로 묶는다.} \end{cases}$

◀ $\sqrt{f(n)}$의 정수 부분과 소수 부분 $k \leq \sqrt{f(n)} < k+1$ (k는 정수)이면 ($\sqrt{f(n)}$의 정수 부분) $= k$, ($\sqrt{f(n)}$의 소수 부분) $= \sqrt{f(n)} - k$

4 ⌇ 수열의 극한값의 대소 관계

수렴하는 두 수열 $\{a_n\}$, $\{b_n\}$에 대하여 $\lim\limits_{n\to\infty} a_n = \alpha$, $\lim\limits_{n\to\infty} b_n = \beta$ (α, β는 실수)일 때,

(1) 모든 자연수 n에 대하여 $a_n \leq b_n$이면 $\alpha \leq \beta$

(2) 수열 $\{c_n\}$이 모든 자연수 n에 대하여 $a_n \leq c_n \leq b_n$이고 $\alpha = \beta$이면 $\lim\limits_{n\to\infty} c_n = \alpha$

◀ 두 수열 $\{a_n\}$, $\{b_n\}$에 대하여 $a_n < b_n$이지만 $\alpha = \beta$인 경우가 있다.

예를 들어 $a_n = 2 - \dfrac{1}{n}$, $b_n = 2 + \dfrac{1}{n}$이면 $a_n < b_n$이지만 $\lim\limits_{n\to\infty} a_n = \lim\limits_{n\to\infty} b_n = 2$이다.

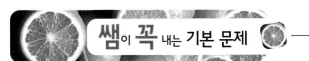
쌤이 **꼭** 내는 기본 문제

01
〈보기〉의 수열 중에서 수렴하는 것만을 있는 대로 고른 것은?

┤보기├

ㄱ. $1, -\dfrac{1}{2}, \dfrac{1}{4}, \cdots, \left(-\dfrac{1}{2}\right)^{n-1}, \cdots$

ㄴ. $\dfrac{2}{1}, \dfrac{3}{2}, \dfrac{4}{3}, \cdots, \dfrac{n+1}{n}, \cdots$

ㄷ. $2, 4, 6, \cdots, 2n, \cdots$

① ㄱ   ② ㄴ   ③ ㄱ, ㄴ

④ ㄱ, ㄷ   ⑤ ㄴ, ㄷ

02
수열 $\{a_n\}$에 대하여 $\displaystyle\lim_{n\to\infty} a_n = -2$일 때, $\displaystyle\lim_{n\to\infty} (a_n^2 + a_n - 3)$의 값을 구하시오.

03
$\displaystyle\lim_{n\to\infty} \dfrac{(3n-1)(2n-3)}{n^2+3}$의 값을 구하시오.

04
$\displaystyle\lim_{n\to\infty} \dfrac{n-2}{\sqrt{4n^2+1}-n}$의 값을 구하시오.

05
$\displaystyle\lim_{n\to\infty} (\sqrt{n^2+6n+4}-n)$의 값을 구하시오.

06
수열 $\{a_n\}$이 모든 자연수 n에 대하여
$$3n-4 < (2n+3)a_n < 3n+2$$
를 만족시킬 때, $\displaystyle\lim_{n\to\infty} a_n$의 값은?

① $\dfrac{1}{2}$ ② $\dfrac{3}{4}$ ③ 1

④ $\dfrac{5}{4}$ ⑤ $\dfrac{3}{2}$

07
수열 $\{a_n\}$에 대하여 $\displaystyle\lim_{n\to\infty} \dfrac{2a_n+3}{a_n+2} = 4$일 때,
$\displaystyle\lim_{n\to\infty} (3-2a_n)$의 값을 구하시오.

08
자연수 n에 대하여 함수 $f(n) = 1+2+3+\cdots+n$이라 할 때,
$\displaystyle\lim_{n\to\infty} \dfrac{f(2n^2)}{\{f(n)\}^2}$의 값을 구하시오.

유형 문제

09

두 수열 $\{a_n\}$, $\{b_n\}$에 대하여 $\lim\limits_{n \to \infty} a_n = -3$, $\lim\limits_{n \to \infty} b_n = 1$일 때,

$\lim\limits_{n \to \infty} \dfrac{a_n - 4}{a_n b_n + 2}$의 값은?

① 3   ② 4   ③ 5

④ 6   ⑤ 7

10

두 수열 $\{a_n\}$, $\{b_n\}$의 일반항이 각각

$$a_n = \frac{2}{n} - 1, \; b_n = 5 - \frac{3}{n^2(n+1)}$$

일 때, $\lim\limits_{n \to \infty} b_n(2a_n + b_n)$의 값을 구하시오.

11

수렴하는 두 수열 $\{a_n\}$, $\{b_n\}$에 대하여

$$\lim_{n \to \infty}(a_n - b_n) = -2, \; \lim_{n \to \infty} a_n b_n = 1$$

일 때, $\lim\limits_{n \to \infty}(a_n^2 + b_n^2)$의 값을 구하시오.

12

$\lim\limits_{n \to \infty} \dfrac{an^2 - 3n - 1}{2n^2 + n} = 3$일 때, 상수 a의 값은?

① 2   ② 4   ③ 6

④ 8   ⑤ 10

13

$\lim\limits_{n \to \infty} \dfrac{(a+b)n^2 - bn - 1}{3n + 1} = 2$가 성립할 때, 두 상수 a, b에 대하여 ab의 값을 구하시오.

14

수열 $\dfrac{1 \times 1}{2 \times 2}$, $\dfrac{2 \times 3}{3 \times 4}$, $\dfrac{3 \times 5}{4 \times 6}$, $\dfrac{4 \times 7}{5 \times 8}$, $\cdots$의 극한값을 구하시오.

15

$\lim\limits_{n \to \infty} \{\log_3 (3n+1) + \log_3 (9n-2) - 2\log_3 (n-1)\}$의 값을 구하시오.

16

$\lim\limits_{n \to \infty} (\log_4 \sqrt{n^2+n+2} - \log_4 \sqrt{2n^2-n+1})$의 값은?

① -2

② -1

③ $-\dfrac{1}{2}$

④ $-\dfrac{1}{4}$

⑤ $-\dfrac{1}{8}$

17

$\lim\limits_{n \to \infty} \dfrac{\sqrt{kn+1}}{n(\sqrt{n+1} - \sqrt{n-1})} = 5$일 때, 상수 k의 값을 구하시오.

유형 3 극한값의 계산 – ∞ − ∞ 꼴

18

$\lim\limits_{n \to \infty} n(\sqrt{n} - \sqrt{n-1})^2$의 값은?

① $\dfrac{1}{4}$

② $\dfrac{1}{2}$

③ $\dfrac{3}{4}$

④ 1

⑤ $\dfrac{5}{4}$

19

중요

$\lim\limits_{n \to \infty} \dfrac{2}{\sqrt{n^2+2n} - \sqrt{n^2+1}}$의 값을 구하시오.

20

$\lim\limits_{n \to \infty} \dfrac{\sqrt{n+3} - \sqrt{n}}{\sqrt{n+5} - \sqrt{n+1}}$의 값을 구하시오.

21

$\lim\limits_{n\to\infty}(\sqrt{n^2+an-1}-\sqrt{bn^2-3n+2})=-2$일 때, 두 상수 a, b 에 대하여 $a+b$의 값을 구하시오.

22

양수 a와 실수 b에 대하여 $\lim\limits_{n\to\infty}(\sqrt{an^2+4n}-bn)=\dfrac{1}{5}$일 때, $a+b$의 값을 구하시오.

23 중요

자연수 n에 대하여 $\sqrt{9n^2+5n+1}$의 소수 부분을 a_n이라 할 때, $\lim\limits_{n\to\infty}a_n$의 값은?

① $\dfrac{1}{2}$ ② $\dfrac{2}{3}$ ③ $\dfrac{5}{6}$

④ $\dfrac{4}{3}$ ⑤ $\dfrac{3}{2}$

유형 **4** 극한값의 대소 관계

24

수열 $\{a_n\}$이 모든 자연수 n에 대하여

$$\frac{1}{3n+1}<\frac{a_n+2}{n+1}<\frac{1}{3n}$$

을 만족시킬 때, $\lim\limits_{n\to\infty}a_n$의 값은?

① $-\dfrac{5}{3}$ ② $-\dfrac{4}{3}$ ③ -1

④ $-\dfrac{2}{3}$ ⑤ $-\dfrac{1}{3}$

25 중요

수열 $\{a_n\}$이 모든 자연수 n에 대하여

$$4n^2-3<a_n<4n^2$$

을 만족시킬 때, $\lim\limits_{n\to\infty}\dfrac{3n^2-a_n}{2a_n-6n^2}$의 값을 구하시오.

26

수열 $\{a_n\}$이 모든 자연수 n에 대하여

$$3n-1<na_n<\sqrt{9n^2+n}$$

을 만족시킬 때, $\lim\limits_{n\to\infty}\dfrac{3na_n-a_n}{n+1}$의 값을 구하시오.

유형 5 수열의 극한의 진위 판단

27

두 수열 $\{a_n\}$, $\{b_n\}$에 대하여 〈보기〉에서 옳은 것만을 있는 대로 고른 것은?

┤ 보기 ├
ㄱ. 수열 $\{a_n+b_n\}$이 수렴하면 두 수열 $\{a_n\}$, $\{b_n\}$도 수렴한다.
ㄴ. 두 수열 $\{a_n\}$, $\{b_n\}$이 발산하면 수열 $\{a_nb_n\}$도 발산한다.
ㄷ. $\lim\limits_{n\to\infty}(a_n-b_n)=0$이고, $\lim\limits_{n\to\infty}a_n=\alpha$이면 $\lim\limits_{n\to\infty}b_n=\alpha$이다.
(단, α는 실수이다.)

① ㄱ ② ㄴ ③ ㄷ
④ ㄱ, ㄴ ⑤ ㄱ, ㄷ

28

두 수열 $\{a_n\}$, $\{b_n\}$에 대하여 〈보기〉에서 옳은 것만을 있는 대로 고르시오. (단, α는 실수이다.)

┤ 보기 ├
ㄱ. $\lim\limits_{n\to\infty}a_n=\alpha$, $\lim\limits_{n\to\infty}b_n=0$이면 $\lim\limits_{n\to\infty}a_nb_n=0$이다.
ㄴ. $\lim\limits_{n\to\infty}a_n=\infty$, $\lim\limits_{n\to\infty}b_n=\infty$이면 $\lim\limits_{n\to\infty}(a_n-b_n)=0$이다.
ㄷ. $\lim\limits_{n\to\infty}a_n=\infty$, $\lim\limits_{n\to\infty}(a_n-b_n)=\alpha$이면 $\lim\limits_{n\to\infty}\dfrac{b_n}{a_n}=1$이다.

29

두 수열 $\{a_n\}$, $\{b_n\}$에 대하여 〈보기〉에서 옳은 것만을 있는 대로 고르시오.

┤ 보기 ├
ㄱ. $a_n<b_n$이고, $\lim\limits_{n\to\infty}a_n=\infty$이면 $\lim\limits_{n\to\infty}b_n=\infty$이다.
ㄴ. 두 수열 $\{a_n\}$, $\{b_n\}$이 수렴할 때,
  $a_n<b_n$이면 $\lim\limits_{n\to\infty}a_n<\lim\limits_{n\to\infty}b_n$이다.
ㄷ. $\lim\limits_{n\to\infty}a_nb_n=0$이면 $\lim\limits_{n\to\infty}a_n=0$ 또는 $\lim\limits_{n\to\infty}b_n=0$이다.

유형 6 치환을 이용한 수열의 극한

30

수렴하는 수열 $\{a_n\}$에 대하여
$$\lim_{n\to\infty}\frac{a_{n-1}+20}{a_{n+1}-14}=2$$일 때, $\lim\limits_{n\to\infty}a_n$의 값은?

① 46 ② 48 ③ 50
④ 52 ⑤ 54

31

수열 $\{a_n\}$이 $\lim\limits_{n\to\infty}na_n=\dfrac{1}{9}$을 만족시킬 때, $\lim\limits_{n\to\infty}\dfrac{6n+1}{n^2a_n}$의 값을 구하시오.

32

두 수열 $\{a_n\}$, $\{b_n\}$에 대하여
$$\lim_{n\to\infty}(2n-1)a_n=3, \quad \lim_{n\to\infty}(n^2+3n+2)b_n=2$$
일 때, $\lim\limits_{n\to\infty}(2n+1)^3a_nb_n$의 값을 구하시오.

유형 **7** 극한값의 응용

33

자연수 n에 대하여 $\lim\limits_{n\to\infty}\dfrac{1+3+5+\cdots+(2n-1)}{2+4+6+\cdots+2n}$의 값은?

① $\dfrac{1}{5}$ ② $\dfrac{2}{5}$ ③ $\dfrac{3}{5}$

④ $\dfrac{4}{5}$ ⑤ 1

34

수열 $\{a_n\}$은 첫째항이 1이고 공차가 6인 등차수열이다. 수열 $\{b_n\}$의 일반항이 $b_n=\dfrac{a_n+a_{n+1}}{3}$일 때, $\lim\limits_{n\to\infty}\dfrac{b_n}{a_n}$의 값을 구하시오.

중요
35

수열 $\{a_n\}$의 첫째항부터 제n항까지의 합 S_n이 $S_n=\sqrt{n^2+2n}$일 때, $\lim\limits_{n\to\infty}\dfrac{1}{a_n}$의 값을 구하시오.

36

수렴하는 수열 $\{a_n\}$이 다음과 같을 때, $\lim\limits_{n\to\infty}a_n$의 값은?

$$1,\ 1+\frac{1}{2},\ 1+\cfrac{1}{2+\frac{1}{2}},\ 1+\cfrac{1}{2+\cfrac{1}{2+\frac{1}{2}}},\ \cdots$$

① $\sqrt{2}$ ② $\sqrt{3}$ ③ 2

④ $\sqrt{5}$ ⑤ $\sqrt{6}$

중요
37

이차방정식 $x^2-nx+n+\sqrt{n^2+n}=0$의 두 근을 $\alpha_n,\ \beta_n$이라 할 때, $\lim\limits_{n\to\infty}\left(\dfrac{4}{\alpha_n}+\dfrac{4}{\beta_n}\right)$의 값을 구하시오.

38

이차방정식 $x^2+3x+1=0$의 두 근을 $\alpha,\ \beta$라 할 때, $\lim\limits_{n\to\infty}\left(n-\sqrt{n-\alpha}\,\sqrt{n-\beta}\right)$의 값을 구하시오.

유형 8 도형에서의 극한값의 응용

39

그림과 같이 한 변의 길이가 1인 정사각형을 오른쪽과 위쪽 방향으로 각각 한 개씩 붙여나갈 때, 길이가 1인 선분의 개수를 a_n, 한 변의 길이가 1인 정사각형의 개수를 b_n이라고 한다.

$\lim\limits_{n\to\infty} \dfrac{a_n}{b_n}$의 값은?

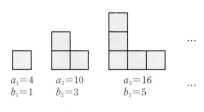

$a_1=4$ $a_2=10$ $a_3=16$
$b_1=1$ $b_2=3$ $b_3=5$

① 2
② $\dfrac{5}{2}$
③ 3
④ $\dfrac{7}{2}$
⑤ 4

40

자연수 n에 대하여 좌표평면 위의 세 점 $A_n(n, n^2)$, $B_n(-2n, 0)$, $C_n(2n, 0)$을 꼭짓점으로 하는 삼각형 $A_nB_nC_n$이 있다. 꼭짓점 A_n에서 변 B_nC_n에 내린 수선의 발을 H_n이라 하자. 세 선분 A_nB_n, A_nC_n, A_nH_n의 길이를 각각 a_n, b_n, c_n이라 할 때, $\lim\limits_{n\to\infty}(a_n+b_n-2c_n)$의 값을 구하시오.

41

자연수 n에 대하여 곡선 $y=x^2-2nx$와 직선 $y=2nx-n^2$의 두 교점을 P_n, Q_n이라고 한다.

$\lim\limits_{n\to\infty}\dfrac{\overline{P_nQ_n}}{n^2}=k$일 때, k^2의 값을 구하시오.

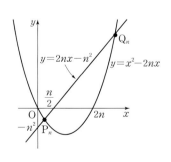

42

자연수 n에 대하여 직선 $y=n$이 두 곡선 $y=2^x$, $y=2^{x-1}$과 만나는 점을 각각 A_n, B_n이라 하자. 또 점 B_n을 지나고 y축과 평행한 직선이 곡선 $y=2^x$과 만나는 점을 C_n이라 하자.

선분 A_nC_n의 길이를 $f(n)$, 선분 B_nC_n의 길이를 $g(n)$이라 할 때, $\lim\limits_{n\to\infty} n\{f(n)-g(n)\}$의 값은?

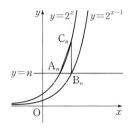

① $\dfrac{1}{5}$
② $\dfrac{1}{4}$
③ $\dfrac{1}{3}$
④ $\dfrac{1}{2}$
⑤ 1

중요 43

좌표평면에서 자연수 n에 대하여 두 직선 $y=\dfrac{1}{n}x$와 $x=n$이 만나는 점을 A_n, 직선 $x=n$과 x축이 만나는 점을 B_n이라 하자. 삼각형 A_nOB_n에 내접하는 원의 중심을 C_n이라 하고, 삼각형 A_nOC_n의 넓이를 S_n이라 하자. $\lim\limits_{n\to\infty}\dfrac{S_n}{n}$의 값을 구하시오.

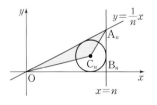

44

두 수열 $\{a_n\}$, $\{b_n\}$이 다음 조건을 만족시킨다.

(가) 모든 자연수 n에 대하여 $a_n > b_n$
(나) $\lim\limits_{n \to \infty} (a_n + b_n) = 5$
(다) $\lim\limits_{n \to \infty} (a_n^2 + b_n^2) = 13$

$\lim\limits_{n \to \infty} \dfrac{a_n}{(a_n + 1)(b_n + 1)}$ 의 값을 구하시오.

45

수열 $\{a_n\}$에 대하여 $S_n = \sum\limits_{k=1}^{n} a_k$라 하자.

$\lim\limits_{n \to \infty} \dfrac{S_n}{n^2} = \dfrac{1}{2}$일 때, $\lim\limits_{n \to \infty} \dfrac{\sum\limits_{k=1}^{n}(2 + a_k)}{\sum\limits_{k=1}^{n}(2k + a_k)}$ 의 값은?

① 2   ② 1   ③ $\dfrac{1}{2}$

④ $\dfrac{1}{3}$ ⑤ $\dfrac{1}{4}$

46

등식 $\lim\limits_{n \to \infty} \sqrt{n}(\sqrt{an+1} - \sqrt{bn}) = \dfrac{1}{6}$을 만족시키는 두 양수 a, b에 대하여 ab의 값을 구하시오.

47

$\lim\limits_{n \to \infty}\{\sqrt{n^2 + 2n + 3} - (an + b)\} = 5$가 성립하도록 두 상수 a, b의 값을 정할 때, $a + b$의 값을 구하시오.

48

자연수 n에 대하여 $\sqrt{n^2 + n + 1}$의 정수 부분과 소수 부분을 각각 a_n, b_n이라 할 때, $\lim\limits_{n \to \infty} \dfrac{a_n b_n}{a_n + b_n}$ 의 값은?

① -1 ② $-\dfrac{1}{2}$ ③ 0

④ $\dfrac{1}{2}$ ⑤ 1

49

수열 $\{a_n\}$이 모든 자연수 n에 대하여 $2n < a_n < 2n + 1$을 만족시킬 때, $\lim\limits_{n \to \infty} \dfrac{a_1 + a_2 + a_3 + \cdots + a_n}{6n^2 + 10}$ 의 값을 구하시오.

50

$\lim\limits_{n\to\infty}\dfrac{an^{k+1}+bn^k-1}{3n^2-2n-1}=-2$일 때, 〈보기〉에서 옳은 것만을 있는 대로 고르시오. (단, a, b, k는 실수이다.)

┤ 보 기 ├
ㄱ. $a=0$이면 $b+k=-4$
ㄴ. $b>0$이면 $a+k=-7$
ㄷ. $abk\leq0$

51

두 수열 $\{a_n\}$, $\{b_n\}$에 대하여 〈보기〉에서 옳은 것만을 있는 대로 고른 것은?

┤ 보 기 ├
ㄱ. 두 수열 $\{a_nb_n\}$, $\left\{\dfrac{a_n}{b_n}\right\}$이 모두 수렴하면 수열 $\{b_n\}$도 수렴한다.

ㄴ. $\lim\limits_{n\to\infty}a_n=\infty$, $\lim\limits_{n\to\infty}(b_n-a_n)=\alpha$ (α는 실수)이면 $\lim\limits_{n\to\infty}\dfrac{3b_n}{a_n}=3$이다.

ㄷ. $a_nb_n\neq0$이고 $\lim\limits_{n\to\infty}a_n=\lim\limits_{n\to\infty}b_n$이면 $\lim\limits_{n\to\infty}\dfrac{b_n}{a_n}=1$이다.

① ㄱ   ② ㄴ   ③ ㄷ
④ ㄱ, ㄴ   ⑤ ㄴ, ㄷ

52

수렴하는 두 수열 $\{a_n\}$, $\{b_n\}$이 자연수 n에 대하여
$$a_{n+1}=2b_n+3,\quad b_{n+1}=3a_n+2$$
를 만족시킬 때, $\lim\limits_{n\to\infty}\dfrac{a_n+b_n}{a_n}=\dfrac{q}{p}$이다. $p+q$의 값을 구하시오.

(단, p와 q는 서로소인 자연수이다.)

53

수열 $\{a_n\}$의 일반항이 $a_n=4n-3$일 때,
$\lim\limits_{n\to\infty}(\sqrt{a_2+a_4+a_6+\cdots+a_{2n}}-\sqrt{a_1+a_3+a_5+\cdots+a_{2n-1}})$의 값을 구하시오.

54

두 등차수열 $\{a_n\}$, $\{b_n\}$이 $\lim\limits_{n\to\infty}\dfrac{a_nb_n}{4n^2-1}=2$를 만족시킬 때,
$\lim\limits_{n\to\infty}\dfrac{\sum\limits_{k=1}^{n}a_k\sum\limits_{k=1}^{n}b_k}{n^4}$의 값은?

① $\dfrac{1}{4}$ ② $\dfrac{1}{2}$ ③ 1
④ 2   ⑤ 4

55

좌표평면 위에 두 점 $O(0,0)$, $A(2,0)$과 직선 $y=2$ 위를 움직이는 점 $P(t,2)$가 있다. 선분 AP와 직선 $y=\dfrac{1}{2}x$가 만나는 점을 Q

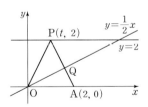

라 하자. 삼각형 QOA의 넓이가 삼각형 POA의 넓이의 $\dfrac{1}{3}$일 때 t의 값을 t_1, $\dfrac{1}{2}$일 때 t의 값을 t_2, $\cdots$, $\dfrac{n}{n+2}$일 때 t의 값을 t_n이라 하면 $\lim\limits_{n\to\infty}t_n$의 값을 구하시오.

56

함수 $f(x)=\sqrt{5x-6}$에 대하여 수열 $\{a_n\}$이 다음 조건을 만족시킬 때, $\lim\limits_{n\to\infty} a_n$의 값을 구하시오.

(가) $a_1 > 2$

(나) $a_{n+1}=f(a_n)$ ($n=1, 2, 3, \cdots$)

57

그림과 같이 자연수 n에 대하여 x축 위의 점 $(n, 0)$을 중심으로 하고 직선 $x-2y=0$에 접하는 원을 C_n, 원 C_n이 x축과 만나는 두 점을 각각 P_n, Q_n이라 하자.

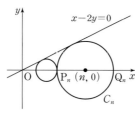

원 C_n과 직선 $x-2y=0$에 동시에 접하고 점 P_n을 지나는 원의 반지름의 길이를 r_n이라 할 때, $\lim\limits_{n\to\infty} \dfrac{r_n}{n}=a+b\sqrt{5}$이다.

$10(b-a)$의 값을 구하시오. (단, a, b는 유리수이다.)

58

자연수 n에 대하여 두 점 P_{n-1}, P_n이 함수 $y=x^2$의 그래프 위의 점일 때, 점 P_{n+1}을 다음 규칙에 따라 정한다.

(가) 두 점 P_0, P_1의 좌표는 각각 $(0, 0)$, $(1, 1)$이다.

(나) 점 P_{n+1}은 점 P_n을 지나고 직선 $P_{n-1}P_n$에 수직인 직선과 함수 $y=x^2$의 그래프의 교점이다.

(단, P_n과 P_{n+1}은 서로 다른 점이다.)

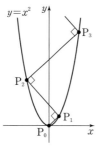

$l_n=\overline{P_{n-1}P_n}$이라 할 때, $\lim\limits_{n\to\infty} \dfrac{l_n}{n}$의 값을 구하시오.

 최고난도 문제

59

그림과 같이 자연수 n에 대하여 곡선 $y=x^2$ 위의 점 $P_n(n, n^2)$에서의 접선을 l_n이라 하고, 직선 l_n이 y축과 만나는 점을 Y_n이라 하자. x축에 접하고 점 P_n에서 직선 l_n에 접하는 원을 C_n, y축에 접하고 점 P_n에서 직선 l_n에 접하는 원을 $C_n{}'$이라 할 때, 원 C_n과 x축의 교점을 Q_n, 원 $C_n{}'$과 y축의 교점을 R_n이라 하자.

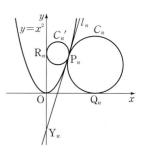

$\lim\limits_{n\to\infty} \dfrac{\overline{OQ_n}}{\overline{Y_nR_n}}=\alpha$라 할 때, 100α의 값을 구하시오. (단, O는 원점이고, 점 Q_n의 x좌표와 점 R_n의 y좌표는 양수이다.)

60

그림과 같이 한 변의 길이가 2인 정사각형을 [도형 1]이라 하자. [도형 1]의 아랫변에 가로의 길이가 4, 세로의 길이가 2인 직사각형을 한 직선에 대해 대칭이 되도록 이어 붙여 만든 도형을 [도형 2]라 하자. 한 직선은 [도형 2]의 가장 긴 변의 중점을 지난다. 이와 같은 방법으로 3 이상의 자연수 n에 대하여 [도형 $(n-1)$]의 아랫변에 가로의 길이가 $2n$, 세로의 길이가 2인 직사각형을 이어 붙여 만든 도형을 [도형 n]이라 하자.

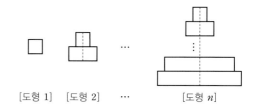

[도형 1]　[도형 2]　$\cdots$　[도형 n]

자연수 n에 대하여 [도형 n]을 포함하는 원들 중에서 가장 작은 원의 넓이를 a_n이라 하자. $\lim\limits_{n\to\infty} \dfrac{80a_n}{\pi n^2}$의 값을 구하시오.

02 등비수열의 극한

02 등비수열의 극한

1 등비수열의 수렴과 발산

등비수열 $\{r^n\}$에서

(1) $r>1$일 때, $\lim_{n \to \infty} r^n = \infty$ (발산)

(2) $r=1$일 때, $\lim_{n \to \infty} r^n = 1$ (수렴)

(3) $-1<r<1$일 때, $\lim_{n \to \infty} r^n = 0$ (수렴)

(4) $r \leq -1$일 때, 수열 $\{r^n\}$은 진동 (발산)

2 등비수열의 극한

(1) 분수식의 극한 $\left(\dfrac{\infty}{\infty} \text{ 꼴} \right)$

➡ 분모에서 밑의 절댓값이 가장 큰 항으로 분모와 분자를 나눈다.

(2) 다항식의 극한 $(\infty - \infty \text{ 꼴})$

➡ 밑의 절댓값이 가장 큰 항으로 묶어낸다.

3 등비수열의 수렴 조건

(1) 등비수열 $\{r^n\}$이 수렴하기 위한 조건 ➡ $-1 < r \leq 1$

(2) 등비수열 $\{ar^{n-1}\}$이 수렴하기 위한 조건 ➡ $a=0$ 또는 $-1 < r \leq 1$

4 r^n을 포함한 수열의 극한

r^n을 포함한 수열의 극한은 r의 값의 범위를 다음의 네 가지로 나누어 구한다.

(ⅰ) $|r| < 1$ (ⅱ) $r=1$

(ⅲ) $r=-1$ (ⅳ) $|r| > 1$

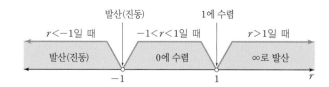

쌤이 꼭 내는 기본 문제

01

〈보기〉의 수열 중에서 수렴하는 것의 개수는?

┤ 보기 ├

ㄱ. $\left\{\dfrac{1}{3^n}\right\}$ ㄴ. $\{(0.99)^n\}$ ㄷ. $\{2+(-1)^n\}$

ㄹ. $\left\{\left(-\dfrac{3}{4}\right)^n\right\}$ ㅁ. $\left\{\dfrac{2^{2n}}{3^n}\right\}$

① 1   ② 2   ③ 3

④ 4   ⑤ 5

02

$\displaystyle\lim_{n\to\infty}\dfrac{5\times3^{n+1}+2^{n+1}}{3^n+2^n}$ 의 값을 구하시오.

03

수열 $\{a_n\}$에 대하여 $\displaystyle\lim_{n\to\infty}a_n=12$일 때, $\displaystyle\lim_{n\to\infty}\dfrac{3^{n-1}a_n+2^n}{2^na_n+2\times3^n}$ 의 값을 구하시오.

04

수열 $\{(x^2-2x)^n\}$이 수렴하도록 하는 정수 x의 개수를 구하시오.

05

첫째항이 1이고, 공차가 2인 등차수열 $\{a_n\}$에 대하여 수열 $\{x^{a_n}\}$이 수렴하도록 하는 실수 x의 값의 범위는?

① $-1<x<0$ ② $-1\le x<0$ ③ $-1<x\le0$

④ $-1\le x\le0$ ⑤ $-1\le x\le1$

06

함수 $F(r)$가 $F(r)=\displaystyle\lim_{n\to\infty}\dfrac{1-r^n}{1+r^{n+2}}$ 일 때,

$F\left(\dfrac{1}{2}\right)+F(\sqrt{2})+F(2)$의 값을 구하시오.

07

$\displaystyle\lim_{n\to\infty}\dfrac{1+2+2^2+\cdots+2^n}{1+3+3^2+\cdots+3^n}$ 의 값을 구하시오.

08

수열 $\{a_n\}$의 첫째항부터 제 n항까지의 합 S_n이 $S_n=n\times2^n$일 때,

$\displaystyle\lim_{n\to\infty}\dfrac{S_n}{a_n}$ 의 값을 구하시오.

09

$\lim\limits_{n \to \infty} \dfrac{4^n + 2}{4^{n-1} + 3^{-n}}$ 의 값을 구하시오.

10

$\lim\limits_{n \to \infty} \dfrac{2^{n+1} - 2^{2n}}{3^n + 2^{2n-1}}$ 의 값을 구하시오.

11

$\lim\limits_{n \to \infty} \dfrac{2^{n+2} + 3^{n-1} + 4}{\sqrt{9^n + 2^{2n}}}$ 의 값은?

① $\dfrac{1}{3}$　　　　② $\dfrac{2}{3}$　　　　③ 1

④ $\dfrac{4}{3}$　　　　⑤ $\dfrac{5}{3}$

12

$\lim\limits_{n \to \infty} \{(\log 3)^n - (\log 2)^n\}$ 에 대한 설명으로 옳은 것은?

① ∞로 발산　　② 0에 수렴　　③ 1에 수렴

④ 2에 수렴　　⑤ 3에 수렴

13

$0 < a < b$일 때, $\lim\limits_{n \to \infty} \dfrac{a^n + b^{n+1}}{a^{n+1} + b^n}$ 의 값은?

① 0　　　　② $\dfrac{1}{b}$　　　　③ $\dfrac{1}{a}$

④ a　　　　⑤ b

14

모든 자연수 n에 대하여 수열 $\{a_n\}$이

$$4^{n+1} - 3^n < (2^{n+1} + 4^{n-1})a_n < 2^n + 4^{n+1}$$

을 만족시킬 때, $\lim\limits_{n \to \infty} a_n$의 값을 구하시오.

유형 2 수열의 극한의 성질을 이용한 극한값의 계산

15

두 수열 $\{a_n\}$, $\{b_n\}$에 대하여 $\lim\limits_{n\to\infty} a_n = 3$, $\lim\limits_{n\to\infty} b_n = 15$일 때,

$\lim\limits_{n\to\infty} \dfrac{3^n a_n + 5^{n-1} b_n}{5^n a_n + 3 \times 4^{n+1}}$ 의 값을 구하시오.

16

수렴하는 수열 $\{a_n\}$에 대하여 $\lim\limits_{n\to\infty} \dfrac{(-2)^n + 3^{n-1} a_n}{2^n a_n - 3^n} = 4$일 때,

$\lim\limits_{n\to\infty} a_n$의 값을 구하시오.

17

수열 $\{a_n\}$에 대하여 $\lim\limits_{n\to\infty} \dfrac{5^n a_n}{3^n + 1}$ 의 값이 0이 아닌 상수일 때,

$\lim\limits_{n\to\infty} \dfrac{a_n}{a_{n+1}}$의 값은?

① $\dfrac{2}{3}$　　　② $\dfrac{4}{5}$　　　③ $\dfrac{5}{3}$

④ $\dfrac{9}{5}$　　　⑤ $\dfrac{8}{3}$

유형 3 등비수열의 수렴 조건

18

등비수열 $\{(\log_2 x - 3)^n\}$이 수렴하도록 하는 모든 자연수 x의 개수를 구하시오.

19

두 등비수열 $\{2x^{2n}\}$, $\{(x+1)(x-1)^{n-1}\}$이 동시에 수렴하도록 하는 모든 정수 x의 값의 합을 구하시오.

20

등비수열 $\{r^{2n}\}$이 수렴할 때, 〈보기〉의 수열 중에서 항상 수렴하는 것만을 있는 대로 고른 것은?

┤ 보기 ├

ㄱ. $\left\{ \left(\dfrac{r}{3} \right)^n \right\}$　　　ㄴ. $\{(3r)^n\}$　　　ㄷ. $\left\{ \left(\dfrac{1+r}{3-r} \right)^n \right\}$

① ㄱ　　　② ㄷ　　　③ ㄱ, ㄴ

④ ㄱ, ㄷ　　　⑤ ㄴ, ㄷ

유형 **4** r^n을 포함한 식의 극한

21

〈보기〉에서 수열 $\left\{\dfrac{r^{2n+1}-1}{r^{2n}+1}\right\}$의 극한값이 될 수 있는 것만을 있는

대로 고르시오.

┤ 보기 ├

ㄱ. -1　　　　ㄴ. 0　　　　ㄷ. $\dfrac{1}{2}$

ㄹ. 1　　　　ㅁ. 2

22

$r>0$일 때, $\displaystyle\lim_{n\to\infty}\dfrac{r^{n+1}+2r+5}{r^n+1}=4$를 만족시키는 모든 r의 값의

합을 구하시오.

23

$r\neq-1$인 모든 실수 r에 대하여 정의된 함수

$f(r)=\displaystyle\lim_{n\to\infty}\dfrac{1+2r^n}{1+r^n}$일 때, 함수 $y=f(r)$의 그래프로 적당한

것은?

①　　　　　　　　　②

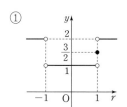　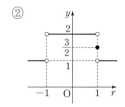

③　　　　　　　　　④

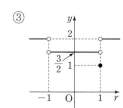　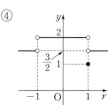

⑤

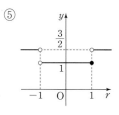

유형 **5** 등비수열의 극한값의 응용

24

수열 $\dfrac{1}{2},\ \dfrac{1+2}{2^2},\ \dfrac{1+2+2^2}{2^3},\ \dfrac{1+2+2^2+2^3}{2^4},\ \cdots$의 극한값을

구하시오.

25

수열 $\{a_n\}$이 $a_1=2$, $a_{n+1}=\sqrt{2}a_n$ $(n=1, 2, 3, \cdots)$으로 정의될 때,

$\displaystyle\lim_{n\to\infty}\dfrac{1+a_{n+1}}{2-a_n}$의 값을 구하시오.

26

수열 $3, 6, 12, 24, \cdots$의 제n항을 a_n이라 하고, 첫째항부터 제n항

까지의 합을 S_n이라 할 때, $\displaystyle\lim_{n\to\infty}\dfrac{a_n}{S_n}$의 값은?

① $\dfrac{1}{3}$　　　　② $\dfrac{1}{2}$　　　　③ $\dfrac{2}{3}$

④ 1　　　　⑤ $\dfrac{3}{2}$

27

수열 $\{a_n\}$의 첫째항부터 제n항까지의 합 S_n이 $S_n = 10^n - 3$일 때, $\displaystyle\lim_{n\to\infty} \frac{S_n}{a_n}$의 값을 구하시오.

28

이차방정식 $x^2 - 6x + 4 = 0$의 두 실근을 α, β라 할 때, $\displaystyle\lim_{n\to\infty} \frac{\alpha^{n-1} + \beta^{n-1}}{\alpha^{n+1} + \beta^{n+1}}$의 값은?

① $\dfrac{-7 - 3\sqrt{5}}{8}$ ② $\dfrac{-7 + 3\sqrt{5}}{8}$ ③ $\dfrac{7 - 3\sqrt{5}}{8}$

④ 1 ⑤ $\dfrac{7 + 3\sqrt{5}}{8}$

29 중요

수열 $\{a_n\}$이 모든 자연수 n에 대하여 다음 조건을 만족시킨다.

$$a_n > 0, \quad \frac{a_{n+1}}{a_n} \le \frac{999}{1000}$$

$\displaystyle\lim_{n\to\infty} \frac{999a_n + 10n - 2}{a_{n+1} - 2n + 3}$의 값을 구하시오.

유형 6 등비수열의 극한값의 활용

30

두 수열 $\{a_n\}$, $\{b_n\}$의 일반항이 $a_n = 10^n$, $b_n = 5^n$일 때, 좌표평면 위의 두 점 P_n, Q_n을 $P_n(a_n, n)$, $Q_n(b_n, n)$이라 정의하자.

$\displaystyle\lim_{n\to\infty} \frac{\overline{P_{n+1}Q_{n+1}}}{\overline{P_nQ_n}}$의 값을 구하시오.

31

두 수열 $\{a_n\}$, $\{b_n\}$의 일반항이 $a_n = 2^n$, $b_n = 3^n$일 때, 좌표평면 위의 두 점 P_n, Q_n을 $P_n(n, a_n)$, $Q_n(n, b_n)$이라 정의하자.
삼각형 $P_nQ_nP_{n-1}$의 넓이를 S_n이라 하고 $T_n = \sum\limits_{k=1}^{n} S_k$라 할 때, $\displaystyle\lim_{n\to\infty} \frac{T_n}{3^n}$의 값을 구하시오. (단, 점 P_0의 좌표는 $(0, 1)$이다.)

32 중요

자연수 n에 대하여 원 $x^2 + y^2 = 4^n + 4$ 위의 점 $P_n(2^n, 2)$에서의 접선이 x축과 만나는 점을 Q_n이라 할 때, 삼각형 OP_nQ_n의 넓이를 S_n이라 하자. $\displaystyle\lim_{n\to\infty} \frac{S_n}{S_{n+1}}$의 값은? (단, O는 원점이다.)

① 0 ② $\dfrac{1}{4}$ ③ $\dfrac{1}{2}$

④ 1 ⑤ 2

33

수열 $\left\{\left(\sqrt{2}\sin\dfrac{\pi}{8}x\right)^n\right\}$이 수렴하도록 하는 100 이하의 자연수 x의 개수를 구하시오.

34

모든 실수 x에서 정의된 함수 $f(x)=\lim\limits_{n\to\infty}\dfrac{x^{2n-1}+x^{2n}}{x^{2n+1}+x^{2n}+1}$에 대하여 〈보기〉에서 옳은 것만을 있는 대로 고른 것은?

┤ 보기 ├
ㄱ. $f(f(1))=f(f(-1))$
ㄴ. $|x|>1$이면 $f\left(\dfrac{1}{x}\right)=x$
ㄷ. $0<x_1<x_2<1$이면 $f(x_1)\leq f(x_2)$

① ㄱ   ② ㄷ   ③ ㄱ, ㄷ
④ ㄴ, ㄷ   ⑤ ㄱ, ㄴ, ㄷ

35

수열 $\{a_n\}$이 모든 자연수 n에 대하여 $\dfrac{a_{n+1}}{a_n}=\sqrt{\dfrac{n}{n+1}}$을 만족시킬 때, $\lim\limits_{n\to\infty}\dfrac{a_{n+1}+2^n-4^n}{2a_n+3^n+5^n}$의 값을 구하시오.

36

2 이상의 자연수 n에 대하여 다항식 x^n을 $(x-2)(x-3)$으로 나누었을 때의 나머지를 $R_n(x)$라 할 때, $\lim\limits_{n\to\infty}\dfrac{R_n(0)}{R_n(1)}$의 값을 구하시오.

37

수열 $\{a_n\}$의 첫째항부터 제n항까지의 합을 S_n이라 할 때,
$$S_1=1,\ S_2=4,$$
$$S_{n+2}=3S_{n+1}-2S_n\ (n=1,\ 2,\ 3,\ \cdots)$$
으로 정의된 수열 $\{a_n\}$에 대하여 $\lim\limits_{n\to\infty}\dfrac{S_n}{a_n}$의 값을 구하시오.

 최고난도 문제

38

자연수 n에 대하여 좌표평면 위의 세 점 $A_n(x_n,\ 0)$, $B_n(0,\ x_n)$, $C_n(x_n,\ x_n)$을 꼭짓점으로 하는 직각이등변삼각형 T_n을 다음 조건에 따라 그린다.

㈎ $x_1=1$이다.
㈏ 변 $A_{n+1}B_{n+1}$의 중점이 C_n이다.
    (단, $n=1,\ 2,\ 3,\ \cdots$)

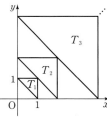

삼각형 T_n의 넓이를 a_n, 삼각형 T_n의 세 변 위에 있는 점 중에서 x좌표와 y좌표가 모두 정수인 점의 개수를 b_n이라 할 때, $\lim\limits_{n\to\infty}\dfrac{2^n b_n}{a_n+2^n}$의 값을 구하시오.

03 급수

03 급수

① 급수의 합

부분합 S_n의 수열 S_1, S_2, S_3, …에 대하여

$$S = \lim_{n \to \infty} S_n = \lim_{n \to \infty} \sum_{k=1}^{n} a_k$$

② 급수의 수렴과 발산

급수 $\sum\limits_{n=1}^{\infty} a_n$의 부분합을 S_n이라 할 때

(1) 수열 $\{S_n\}$이 수렴하면 급수 $\sum\limits_{n=1}^{\infty} a_n$은 수렴한다.

(2) 수열 $\{S_n\}$이 발산하면 급수 $\sum\limits_{n=1}^{\infty} a_n$은 발산한다.

③ 급수와 극한값 사이의 관계

(1) 급수 $\sum\limits_{n=1}^{\infty} a_n$이 수렴하면 $\lim\limits_{n \to \infty} a_n = 0$이다. (단, 역은 성립하지 않는다.)

(2) $\lim\limits_{n \to \infty} a_n \neq 0$이면 급수 $\sum\limits_{n=1}^{\infty} a_n$은 발산한다.

④ 급수의 성질

두 급수 $\sum\limits_{n=1}^{\infty} a_n$, $\sum\limits_{n=1}^{\infty} b_n$이 모두 수렴하면

(1) $\sum\limits_{n=1}^{\infty} ca_n = c \sum\limits_{n=1}^{\infty} a_n$ (단, c는 상수)

(2) $\sum\limits_{n=1}^{\infty} (a_n \pm b_n) = \sum\limits_{n=1}^{\infty} a_n \pm \sum\limits_{n=1}^{\infty} b_n$ (복부호 동순)

01

급수 $\sum\limits_{n=1}^{\infty} \dfrac{1}{n(n+1)}$ 의 합은?

① $\dfrac{1}{3}$　　　② $\dfrac{1}{2}$　　　③ $\dfrac{2}{3}$

④ 1　　　⑤ $\dfrac{3}{2}$

02

다음 급수의 합을 구하시오.

$$\dfrac{1}{1\times 3} + \dfrac{1}{2\times 4} + \dfrac{1}{3\times 5} + \dfrac{1}{4\times 6} + \cdots$$

03

급수 $\sum\limits_{k=2}^{\infty} \log\left(1-\dfrac{1}{k}\right)$ 의 합에 대한 설명으로 옳은 것은?

① $-\dfrac{1}{2}$ 에 수렴　　② 0 에 수렴　　③ $\dfrac{1}{2}$ 에 수렴

④ 1 에 수렴　　⑤ $-\infty$ 로 발산

04

〈보기〉의 급수 중에서 수렴하는 것만을 있는 대로 고르시오.

┤ 보기 ├

ㄱ. $2 - \dfrac{1}{3} + \dfrac{1}{3} - \dfrac{1}{5} + \dfrac{1}{5} - \dfrac{1}{7} + \cdots$

ㄴ. $\dfrac{1}{2} - \dfrac{2}{3} + \dfrac{2}{3} - \dfrac{3}{4} + \dfrac{3}{4} - \dfrac{4}{5} + \cdots$

ㄷ. $\left(\dfrac{1}{2} - \dfrac{2}{3}\right) + \left(\dfrac{2}{3} - \dfrac{3}{4}\right) + \left(\dfrac{3}{4} - \dfrac{4}{5}\right) + \cdots$

05

급수 $\sum\limits_{n=1}^{\infty} (\sqrt{n+1} - \sqrt{n})$ 의 합에 대한 설명으로 옳은 것은?

① -2 에 수렴　　② 0 에 수렴　　③ 2 에 수렴

④ 4 에 수렴　　⑤ ∞ 로 발산

06

수열 $\{a_n\}$ 의 일반항이 $a_n = \dfrac{1}{\sqrt{n+2}} - \dfrac{1}{\sqrt{n}}$ 일 때, 급수 $\sum\limits_{n=1}^{\infty} a_n$ 의 합을 구하시오.

07

수열 $\{a_n\}$ 에 대하여 $\sum\limits_{n=1}^{\infty} a_n = 2000$ 일 때, $\lim\limits_{n\to\infty} \dfrac{-2a_n+6}{a_n+2}$ 의 값을 구하시오.

08

두 수열 $\{a_n\}$, $\{b_n\}$ 에 대하여 $\sum\limits_{n=1}^{\infty} a_n = 4$, $\sum\limits_{n=1}^{\infty} b_n = 10$ 일 때, $\sum\limits_{n=1}^{\infty} (a_n + 5b_n)$ 의 값을 구하시오.

유형 **1** 부분분수를 이용하는 급수

09

급수 $\displaystyle\sum_{n=1}^{\infty} \dfrac{1}{4n^2-1}$ 의 합을 구하시오.

10

다음 급수의 합은?

$$\dfrac{1}{1^2+3} + \dfrac{1}{2^2+6} + \dfrac{1}{3^2+9} + \dfrac{1}{4^2+12} + \cdots$$

① $\dfrac{5}{9}$ ② $\dfrac{11}{18}$ ③ $\dfrac{2}{3}$

④ $\dfrac{13}{18}$ ⑤ $\dfrac{7}{9}$

11

급수 $\displaystyle\sum_{n=1}^{\infty} \dfrac{2}{n(n+1)(n+2)}$ 의 합을 구하시오.

12 중요

급수 $\dfrac{3}{1^2} + \dfrac{5}{1^2+2^2} + \dfrac{7}{1^2+2^2+3^2} + \cdots$ 의 합을 구하시오.

13

수열 $\{a_n\}$의 첫째항부터 제n항까지의 합 S_n이 $S_n=n^2$일 때, 급수 $\displaystyle\sum_{n=1}^{\infty} \dfrac{2}{a_n a_{n+1}}$ 의 합을 구하시오.

14 중요

x에 대한 이차방정식 $x^2-(n+1)x+n^2+2n=0$의 두 근을 α_n, β_n이라 할 때, $\displaystyle\sum_{n=1}^{\infty} \dfrac{1}{(\alpha_n-1)(\beta_n-1)}$ 의 값은?

① -1 ② $\dfrac{1}{2}$ ③ 1

④ $\dfrac{5}{3}$ ⑤ 2

유형 2 로그를 포함한 급수

15

수열 $\{a_n\}$에 대하여

$$a_1 a_2 a_3 \cdots a_n = \frac{n+2}{9n-1} \ (n=1, 2, 3, \cdots)$$

가 성립할 때, 급수 $\displaystyle\sum_{n=1}^{\infty} \log_3 a_n$의 합은?

① -2　　　② -1　　　③ 0

④ 1　　　⑤ 2

16

급수 $\displaystyle\sum_{n=2}^{\infty} \log\left(1 + \frac{1}{n^2-1}\right)$의 합을 구하시오.

17

정수 n에 대하여 함수 $f(n)$을 $f(n) = \displaystyle\sum_{k=2}^{n} \log_2 \frac{k^2-1}{k^2}$이라 정의할 때, $\displaystyle\lim_{n\to\infty} 2^{f(n)}$의 값을 구하시오.

유형 3 여러 가지 급수

18

급수 $2 - \dfrac{4}{5} + \dfrac{4}{5} - \dfrac{6}{7} + \dfrac{6}{7} - \dfrac{8}{9} + \cdots$에 대한 설명으로 옳은 것은?

① $\dfrac{1}{2}$에 수렴　　　② 1에 수렴　　　③ $\dfrac{3}{2}$에 수렴

④ 2에 수렴　　　⑤ 발산

19

〈보기〉의 급수 중에서 수렴하는 것만을 있는 대로 고르시오.

│보 기│

> ㄱ. $2 - 2 + 2 - 2 + \cdots$
>
> ㄴ. $\left(1 - \dfrac{1}{2}\right) + \left(\dfrac{1}{2} - \dfrac{1}{3}\right) + \left(\dfrac{1}{3} - \dfrac{1}{4}\right) + \cdots$
>
> ㄷ. $2 - \dfrac{1}{2} + \dfrac{1}{2} - \dfrac{1}{3} + \dfrac{1}{3} - \dfrac{1}{4} + \cdots$

중요
20

수열 $\{a_n\}$의 일반항이 $a_n = \dfrac{1}{\sqrt{n+1} + \sqrt{n}}$이고, 제 n항까지의 부분합을 S_n이라 할 때, $\displaystyle\lim_{n\to\infty} \dfrac{1}{S_n}$의 값을 구하시오.

유형 ④ 급수와 극한값 사이의 관계

21

수열 $\{a_n\}$에 대하여 $\sum\limits_{n=1}^{\infty} (a_n+3)=5$일 때, $\lim\limits_{n \to \infty} a_n$의 값은?

① -1 ② -2 ③ -3

④ -4 ⑤ -5

22

수열 $\{a_n\}$에 대하여 급수

$$\left(a_1-\frac{1}{2}\right)+\left(a_2-\frac{2}{3}\right)+\cdots+\left(a_n-\frac{n}{n+1}\right)+\cdots$$

이 수렴할 때, $\lim\limits_{n \to \infty} (3a_n+1)$의 값을 구하시오.

23

수열 $\{a_n\}$에 대하여 급수

$$(a_1-1)+\left(a_2-\frac{2^3}{1^2+2^2}\right)+\left(a_3-\frac{3^3}{1^2+2^2+3^2}\right)+\cdots$$
$$+\left(a_n-\frac{n^3}{1^2+2^2+3^2+\cdots+n^2}\right)+\cdots$$

이 수렴할 때, $\lim\limits_{n \to \infty} a_n$의 값을 구하시오.

24

$\sum\limits_{n=1}^{\infty} \dfrac{an^2+30}{9n^2-3n-2}=b$를 만족시키는 두 실수 a, b에 대하여 $b-a$의 값을 구하시오.

25

〈보기〉의 급수 중에서 수렴하는 것만을 있는 대로 고른 것은?

┤ 보기 ├

ㄱ. $\sum\limits_{n=1}^{\infty} \dfrac{n-1}{2n+1}$

ㄴ. $\sum\limits_{n=1}^{\infty} \left(-\dfrac{1}{\sqrt{2}}\right)^n$

ㄷ. $\sum\limits_{n=1}^{\infty} \dfrac{1}{\sqrt{n+1}+\sqrt{n}}$

① ㄱ ② ㄴ ③ ㄱ, ㄷ

④ ㄴ, ㄷ ⑤ ㄱ, ㄴ, ㄷ

26

두 수열 $\{a_n\}$, $\{b_n\}$에 대하여 〈보기〉의 설명 중에서 옳은 것만을 있는 대로 고르시오.

┤ 보기 ├

ㄱ. $\lim\limits_{n \to \infty} a_n=1$이면 급수 $\sum\limits_{n=1}^{\infty} a_n$은 수렴한다.

ㄴ. $a_n \neq 0$이고, $\sum\limits_{n=1}^{\infty} a_n$이 수렴하면 $\sum\limits_{n=1}^{\infty} \dfrac{1}{a_n}$은 발산한다.

ㄷ. $\sum\limits_{n=1}^{\infty} a_nb_n$이 수렴하면 $\lim\limits_{n \to \infty} a_n=0$ 또는 $\lim\limits_{n \to \infty} b_n=0$이다.

유형 5 급수의 성질

27
수열 $\{a_n\}$에 대하여 $a_1+a_2+a_3+\cdots=2$이고 $\lim\limits_{n\to\infty}na_{n+1}=1$일 때, $\sum\limits_{n=1}^{\infty}n(a_{n+1}-a_n)$의 값은?

① -3 ② -2 ③ -1

④ 0 ⑤ 1

28
수열 $\{a_n\}$에 대하여

$$\sum_{n=1}^{\infty}(2n-1)a_n=2014,\ \lim_{n\to\infty}n^2a_{n+1}=14$$

일 때, $\dfrac{1}{50}\sum\limits_{n=1}^{\infty}n^2(a_n-a_{n+1})$의 값을 구하시오.

29
두 급수 $\sum\limits_{n=1}^{\infty}a_n$, $\sum\limits_{n=1}^{\infty}b_n$이 모두 수렴하고

$$\sum_{n=1}^{\infty}(2a_n-b_n)=5,\ \sum_{n=1}^{\infty}(a_n-2b_n)=4$$

일 때, $\sum\limits_{n=1}^{\infty}(a_n+b_n)$의 값을 구하시오.

유형 6 급수의 활용

30
그림과 같이 2 이상의 임의의 자연수 n에 대하여 점 $(n, 0)$에서 원 $x^2+y^2=1$에 그은 접선의 접점을 A_n이라 하고 점 $(n, 0)$과 점 A_n 사이의 길이를 l_n이라 할 때, $\sum\limits_{n=2}^{\infty}\dfrac{4}{l_n^2}$의 값은?

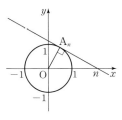

① $\dfrac{1}{3}$ ② $\dfrac{1}{2}$ ③ 1

④ 2 ⑤ 3

31
좌표평면에서 직선 $x-3y+6=0$ 위에 있는 점 중에서 x좌표와 y좌표가 자연수인 모든 점의 좌표를 각각 (a_1, b_1), (a_2, b_2), $\cdots$, (a_n, b_n), $\cdots$이라 할 때, 급수 $\sum\limits_{n=1}^{\infty}\dfrac{1}{a_nb_n}$의 합을 구하시오.

(단, $a_1<a_2<\cdots<a_n<\cdots$)

32
자연수 n에 대하여 6^n의 모든 양의 약수 중에서 짝수의 개수를 $f(n)$, 홀수의 개수를 $g(n)$이라 할 때, 수열 $\{a_n\}$을

$$a_n=f(n)-g(n)$$

으로 정의하자. $\sum\limits_{n=2}^{\infty}\dfrac{1}{a_n}$의 값을 구하시오.

1등급 문제

33

수열 a_1, $2a_2$, $3a_3$, $\cdots$, na_n, $\cdots$의 첫째항부터 제n항까지의 합이 $n^2(n+1)$이라 할 때, $\sum\limits_{n=1}^{\infty} \dfrac{1}{a_n a_{n+1}}$의 값은?

① $\dfrac{1}{6}$ ② $\dfrac{1}{3}$ ③ $\dfrac{1}{2}$

④ $\dfrac{2}{3}$ ⑤ $\dfrac{5}{6}$

34

수열 $\{a_n\}$의 일반항이 $a_n = (n+1)d$이고, 첫째항부터 제 n항까지의 합을 S_n이라 하자. $\sum\limits_{n=1}^{\infty} \dfrac{1}{S_n} = \dfrac{11}{54}$일 때, $\lim\limits_{n\to\infty} \left(\sqrt{S_{n+1}} - \sqrt{S_n}\right)$의 값을 구하시오.

35

수열 $\{a_n\}$이
$$a_1 = 1,\ a_2 = 2,\ a_{n+2} = a_{n+1} + a_n \ (n=1, 2, 3, \cdots)$$
으로 정의될 때, 급수 $\sum\limits_{n=1}^{\infty} \dfrac{a_n}{a_{n+1} a_{n+2}}$의 합을 구하시오.

36

두 수열 $\{a_n\}$, $\{b_n\}$에 대하여 〈보기〉에서 옳은 것만을 있는 대로 고르시오.

┤보기├

ㄱ. $\sum\limits_{n=1}^{\infty} |a_n|$이 수렴하면 수열 $\{a_n\}$도 수렴한다.

ㄴ. $\sum\limits_{n=1}^{\infty} a_n$, $\sum\limits_{n=1}^{\infty} (a_n + b_n)$이 수렴하면 $\sum\limits_{n=1}^{\infty} b_n$도 수렴한다.

ㄷ. $\sum\limits_{n=1}^{\infty} a_n$과 $\sum\limits_{n=1}^{\infty} b_n$이 수렴하면 $\sum\limits_{n=1}^{\infty} 3^{a_n + b_n}$도 수렴한다.

37

자연수 n에 대하여 직선 $y = ax$가 원 $(x-4)^2 + y^2 = \dfrac{4}{n^2}$에 접하도록 하는 실수 a를 $f(n)$으로 나타낼 때, $\sum\limits_{n=1}^{\infty} \{f(n)\}^2$의 값을 구하시오.

🎈 **최고난도 문제**

38

실수 전체의 집합에서 정의된 함수 $f(x)$가 다음 조건을 만족시킨다.

(가) $f(x) = \begin{cases} x^3 & (0 \le x < 1) \\ -x^2 + 2x & (1 \le x < 2) \end{cases}$

(나) 모든 실수 x에 대하여 $f(x+2) = f(x)$이다.

자연수 n에 대하여 직선 $y = \dfrac{1}{n}x$와 함수 $y = f(x)$의 그래프가 만나는 점의 개수를 a_n이라 할 때, $\sum\limits_{n=1}^{\infty} \dfrac{2}{a_n a_{n+2}}$의 값을 구하시오.

04 등비급수

04 등비급수

1 등비급수

첫째항이 a $(a \neq 0)$, 공비가 r인 등비수열 $\{ar^{n-1}\}$에서 얻은 급수

$$\sum_{n=1}^{\infty} ar^{n-1} = a + ar + ar^2 + \cdots + ar^{n-1} + \cdots$$

을 첫째항이 a, 공비가 r인 등비급수라고 한다.

2 등비급수의 수렴과 발산

등비급수 $\displaystyle\sum_{n=1}^{\infty} ar^{n-1} = a + ar + ar^2 + \cdots + ar^{n-1} + \cdots$ $(a \neq 0)$에서

(1) $|r| < 1$이면 수렴하고, 그 합은 $\dfrac{a}{1-r}$이다.

(2) $|r| \geq 1$이면 발산한다.

> **개념 플러스**

◀ 등비급수 $\displaystyle\sum_{n=1}^{\infty} ar^{n-1}$의 수렴 조건
 ⇨ $a = 0$ 또는 $-1 < r < 1$

◀ 등비급수의 수렴과 발산 증명
  등비급수 $\displaystyle\sum_{n=1}^{\infty} ar^{n-1}$ $(a \neq 0)$의 수렴, 발산은 r의 값에 따라 다음과 같이 결정된다.
  (1) $|r| < 1$일 때, $\displaystyle\lim_{n \to \infty} r^n = 0$이므로

$$\lim_{n \to \infty} S_n = \lim_{n \to \infty} \frac{a(1-r^n)}{1-r} = \frac{a}{1-r}$$

  따라서 등비급수 $\displaystyle\sum_{n=1}^{\infty} ar^{n-1}$ $(a \neq 0)$은 수렴하고, 그 합은 $\dfrac{a}{1-r}$이다.

  (2) $r = 1$일 때, $S_n = na$이므로 등비급수 $\displaystyle\sum_{n=1}^{\infty} ar^{n-1}$ $(a \neq 0)$은 발산한다.

  (3) $r > 1$일 때, $\displaystyle\lim_{n \to \infty} r^n = \infty$이므로 등비급수 $\displaystyle\sum_{n=1}^{\infty} ar^{n-1}$ $(a \neq 0)$은 발산한다.

  (4) $r \leq -1$일 때, 수열 $\{r^n\}$은 진동하므로 등비급수 $\displaystyle\sum_{n=1}^{\infty} ar^{n-1}$ $(a \neq 0)$은 발산한다.

3 등비급수와 순환소수

(1) $0.\dot{a} = 0.a + 0.0a + 0.00a + 0.000a + \cdots$

$$= \frac{a}{10} + \frac{a}{10^2} + \frac{a}{10^3} + \frac{a}{10^4} + \cdots = \frac{\dfrac{a}{10}}{1 - \dfrac{1}{10}} = \frac{a}{9}$$

(2) $0.\dot{a}\dot{b} = 0.ab + 0.00ab + 0.0000ab + \cdots$

$$= \frac{ab}{100} + \frac{ab}{100^2} + \frac{ab}{100^3} + \cdots = \frac{\dfrac{ab}{100}}{1 - \dfrac{1}{100}} = \frac{ab}{99}$$

4 등비급수의 도형에의 활용

① 문제의 뜻에 맞는 도형을 그린다.
② 줄어들거나 늘어나는 일정한 규칙을 이용하여 등비수열로 나타낸 다음 첫째항 a와 공비 r $(-1 < r < 1)$를 찾는다.
③ 등비급수의 합의 공식 $S = \dfrac{a}{1-r}$를 이용하여 구한다.

◀ 길이의 비와 넓이의 비
  닮음꼴인 두 도형의 닮음비가 $m : n$이면 넓이의 비는 $m^2 : n^2$이다.

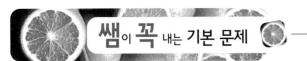

쌤이 **꼭** 내는 **기본 문제**

01

다음 등비급수의 합은?

$$\frac{1}{3} - \frac{1}{6} + \frac{1}{12} - \frac{1}{24} + \frac{1}{48} - \cdots$$

① $\dfrac{2}{9}$ ② $\dfrac{1}{3}$ ③ $\dfrac{1}{2}$

④ $\dfrac{2}{3}$ ⑤ $\dfrac{3}{4}$

02

등비급수 $1 + \dfrac{1-x}{2} + \left(\dfrac{1-x}{2}\right)^2 + \cdots$의 합이 6일 때, x의 값을 구하시오.

03

첫째항이 1인 두 등비급수의 공비가 이차방정식 $5x^2 - 2x - 2 = 0$의 두 근이다. 두 등비급수의 합을 각각 S_1, S_2라 할 때, $S_1 \times S_2$의 값을 구하시오.

04

다음 등비급수가 수렴하도록 하는 정수 x의 개수를 구하시오.

$$1 + \frac{1}{2}(x-1) + \frac{1}{4}(x-1)^2 + \frac{1}{8}(x-1)^3 + \cdots$$

05

등비급수 $\displaystyle\sum_{n=1}^{\infty} (\log_2 x - 2)^{n-1}$이 수렴하도록 하는 x의 값의 범위는?

① $0 < x \le 4$ ② $2 < x < 8$ ③ $2 < x < 10$

④ $4 \le x < 10$ ⑤ $x > 8$

06

급수 $\displaystyle\sum_{n=1}^{\infty} \frac{3^{n+1} + (-1)^n}{4^n}$의 합을 구하시오.

07

수열 0.5, 0.05, 0.005, 0.0005, $\cdots$의 일반항을 a_n이라 할 때, $\displaystyle\sum_{n=1}^{\infty} a_n$의 값을 구하시오.

08

그림과 같이 넓이가 3인 삼각형 ABC에서 각 변의 중점을 꼭짓점으로 하는 삼각형 $A_1B_1C_1$을 만든다. 다시 삼각형 $A_1B_1C_1$에서 각 변의 중점을 꼭짓점으로 하는 삼각형 $A_2B_2C_2$를 만든다. 이와 같은 과정을 한없이 반복할 때, 새로 만들어진 모든 삼각형의 넓이의 합을 구하시오.

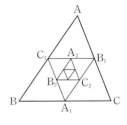

유형 **1** 등비급수의 합

09

등비급수 $1-\dfrac{1}{2}+\dfrac{1}{4}-\dfrac{1}{8}+\cdots$ 의 합을 a,

$9-6+4-\dfrac{8}{3}+\cdots$ 의 합을 b라 할 때, ab의 값을 구하시오.

10

수열 $\{a_n\}$에서 $a_1=3$, $a_n-4a_{n+1}=0$이 성립할 때, $\displaystyle\lim_{n\to\infty}\sum_{k=1}^{n}a_k$의

값을 구하시오.

중요
11

어떤 등비급수의 합이 $\dfrac{9}{2}$이고, 제2항이 -2이다. 첫째항을 a,

공비를 r라 할 때, $2a+6r$의 값은?

① 6   ② 8   ③ 10

④ 12   ⑤ 14

12

등비수열 $\{a_n\}$에 대하여 $\displaystyle\sum_{n=1}^{\infty}a_n=\dfrac{3}{2}$, $\displaystyle\sum_{n=1}^{\infty}a_n^2=\dfrac{9}{8}$일 때, $\displaystyle\sum_{n=1}^{\infty}a_n^3$의

값은?

① $\dfrac{26}{27}$ ② $\dfrac{27}{28}$ ③ 1

④ $\dfrac{28}{27}$ ⑤ $\dfrac{27}{26}$

중요
13

등비수열 $\{a_n\}$에 대하여

$$a_1+a_2+a_3+\cdots=3,\quad a_2+a_4+a_6+\cdots=\dfrac{3}{4}$$

이 성립할 때, $a_1{}^2+a_2{}^2+a_3{}^2+\cdots$의 값을 구하시오.

14

급수 $4+\dfrac{6}{3}+\dfrac{8}{3^2}+\dfrac{10}{3^3}+\cdots$ 의 합을 구하시오.

유형 2 등비급수의 응용

15

수열 $\{a_n\}$의 첫째항부터 제n항까지의 합 S_n이

$S_n = 2\left\{1 - \left(\dfrac{2}{3}\right)^n\right\}$일 때, 급수 $\displaystyle\sum_{n=1}^{\infty} a_{2n}$의 합을 구하시오.

16

좌표평면에서 이차함수 $y = 21^n x^2 - (7^n + 2 \times 3^n)x + 2$의 그래프가

x축과 만나는 두 점 사이의 거리를 l_n이라 할 때, 급수 $\displaystyle\sum_{n=1}^{\infty} l_n$의

합은? (단, n은 자연수이다.)

① $\dfrac{1}{9}$ ② $\dfrac{1}{8}$ ③ $\dfrac{1}{6}$

④ $\dfrac{1}{4}$ ⑤ $\dfrac{1}{3}$

중요
17

일반항이 $A_n = \displaystyle\sum_{k=1}^{n}\left(\dfrac{1}{2}\right)^{k-1}$, $B_n = \displaystyle\sum_{k=1}^{n}\dfrac{1}{k(k+1)}$ 인 두 수열 $\{A_n\}$,

$\{B_n\}$에 대하여 이차방정식 $x^2 - A_n x + B_n = 0$의 두 근을 α_n, β_n

이라 할 때, $\displaystyle\lim_{n\to\infty} (\alpha_n{}^2 + \beta_n{}^2)$의 값을 구하시오.

유형 3 등비급수의 수렴 조건

중요
18

등비급수 $\displaystyle\sum_{n=1}^{\infty} \dfrac{(4x-1)^n}{3^{2n}}$이 수렴하도록 하는 정수 x의 개수를

구하시오.

19

두 등비급수 $\displaystyle\sum_{n=1}^{\infty} (\log x)^n$, $\displaystyle\sum_{n=1}^{\infty} (1 + \log x)^n$이 동시에 수렴하는

x의 값의 범위는?

① $-2 < x \leq 1$ ② $-\dfrac{1}{10} < x < 1$ ③ $\dfrac{1}{10} < x < 1$

④ $\dfrac{1}{10} < x \leq 10$ ⑤ $x > 1$

20

등비급수 $\displaystyle\sum_{n=1}^{\infty} (x^2 + x + 1)^n$이 수렴하도록 하는 실수 x의 값의

범위를 구하시오.

21

급수 $\sum_{n=1}^{\infty}\left(\dfrac{1-3^n}{2^n}\right)\times x^{n-1}$이 수렴할 때, x의 값의 범위를 구하시오.

 중요
22

등비급수 $\sum_{n=1}^{\infty} r^n$이 수렴할 때, 〈보기〉의 등비급수 중에서 수렴하는 것만을 있는 대로 고른 것은?

┤보기├
ㄱ. $\sum_{n=1}^{\infty} r^{n+2}$　　　ㄴ. $\sum_{n=1}^{\infty} r^{2n}$　　　ㄷ. $\sum_{n=1}^{\infty}\left(\dfrac{1-2r}{4}\right)^n$

① ㄱ　　　　② ㄱ, ㄴ　　　　③ ㄱ, ㄷ
④ ㄴ, ㄷ　　　⑤ ㄱ, ㄴ, ㄷ

23

두 급수 $\sum_{n=1}^{\infty} a^{n-1}$과 $\sum_{n=1}^{\infty} b^n$이 모두 수렴할 때, 〈보기〉의 급수 중에서 수렴하는 것만을 있는 대로 고르시오.

┤보기├
ㄱ. $\sum_{n=1}^{\infty} (ab)^{n-1}$　　　　ㄴ. $\sum_{n=1}^{\infty}\left(\dfrac{a}{b}\right)^{n-1}$ (단, $b\neq 0$)
ㄷ. $\sum_{n=1}^{\infty} (a+b)^{n-1}$　　　ㄹ. $\sum_{n=1}^{\infty} (|a|-|b|)^{n-1}$

유형 4 급수의 성질과 등비급수

24

급수 $\sum_{n=1}^{\infty} (3\times 4^{1-n}+5\times 2^{-n})$의 합을 구하시오.

중요
25

급수 $\sum_{n=1}^{\infty} (2^n-a)\times\left(-\dfrac{1}{3}\right)^n$의 합이 $\dfrac{7}{10}$일 때, 상수 a의 값은?

① $\dfrac{22}{5}$　　　　② $\dfrac{24}{5}$　　　　③ $\dfrac{26}{5}$

④ $\dfrac{28}{5}$　　　　⑤ 6

26

다음 등식을 만족시키는 소수 p는 2개 존재한다.

$$\frac{1}{p}=\sum_{n=1}^{\infty}\left(\frac{a}{6^{2n-1}}+\frac{b}{6^{2n}}\right)=\frac{a}{6}+\frac{b}{6^2}+\frac{a}{6^3}+\frac{b}{6^4}+\cdots$$

위의 등식을 만족시키는 두 소수의 합을 구하시오.

(단, $0\le a<6$, $0\le b<6$, a와 b는 정수이다.)

유형 5 등비급수의 활용

27

$\dfrac{13}{99}$을 순환소수로 나타낼 때, 소수점 아래 n번째 수를 a_n이라 하자. 수열 $\{a_n\}$에 대하여 $\displaystyle\sum_{n=1}^{\infty}\dfrac{a_n}{2^n}$의 값을 구하시오.

28

그림과 같이 $\angle XOY=30°$일 때, $\overline{OY}$ 위에 $\overline{OP}=4$인 점 P를 잡고 점 P에서 $\overline{OX}$에 수선 $\overline{PP_1}$을, P_1에서 $\overline{OY}$에 수선 $\overline{P_1P_2}$를, P_2에서 $\overline{OX}$에 수선 $\overline{P_2P_3}$을 내린다. 이와 같은 과정을 한없이 반복할 때, $\overline{PP_1}+\overline{P_1P_2}+\overline{P_2P_3}+\cdots$의 값은?

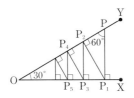

① $4-2\sqrt{3}$ ② $8-2\sqrt{3}$ ③ $2+2\sqrt{3}$

④ $4+2\sqrt{3}$ ⑤ $8+4\sqrt{3}$

29

그림과 같이 $\overline{AB}=2$인 직각이등변삼각형 ABC에서 꼭짓점 A를 중심, $\overline{AB}$를 반지름으로 하는 원을 그렸을 때, $\overline{AC}$와 만나는 점을 A_1, $\overline{AC}\perp\overline{A_1B_1}$이면서 $\overline{BC}$ 위에 있는 점을 B_1, 다시 꼭짓점 B_1을 중심, $\overline{A_1B_1}$을 반지름으로 하는 원을 그렸을 때, $\overline{CB_1}$과 만나는 점을 B_2, $\overline{CB_1}\perp\overline{A_2B_2}$이면서 $\overline{A_1C}$ 위에 있는 점을 A_2라 하자.

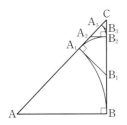

위와 같은 과정을 한없이 반복할 때,
$\overline{AB}+\overline{A_1B_1}+\overline{A_2B_2}+\cdots$의 값을 구하시오.

30

그림과 같이 한 변의 길이가 3인 정삼각형에 내접하는 원 O_1을 그리고, 이 원과 삼각형에 접하는 세 개의 원을 그린다. 이와 같은 과정을 한없이 반복할 때 생기는 모든 원의 넓이의 합은?

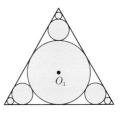

① π ② $\dfrac{33}{32}\pi$ ③ $\dfrac{35}{32}\pi$

④ $\dfrac{19}{16}\pi$ ⑤ 2π

31

중요

그림과 같이 $\overline{AB}=1$, $\overline{AD}=2$인 직사각형 ABCD가 있다.

직사각형 ABCD의 한 대각선에 의하여 만들어지는 두 직각삼각형의 내부에 두 변의 길이의 비가 $1:2$인 두 직사각형을 긴 변이 대각선 위에 놓이면서 두 직각삼각형에 각각 내접하도록 그리고, 새로 그려진 두 직사각형 중 하나에 색칠하여 얻은 그림을 R_1이라 하자.

그림 R_1에서 새로 그려진 두 직사각형 중에서 색칠되어 있지 않은 직사각형에 그림 R_1을 얻는 것과 같은 방법으로 만들어지는 두 직사각형 중 하나에 색칠하여 얻은 그림을 R_2라 하자.

이와 같은 과정을 계속하여 n번째 얻은 그림 R_n에 색칠되어 있는 부분의 넓이를 S_n이라 할 때, $\displaystyle\lim_{n\to\infty} S_n$의 값을 구하시오.

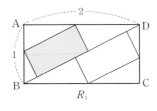 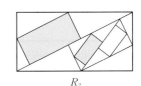

R_1 R_2

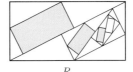

R_3

1등급 문제

32

급수 $\sum_{n=1}^{\infty} \dfrac{2n-1}{3^n}$ 의 합을 구하시오.

33

두 급수

$$\sum_{n=1}^{\infty} \left(\frac{x}{3}\right)^n (x-2)^{n-1}, \quad \sum_{n=1}^{\infty} \left(\log_2 \frac{x}{2}\right)^n$$

이 동시에 수렴하기 위한 x의 값의 범위는?

① $-1 < x < 3$ ② $-1 < x < 4$ ③ $1 < x < 3$

④ $1 < x < 4$ ⑤ $3 < x < 4$

34

이차방정식 $9x^2 - 6x - 1 = 0$의 두 근을 α, β라 할 때,

$$\frac{1}{\beta-\alpha} \sum_{n=1}^{\infty} (\beta^n - \alpha^n) = \frac{q}{p}$$

이다. $p+q$의 값을 구하시오. (단, p와 q는 서로소인 자연수이다.)

35

9 이하의 자연수의 값을 갖는 수열 $\{a_n\}$에 대하여

$\sum_{n=1}^{\infty} \dfrac{a_n}{10^{n-1}} = \dfrac{16}{11}$일 때, $\sum_{n=1}^{\infty} \dfrac{a_n}{5^n} = \dfrac{q}{p}$이다. $p+q$의 값을 구하시

오. (단, p와 q는 서로소인 자연수이다.)

 최고난도 문제

36

그림과 같이 길이가 4인 선분 AB를 지름으로 하는 원 O가 있다. 원의 중심을 C라 하고, 선분 AC의 중점과 선분 BC의 중점을 각각 D, P라 하자. 선분 AC의 수직이등분선과 선분 BC의 수직이등분선이 원 O의 위쪽 반원과 만나는 점을 각각 E, Q라 하자. 선분 DE를 한 변으로 하고 원 O와 점 A에서 만나며 선분 DF가 대각선인 정사각형 DEFG를 그리고, 선분 PQ를 한 변으로 하고 원 O와 점 B에서 만나며 선분 PR가 대각선인 정사각형 PQRS를 그린다. 원 O의 내부와 정사각형 DEFG의 내부의 공통부분인 ⌐ 모양의 도형과 원 O의 내부와 정사각형 PQRS의 내부의 공통부분인 ⌐ 모양의 도형에 색칠하여 얻은 그림을 R_1이라 하자.

그림 R_1에서 점 F를 중심으로 하고 반지름의 길이가 $\dfrac{1}{2}\overline{\mathrm{DE}}$인 원 O_1, 점 R를 중심으로 하고 반지름의 길이가 $\dfrac{1}{2}\overline{\mathrm{PQ}}$인 원 O_2를 그린다. 두 원 O_1, O_2에 각각 그림 R_1을 얻은 것과 같은 방법으로 만들어지는 ⌐ 모양의 2개의 도형과 ⌐ 모양의 2개의 도형에 색칠하여 얻은 그림을 R_2라 하자. 이와 같은 과정을 계속하여 n번째 얻은 그림 R_n에 색칠되어 있는 부분의 넓이를 S_n이라 할 때, $\lim_{n \to \infty} S_n$의 값을 구하시오.

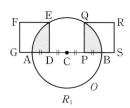

R_1

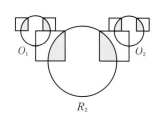

R_2

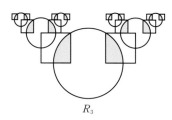

R_3

...

...

05 지수함수와 로그함수의 미분

05 지수함수와 로그함수의 미분

1 지수함수 $y=a^x \ (a>0, \ a \neq 1)$의 극한

(1) $a>1$일 때 $\lim\limits_{x \to \infty} a^x = \infty$, $\lim\limits_{x \to -\infty} a^x = 0$

(2) $0<a<1$일 때 $\lim\limits_{x \to \infty} a^x = 0$, $\lim\limits_{x \to -\infty} a^x = \infty$

2 로그함수 $y=\log_a x \ (a>0, \ a \neq 1)$의 극한

(1) $a>1$일 때 $\lim\limits_{x \to \infty} \log_a x = \infty$, $\lim\limits_{x \to 0+} \log_a x = -\infty$

(2) $0<a<1$일 때 $\lim\limits_{x \to \infty} \log_a x = -\infty$, $\lim\limits_{x \to 0+} \log_a x = \infty$

3 무리수 e와 자연로그

(1) $\lim\limits_{x \to 0} (1+x)^{\frac{1}{x}} = e$, $\lim\limits_{x \to \infty} \left(1+\dfrac{1}{x}\right)^x = e$ (단, $e=2.7182\cdots$)

(2) 무리수 e를 밑으로 하는 $\log_e x$를 x의 자연로그라 하고
$$\log_e x = \ln x \ (e=2.7182\cdots)$$
와 같이 나타낸다.

(3) 무리수 e를 밑으로 하는 지수함수를 $y=e^x$으로 나타낸다.

4 무리수 e를 이용한 지수함수, 로그함수의 극한의 성질

(1) $\lim\limits_{x \to 0} \dfrac{\ln(1+x)}{x} = 1$

(2) $\lim\limits_{x \to 0} \dfrac{e^x-1}{x} = 1$

5 지수함수의 도함수

(1) $y=e^x \Rightarrow y'=e^x$

(2) $y=a^x$ (단, $a>0$, $a \neq 1$) $\Rightarrow y'=a^x \ln a$

6 로그함수의 도함수

(1) $y=\ln x$ (단, $x>0$) $\Rightarrow y'=\dfrac{1}{x}$

(2) $y=\log_a x$ (단, $x>0$, $a>0$, $a \neq 1$) $\Rightarrow y'=\dfrac{1}{x \ln a}$

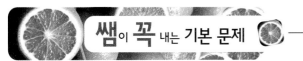

쌤이 꼭 내는 기본 문제

01

$\lim\limits_{x \to \infty} \dfrac{3^x}{3^x+2^x} + \lim\limits_{x \to \infty} \dfrac{2^x}{3^x-1}$ 의 값은?

① $-\dfrac{1}{2}$ ② 0 ③ $\dfrac{1}{2}$

④ 1 ⑤ $\dfrac{3}{2}$

02

$\lim\limits_{x \to \infty}\{\log_5(ax+2)-\log_5(x-1)\}=2$를 만족시키는 상수 a의 값을 구하시오.

03

$\lim\limits_{x \to 0}(1+3x)^{\frac{1}{6x}}$의 값을 구하시오.

04

$\lim\limits_{x \to 0} \dfrac{\ln(3x+1)}{2x^2+3x}$의 값을 구하시오.

05

$\lim\limits_{x \to 0} \dfrac{e^{2x}-e^{5x}}{x}$의 값을 구하시오.

06

$\lim\limits_{x \to 0} \dfrac{x}{10^x-1}$의 값은?

① $\dfrac{1}{\ln 10}$ ② $\dfrac{1}{\ln 5}$ ③ 1

④ $\ln 5$ ⑤ $\ln 10$

07

함수 $f(x)=(x^2+x)e^x$일 때, $f'(0)$의 값을 구하시오.

08

함수 $f(x)=x^2\log_3 x$에 대하여 $f'(e)$의 값은?

① $\dfrac{1}{\ln 3}$ ② $\dfrac{e}{\ln 3}$ ③ $\dfrac{2e}{\ln 3}$

④ $\dfrac{3e}{\ln 3}$ ⑤ $\dfrac{4e}{\ln 3}$

09

$\lim\limits_{x \to \infty} \dfrac{2^{3x+2}-3^{2x+1}}{2^{3x}-3^{2x}}=a$, $\lim\limits_{x \to \infty}(4^x+3^x)^{\frac{2}{x}}=b$라 할 때, 두 상수 a, b 에 대하여 $a+b$의 값을 구하시오.

10 중요

$\lim\limits_{x \to -\infty} \dfrac{a\left(\dfrac{1}{3}\right)^{x-1}+2}{\left(\dfrac{1}{3}\right)^{x+1}-5}=18$일 때, 상수 a의 값은?

① 1   ② 2   ③ 3
④ 4   ⑤ 5

11

$\lim\limits_{x \to 2}(\log_2 |x^2+4x-12| - \log_2 |\sqrt{x+2}-\sqrt{3x-2}|)$의 값을 구하시오.

12

$\lim\limits_{x \to \infty}\left(\dfrac{x+3}{x+1}\right)^x$의 값은?

① 0   ② $\dfrac{1}{e}$ ③ 1
④ e ⑤ e^2

13

$\lim\limits_{x \to 0}\left\{\left(1-\dfrac{x}{2}\right)(1-2x)\right\}^{\frac{3}{x}}=e^a$을 만족시키는 상수 a의 값을 구하시오.

14 중요

$\lim\limits_{n \to \infty}\left\{\dfrac{1}{2}\left(1+\dfrac{1}{n}\right)\left(1+\dfrac{1}{n+1}\right)\left(1+\dfrac{1}{n+2}\right)\times \cdots \times\left(1+\dfrac{1}{2n}\right)\right\}^{\frac{1}{2}n}$ 의 값을 구하시오.

15

$\displaystyle\lim_{x \to 0} \frac{\ln(1+ax)}{x} = 5$일 때, 상수 a의 값은?

① $\dfrac{1}{5}$ ② $\dfrac{1}{3}$ ③ 1

④ 3 ⑤ 5

16

$\displaystyle\lim_{x \to \infty} e^x \ln(1+e^{-x})$의 값을 구하시오.

17

$\displaystyle\lim_{x \to 2} \frac{\ln\sqrt{x-1}}{x-2}$의 값을 구하시오.

18

함수 $f(x)$가 $\displaystyle\lim_{x \to \infty} x^2 f(x) = 8$을 만족시킬 때,

$\dfrac{1}{4} \displaystyle\lim_{x \to \infty} x^2 \ln\{1+4f(x)\}$의 값을 구하시오.

19

세 양수 a, b, c에 대하여

$$\lim_{x \to \infty} x^a \ln\left(b + \frac{c}{x^3}\right) = 4$$

일 때, $a+b+c$의 값은?

① 5 ② 6 ③ 7

④ 8 ⑤ 9

20

이차항의 계수가 1인 이차함수 $f(x)$와 함수

$$g(x) = \begin{cases} \dfrac{1}{\ln(x+1)} & (x \neq 0) \\ 3 & (x = 0) \end{cases}$$

에 대하여 함수 $f(x)g(x)$가 구간 $(-1, \infty)$에서 연속일 때, $f(5)$의 값을 구하시오.

유형 ④ $\lim\limits_{x \to 0} \dfrac{e^x - 1}{x}$ 꼴의 극한

21

$\lim\limits_{x \to 0} \dfrac{2x}{e^x + x - 1}$ 의 값은?

① 0   ② 1   ③ 2

④ 3   ⑤ 4

22

$\lim\limits_{x \to 0} \dfrac{\ln\{(1+3x)(1+5x)(1+7x)\}}{e^{4x} - 1}$ 의 값을 구하시오.

23

함수 $f(x)$가 $\lim\limits_{x \to 0} \dfrac{e^{3x} - 1}{f(x)} = 12$를 만족시킬 때, $\lim\limits_{x \to 0} \dfrac{f(x)}{x}$ 의 값을 구하시오.

24

$\lim\limits_{x \to 1} \dfrac{e^{x^2 - 1} - 1}{x - 1}$ 의 값은?

① 1   ② 2   ③ e

④ $2e$ ⑤ e^2

25

$\lim\limits_{x \to 1} \dfrac{ax + b}{e^{x-1} - 1} = 5$를 만족시키는 두 상수 a, b에 대하여 $2a - b$의 값을 구하시오.

26

함수 $f(x) = \begin{cases} \dfrac{e^{ax} - 1}{3x} & (x < 0) \\ x^2 + 3x + 2 & (x \geq 0) \end{cases}$ 가 실수 전체의 집합에서 연속일 때, 상수 a의 값을 구하시오. (단, $a \neq 0$)

유형 5 $\lim\limits_{x \to 0} \dfrac{\log_a(1+x)}{x}$ 꼴의 극한

27

$\lim\limits_{x \to 0} \dfrac{\log_3(1-3x)}{x}$ 의 값은?

① $-\dfrac{3}{\ln 3}$ ② $-\dfrac{1}{\ln 3}$ ③ $\dfrac{\ln 3}{3}$

④ $\dfrac{1}{\ln 3}$ ⑤ $\ln 3$

28

$\lim\limits_{x \to 5} \dfrac{\log_5(x-4)}{x-5}$ 의 값을 구하시오.

29

$\lim\limits_{x \to 1} \dfrac{\log_2(2x-1)+\log_4(4x-3)+\log_8(6x-5)}{x^2-1}$ 의

값을 구하시오.

유형 6 $\lim\limits_{x \to 0} \dfrac{a^x-1}{x}$ 꼴의 극한

30

$\lim\limits_{x \to 0} \dfrac{2^{2x}-1}{\log_4(1+x)}$ 의 값은?

① 1 ② $\log_4 e$ ③ $\ln 4$

④ $(\ln 4)^2$ ⑤ $2\ln 4$

31

$\lim\limits_{x \to 1} \dfrac{3^{x-1}-1}{x^2-x}$ 의 값을 구하시오.

32 (중요)

$\lim\limits_{x \to 0} \dfrac{a^x+b}{\ln(x+1)} = \ln 3 \ (a>0, \ a \neq 1)$을 만족시키는 두 상수 a, b

에 대하여 $a-b$의 값을 구하시오.

33

곡선 $y=\ln{(1+10x)}$ 위를 움직이는 점 P와 원점 O를 이은 선분이 x축의 양의 방향과 이루는 각의 크기를 θ라 하자. 점 P가 원점 O에 한없이 가까워질 때, $\tan\theta$의 극한값은?

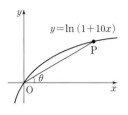

① 1   ② $\ln 10$ ③ e

④ 5   ⑤ 10

34

중요

그림과 같이 두 곡선 $y=ax^2$ $(a>0)$, $y=\ln{(2x+1)}$이 제1사분면에서 만나는 점을 A라 하자. 원점 O와 두 점 B$(1, 0)$, C$(0, 1)$에 대하여 삼각형 OAB의 넓이를 S_1, 삼각형 OAC의 넓이를 S_2라 하자. a의 값이 한없이 커질 때, $\dfrac{S_1}{S_2}$의 값은 a에 한없이 가까워진다. a의 값을 구하시오.

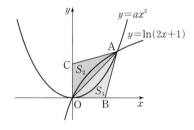

35

함수 $f(x)=xe^x$에 대하여 $\displaystyle\lim_{h\to 0}\dfrac{f(2+h)-f(2)}{h}$의 값을 구하시오.

36

중요

함수 $f(x)=2^x+3^x$일 때, $\displaystyle\lim_{x\to 1}\dfrac{f(x)-5}{x-1}$의 값을 구하시오.

37

함수 $f(x)=ax+2^x$에 대하여 $\displaystyle\lim_{x\to 1}\dfrac{f(x)-1}{x^2-1}=b$일 때, $a+b$의 값은? (단, a, b는 상수이다.)

① $\ln 2-\dfrac{3}{2}$ ② $2\ln 2-1$ ③ $\ln 2$

④ $2\ln 2$ ⑤ $\ln 2+1$

유형 9 로그함수의 도함수

38

함수 $f(x)=\ln x$에 대하여 급수 $\displaystyle\sum_{n=1}^{\infty}\frac{f'(n)}{n+1}$의 값을 구하시오.

39

함수 $f(x)=x\log_3 x+2x$에 대하여 $\displaystyle\lim_{h\to 0}\frac{f(e+h)-f(e-2h)}{h}$ 의 값은?

① $\dfrac{2}{\ln 3}+2$ ② $\dfrac{3}{\ln 3}+3$ ③ $\dfrac{4}{\ln 3}+4$

④ $\dfrac{5}{\ln 3}+5$ ⑤ $\dfrac{6}{\ln 3}+6$

40

$\displaystyle\lim_{x\to 2}\frac{x^2+x\ln x-a}{x^2-4}=b$일 때, 두 상수 a, b에 대하여 $a+4b$의 값은?

① $3\ln 2$ ② $3+\ln 2$ ③ $3+3\ln 2$

④ $9+\ln 2$ ⑤ $9+3\ln 2$

유형 10 지수함수와 로그함수의 미분가능성

41

함수 $f(x)=\begin{cases} ax+5 & (x<0) \\ b+\ln(x+1) & (x\geq 0)\end{cases}$ 이 $x=0$에서 미분가능할 때, 두 상수 a, b에 대하여 $a+b$의 값을 구하시오.

42

함수 $f(x)=\begin{cases} ax^2+2 & (x<1) \\ be^{x-1} & (x\geq 1)\end{cases}$ 이 모든 실수 x에 대하여 미분가능할 때, $a+b$의 값을 구하시오. (단, a, b는 상수이다.)

43

함수 $f(x)=\begin{cases} e^{x-2}+ax & (0<x<1) \\ \ln bx & (x\geq 1)\end{cases}$ 가 $x=1$에서 미분가능할 때, 두 상수 a, b에 대하여 ab의 값은?

① 0 ② $e-2$ ③ 1

④ $e-1$ ⑤ e

44

$\lim\limits_{x \to 0} \dfrac{2^{\frac{1}{x}}+a}{2^{\frac{1-x}{x}}}=b$를 만족시키는 두 상수 a, b에 대하여 $a+b$의 값을 구하시오.

45

수열 $\{a_n\}$에서 $\lim\limits_{n \to \infty}\left(1+\dfrac{3}{n}\right)^{a_n}=\dfrac{1}{e}$일 때, $\lim\limits_{n \to \infty}\dfrac{a_n}{n}$의 값을 구하시오.

46

함수 $f(x)=\left(\dfrac{x}{x-1}\right)^{x}$ $(x>1)$에 대하여 〈보기〉에서 옳은 것만을 있는 대로 고른 것은?

┤ 보 기 ├

ㄱ. $\lim\limits_{x \to \infty} f(x)=e$

ㄴ. $\lim\limits_{x \to \infty} f(x)f(x+1)=e^{2}$

ㄷ. $k \geq 2$일 때, $\lim\limits_{x \to \infty} f(kx)=e^{k}$이다.

① ㄱ   ② ㄷ   ③ ㄱ, ㄴ

④ ㄴ, ㄷ   ⑤ ㄱ, ㄴ, ㄷ

47

$P_n=\lim\limits_{x \to \infty}\left\{\left(1+\dfrac{1}{x}\right)\left(1+\dfrac{2}{x}\right)\left(1+\dfrac{3}{x}\right)\times\cdots\times\left(1+\dfrac{n}{x}\right)\right\}^{x}$일 때, $\sum\limits_{n=1}^{20}\dfrac{1}{\ln P_n}$의 값은?

① $\dfrac{19}{20}$ ② $\dfrac{21}{20}$ ③ $\dfrac{20}{21}$

④ $\dfrac{38}{21}$ ⑤ $\dfrac{40}{21}$

48

함수 $f(x)$에 대하여 $f(1)=1$, $\lim\limits_{x \to 0}\dfrac{f(1+x)-f(1)}{x}=-1$

일 때, $\lim\limits_{x \to 1}\dfrac{f(x)-x^{2}f(1)}{\ln x}$의 값을 구하시오.

49

자연수 n에 대하여

$$f(n)=\lim_{x \to 0}\dfrac{30x}{\ln\{(1+x)(1+2x)\times\cdots\times(1+nx)\}}$$

일 때, $10\sum\limits_{n=1}^{99} f(n)$의 값을 구하시오.

50

$\lim\limits_{x \to 0} \dfrac{e^{2x}-a}{\ln(x+1)}=b$를 만족시키는 두 상수 a, b에 대하여

$\lim\limits_{x \to 0} \dfrac{e^{ax}-e^{bx}}{x}$의 값은?

① -2 ② -1 ③ 1

④ 2 ⑤ 3

51

함수 $f(x)=2\ln(x+1)+1$의 역함수를 $g(x)$라 할 때,

$\lim\limits_{x \to 1} \dfrac{f(x-1)-f(0)}{g(x)-g(1)}$의 값을 구하시오.

52

다항함수 $f(x)$가 다음 조건을 만족시킬 때, $f(1)$의 값을 구하시오.

(가) $\lim\limits_{x \to 0} \dfrac{e^x-1}{f(x)}=\dfrac{1}{3}$

(나) $\lim\limits_{x \to \infty} f(x)\ln\left(1+\dfrac{1}{x^2}\right)=4$

53

등차수열 1, a_1, a_2, $\cdots$, a_{n-2}, e의 합을 S_a, 등비수열 1, b_1, b_2, $\cdots$, b_{n-2}, e의 합을 S_b라 하자. $\lim\limits_{n \to \infty} \dfrac{S_b}{S_a}$의 값은?

① $\dfrac{2(e-1)}{e+1}$ ② $\dfrac{2e}{e+1}$ ③ $\dfrac{e}{e-1}$

④ $\dfrac{e+1}{e-1}$ ⑤ $\dfrac{2e}{e-1}$

54

$\lim\limits_{x \to 0} \dfrac{(a+12)^x-a^x}{x}=\ln 3$을 만족시키는 양수 a의 값을 구하시오.

55

함수 $f(x)$에 대하여 〈보기〉에서 옳은 것만을 있는 대로 고르시오.

보기

ㄱ. $f(x)=x^2$이면 $\lim\limits_{x \to 0} \dfrac{e^{f(x)}-1}{x}=0$이다.

ㄴ. $\lim\limits_{x \to 0} \dfrac{e^x-1}{f(x)}=1$이면 $\lim\limits_{x \to 0} \dfrac{3^x-1}{f(x)}=\ln 3$이다.

ㄷ. $\lim\limits_{x \to 0} f(x)=0$이면 $\lim\limits_{x \to 0} \dfrac{e^{f(x)}-1}{x}$이 존재한다.

56

2보다 큰 실수 a에 대하여 두 곡선 $y=2^x$, $y=-2^x+a$가 y축과 만나는 점을 각각 A, B라 하고, 두 곡선의 교점을 C라 하자. 직선 AC의 기울기를 $f(a)$, 직선 BC의 기울기를 $g(a)$라 할 때, $\lim\limits_{a\to 2+}\{f(a)-g(a)\}$의 값을 구하시오.

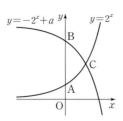

57

곡선 $y=\ln(x+1)$ 위를 움직이는 점 $\mathrm{P}(a, b)$가 있다. 점 P를 지나고 기울기가 -1인 직선이 곡선 $y=e^x-1$과 만나는 점을 Q라 하자. 두 점 P, Q를 지름의 양 끝 점으로 하는 원의 넓이를 $S(a)$, 원점 O와 선분 PQ의 중점을 지름의 양 끝 점으로 하는 원의 넓이를 $T(a)$라 할 때, $\lim\limits_{a\to 0+}\dfrac{4T(a)-S(a)}{\pi a^2}$의 값을 구하시오. (단, $a>0$)

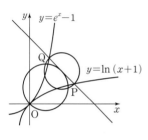

58

함수 $f(x)=2\ln x+e^x$에 대하여 $\lim\limits_{x\to 1}\dfrac{f(x)-ex^2}{\ln x}$의 값은?

① $-2e$ ② $2-e$ ③ $2+e$

④ $2e$ ⑤ $4e$

최고난도 문제

59

두 수열 $\{a_n\}$, $\{b_n\}$에 대하여 함수
$$f_n(x)=e^x(a_n x+b_n) \quad (n=1, 2, 3, \cdots)$$
이 모든 실수 x에 대하여 다음 조건을 만족시킨다.

(가) $f_1(x)=xe^x$

(나) $f_{n+1}(x)=f_n(x)+f_n{}'(x)$

$\log_2 a_{100}$의 값을 구하시오.

60

함수 $f(x)=-e^{-x}(x^2+4x+1)$에 대하여 함수 $g(x)$를
$$g(x)=\begin{cases} f(x) & (x<a) \\ m-f(x) & (a\leq x<b) \\ n+f(x) & (x\geq b) \end{cases}$$
라 하자. $g(x)$가 모든 실수 x에 대하여 미분가능할 때, 두 상수 m, n에 대하여 $m+n$의 값은?

① $4e^3+\dfrac{6}{e}$ ② $4e^3+\dfrac{12}{e}$ ③ $4e^3+\dfrac{18}{e}$

④ $8e^3+\dfrac{6}{e}$ ⑤ $8e^3+\dfrac{12}{e}$

06 삼각함수의 미분

06 삼각함수의 미분

1 삼각함수

(1) 동경 OP가 나타내는 각 θ에 대하여

$$\csc\theta=\frac{r}{y}\ (y\neq 0),\ \sec\theta=\frac{r}{x}\ (x\neq 0),$$

$$\cot\theta=\frac{x}{y}\ (y\neq 0)$$

(2) 삼각함수 사이의 관계

① $\csc\theta=\dfrac{1}{\sin\theta}$　　② $\sec\theta=\dfrac{1}{\cos\theta}$　　③ $\cot\theta=\dfrac{1}{\tan\theta}$

④ $\sin^2\theta+\cos^2\theta=1$　　⑤ $1+\tan^2\theta=\sec^2\theta$　　⑥ $1+\cot^2\theta=\csc^2\theta$

> **개념 플러스**
>
> ◀ $\csc\theta$, $\sec\theta$, $\cot\theta$의 값의 부호는 각각 $\sin\theta$, $\cos\theta$, $\tan\theta$의 값의 부호와 같다.

2 삼각함수의 덧셈정리 (복부호 동순)

(1) $\sin(\alpha\pm\beta)=\sin\alpha\cos\beta\pm\cos\alpha\sin\beta$

(2) $\cos(\alpha\pm\beta)=\cos\alpha\cos\beta\mp\sin\alpha\sin\beta$

(3) $\tan(\alpha\pm\beta)=\dfrac{\tan\alpha\pm\tan\beta}{1\mp\tan\alpha\tan\beta}$

> ◀ 두 직선 $y=mx+n$, $y=m'x+n'$이 x축의 양의 방향과 이루는 각의 크기를 각각 α, β $(\alpha>\beta)$라 하고, 두 직선이 이루는 예각의 크기를 θ라 하면
>
> $$\tan\theta=\tan(\alpha-\beta)=\frac{\tan\alpha-\tan\beta}{1+\tan\alpha\tan\beta}$$
>
> $$=\frac{m-m'}{1+mm'}$$

3 삼각함수의 합성

$$a\sin\theta+b\cos\theta=\sqrt{a^2+b^2}\sin(\theta+\alpha)$$

$$\left(\text{단, } a\neq 0,\ b\neq 0,\ \cos\alpha=\frac{a}{\sqrt{a^2+b^2}},\ \sin\alpha=\frac{b}{\sqrt{a^2+b^2}}\right)$$

> ◀ 삼각함수 $y=a\sin x+b\cos x\,(a\neq 0,\ b\neq 0)$의 최댓값과 최솟값
>
> $y=a\sin x+b\cos x=\sqrt{a^2+b^2}\sin(x+\alpha)$
>
> $(0\leq\alpha<2\pi)$이고, $-1\leq\sin(x+\alpha)\leq 1$이므로
>
> $-\sqrt{a^2+b^2}\leq\sqrt{a^2+b^2}\sin(x+\alpha)\leq\sqrt{a^2+b^2}$
>
> 따라서 최댓값은 $\sqrt{a^2+b^2}$, 최솟값은 $-\sqrt{a^2+b^2}$이다.

4 $\displaystyle\lim_{x\to 0}\frac{\sin x}{x}$, $\displaystyle\lim_{x\to 0}\frac{\tan x}{x}$의 값

(1) $\displaystyle\lim_{x\to 0}\frac{\sin x}{x}=1$, $\displaystyle\lim_{x\to 0}\frac{x}{\sin x}=1$　　(2) $\displaystyle\lim_{x\to 0}\frac{\tan x}{x}=1$, $\displaystyle\lim_{x\to 0}\frac{x}{\tan x}=1$

> **참고** ① $\displaystyle\lim_{x\to 0}\frac{\sin bx}{ax}=\lim_{x\to 0}\frac{\sin bx}{bx}\times\frac{bx}{ax}=\frac{b}{a}$
>
> ② $\displaystyle\lim_{x\to 0}\frac{\tan bx}{ax}=\lim_{x\to 0}\frac{\tan bx}{bx}\times\frac{bx}{ax}=\frac{b}{a}$

> ◀ 삼각함수의 극한
>
> 임의의 실수 a에 대하여
>
> (1) $\displaystyle\lim_{x\to a}\sin x=\sin a$
>
> (2) $\displaystyle\lim_{x\to a}\cos x=\cos a$
>
> (3) $\displaystyle\lim_{x\to a}\tan x=\tan a$
>
> $\left(\text{단, } a\neq n\pi+\dfrac{\pi}{2}\ (n\text{은 정수})\right)$

> ◀ $x\to\infty$일 때의 삼각함수의 극한
>
> $\dfrac{1}{x}=t$로 놓으면 $x\to\infty$일 때, $t\to 0$이므로
>
> (1) $\displaystyle\lim_{x\to\infty}x\sin\frac{1}{x}=\lim_{t\to 0}\frac{\sin t}{t}=1$
>
> (2) $\displaystyle\lim_{x\to\infty}x\tan\frac{1}{x}=\lim_{t\to 0}\frac{\tan t}{t}=1$

5 삼각함수의 미분

(1) $(\sin x)'=\cos x$　　　　　　　(2) $(\cos x)'=-\sin x$

쌤이 꼭 내는 기본 문제

01

원점 O와 점 $P(-4, 3)$에 대하여 동경 OP가 나타내는 각의 크기를 θ라 할 때, $3\csc\theta + 4\tan\theta$의 값을 구하시오.

02

$\cos\alpha = \dfrac{1}{3}$일 때, $\sin\left(\alpha - \dfrac{\pi}{3}\right)$의 값은? $\left(\text{단, } 0 < \alpha < \dfrac{\pi}{2}\right)$

① $\dfrac{\sqrt{3}-\sqrt{2}}{6}$ ② $\dfrac{2\sqrt{2}-\sqrt{3}}{6}$ ③ $\dfrac{2\sqrt{3}-\sqrt{2}}{6}$

④ $\dfrac{2\sqrt{2}+\sqrt{3}}{6}$ ⑤ $\dfrac{2\sqrt{3}+\sqrt{2}}{6}$

03

두 직선 $2x - y - 3 = 0$, $x - 3y + 2 = 0$이 이루는 예각의 크기를 구하시오.

04

함수 $f(x) = \sin x - a\cos x + 2$의 최댓값이 4일 때, 양수 a의 값을 구하시오.

05

$\displaystyle\lim_{x \to 0} \dfrac{\sin 2x - \sin 8x}{\sin 4x}$의 값을 구하시오.

06

$\displaystyle\lim_{x \to 0} \dfrac{12x}{\tan x + \tan 2x + \tan 3x}$의 값을 구하시오.

07

$\displaystyle\lim_{x \to 0} \dfrac{1 - \cos 2x}{4x^2}$의 값을 구하시오.

08

함수 $f(x) = \cos x + \sin x$에 대하여 $f'\left(\dfrac{\pi}{3}\right)$의 값은?

① $\dfrac{-1-\sqrt{3}}{2}$ ② $\dfrac{1-\sqrt{3}}{2}$ ③ $\dfrac{-1+\sqrt{3}}{2}$

④ $\dfrac{\sqrt{3}}{2}$ ⑤ $\dfrac{1+\sqrt{3}}{2}$

09

그림과 같이 원 $x^2+y^2=4$와 직선 $y=-2x$가 제2사분면에서 만나는 점을 P라 하자. 선분 OP가 x축의 양의 방향과 이루는 각의 크기를 θ라 할 때, $\csc\theta\sec\theta$의 값을 구하시오.

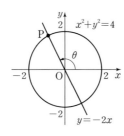

10

$\tan\theta+\cot\theta=-2$일 때, $\sin\theta+\cos\theta$의 값은?

① $-\sqrt{2}$ ② -1 ③ 0

④ 1 ⑤ $\sqrt{2}$

11

이차방정식 $2x^2-5x+a=0$의 두 근이 $\tan\theta$, $\cot\theta$일 때, $\dfrac{\sin\theta\cos\theta}{a}$의 값을 구하시오. (단, a는 상수이다.)

12

$\sin\left(\dfrac{\pi}{6}+\theta\right)+\sin\left(\dfrac{\pi}{6}-\theta\right)$를 간단히 한 것은?

① $\sin\theta$ ② $\cos\theta$ ③ $2\sin\theta$

④ $2\cos\theta$ ⑤ $\sin\theta+\cos\theta$

13

예각삼각형 ABC에서 $\sin A=\dfrac{3}{5}$, $\cos B=\dfrac{12}{13}$일 때, $\sin C$의 값을 구하시오.

14

원 $x^2+y^2=5$ 위의 두 점 $P(2,-1)$, $Q(-1,2)$에서 그은 두 접선이 x축의 양의 방향과 이루는 각의 크기를 각각 α, β라 할 때, $\tan(\alpha-\beta)$의 값을 구하시오.

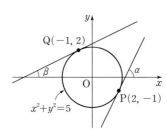

15

이차방정식 $8x^2+2ax+b=0$의 두 근이 $\sin 15°$, $\sin 75°$일 때, a^2+b^2의 값을 구하시오. (단, a, b는 상수이다.)

16

그림과 같이 삼각형 ABC의 꼭짓점 A에서 변 BC에 내린 수선의 발을 H라 하고 $\tan A=2$, $\overline{BH}=1$, $\overline{HC}=3$일 때, 삼각형 ABC의 넓이를 구하시오.

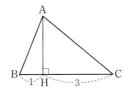

17

가로, 세로의 길이가 각각 2, 1인 직사각형 모양의 종이를 그림과 같이 접었을 때, 선분 AB의 길이는?

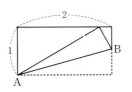

① $2(\sqrt{3}-\sqrt{1})$ ② $2(\sqrt{6}-\sqrt{2})$ ③ $\sqrt{3}+1$
④ $4(\sqrt{3}-1)$ ⑤ $\sqrt{6}+\sqrt{2}$

유형 **3** 삼각함수의 합성

18

함수 $y=3\cos x-2\cos\left(x+\dfrac{\pi}{3}\right)$의 최댓값은? (단, $0\le x<2\pi$)

① $\sqrt{3}$ ② 2 ③ $\sqrt{5}$
④ $\sqrt{7}$ ⑤ 3

19

함수 $f(\theta)=a\sin\theta+b\cos\theta$가 다음 조건을 만족시킨다.

> (가) $f\left(\dfrac{\pi}{4}\right)=\sqrt{2}$
>
> (나) $f(\theta)$의 최댓값은 $\sqrt{10}$이다.

두 상수 a, b에 대하여 $10(a-b)$의 값을 구하시오. (단, $a>0$)

20

그림과 같이 길이가 2인 선분 AB를 지름으로 하는 반원 위에 한 점 P를 잡을 때, $\overline{AP}+2\overline{BP}$의 최댓값을 구하시오.

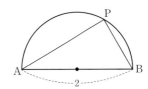

| 유형 ④ | $\lim\limits_{x \to 0} \dfrac{\sin x}{x} = 1$을 이용한 극한 |

21

$\lim\limits_{x \to 0} \dfrac{x^2 + ax + b}{\sin x} = 2$가 성립하도록 하는 두 상수 a, b에 대하여 $a+b$의 값은?

① 1　　　　② 2　　　　③ 3

④ 4　　　　⑤ 5

22

$\lim\limits_{x \to 0} \dfrac{\sin x + \sin 2x + \sin 3x + \cdots + \sin 20x}{x}$의 값을 구하시오.

23 중요

$\lim\limits_{x \to 0} \dfrac{\sqrt{ax+b}-1}{\sin 3x} = 2$일 때, $a+b$의 값을 구하시오.

(단, a, b는 상수이다.)

| 유형 ⑤ | $\lim\limits_{x \to 0} \dfrac{\tan x}{x} = 1$을 이용한 극한 |

24

$\lim\limits_{x \to 0} \dfrac{\sin 7x}{2x + \tan 3x} = \dfrac{q}{p}$일 때, $p+q$의 값을 구하시오.

(단, p와 q는 서로소인 자연수이다.)

25 중요

$\lim\limits_{x \to 0} \dfrac{\tan(\tan 3x)}{\tan 4x}$의 값은?

① $\dfrac{1}{4}$　　　② $\dfrac{1}{2}$　　　③ $\dfrac{3}{4}$

④ 1　　　　⑤ $\dfrac{5}{4}$

26

$\lim\limits_{x \to 0} \dfrac{\sin(ax+b)}{\tan x} = 4$를 만족시키는 두 상수 a, b에 대하여 $a+b$의 값을 구하시오. $\left(\text{단, } 0 \le b \le \dfrac{\pi}{2}\right)$

유형 6 $\lim\limits_{x \to 0} \dfrac{1-\cos x}{x}$ 꼴의 극한

27

$\lim\limits_{x \to 0} \dfrac{1-\cos^3 x}{x \sin 2x}$ 의 값은?

① $\dfrac{1}{4}$ ② $\dfrac{1}{2}$ ③ $\dfrac{3}{4}$

④ 1 ⑤ $\dfrac{5}{4}$

28

$\lim\limits_{x \to 0} \dfrac{\sin x\,(1-\cos 4x)}{x^3}$ 의 값을 구하시오.

중요

29

두 상수 a, b에 대하여 $\lim\limits_{x \to 0} \dfrac{x \sin 2x}{4 + a\cos x} = b$가 성립할 때, ab의 값을 구하시오. (단, $b \neq 0$)

유형 7 치환을 이용한 삼각함수의 극한

30

$\lim\limits_{x \to \infty} \dfrac{1}{x \tan \dfrac{1}{x}}$ 의 값을 구하시오.

중요

31

$\lim\limits_{x \to -\frac{\pi}{4}} \dfrac{\sin x + \cos x}{x + \dfrac{\pi}{4}}$ 의 값을 구하시오.

32

$\lim\limits_{x \to \frac{\pi}{2}} \dfrac{ax - \dfrac{5}{2}\pi}{\cos x} = b$일 때, 두 상수 a, b에 대하여 $a+b$의 값은?

① $-\dfrac{5}{2}$ ② -1 ③ 0

④ $\dfrac{3}{2}$ ⑤ 2

유형 8 도형에서의 삼각함수의 극한

33

그림과 같이 삼각형 ABC에서 $\angle A = 90°$, $\overline{AB} = 3$이다. 점 A에서 변 BC에 내린 수선의 발을 H라 하고 $\angle ABH = \theta$라 할 때, $\lim\limits_{\theta \to 0} \dfrac{\overline{CH}}{\theta^2}$의 값은?

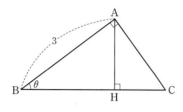

① 0
② 1
③ $\sqrt{2}$
④ 2
⑤ 3

34

그림과 같이 좌표평면 위의 두 점 $O(0, 0)$, $A(30, 0)$에서 각의 크기가 각각 2θ, 3θ인 반직선을 제1사분면에 그릴 때, 두 반직선의 교점을 P라 하자. 점 P의 x좌표를 $f(\theta)$라 할 때, $\lim\limits_{\theta \to 0} f(\theta)$의 값을 구하시오.

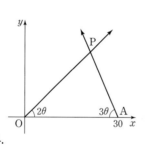

35

그림과 같이 반지름의 길이가 r인 원 O에서 길이가 a, $2a$인 호에 대한 현의 길이를 각각 b, c라 할 때, $\lim\limits_{a \to 0} \dfrac{b+c}{a}$의 값을 구하시오.

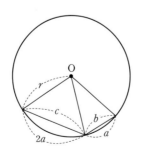

유형 9 삼각함수의 연속

36

함수

$$f(x) = \begin{cases} \dfrac{\sin x + ax}{x - \pi} & (x \neq \pi) \\ b & (x = \pi) \end{cases}$$

가 $x = \pi$에서 연속일 때, 두 상수 a, b에 대하여 $a + b$의 값은?

① -2
② -1
③ 0
④ 1
⑤ 2

37

$-\pi \leq x \leq \pi$에서 연속인 함수 $f(x)$가

$$f(x) = \begin{cases} \dfrac{ax \sin x + b}{1 - \cos x} & (-\pi \leq x < 0, \, 0 < x \leq \pi) \\ 1 & (x = 0) \end{cases}$$

일 때, 두 상수 a, b에 대하여 $a + b$의 값을 구하시오.

38

구간 $\left(-\dfrac{\pi}{2}, \dfrac{\pi}{2} \right)$에서 정의된 함수

$$f(x) = \begin{cases} \dfrac{e^{ax} + b}{\tan x} & (x \neq 0) \\ 2 & (x = 0) \end{cases}$$

가 $x = 0$에서 연속이 되도록 하는 두 상수 a, b에 대하여 $a + b$의 값을 구하시오.

유형 10 삼각함수의 도함수

39

함수 $f(x)=x\sin x$에 대하여 $f'(\pi)$의 값을 구하시오.

40

함수 $f(x)=2\cos x$일 때, $\displaystyle\lim_{h\to0}\frac{f(\pi+h)-f(\pi-h)}{h}$의 값은?

① -4 ② -2 ③ 0

④ 2 ⑤ 4

41

함수 $f(x)=\sin x-\sqrt{3}\cos x+x$일 때, $f'(\alpha)=\sqrt{2}+1$을 만족시키는 α의 값을 구하시오. $\left(단,\ 0\le\alpha\le\dfrac{\pi}{2}\right)$

42 중요

함수 $f(x)=\sin x-\cos x$에 대하여

$\displaystyle\lim_{x\to0}\frac{f(\pi-\sin x)-f(\pi)}{x}$의 값을 구하시오.

43

함수 $f(x)=\sin x(1+\cos x)$에서 $f'(x)=0$을 만족시키는 모든 x의 값의 합은? (단, $0\le x\le2\pi$)

① 2π ② $\dfrac{5}{2}\pi$ ③ 3π

④ $\dfrac{7}{2}\pi$ ⑤ 4π

44 중요

함수

$$f(x)=\begin{cases} ae^x+b & (x<0) \\ \sin x & (x\ge0) \end{cases}$$

가 $x=0$에서 미분가능하도록 하는 두 상수 a, b에 대하여 $a-b$의 값을 구하시오.

45

$\sin\theta+\cos\theta=\dfrac{1}{3}$일 때, $\sec\theta(\tan\theta+\cot^2\theta)$의 값은?

① $\dfrac{45}{16}$ ② $\dfrac{43}{16}$ ③ $\dfrac{41}{16}$

④ $\dfrac{39}{16}$ ⑤ $\dfrac{37}{16}$

46

$\sin\alpha=\dfrac{1}{3}$, $\cos\beta=\dfrac{1}{4}$일 때, $144\{\sin^2(\alpha+\beta)-\cos^2(\alpha-\beta)\}$

의 값을 구하시오. $\left(\text{단, } \dfrac{\pi}{2}<\alpha<\pi,\ 0<\beta<\dfrac{\pi}{2}\right)$

47

함수 $f(x)=\sin x\left(0\le x\le\dfrac{\pi}{2}\right)$의 역함수를 $g(x)$라 할 때,

$g\left(\dfrac{3}{5}\right)+g\left(\dfrac{4}{5}\right)$의 값을 구하시오.

48

그림과 같이 점 O를 중심으로 하고 반지름의 길이가 4인 원 위의 서로 다른 네 점 A, B, C, D에 대하여 두 선분 AC와 BD의 교점을 P라 하자. $\angle APB=\theta$이고, $\overline{AB}=3$, $\overline{CD}=4$일 때, $\cos\theta$의 값은? (단, $\overline{AD}$는 지름이다.)

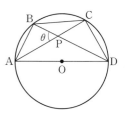

① $\dfrac{\sqrt{55}-3}{16}$ ② $\dfrac{\sqrt{55}-2}{16}$ ③ $\dfrac{\sqrt{165}-4}{16}$

④ $\dfrac{\sqrt{165}-3}{16}$ ⑤ $\dfrac{\sqrt{165}-2}{16}$

49

그림과 같이 한 변의 길이가 1인 정사각형 ABCD가 있다. 변 BC 위에 점 E를, 변 CD 위에 점 F를 $\angle EAF=45°$가 되게 잡는다. 두 삼각형 ABE와 ADF의 넓이를 각각 S, S'이라 할 때, $S+S'$의 최솟값을 구하시오.

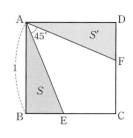

50

$0\le x\le\pi$에서 정의된 함수

$$y=(\sin x+\sqrt{3}\cos x)^2+2(\sin x+\sqrt{3}\cos x)-4$$

의 최댓값을 M, 최솟값을 m이라 할 때, Mm의 값을 구하시오.

51

$0 \leq x \leq \pi$에서 두 곡선 $y = \sin x$, $y = -\sin x$ 위에 두 점 $P(\alpha, \sin \alpha)$, $Q(\beta, -\sin \beta)$가 있다. $\alpha - \beta = \dfrac{\pi}{2}$일 때, $\overline{PQ}^2$이 최댓값을 구하시오.

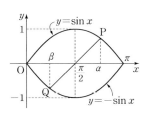

52

함수 $f(x)$가 $\displaystyle\lim_{x \to 0} \dfrac{\sin x}{f(x)} = 2$를 만족시킬 때, 〈보기〉에서 옳은 것만을 있는 대로 고른 것은?

┤ 보기 ├

ㄱ. $\displaystyle\lim_{x \to 0} \dfrac{1 - \cos x}{\{f(x)\}^2} = \dfrac{1}{2}$

ㄴ. $\displaystyle\lim_{x \to 0} \dfrac{f(x)}{\ln(1+x)} = \dfrac{1}{2}$

ㄷ. $\displaystyle\lim_{x \to 0} \dfrac{f(\sin x)}{\ln(1+x)} = \dfrac{1}{2}$

① ㄱ ② ㄴ ③ ㄱ, ㄴ
④ ㄴ, ㄷ ⑤ ㄱ, ㄴ, ㄷ

53

$\displaystyle\lim_{\theta \to 0} \dfrac{\sec\theta - 1}{\sec 3\theta - 1}$의 값을 구하시오.

54

자연수 n에 대하여 $f_1(x) = \tan\dfrac{1}{3}x$, $f_{n+1}(x) = f_1(f_n(x))$라 할 때, $\displaystyle\sum_{n=1}^{\infty}\left\{\lim_{x \to 0} \dfrac{f_n(x)}{x}\right\}$의 값은?

① $\dfrac{1}{4}$ ② $\dfrac{1}{2}$ ③ 1

④ 2 ⑤ 4

55

연속함수 $f(x)$가 $\displaystyle\lim_{x \to 0} \dfrac{f(x)}{1 - \cos x^2} = 2$를 만족시킬 때, $\displaystyle\lim_{x \to 0} \dfrac{f(x)}{x^p} = q$이다. 두 양수 p, q에 대하여 $p + q$의 값을 구하시오.

56

$\displaystyle\lim_{x \to \infty} \tan\left(\sin\dfrac{1}{x}\right)\csc\dfrac{1}{x}$의 값을 구하시오.

57

일차함수 $f(x)$에 대하여 $\lim\limits_{x \to -\frac{\pi}{2}} \dfrac{\cos(\pi+x)}{f(x)} = \dfrac{1}{2}$이 성립할 때, $f(2\pi)$의 값은?

① -5π ② -3π ③ $-\pi$

④ π ⑤ 3π

58

그림과 같이 길이가 2인 선분 AB를 지름으로 하는 반원 위에 점 P가 있다. 점 B를 지나고 신분 AB에 수직인 직선이 직선 AP와 만나는

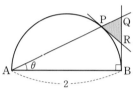

점을 Q라 하고, 점 P에서 이 반원에 접하는 직선과 선분 BQ가 만나는 점을 R라 하자. $\angle PAB = \theta$라 하고 삼각형 PRQ의 넓이를 $S(\theta)$라 할 때, $\lim\limits_{\theta \to 0+} \dfrac{S(\theta)}{\theta^3}$의 값을 구하시오.

$$\left(\text{단, } 0 < \theta < \frac{\pi}{4} \right)$$

59

그림과 같이 길이가 2인 선분 AB를 지름으로 하고 중심이 O인 원 C_1이 있다. 원 C_1 위의 점 P에 대하여 $\angle PAB = \theta$라 하고, 선분 OP에 접하고 중심이 B인 원 C_2를 그린다. 원 C_2와 선분 BP의 교점을 Q라 할 때, $\lim\limits_{\theta \to 0+} \dfrac{\overline{PQ}}{\theta^3}$의 값을 구하시오.

$$\left(\text{단, } 0 < \theta < \frac{\pi}{4} \right)$$

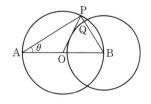

60

그림과 같이 반지름의 길이가 6인 원 O 위의 한 점 A와 움직이는 점 P에 대하여 $\overline{AP} = \overline{AT}$가 되도록 점 T를 점 A에서의 원 O의 접선 위에 잡는다. 직선 TP와 직선 AO의 교점을 Q, $\angle PAT = \theta$라 하고 선분 AQ의 길이를 $f(\theta)$라 할 때, $f'\left(\dfrac{\pi}{6}\right)$의 값을 구하시오. $\left(\text{단, } 0 < \theta < \dfrac{\pi}{2} \right)$

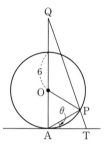

61

함수 $f(x) = \begin{cases} 2\cos x & (x \le 0) \\ \dfrac{ax^3 + bx^2 + c}{1 - \cos \pi x} & (0 < x < 1) \\ \sin \pi x & (x \ge 1) \end{cases}$ 가 모든 실수 x에

대하여 연속일 때, $f\left(\dfrac{1}{2}\right)$의 값을 구하시오.

(단, a, b, c는 상수이다.)

07 몫의 미분법과 합성함수의 미분법

1 함수의 몫의 미분법

미분가능한 두 함수 $f(x)$, $g(x)$ $(g(x) \neq 0)$에 대하여

(1) $\left\{ \dfrac{1}{g(x)} \right\}' = -\dfrac{g'(x)}{\{g(x)\}^2}$

(2) $\left\{ \dfrac{f(x)}{g(x)} \right\}' = \dfrac{f'(x)g(x) - f(x)g'(x)}{\{g(x)\}^2}$

개념 플러스

◀ $y = \dfrac{f(x)}{g(x)}$ 에서 $f(x) = 1$이면

$f'(x) = 0$이므로 $y' = -\dfrac{g'(x)}{\{g(x)\}^2}$

2 삼각함수의 도함수

(1) $y = \sin x$이면 $y' = \cos x$

(2) $y = \cos x$이면 $y' = -\sin x$

(3) $y = \tan x$이면 $y' = \sec^2 x$

(4) $y = \sec x$이면 $y' = \sec x \tan x$

(5) $y = \csc x$이면 $y' = -\csc x \cot x$

(6) $y = \cot x$이면 $y' = -\csc^2 x$

◀ $\sec x = \dfrac{1}{\cos x}$, $\csc x = \dfrac{1}{\sin x}$,

$\cot x = \dfrac{1}{\tan x}$ 이므로 함수의 몫의 미분법을 이용하여 도함수를 구할 수 있다.

3 합성함수의 미분법

미분가능한 두 함수 $y = f(u)$, $u = g(x)$에 대하여 합성함수 $y = f(g(x))$의 도함수는

$$\dfrac{dy}{dx} = \dfrac{dy}{du} \cdot \dfrac{du}{dx} \quad \text{또는} \quad y' = f'(g(x))g'(x)$$

4 지수함수와 로그함수의 도함수

(1) $(e^x)' = e^x$

(2) $(a^x)' = a^x \ln a$ (단, $a > 0$, $a \neq 1$)

(3) $(\ln |x|)' = \dfrac{1}{x}$

(4) $(\log_a |x|)' = \dfrac{1}{x \ln a}$ (단, $a > 0$, $a \neq 1$)

◀ $a > 0$, $a \neq 1$일 때

(1) $y = e^{f(x)}$이면 $y' = e^{f(x)} f'(x)$

(2) $y = a^{f(x)}$이면 $y' = a^{f(x)} f'(x) \ln a$

(3) $y = \ln |f(x)|$이면 $y' = \dfrac{f'(x)}{f(x)}$

(4) $y = \log_a |f(x)|$이면 $y' = \dfrac{f'(x)}{f(x) \ln a}$

5 함수 $y = x^n$ (n은 실수)의 도함수

n이 실수일 때, $y = x^n$이면 $y' = nx^{n-1}$

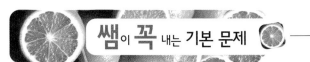

01

함수 $f(x)=\dfrac{x^2+2x+3}{2x}$ 의 $x=1$에서의 미분계수를 구하시오.

02

함수

$$f(x)=\frac{1}{x}+\frac{2}{x^2}+\frac{3}{x^3}+\cdots+\frac{7}{x^7}$$

에 대하여 $f'(1)$의 값을 구하시오.

03

함수 $f(x)=\dfrac{\cos x+1}{\cos x-1}$ 일 때, $f'\!\left(\dfrac{\pi}{4}\right)$의 값은?

① $6\sqrt{2}$ ② $2+6\sqrt{2}$ ③ $4+6\sqrt{2}$

④ $6+6\sqrt{2}$ ⑤ $8+6\sqrt{2}$

04

함수 $f(x)=6\tan 2x$에 대하여 $f'\!\left(\dfrac{\pi}{6}\right)$의 값을 구하시오.

05

함수 $f(x)=x^3-2x^2+1$에 대하여 $g(x)=f(3x-1)$일 때, $g'(1)$의 값을 구하시오.

06

함수 $f(x)=\ln{(x^2+6x)}$에 대하여 $f'(2)$의 값을 구하시오.

07

함수 $f(x)=7^{\cos x}$에 대하여 $f'\!\left(\dfrac{\pi}{2}\right)$의 값은?

① $-7\ln 7$ ② $-\ln 7$ ③ 0

④ 1 ⑤ $\ln 3$

08

함수 $f(x)=\sqrt{x^3+1}$에 대하여 $f'(2)$의 값을 구하시오.

유형 1 함수의 몫의 미분법

09

함수 $f(x) = \dfrac{e^x}{x}$ 에 대하여 $f'(2)$의 값은?

① $\dfrac{e^2}{4}$ ② $\dfrac{e^2}{2}$ ③ e^2

④ $2e^2$ ⑤ $4e^2$

10

함수 $f(x) = \dfrac{x+1}{x^2+3}$ 에 대하여 부등식 $f'(x) \geq 0$을 만족시키는 정수 x의 개수를 구하시오.

11

함수 $f(x) = \dfrac{x \sin x}{e^x}$ 에 대하여 $\displaystyle \lim_{x \to 0} \dfrac{f'(x)}{x}$ 의 값을 구하시오.

12

함수 $f(x) = \dfrac{ax}{2x-1}$ 에 대하여

$$\lim_{x \to 1} \frac{f(x)-f(1)}{x-1} = 6, \quad \lim_{h \to 0} \frac{f(h)}{h} = b$$

일 때, $a^2 + b^2$의 값을 구하시오. (단, a, b는 상수이다.)

13

미분가능한 함수 $g(x)$에 대하여 $f(x) = \dfrac{x}{g(x)+3}$,

$f'(0) = \dfrac{1}{7}$일 때, $g(0)$의 값을 구하시오. (단, $g(0) \neq -3$)

14

미분가능한 함수 $f(x)$에 대하여 양수 x에서 정의된 함수 $F(x)$가

$$F(x) = \frac{f(x)}{1+x^2} + \frac{f(x)}{(1+x^2)^2} + \cdots + \frac{f(x)}{(1+x^2)^n} + \cdots$$

이고, $f(2) = -3$, $f'(2) = 5$일 때, $F'(2)$의 값은?

① 1   ② 2   ③ 3

④ 4   ⑤ 5

유형 2 삼각함수의 도함수

15

함수 $f(x)=\sin x+\tan x$에 대하여 $f'\left(\dfrac{\pi}{3}\right)$의 값을 구하시오.

16

함수 $f(x)=\csc x \cot x$에 대하여 $f'\left(\dfrac{\pi}{4}\right)$의 값을 구하시오.

17

함수 $f(x)=\dfrac{\tan x}{1+\sec x}$에 대하여

$\lim\limits_{h \to 0}\dfrac{f\left(\dfrac{\pi}{3}+h\right)-f\left(\dfrac{\pi}{3}-h\right)}{h}$의 값은?

① $\dfrac{1}{3}$ ② $\dfrac{1}{2}$ ③ $\dfrac{2}{3}$

④ 1   ⑤ $\dfrac{4}{3}$

유형 3 합성함수의 미분법

18

함수 $f(x)=\left(\dfrac{2x+1}{x^2+1}\right)^3$에 대하여 $f'(0)$의 값은?

① 3   ② 4   ③ 5

④ 6   ⑤ 7

19

함수 $f(x)=\cos^2\left(2x-\dfrac{\pi}{4}\right)$일 때, $f'\left(\dfrac{\pi}{4}\right)$의 값을 구하시오.

20

함수 $f(x)=\sum\limits_{k=1}^{n}(2x-1)^{1-k}$일 때, $\lim\limits_{n \to \infty}\dfrac{f'(1)}{n^2+2n+3}$의 값을 구하시오. $\left(\text{단, } x \neq \dfrac{1}{2}\right)$

21

두 함수 $f(x), g(x)$가

$$f(x) = \frac{1-x}{1+x}, \; g(x) = \cos x$$

이고, $h(x) = (f \circ g)(x)$일 때, $h'\left(\dfrac{\pi}{3}\right)$의 값은?

① $\dfrac{\sqrt{3}}{9}$ ② $\dfrac{2\sqrt{3}}{9}$ ③ $\dfrac{\sqrt{3}}{3}$

④ $\dfrac{4\sqrt{3}}{9}$ ⑤ $\dfrac{5\sqrt{3}}{9}$

22

함수 $f(x) = \sin x$, $g(x) = \tan x$에 대하여 $\displaystyle\lim_{x \to 0} \dfrac{f(g(x))}{x}$의 값을 구하시오.

23

중요

다항식 $(2x-3)^{10}$을 $(x-2)^2$으로 나누었을 때의 나머지를 $ax+b$라 할 때, 두 상수 a, b에 대하여 $a-b$의 값을 구하시오.

24

함수 $f(x) = xe^{\sin x}$에 대하여 $f'\left(\dfrac{\pi}{2}\right)$의 값은?

① 0 ② 1 ③ 2

④ e ⑤ $2e$

25

중요

함수 $f(x) = \ln(x^2 + x)$에 대하여 $\displaystyle\sum_{n=1}^{\infty} \dfrac{f'(n)}{2n+1}$의 값을 구하시오.

26

함수

$$f(x) = \begin{cases} e^{x^2-1} + a & (x < 1) \\ b\ln(2x-1) + 3 & (x \geq 1) \end{cases}$$

이 $x=1$에서 미분가능하도록 하는 두 상수 a, b에 대하여 $a+b$의 값을 구하시오.

유형 5 로그함수의 미분법의 응용

27
함수 $f(x)=\dfrac{x(x+2)^3}{(x+1)^4}$에 대하여 $f'(0)$의 값을 구하시오.

28 중요
함수 $f(x)=\sqrt{\dfrac{(x-1)(x+3)}{(x+1)^2}}$에 대하여
$$f'(x)=f(x)g(x)$$
일 때, $g(3)$의 값을 구하시오.

29
함수 $f(x)=x^{2\ln x}$에 대하여 $\displaystyle\lim_{x\to 0}\dfrac{f(e+3x)-f(e-3x)}{x}$의
값은?

① e　　　　② $6e$　　　　③ $12e$

④ $18e$　　　⑤ $24e$

유형 6 $y=x^n$의 도함수

30
함수 $f(x)=\dfrac{x^3+1}{x}$일 때, $\displaystyle\lim_{h\to 0}\dfrac{f(2+h)-f(2-h)}{h}$의 값을
구하시오.

31
함수 $f(x)=\sqrt[3]{4x-x^2}$에 대하여 $x=1$에서의 미분계수는?

① $\dfrac{1}{3\sqrt[3]{9}}$　　　　② $\dfrac{2}{3\sqrt[3]{9}}$　　　　③ $\dfrac{1}{\sqrt[3]{9}}$

④ $\dfrac{4}{3\sqrt[3]{9}}$　　　　⑤ $\dfrac{5}{3\sqrt[3]{9}}$

32 중요
두 함수 $f(x)=\sqrt{2-x^2}$, $g(x)=\tan x$에 대하여
$h(x)=(f\circ g)(x)$일 때, $h'\left(\dfrac{\pi}{4}\right)$의 값을 구하시오.

33

미분가능한 두 함수 $f(x)$, $g(x)$가 $f(2)=3$, $f'(2)=2$, $g(2)=g'(2)=4$를 만족시킬 때, $\displaystyle\lim_{h\to 0}\frac{1}{h}\left\{\frac{f(2+h)}{g(2+h)}-\frac{f(2)}{g(2)}\right\}$ 의 값을 구하시오.

34

그림과 같이 $\overline{BC}=1$, $\angle ABC=\dfrac{\pi}{3}$, $\angle ACB=2\theta$인 삼각형 ABC에 내접하는 원의 반지름의 길이를 $r(\theta)$라 하자.

$h(\theta)=\dfrac{r(\theta)}{\tan\theta}$ 일 때, $h'\left(\dfrac{\pi}{6}\right)$의 값은? $\left(\text{단, } 0<\theta<\dfrac{\pi}{3}\right)$

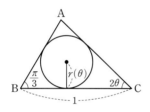

① $-\sqrt{3}$ ② $-\dfrac{\sqrt{3}}{3}$ ③ $\dfrac{\sqrt{3}}{6}$

④ $\dfrac{\sqrt{3}}{3}$ ⑤ $\sqrt{3}$

35

함수 $f(x)=2\sin x+\cos x$와 모든 실수에서 미분가능한 두 함수 $g(x)$, $h(x)$의 합성함수 $p(x)=(h\circ g\circ f)(x)$에 대하여 $p'(0)=12$일 때, $h'(g(1))g'(1)$의 값을 구하시오.

36

$\displaystyle\lim_{x\to 0}\frac{2^x+2^{2x}+2^{3x}+\cdots+2^{10x}-10}{x}$ 의 값은?

① 2   ② $10\ln 2$ ③ 10

④ $55\ln 2$ ⑤ 55

37

$f'(0)=4$인 함수 $f(x)$에 대하여

$$\lim_{x\to 0}\frac{f(\ln(1+3x))-f(e^{2x}-1)}{x}$$

의 값을 구하시오.

최고난도 문제

38

함수 $f(x)=(1+e^x)(1+e^{2x})(1+e^{3x})\cdots(1+e^{11x})$에 대하여 $\displaystyle\lim_{x\to 0}\frac{f'(x)}{f(x)}$ 의 값을 구하시오.

08 여러 가지 미분법

08 여러 가지 미분법

1 매개변수로 나타낸 함수의 미분법

매개변수로 나타낸 함수 $x=f(t)$, $y=g(t)$가 t에 대하여 미분가능하고 $f'(t)\neq0$
이면

$$\frac{dy}{dx}=\frac{\dfrac{dy}{dt}}{\dfrac{dx}{dt}}=\frac{g'(t)}{f'(t)}$$

개념 플러스

◀ 매개변수로 나타낸 곡선의 접선의 방정식
매개변수로 나타낸 곡선 $x=f(t)$, $y=g(t)$
에서 $t=t_1$일 때 접선의 방정식

$$\Rightarrow y=\frac{g'(t_1)}{f'(t_1)}\{x-f(t_1)\}+g(t_1)$$

(단, $t=t_1$에서 미분가능하고 $f'(t_1)\neq0$이다.)

2 음함수의 미분법

x의 함수 y가 음함수 $f(x, y)=0$ 꼴로 주어질 때는 y를 x의 함수로 보고 각 항을
x에 대하여 미분하여 $\dfrac{dy}{dx}$를 구한다.

◀ 양함수와 음함수
(1) 양함수: x의 함수 y가 $y=f(x)$ 꼴
(2) 음함수: x의 함수 y가 $f(x, y)=0$ 꼴

3 역함수의 미분법

미분가능한 함수 $f(x)$의 역함수 $y=f^{-1}(x)$가 존재하고 미분가능할 때,

$$\frac{dy}{dx}=\frac{1}{\dfrac{dx}{dy}}\ \text{또는}\ (f^{-1})'(x)=\frac{1}{f'(y)}\left(\text{단},\ \frac{dx}{dy}\neq0,\ f'(y)\neq0\right)$$

◀ 미분가능한 함수 $f(x)$의 역함수 $g(x)$가 존재
하고 미분가능하면

$$\Rightarrow g'(x)=\frac{1}{f'(g(x))}\ (\text{단},\ f'(g(x))\neq0)$$

4 이계도함수

함수 $f(x)$의 도함수 $f'(x)$가 미분가능할 때,

$$f''(x)=\{f'(x)\}'=\lim_{\Delta x\to0}\frac{f'(x+\Delta x)-f'(x)}{\Delta x}$$

를 이계도함수라고 한다.

◀ 일반적으로 자연수 n에 대하여 함수 $f(x)$를
n번 미분하여 얻은 함수를 $y=f(x)$의 n계도
함수라 하고, 기호로

$$f^{(n)}(x),\ y^{(n)},\ \frac{d^ny}{dx^n},\ \frac{d^n}{dx^n}f(x)$$

와 같이 나타낸다.

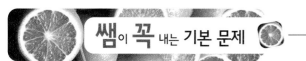
01

곡선 $\begin{cases} x=t^2+1 \\ y=2-t-t^2 \end{cases}$ 위의 점 $(2,\,0)$에서의 접선의 기울기를 구하시오.

02

매개변수 θ로 나타낸 함수

$\begin{cases} x=\cos\theta+3 \\ y=1-2\sin\theta \end{cases}$

에 대하여 $\theta=\dfrac{\pi}{6}$ 일 때, $\dfrac{dy}{dx}$ 의 값을 구하시오.

03

곡선 $5x+xy+y^2=5$ 위의 점 $(1,\,-1)$에서의 접선의 기울기를 구하시오.

04

곡선 $\ln y=2e^{-3x}$ 위의 점 $(0,\,e^2)$에서의 접선의 기울기는?

① $-6e^2$ ② $-5e^2$ ③ $-4e^2$

④ $-3e^2$ ⑤ $-2e^2$

05

함수 $f(x)=x^3+2x+1$의 역함수를 $g(x)$라 할 때, $24g'(1)$의 값을 구하시오.

06

함수 $x=\dfrac{1}{2y^2+1}$ 에 대하여 $\dfrac{dy}{dx}$를 구하면? (단, $y\neq 0$)

① $-\dfrac{(2y^2+1)^2}{2y}$ ② $-\dfrac{(2y^2+1)^2}{4y}$ ③ $-\dfrac{(2y^2+1)^2}{8y}$

④ $\dfrac{(2y^2+1)^2}{2y}$ ⑤ $\dfrac{(2y^2+1)^2}{4y}$

07

미분가능한 함수 $f(x)$의 역함수를 $g(x)$라 하자. $f(1)=3$, $f'(1)=4$일 때, $g'(3)$의 값을 구하시오.

08

함수 $f(x)=e^x\cos x$에 대하여 $\dfrac{f'\left(\dfrac{\pi}{2}\right)}{f''\left(\dfrac{\pi}{2}\right)}$ 의 값을 구하시오.

유형 **1** 매개변수로 나타낸 함수의 미분법

09

곡선 $x=t^2+t+1$, $y=\dfrac{1}{2}t^3+at$에 대하여 $t=1$에 대응하는 점에서의 접선의 기울기가 3일 때, 상수 a의 값은?

① 7 　　　　② $\dfrac{15}{2}$ 　　　　③ 8

④ $\dfrac{17}{2}$ 　　　　⑤ 9

10

매개변수로 나타낸 함수 $x=t-\dfrac{1}{t}$, $y=t+\dfrac{1}{t}$ $(t>0)$에 대하여 $t=3$일 때, $\dfrac{dy}{dx}$의 값을 구하시오.

★ 중요 11

매개변수로 나타낸 함수 $x=\sqrt{t}+\dfrac{1}{t}$, $y=\sqrt{t}-\dfrac{1}{t}$에 대하여 $t=4$에 대응하는 점에서의 접선의 기울기를 구하시오. (단, $t>0$)

12

매개변수로 나타낸 곡선 $x=e^t\sin t$, $y=t\cos t$에 대하여 $t=\pi$에서의 접선의 기울기를 구하시오.

★ 중요 13

매개변수 t로 나타낸 함수

$$x=t^2+\dfrac{4}{3}t^3+2t^4+\cdots+\dfrac{2^n}{n+1}t^{n+1},$$

$$y=t+t^2+\dfrac{4}{3}t^3+\cdots+\dfrac{2^{n-1}}{n}t^n$$

에 대하여 $\displaystyle\lim_{t\to1}\dfrac{dy}{dx}$의 값을 구하시오. (단, n은 자연수이다.)

14

그림과 같이 높이가 3 m인 방파제에서 바다에 떠 있는 부표를 로프로 매초 0.5 m의 일정한 속력으로 끌어당기고 있다. 로프의 길이가 5 m일 때 부표가 끌려오는 속력은? (단, 단위는 m/s이다.)

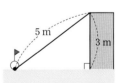

① $\dfrac{1}{4}$ 　　　　② $\dfrac{1}{2}$ 　　　　③ $\dfrac{5}{8}$

④ $\dfrac{3}{4}$ 　　　　⑤ 1

유형 2 음함수의 미분법

15

곡선 $x^3-3xy^2+y^3=1$ 위의 점 $(2,-1)$에서의 접선의 기울기는?

① $-\dfrac{3}{4}$ ② $-\dfrac{3}{5}$ ③ $\dfrac{3}{5}$

④ $\dfrac{2}{3}$ ⑤ $\dfrac{3}{4}$

16

곡선 $x^2-y^2-y=1$ 위의 점 $\mathrm{A}(a,b)$에서의 접선의 기울기가 $\dfrac{2}{15}a$일 때, b의 값을 구하시오.

17

곡선 $x^3+y^2+axy+b=0$ 위의 점 $(1,2)$에서의 $\dfrac{dy}{dx}$의 값이 -1이 되도록 두 상수 a,b의 값을 정할 때, $a+b$의 값을 구하시오.

18

곡선 $ax-2e^y+y=0$ 위의 점 $(1,0)$에서의 접선의 기울기를 구하시오. (단, a는 상수이다.)

19

곡선 $\sqrt{x}+a\sqrt{y}=20$ 위의 점 $(4,b)$에서의 접선의 기울기가 $-\dfrac{1}{4}$일 때, ab의 값은? (단, a는 상수이다.)

① 30 ② 36 ③ 42

④ 48 ⑤ 54

20

곡선 $x^2+xy+y^2=12$ 위의 점 $\mathrm{P}(a,b)$에서의 접선과 직선 OP가 서로 수직일 때, $a+b$의 값을 구하시오.

(단, $a>0,\ b>0$이고 O는 원점이다.)

유형 **3** 역함수의 미분법

21

함수 $f(x)=x^3-x^2+ax$와 그 역함수 $f^{-1}(x)$에 대하여 $f^{-1}(6)=2$일 때, $(f^{-1})'(6)$의 값을 구하시오.

(단, a는 상수이다.)

22

함수 $f(x)=\sin x\left(-\dfrac{\pi}{2}<x<\dfrac{\pi}{2}\right)$의 역함수를 $g(x)$라 할 때, $g'\left(\dfrac{1}{2}\right)$의 값은?

① $\dfrac{\sqrt{3}}{2}$　　　　② $\dfrac{2\sqrt{3}}{3}$　　　　③ $\sqrt{2}$

④ $\sqrt{3}$　　　　⑤ 2

23

구간 $(-1,\ \infty)$에서 정의된 함수 $f(x)=xe^x+e$의 역함수를 $g(x)$라 할 때, $g'(e)$의 값을 구하시오.

24

함수 $f(x)=\ln\sqrt{\dfrac{2+x}{2-x}}\ (-2<x<2)$의 역함수를 $g(x)$라 할 때, $\dfrac{g'(0)}{f'(1)}$의 값을 구하시오.

25

함수 $f(x)=\ln(x-1)+x^2+1$에 대하여 $f(x)$의 역함수를 $g(x)$라 할 때, $\displaystyle\lim_{h\to 0}\dfrac{g(5+h)-g(5)}{h}$의 값은?

① $\dfrac{1}{10}$　　　　② $\dfrac{1}{5}$　　　　③ 1

④ 5　　　　⑤ 10

26

함수 $f(x)=x(e^{x-1}+3)$에 대하여 함수 $f(2x-1)$의 역함수를 $g(x)$라 할 때, 곡선 $y=g(x)$ 위의 점 $(f(1),\ g(f(1)))$에서의 접선의 기울기를 구하시오.

유형 4 역함수의 미분법의 성질

27

미분가능한 함수 $f(x)$의 역함수 $g(x)$가

$$\lim_{x \to 1} \frac{g(x)-2}{x-1}=3$$

을 만족시킬 때, $f'(2)$의 값은?

① 1 ② $\dfrac{1}{2}$ ③ $\dfrac{1}{3}$

④ $\dfrac{1}{4}$ ⑤ $\dfrac{1}{6}$

28

모든 실수 x에 대하여 미분가능한 함수 $f(x)$가

$$\lim_{x \to 1} \frac{f(x)-2}{x-1}=\frac{1}{2}, \ \lim_{x \to 2} \frac{f(x)-3}{x-2}=4$$

를 만족시킨다. 함수 $f(x)$의 역함수를 $g(x)$라 할 때,

$\lim\limits_{x \to 3} \dfrac{g(g(x))-1}{x-3}$ 의 값을 구하시오.

29

모든 실수 x에 대하여 미분가능한 함수 $f(x)$의 역함수 $g(x)$가

$\lim\limits_{n \to \infty} n\left\{g\left(2+\dfrac{1}{n}\right)-g\left(2-\dfrac{1}{n}\right)\right\}=\dfrac{1}{3}$ 을 만족시키고 $g(2)=3$일

때, $f'(3)$의 값을 구하시오.

유형 5 이계도함수

30

함수 $f(x)=xe^{ax+b}$에 대하여 $f'(0)=7$, $f''(0)=28$이 성립하도록 두 상수 a, b의 값을 정할 때, $a+e^b$의 값을 구하시오.

31

함수 $f(x)=e^x \sin 2x$가 임의의 실수 x에 대하여 등식 $f''(x)+af'(x)+5f(x)=0$을 만족시킬 때, 상수 a의 값을 구하시오.

32

함수 $f(x)=\tan x$에 대하여 $\lim\limits_{x \to \frac{\pi}{4}} \dfrac{f(x)-1}{f'(x)-2}$ 의 값은?

① -1 ② $-\dfrac{1}{2}$ ③ $\dfrac{1}{2}$

④ 1 ⑤ $\dfrac{3}{2}$

33

두 곡선 $\begin{cases} x=a\cos\alpha \\ y=b\sin\alpha \end{cases}$ 와 $\begin{cases} x=\sqrt{3}\tan\beta \\ y=2\sqrt{3}\sec\beta \end{cases}$ 는 점 $P(1, 4)$에서 만나고, 점 P에서의 두 곡선의 접선은 서로 수직이다. 두 양수 a, b에 대하여 a^2+b^2의 값은?

① 5   ② 10   ③ 15

④ 20   ⑤ 25

34

매개변수 t로 나타낸 함수

$$x=\sum_{k=1}^{n}(1+t)^{1-k}, \quad y=\sum_{k=1}^{n}\left(2-\frac{1}{k}\right)(1-t)^k$$

에 대하여 $t=0$에서 $\dfrac{dx}{dt}$의 값이 -3일 때, $t=0$에서 $\dfrac{dy}{dx}$의 값을 구하시오.

35

곡선 $(x+1)^2-(x^2+1)y^3=0$에 대하여 부등식 $\dfrac{dy}{dx}>0$을 만족시키는 실수 x의 값의 범위와 이차부등식 $x^2-ax+b<0$의 해가 서로 같을 때, $a+b$의 값을 구하시오. (단, a, b는 상수이다.)

36

함수 $f(x)=x^3-x^2+x$의 역함수 $g(x)$가

$$\lim_{h\to 0}\frac{\sum_{k=1}^{n}g(1+kh)-ng(1)}{h}=33$$

을 만족시킬 때, 자연수 n의 값을 구하시오.

37

미분가능한 함수 $f(x)$에 대하여 $g(x)$는 $f(x)$의 역함수이고, $f(\alpha)=f'(\alpha)=\beta$일 때, $\displaystyle\lim_{x\to\beta}\dfrac{\dfrac{1}{g(x)}-\dfrac{1}{g(\beta)}}{x-\beta}$의 값을 α, β로 나타내면? (단, $g(x)\neq 0$이고 α, β는 실수이다.)

① $-\dfrac{1}{\alpha\beta^2}$ ② $-\dfrac{1}{\alpha^2\beta}$ ③ $\dfrac{1}{\beta}$

④ α ⑤ β

 최고난도 문제

38

그림과 같이 반지름의 길이가 1이고 x축에 접하는 원 위에 한 점 $P(x, y)$가 있다. 점 P가 원점을 출발하여 이 원이 x축에 접하면서 오른쪽으로 굴러갈 때, 이 원의 중점을 Q, 원과 x축의 접점을 R라 하자. $\angle PQR=\dfrac{2}{3}\pi$일 때, $\dfrac{dy}{dx}$의 값을 구하시오.

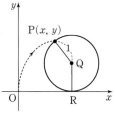

09 접선의 방정식과 극대·극소

09 접선의 방정식과 극대·극소

1 접선의 방정식

(1) 곡선 $y=f(x)$ 위의 점 $(a, f(a))$에서의 접선의 방정식은
$$y-f(a)=f'(a)(x-a)$$

(2) 곡선 $y=f(x)$에 접하고 기울기가 m인 접선의 방정식
  ① 접점의 좌표를 $(a, f(a))$로 놓는다.
  ② $f'(a)=m$임을 이용하여 접점의 좌표를 구한다.
  ③ $y-f(a)=m(x-a)$를 이용하여 접선의 방정식을 구한다.

(3) 곡선 $y=f(x)$ 밖의 한 점 (x_1, y_1)이 주어졌을 때
  ① 접점의 좌표를 $(a, f(a))$로 놓는다.
  ② $y-f(a)=f'(a)(x-a)$에 점 (x_1, y_1)의 좌표를 대입하여 a의 값을 구한다.
  ③ a의 값을 $y-f(a)=f'(a)(x-a)$에 대입하여 접선의 방정식을 구한다.

개념 플러스

◀ 곡선 $y=f(x)$ 위의 점 $(a, f(a))$에서의 접선이 x축의 양의 방향과 이루는 각의 크기를 θ라 하면
$$f'(a)=\tan\theta$$

◀ **접선에 수직인 직선의 방정식**
  곡선 $y=f(x)$ 위의 점 $(a, f(a))$에서의 접선에 수직인 직선의 방정식은
$$y-f(a)=-\frac{1}{f'(a)}(x-a) \,(\text{단}, f'(a)\neq 0)$$

2 함수의 증가와 감소

함수 $f(x)$가 어떤 구간에서 미분가능하고, 그 구간에서
(1) $f'(x)>0$이면 $f(x)$는 그 구간에서 증가한다.
(2) $f'(x)<0$이면 $f(x)$는 그 구간에서 감소한다.

◀ 함수 $f(x)$의 역함수를 $g(x)$라 할 때, 곡선 $y=g(x)$ 위의 점 (a, b)에서의 접선의 방정식은
$$y-b=\frac{1}{f'(b)}(x-a) \,(\text{단}, f'(b)\neq 0)$$

3 함수의 극대와 극소

(1) 함수의 극대와 극소
  함수 $f(x)$에서 $x=a$를 포함하는 어떤 열린구간에 속하는 모든 x에 대하여
  ① $f(x)\leq f(a)$이면 $f(x)$는 $x=a$에서 극대이고, 극댓값은 $f(a)$이다.
  ② $f(x)\geq f(a)$이면 $f(x)$는 $x=a$에서 극소이고, 극솟값은 $f(a)$이다.
(2) 이계도함수를 이용한 극대와 극소의 판정
  이계도함수를 갖는 함수 $f(x)$에 대하여 $f'(a)=0$일 때
  ① $f''(a)<0$이면 $f(x)$는 $x=a$에서 극대이고, 극댓값은 $f(a)$이다.
  ② $f''(a)>0$이면 $f(x)$는 $x=a$에서 극소이고, 극솟값은 $f(a)$이다.

◀ **극대·극소의 판정법**
  미분가능한 함수 $f(x)$에 대하여 $f'(a)=0$이 되는 $x=a$의 좌우에서 $f'(x)$의 부호가
  (1) 양 ⇨ 음으로 바뀌면 $f(x)$는 $x=a$에서 극대이다.
  (2) 음 ⇨ 양으로 바뀌면 $f(x)$는 $x=a$에서 극소이다.

4 함수의 최댓값과 최솟값

닫힌구간 $[a, b]$에서 연속인 함수 $f(x)$의 최댓값과 최솟값은 다음과 같이 구한다.
① 주어진 구간에서의 $f(x)$의 극댓값과 극솟값을 모두 구한다.
② 주어진 구간의 양 끝의 함숫값 $f(a)$, $f(b)$를 구한다.
③ 위에서 구한 극댓값, 극솟값, $f(a)$, $f(b)$의 크기를 비교하여 가장 큰 값이 최댓값, 가장 작은 값이 최솟값이다.

◀ 주어진 구간에서 함수 $f(x)$가 연속이면 극댓값과 극솟값은 여러 개 존재할 수 있지만 최댓값, 최솟값은 오직 한 개씩만 존재한다.

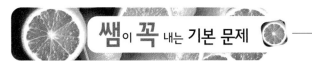

쌤이 **꼭** 내는 기본 문제

01

곡선 $y=e^{x-1}$ 위의 점 $(2, e)$에서의 접선의 방정식은
$y=mx+n$이다. 두 상수 m, n에 대하여 mn의 값은?

① e^2 ② e ③ -1
④ $-e$ ⑤ $-e^2$

02

곡선 $y=\sin x$ $(0 \leq x \leq \pi)$에 접하고 직선 $x-2y-6=0$에 평행한 직선의 방정식을 구하시오.

03

점 $\left(3, \dfrac{1}{4}\right)$에서 곡선 $y=\dfrac{1}{x}$에 그은 접선 중에서 기울기가 가장 작은 접선의 y절편을 구하시오.

04

함수 $f(x)=\dfrac{e^x}{4x^2+3}$ 이 감소하는 구간이 $\alpha \leq x \leq \beta$일 때, 두 실수 α, β에 대하여 $\beta-\alpha$의 값을 구하시오.

05

함수 $f(x)=\dfrac{2x}{x^2+1}$ 의 극댓값과 극솟값의 합을 구하시오.

06

함수 $f(x)=(x^2-x-1)e^x$의 극댓값과 극솟값의 곱은?

① -3 ② $-\dfrac{5}{e}$ ③ $-\dfrac{3}{e}$
④ $\dfrac{5}{e}$ ⑤ 3

07

함수 $f(x)=\dfrac{x-1}{x^2}$ $(x>0)$은 $x=a$에서 최댓값 M을 갖는다. aM의 값을 구하시오.

08

함수 $f(x)=\dfrac{\ln x}{x}$ $(1 \leq x \leq e^2)$의 최댓값을 M, 최솟값을 m이라 할 때, $M+m$의 값을 구하시오.

09

곡선 $x=1-t^2$, $y=2+t+t^2$ 위의 점 $(0, 4)$에서의 접선의 방정식이 $y=ax+b$일 때, 두 상수 a, b에 대하여 $a+b$의 값을 구하시오.

10

곡선 $x^3+y^3=8(xy+1)$ 위의 점 $(0, 2)$에서의 접선의 방정식은?

① $4x+3y-6=0$ ② $4x-3y+6=0$

③ $2x+3y-6=0$ ④ $2x-3y+6=0$

⑤ $x+3y-6=0$

11

곡선 $y=\sin 3x$ 위의 점 $\mathrm{P}(\theta, \sin 3\theta)$에서의 접선에 수직이고 점 P를 지나는 직선이 x축과 만나는 점의 x좌표를 $f(\theta)$라 할 때, $\displaystyle\lim_{\theta\to 0}\dfrac{f(\theta)}{\theta}$의 값을 구하시오.

12

곡선 $y=\sqrt{2x^2+ax+b}$ 위의 $x=1$인 점에서의 접선의 방정식이 $3x+y-4=0$일 때, 두 상수 a, b에 대하여 $b-a$의 값을 구하시오.

13

두 곡선 $y=e^{x-b}$, $y=\ln x+1$이 $x=a$인 점에서 공통인 접선을 가질 때, 두 상수 a, b에 대하여 $a+b$의 값을 구하시오.

14

곡선 $f(x)=e^{-x}\sin x$ $(x>0)$와 x축의 교점의 x좌표를 작은 것부터 차례로 $x_1, x_2, x_3, \cdots, x_n, \cdots$이라 하고 곡선 $y=f(x)$ 위의 $x=x_n$인 점에서의 접선의 y절편을 y_n이라 할 때, $\displaystyle\sum_{n=1}^{\infty}\dfrac{y_n}{n}$의 값은?

① $\dfrac{1}{e^\pi-1}$ ② $\dfrac{1}{e^\pi+1}$ ③ $\dfrac{\pi}{e^\pi-1}$

④ $\dfrac{\pi}{e^\pi}$ ⑤ $\dfrac{\pi}{e^\pi+1}$

유형 **2** 접선의 방정식 – 기울기가 주어질 때

15

곡선 $y=\ln(x-1)$에 접하고 직선 $x+y=0$에 수직인 직선의 y절편을 구하시오.

16

곡선 $y=(x+1)e^x$ 위의 점과 직선 $y=2x-4$ 사이의 거리의 최솟값을 구하시오.

17

곡선 $\dfrac{a}{x}+\dfrac{b}{y}=2xy$ 위의 점 $(1,\ 1)$에서의 접선의 기울기가 2이고 곡선 위의 점 $(c,\ 1)$에서의 접선의 방정식이 $y=mx+n$일 때, mn의 값은? (단, $a,\ b,\ m,\ n$은 상수이고, $c<0$이다.)

① $-\dfrac{2}{3}$ ② $-\dfrac{2}{9}$ ③ $\dfrac{2}{9}$

④ $\dfrac{2}{3}$ ⑤ 1

유형 **3** 접선의 방정식 – 곡선 밖의 한 점이 주어질 때

18

원점에서 곡선 $y=e^{x-k}$에 그은 접선이 점 $(2,\ 8)$을 지날 때, 상수 k의 값은?

① $\ln\dfrac{e}{16}$ ② $\ln\dfrac{e}{8}$ ③ $\ln\dfrac{e}{4}$

④ $\ln\dfrac{e}{2}$ ⑤ 1

19

원점 O에서 곡선 $y=\ln x+1$에 그은 접선의 접점을 A, 점 A를 지나고 접선에 수직인 직선이 x축과 만나는 점을 B라 할 때, 삼각형 OAB의 넓이를 구하시오.

20

원점에서 곡선 $y=(x-a)e^{-x}$에 오직 하나의 접선을 그을 수 있을 때, 상수 a의 값을 구하시오. (단, $a\neq0$)

21

함수 $f(x)=2x^3+3x$의 역함수를 $g(x)$라 하면 곡선 $y=g(x)$ 위의 $x=5$인 점에서의 접선이 점 $(2, a)$를 지난다. 상수 a의 값을 구하시오.

22

함수 $f(x)=\sqrt{x^2+1}$ $(x>0)$의 역함수를 $g(x)$라 할 때, 곡선 $y=g(x)$ 위의 $x=\sqrt{2}$인 점에서의 접선의 방정식은?

① $y=\sqrt{2}x-1$ ② $y=\sqrt{2}x$ ③ $y=\sqrt{2}x+1$

④ $y=2\sqrt{2}x-1$ ⑤ $y=2\sqrt{2}x+1$

중요
23

함수 $f(x)=(x-1)e^x$ $(x>0)$의 역함수를 $g(x)$라 할 때, 곡선 $y=g(x)$ 위의 점 $(e^2, 2)$에서의 접선의 y절편을 구하시오.

24

구간 $[0, \pi]$에서 정의된 함수 $f(x)=e^{-x}\sin x$가 증가하는 구간은?

① $\left[0, \dfrac{\pi}{4}\right]$ ② $\left[\dfrac{\pi}{4}, \dfrac{\pi}{3}\right]$ ③ $\left[\dfrac{\pi}{3}, \dfrac{\pi}{2}\right]$

④ $\left[\dfrac{\pi}{2}, \dfrac{3}{4}\pi\right]$ ⑤ $\left[\dfrac{3}{4}\pi, \pi\right]$

중요
25

함수 $f(x)=-x^2+4x-2a\ln x$가 구간 $(0, \infty)$에서 감소하도록 하는 실수 a의 최솟값을 구하시오.

26

함수 $f(x)=\sin(ax+1)$이 구간 $[0, 1]$에서 $x_1<x_2$이면 $f(x_1)<f(x_2)$를 만족시킬 때, 실수 a의 최댓값을 구하시오.

(단, $a\neq0$)

유형 6 여러 가지 함수의 극대·극소

27

함수 $f(x)=\dfrac{ax+1}{x^2-x+1}$ 이 $x=2$에서 극솟값 b를 가질 때, 두 상수 a, b에 대하여 $a+b$의 값을 구하시오.

28

함수 $f(x)=\dfrac{1}{\sqrt{x-2}-x}$ 의 극솟값은?

① $-\dfrac{4}{7}$ ② $-\dfrac{4}{9}$ ③ $-\dfrac{4}{11}$

④ $-\dfrac{4}{13}$ ⑤ $-\dfrac{4}{15}$

29

함수 $f(x)=\ln x+\dfrac{a}{x}-x$ $(x>0)$가 $x=2$에서 극댓값 m을 갖는다. $a+m$의 값을 구하시오. (단, a, m은 상수이다.)

30

구간 $(0,\,2\pi)$에서 정의된 함수 $f(x)=\sin^4 2x+3$에 대하여 $y=f(x)$의 그래프의 극대 또는 극소가 되는 점의 개수를 구하시오.

31

함수 $f(x)=e^x+ke^{-x}$ $(k>0)$에 대한 〈보기〉의 설명 중에서 옳은 것만을 있는 대로 고른 것은?

┤ 보기 ├

ㄱ. 함수 $f(x)$는 극댓값과 극솟값을 모두 가진다.

ㄴ. $x=\dfrac{1}{2}\ln k$에서 극솟값을 가진다.

ㄷ. 극값이 $2e$일 때, k의 값은 e^2이다.

① ㄱ ② ㄴ ③ ㄱ, ㄷ

④ ㄴ, ㄷ ⑤ ㄱ, ㄴ, ㄷ

32

$0<x<2\pi$에서 함수 $f(x)=e^x(\sin x+\cos x)$의 극댓값을 M, 극솟값을 m이라 하자. Mm의 값을 구하시오.

유형 7 함수가 극값을 가질 조건

33

함수 $f(x)=e^x(x^2+x+k)$가 극값을 갖지 않을 때, 상수 k의 값의 범위는?

① $k \le -\dfrac{5}{4}$ ② $k < \dfrac{5}{4}$ ③ $\dfrac{5}{4} < k < \dfrac{9}{4}$

④ $k \ge 1$ ⑤ $k \ge \dfrac{5}{4}$

34

함수 $f(x)=2\ln x+\dfrac{a}{x}-x$의 극댓값과 극솟값이 모두 존재하기 위한 실수 a의 값의 범위를 구하시오.

35

함수 $f(x)=kx+\sin x$가 극값을 갖지 않기 위한 실수 k의 값의 범위를 구하시오.

유형 8 여러 가지 함수의 최대 · 최소

36

실수 전체의 집합에서 정의된 함수 $f(x)=\dfrac{ax+b}{x^2-x+1}$가 $x=1$에서 최댓값 6을 가질 때, a^2+b^2의 값을 구하시오.

(단, a, b는 상수이다.)

37

함수 $f(x)=x+\sqrt{1+2x-x^2}$의 최댓값을 M, 최솟값을 m이라 할 때, $M-m$의 값은?

① $3+2\sqrt{2}$ ② $2+2\sqrt{2}$ ③ $3+\sqrt{2}$

④ $2+\sqrt{2}$ ⑤ $3-\sqrt{2}$

38

함수 $f(x)=\dfrac{x(x+k)}{e^x}$ $(0 \le x \le 3)$는 $x=2$에서 극댓값을 갖고, $x=a$에서 최솟값을 갖는다. a의 값을 구하시오.

(단, k는 상수이다.)

39

두 함수 $f(x)=x^2-2x-1$, $g(x)=e^x$이 있다. $-2 \leq x \leq 3$일 때, 함수 $(f \circ g)(x)$의 최솟값을 구하시오.

40

함수 $f(x)=\dfrac{e^x}{\sin x}$ $(0<x<\pi)$의 최솟값은?

① $\dfrac{1}{2}e^{\frac{\pi}{6}}$ ② $\dfrac{\sqrt{3}}{2}e^{\frac{\pi}{3}}$ ③ $\dfrac{\sqrt{2}}{2}e^{\frac{\pi}{4}}$

④ $\sqrt{2}e^{\frac{\pi}{4}}$ ⑤ $2e^{\frac{\pi}{4}}$

41

$0 \leq x \leq \dfrac{\pi}{2}$에서 함수 $f(x)=a(x-\sin 2x)+\pi$의 최댓값이 2π일 때, 양수 a의 값을 구하시오.

유형 9   최대·최소의 활용

42

그림과 같이 $\overline{AD}=\overline{DC}=1$이고, $\angle ACB$가 직각인 직각삼각형 ABC에서 $\angle ABD=\theta$라 하자. $\tan \theta$의 값이 최대일 때, 선분 BC의 길이는?

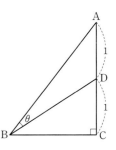

① 1   ② $\sqrt{2}$

③ $\dfrac{3}{2}$ ④ $\sqrt{3}$

⑤ 2

43

곡선 $y=e^{-x^2+1}$이 그림과 같다. 이 곡선 위의 한 점 $P(a, e^{-a^2+1})$에서 그은 접선과 x축이 만나는 점을 Q라 하고, 점 P에서 x축에 내린 수선의 발을 H라 하자. 삼각형 PQH의 넓이가 최대일 때, a의 값을 구하시오. (단, $a \leq -1$)

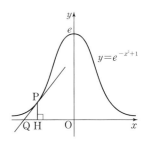

44

그림과 같이 함수 $y=4\sin x$ $(0<x<\pi)$의 그래프에 내접하는 직사각형 ABCD의 둘레의 길이가 최대일 때, 선분 AB의 길이를 구하시오.

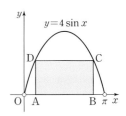

45

곡선 $y = \dfrac{1}{1+x}$ 위의 점 $\left(t,\ \dfrac{1}{1+t}\right)$에서의 접선과 x축 및 y축

으로 둘러싸인 삼각형의 넓이를 $S(t)$라 할 때, $\displaystyle\lim_{t\to\infty} S(t)$의 값을

구하시오.

46

모든 항이 양수인 수열 $\{a_n\}$에 대하여 두 곡선 $y = a_n x^n$과 $y = \ln x$

는 한 점에서 접할 때, $\displaystyle\sum_{n=1}^{10} \dfrac{1}{a_n}$의 값은?

① $\dfrac{1}{55e}$ ② $\dfrac{e}{55}$ ③ $\dfrac{2e}{55}$

④ $\dfrac{55}{e}$ ⑤ $55e$

47

그림과 같이 곡선 $y = \cos 4x \left(0 \le x \le \dfrac{\pi}{8}\right)$ 위의 점 $\mathrm{P}(a,\ b)$에

접하는 원의 중심을 A라 하고, 직선 AP가 y축과 만나는 점의

y좌표를 $f(a)$라 하자. 점 P가 곡선 위에서 움직일 때, $\displaystyle\lim_{a\to 0+} f(a)$

의 값을 구하시오.

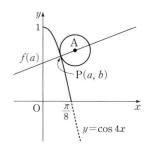

48

그림과 같이 곡선 $y = \sqrt{x}$의 접선 l

과 x축, y축 및 직선 $x = 8$로 둘러

싸인 사다리꼴의 넓이의 최솟값을

구하시오.

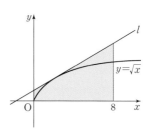

49

곡선 $y = \dfrac{1}{x^2 + 1}$에 접하는 접선 중에서 y절편이 1인 접선이

x축의 양의 방향과 이루는 각의 크기를 θ라 할 때, $\tan\theta$의 값을

구하시오. $\left(\text{단, } 0 < \theta < \dfrac{\pi}{2}\right)$

50

원점에서 두 곡선 $y = e^x$, $y = \ln x$에 접선을 긋고, 두 접선이

이루는 예각의 크기를 θ라 할 때, $\tan\theta$의 값은?

① $\dfrac{2}{e}$ ② $\dfrac{1}{2}\left(e - \dfrac{1}{e}\right)$ ③ $e - \dfrac{1}{e}$

④ $\dfrac{1}{2}\left(e + \dfrac{1}{e}\right)$ ⑤ $e + \dfrac{1}{e}$

51

점 $A(-4, 0)$에서 곡선 $y=xe^x$에 그은 접선이 y축과 만나는 점을 B라 하자. 삼각형 OAB의 넓이를 구하시오.

(단, O는 원점이다.)

52

함수 $f(x)=\dfrac{kx^2+(2k+1)x+k}{x+2}$ $(x\neq -2)$가 실수 전체의 집합에서 증가할 때, 실수 k의 값의 범위를 구하시오.

53

함수 $f(x)=\sin(\ln x)$ $(x>0)$에 대하여 〈보기〉에서 옳은 것만을 있는 대로 고른 것은?

┤ 보 기 ├

ㄱ. $f'(x)=\cos(\ln x)$　　　ㄴ. $f'(e^{\frac{\pi}{2}})=0$

ㄷ. 함수 $f(x)$는 $x=e^{\frac{\pi}{2}}$에서 극댓값을 갖는다.

① ㄱ　　　　② ㄴ　　　　③ ㄷ

④ ㄱ, ㄴ　　　⑤ ㄴ, ㄷ

54

양의 실수 t에 대하여 곡선 $y=\ln x$ 위의 두 점 $P(t, \ln t)$, $Q(2t, \ln 2t)$에서의 접선이 x축과 만나는 점을 각각 $R(r(t), 0)$, $S(s(t), 0)$이라 하자. 함수 $f(t)$를 $f(t)=r(t)-s(t)$라 할 때, 함수 $f(t)$의 극솟값을 구하시오.

55

함수 $f(x)=e^x(\sin x+\cos x)$ $(x>0)$의 극댓값을 작은 것부터 순서대로 $y_1, y_2, y_3, y_4, \cdots$라 할 때, $\dfrac{y_{10}}{y_9}$의 값은?

① e　　　　　② e^2　　　　　③ e^π

④ $e^{2\pi}$　　　　⑤ $e^{3\pi}$

56

함수 $f(x)=\sin x+2\cos x+kx$가 극값을 갖지 않도록 하는 양수 k의 최솟값을 구하시오.

57

함수 $f(x)=x+k\sin x$가 극값을 갖기 위한 필요충분조건은?

(단, k는 상수이다.)

① $0<k<1$ ② $|k|>1$ ③ $|k|<1$

④ $|k|\geq1$ ⑤ $|k|\leq1$

58

두 함수 $f(x)=(1+\cos x)\sin x$와 $g(x)=2x-x\ln x$에 대하여 $\{x\,|\,0\leq x\leq\pi\}$에서 함수 $f(x)$의 최댓값을 M, $\{x\,|\,x$는 양의 실수$\}$에서 함수 $g(x)$의 최댓값을 m이라 할 때, $4M+m$의 값을 구하시오.

59

반지름의 길이가 r로 일정한 구를 깊이가 h인 원뿔 모양의 용기에 넣었을 때, 구의 절반이 용기 속에 들어가도록 원뿔 모양의 용기를 만들려고 한다. 원뿔 모양의 용기의 부피가 최소가 될 때, h와 r의 관계식은?

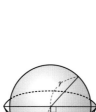

① $h=r$ ② $h=\sqrt{2}\,r$

③ $h=\sqrt{3}\,r$ ④ $h=2r$

⑤ $h=3r$

 최고난도 문제

60

모든 실수 x에 대하여 $f(x+2)=f(x)$이고, $0\leq x<2$일 때 $f(x)=\dfrac{(x-a)^2}{x+1}$인 함수 $f(x)$가 $x=0$에서 극댓값을 갖는다. 구간 $[0,2)$에서 극솟값을 갖도록 하는 모든 정수 a의 값의 곱을 구하시오.

61

길이가 각각 $1,3$인 두 막대가 그림과 같이 $\overline{BD}=2$인 두 지점 B, D에 각각 지면과 수직이 되도록 세워져 있다. 선분 BD 위를 움직이는 점 P에 대하여 $\angle APC$의 크기가 최대일 때, 선분 BP의 길이는?

(단, 막대의 두께는 무시한다.)

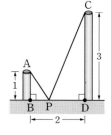

① $\sqrt{6}-2$ ② 1 ③ $\sqrt{2}$

④ $\sqrt{6}-1$ ⑤ $\sqrt{3}$

10 도함수의 활용

10 도함수의 활용

① 곡선의 오목과 볼록

함수 $f(x)$가 어떤 구간에서

(1) $f''(x)>0$이면 곡선 $y=f(x)$는 이 구간에서 아래로 볼록하다.

(2) $f''(x)<0$이면 곡선 $y=f(x)$는 이 구간에서 위로 볼록하다.

② 변곡점의 판정

함수 $f(x)$에서 $f''(a)=0$이고 $x=a$의 좌우에서 $f''(x)$의 부호가 바뀌면 점 $(a, f(a))$는 곡선 $y=f(x)$의 변곡점이다.

③ 방정식의 실근의 개수

(1) 방정식 $f(x)=0$의 실근의 개수

　　$\iff$ 함수 $y=f(x)$의 그래프와 x축의 교점의 개수

(2) 방정식 $f(x)=g(x)$의 실근의 개수

　　$\iff$ 두 함수 $y=f(x)$, $y=g(x)$의 그래프의 교점의 개수

④ 부등식의 증명

(1) 부등식 $f(x)>0$의 증명 ➡ ($f(x)$의 최솟값)>0임을 보인다.

(2) 부등식 $f(x)>g(x)$의 증명 ➡ ($f(x)-g(x)$의 최솟값)>0임을 보인다.

(3) $x>a$인 범위에서 부등식 $f(x)>0$의 증명

　　[방법1] $x>a$인 범위에서 ($f(x)$의 최솟값)>0임을 보인다.

　　[방법2] $x>a$인 범위에서 $y=f(x)$는 증가하고, $f(a)\geq0$임을 보인다.

⑤ 직선 운동에서의 속도, 가속도

수직선 위를 움직이는 점 P의 시각 t에서의 위치 x가 t에 대한 함수 $x=f(t)$로 나타내어질 때, 시각 t에서의 점 P의

(1) 속도: $v=\dfrac{dx}{dt}=f'(t)$　　　　(2) 가속도: $a=\dfrac{dv}{dt}=\dfrac{d^2x}{dt^2}=f''(t)$

⑥ 평면 운동에서의 속도, 가속도

좌표평면 위를 움직이는 점 $\mathrm{P}(x, y)$의 시각 t에서의 위치가 $x=f(t)$, $y=g(t)$일 때, 시각 t에서의 점 P의

(1) 속도: $\left(\dfrac{dx}{dt}, \dfrac{dy}{dt}\right)=(f'(t), g'(t))$

(2) 가속도: $\left(\dfrac{d^2x}{dt^2}, \dfrac{d^2y}{dt^2}\right)=(f''(t), g''(t))$

개념 플러스

◀ 함수 $f(x)$가 어떤 구간에서

(1) $f''(x)>0$

　$\Rightarrow f'(x)$: 증가

　$\Rightarrow$ 접선의 기울기: 증가

　$\Rightarrow$ 아래로 볼록

(2) $f''(x)<0$

　$\Rightarrow f'(x)$: 감소

　$\Rightarrow$ 접선의 기울기: 감소

　$\Rightarrow$ 위로 볼록

◀ $f''(a)=0$이지만 $x=a$의 좌우에서 $f''(x)$의 부호가 바뀌지 않으면 점 $(a, f(a))$는 변곡점이 아니다.

◀ x, y를 각각 미분하여 속도를 구하고, 속도를 다시 미분하여 가속도를 구한다.

◀ 평면 운동에서의 속력과 가속도의 크기

(1) 속력: $\sqrt{\left(\dfrac{dx}{dt}\right)^2+\left(\dfrac{dy}{dt}\right)^2}$

　　$=\sqrt{\{f'(t)\}^2+\{g'(t)\}^2}$

(2) 가속도의 크기:

　　$\sqrt{\left(\dfrac{d^2x}{dt^2}\right)^2+\left(\dfrac{d^2y}{dt^2}\right)^2}$

　　$=\sqrt{\{f''(t)\}^2+\{g''(t)\}^2}$

01

곡선 $y=x^2(\ln x-2)$가 위로 볼록한 부분의 x의 값의 범위를 구하시오.

02

곡선 $y=xe^{2x}$의 변곡점의 좌표가 (a, b)일 때, $\ln ab$의 값을 구하시오.

03

함수 $f(x)=x-\ln x\ (x>0)$의 그래프에 대한 설명으로 〈보기〉에서 옳은 것만을 있는 대로 고른 것은?

┌─┤ 보기 ├────────────────────────
ㄱ. $0<x<1$에서 $y=f(x)$의 그래프는 위로 볼록하고 감소한다.
ㄴ. $x>1$에서 $y=f(x)$의 그래프는 아래로 볼록하고 증가한다.
ㄷ. 변곡점의 좌표는 $(1, 1)$이다.
└──────────────────────────────

① ㄱ ② ㄴ ③ ㄷ
④ ㄱ, ㄴ ⑤ ㄴ, ㄷ

04

방정식 $\dfrac{x-1}{e^x}=a$가 서로 다른 두 실근을 갖도록 하는 실수 a의 값의 범위를 구하시오.

05

$x>0$에서 부등식 $x^2\ln x+a\geq0$이 성립하도록 하는 상수 a의 최솟값을 구하시오.

06

수직선 위를 움직이는 점 P의 시각 t에서의 위치 $x=f(t)$가

$$f(t)=4\sin\frac{\pi}{2}t+3\cos\frac{\pi}{2}t$$

일 때, 시각 $t=10$에서의 점 P의 속도와 가속도의 합을 구하시오.

07

좌표평면 위를 움직이는 점 $P(x, y)$의 시각 t에서의 위치가
$x=e^t\cos t$, $y=e^t\sin t$일 때, 시각 $t=\dfrac{\pi}{2}$에서의 점 P의 속력은?

① $\dfrac{\sqrt{2}}{2}e^{\frac{\pi}{2}}$ ② $e^{\frac{\pi}{2}}$ ③ $\sqrt{2}e^{\frac{\pi}{2}}$

④ $2e^{\frac{\pi}{2}}$ ⑤ $2\sqrt{2}e^{\frac{\pi}{2}}$

08

좌표평면 위를 움직이는 점 $P(x, y)$의 시각 t에서의 위치가
$x=2t$, $y=\ln t$일 때, 시각 $t=2$에서의 점 P의 속도와 가속도를 각각 구하시오.

09

함수 $f(x)=e^x \sin x$ $(0<x<\pi)$에 대하여 곡선 $y=f(x)$가 위로 볼록한 구간은?

① $\left(0, \dfrac{\pi}{2}\right)$ ② $(0, \pi)$ ③ $\left(\dfrac{\pi}{2}, \pi\right)$

④ $\left(\dfrac{\pi}{2}, \dfrac{3}{2}\pi\right)$ ⑤ $(\pi, 2\pi)$

10

곡선 $y=\dfrac{1}{4}x^4+ax^3+3ax^2+2x+4$가 실수 전체의 집합에서 아래로 볼록할 때, 실수 a의 값의 범위를 구하시오.

11

곡선 $y=\ln x+x^2$의 변곡점에서의 접선의 방정식은 $y=2\sqrt{2}x+p\ln 2+q$이다. $p-q$의 값을 구하시오.

(단, p, q는 유리수이다.)

12

곡선 $y=\dfrac{x^2+ax+b}{x^2-1}$의 변곡점의 좌표가 $(2, 5)$일 때, 두 상수 a, b에 대하여 $a+b$의 값은?

① -4 ② -2 ③ 2

④ 4 ⑤ 6

13

함수 $f(x)=(2x+a)e^{-bx}$은 $x=-2$에서 극값을 가지며 점 $(-1, f(-1))$이 곡선 $y=f(x)$의 변곡점일 때, $a+b$의 값을 구하시오. (단, a, b는 양수이다.)

14

곡선 $y=x^4+ax^3+6x^2$이 변곡점을 갖지 않도록 하는 정수 a의 개수를 구하시오.

유형 2 그래프의 활용

15

함수 $y=f(x)$의 그래프가 그림과 같을 때, $f'(x)f''(x)>0$을 만족시키는 점을 모두 고른 것은?

(단, 점 D는 변곡점, 점 B는 극소, 점 E는 극대이다.)

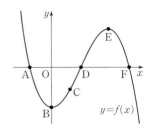

① D, F   ② C, F   ③ C, D

④ B, E   ⑤ A, F

16

다항함수 $y=f(x)$의 도함수 $y=f'(x)$의 그래프가 그림과 같을 때, ⟨보기⟩에서 옳은 것만을 있는 대로 고른 것은?

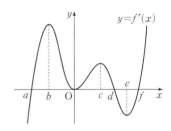

┤ 보기 ├

ㄱ. $b<x<c$에서 함수 $f(x)$는 증가한다.

ㄴ. 함수 $f(x)$가 극값을 가지는 x의 개수는 4이다.

ㄷ. 곡선 $y=f(x)$의 변곡점의 개수는 4이다.

① ㄱ   ② ㄴ   ③ ㄱ, ㄴ

④ ㄱ, ㄷ   ⑤ ㄴ, ㄷ

유형 3 그래프의 성질

17

함수 $f(x)=xe^{-x}$에 대한 ⟨보기⟩의 설명 중에서 옳은 것만을 있는 대로 고르시오.

┤ 보기 ├

ㄱ. 극솟값은 $f(0)=0$이다.

ㄴ. 극댓값은 $f(1)=e^{-1}$이다.

ㄷ. 점 $\left(\dfrac{1}{2}, \dfrac{1}{2\sqrt{e}}\right)$이 변곡점이다.

18

곡선 $y=\dfrac{\ln x}{x}$에 대한 ⟨보기⟩의 설명 중에서 옳은 것만을 있는 대로 고른 것은? (단, $x>0$)

┤ 보기 ├

ㄱ. $x=e$에서 극값을 갖는다.

ㄴ. 곡선의 오목과 볼록이 바뀌는 점은 없다.

ㄷ. 점근선은 x축과 y축이다.

① ㄱ   ② ㄴ   ③ ㄱ, ㄷ

④ ㄴ, ㄷ   ⑤ ㄱ, ㄴ, ㄷ

19

구간 $[0, 2\pi]$에서 정의된 함수 $f(x)=x+\sin x$에 대한 ⟨보기⟩의 설명 중에서 옳은 것만을 있는 대로 고르시오.

┤ 보기 ├

ㄱ. 점 (π, π)는 변곡점이다.

ㄴ. 구간 $(\pi, 2\pi)$에서 곡선 $y=f(x)$는 아래로 볼록하다.

ㄷ. $f(\pi)=f(0)+\pi f'(\theta)$를 만족시키는 θ의 값은 $\dfrac{\pi}{2}, \dfrac{3}{2}\pi$이다.

유형 ④ 방정식의 실근의 개수

20

방정식 $x=3(\ln x+k)$가 실근을 갖도록 하는 실수 k의 최솟값을 구하시오.

21

$0\leq x\leq\dfrac{\pi}{2}$에서 x에 대한 방정식 $k\sin x+\cos x-2k=0$이 서로 다른 두 실근을 갖도록 하는 실수 k의 값의 범위가 $\alpha\leq k<\beta$일 때, $\alpha\beta$의 값을 구하시오.

22

방정식 $\ln(e^x-1)=2x+a\ (x>0)$가 실근을 갖기 위한 실수 a의 값의 범위는?

① $a<\ln 2$ 　 ② $0<a<\ln 4$ 　 ③ $a\leq-\ln 2$

④ $-\ln 4<a\leq 0$ 　 ⑤ $a\leq-\ln 4$

23

미분가능한 두 함수 $f(x)$, $g(x)$가 등식

$$f(x)-g(x)=\sin x-\frac{x^2}{20}$$

을 만족시킬 때, 방정식 $\dfrac{f'(x)}{g'(x)}+\dfrac{g'(x)}{f'(x)}=2$의 양의 실근의 개수를 구하시오. (단, $f'(x)g'(x)\neq 0$)

24

함수 $f(x)=2\ln(5-x)+\dfrac{1}{4}x^2$에 대하여 〈보기〉에서 옳은 것만을 있는 대로 고른 것은?

┤ 보 기 ├
ㄱ. 함수 $f(x)$는 $x=4$에서 극댓값을 갖는다.
ㄴ. 곡선 $y=f(x)$의 변곡점의 개수는 2이다.
ㄷ. 방정식 $f(x)=\dfrac{1}{4}$의 실근의 개수는 1이다.

① ㄱ 　 ② ㄴ 　 ③ ㄱ, ㄷ

④ ㄴ, ㄷ 　 ⑤ ㄱ, ㄴ, ㄷ

유형 5 부등식이 성립할 조건

25

$x>0$일 때, $e^{2x}-x>k$가 성립하기 위한 실수 k의 값의 범위를 구하시오.

26

모든 양수 x에 대하여 부등식 $\sqrt{x}>k\ln x$가 성립할 때, 양수 k의 값의 범위는?

① $0<k<\dfrac{2}{e}$　　② $0<k<\dfrac{e}{2}$　　③ $0<k\leq\dfrac{e}{2}$

④ $k>\dfrac{e}{2}$　　⑤ $k\geq\dfrac{2}{e}$

27

모든 양수 x에 대하여 부등식 $\cos x>k-\dfrac{1}{2}x^2$이 성립할 때, 실수 k의 값의 범위를 구하시오.

유형 6 평면 운동에서의 속도

28

좌표평면 위를 움직이는 점 $P(x, y)$의 시각 t에서의 위치가 $x=3t$, $y=-2t^2+4t$로 주어질 때, 점 P의 속력이 최소가 되는 점 P의 좌표는?

① $(0, 0)$　　　② $(3, 2)$　　　③ $(6, 0)$

④ $(9, -6)$　　⑤ $(12, -16)$

29

좌표평면 위를 움직이는 점 $P(x, y)$의 시각 t에서의 위치가 $x=at-\sin t$, $y=1-\cos t$이다. 시각 $t=\dfrac{\pi}{3}$에서의 속력이 1일 때, 상수 a의 값을 구하시오. (단, $a\neq 0$)

30

좌표평면 위를 움직이는 점 $P(x, y)$의 시각 t에서의 위치가
$$x=2(t-\sin t),\ y=2(1-\cos t)$$
로 주어질 때, 점 P의 속력이 최대일 때의 점 P의 좌표를 구하시오.
(단, $0\leq t<2\pi$)

유형 문제

유형 7 평면 운동에서의 가속도

31

좌표평면 위를 움직이는 점 $P(x, y)$의 시각 t에서의 위치가 $x=t-\sin t$, $y=t+\cos t$일 때, $t=\dfrac{\pi}{3}$에서의 점 P의 가속도와 가속도의 크기를 각각 구하시오.

32

좌표평면 위를 움직이는 점 $P(x, y)$의 시각 t에서의 위치가 $x=at^2-a\sin t$, $y=t-a\cos t$이다. $t=\pi$에서의 점 P의 가속도의 크기가 $3\sqrt{5}$일 때, 양수 a의 값을 구하시오.

33

좌표평면 위를 움직이는 점 $P(x, y)$의 시각 t에서의 위치가 $x=t+2\cos t$, $y=\sin t$이다. 점 P의 속력이 최소가 되는 점에서의 가속도의 크기를 구하시오.

유형 8 평면 운동의 활용

34

지평면의 한 지점에서 지평면과 $\theta \left(0<\theta<\dfrac{\pi}{2}\right)$의 각을 이루는 방향으로 초속 20 m의 속력으로 쏘아 올린 공의 t초 후의 위치를 좌표평면 위에 점 $P(x, y)$로 나타낼 때, $x=20t\cos\theta$, $y=20t\sin\theta-10t^2$인 관계가 성립한다. 공이 최고 높이에 올랐을 때의 속력은?

① $20\cos\theta$ m/s ② $20\sin\theta$ m/s ③ 20 m/s
④ $10\cos\theta$ m/s ⑤ $10\sin\theta$ m/s

35

그림과 같이 길이가 12 m인 기둥이 벽면 옆에 비스듬히 기대어 있다. 지평면에 닿아 있는 기둥의 아랫부분을 벽면쪽으로 매초 3 m의 속력으로 민다고 할 때, 기둥의 아랫부분이 벽면으로부터 6 m 떨어진 곳에 오는 순간 벽면에 기대어 있는 기둥의 윗부분이 상승하는 속력을 구하시오.

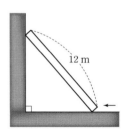

(단, 기둥의 두께는 무시한다.)

36

〈보기〉의 함수 중에서 $0<x<3$에 속하는 임의의 두 실수 a, b에 대하여 부등식 $f\left(\dfrac{a+b}{2}\right)>\dfrac{f(a)+f(b)}{2}$를 만족시키는 것만을 있는 대로 고른 것은?

┤ 보기 ├
ㄱ. $f(x)=x+e^{-x}$ ㄴ. $f(x)=\ln x-x^2$

ㄷ. $f(x)=\dfrac{1}{2}x+\sin x$

① ㄱ ② ㄷ ③ ㄱ, ㄴ

④ ㄴ, ㄷ ⑤ ㄱ, ㄴ, ㄷ

37

곡선 $f(x)=\ln(x^2+ax+b)$의 변곡점 $(2, \ln 2)$에서의 접선의 기울기가 양수일 때, 함수 $f(x)$는 $x=c$에서 극솟값을 갖는다. 세 상수 a, b, c에 대하여 $a+b+c$의 값을 구하시오.

38

곡선 $y=\sin^n x\left(0<x\le\dfrac{\pi}{2}\right)$의 변곡점의 x좌표를 a_n이라 할 때, $\lim_{n\to\infty}a_n=\dfrac{\pi}{k}$이다. 상수 k의 값을 구하시오.

(단, $n=2, 3, 4, \cdots$)

39

그림과 같이 좌표평면 위에 최고차항의 계수가 양수이고 원점을 지나는 삼차함수 $y=f(x)$의 그래프가 있다. 곡선 $y=f(x)$의 변곡점을 $\mathrm{A}(a, f(a))$라 하고 원점을 지나는 직선 $y=g(x)$가 점 $\mathrm{B}(b, f(b))$에서 곡선 $y-f(x)$에 접할 때, 〈보기〉에서 옳은 것만을 있는 대로 고른 것은? (단, $0<a<b$)

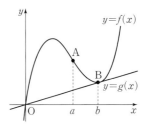

┤ 보기 ├
ㄱ. 곡선 $y=f(x)-g(x)$의 변곡점의 x좌표는 a이다.

ㄴ. 함수 $f(x)-g(x)$는 $x=\dfrac{b}{3}$에서 극댓값을 갖는다.

ㄷ. $\dfrac{b-a}{a}=\dfrac{1}{2}$

① ㄱ ② ㄷ ③ ㄱ, ㄴ

④ ㄴ, ㄷ ⑤ ㄱ, ㄴ, ㄷ

40

구간 $(-1, 7)$에서 정의된 함수 $f(x)$의 도함수 $y=f'(x)$의 그래프가 그림과 같을 때, 〈보기〉에서 옳은 것만을 있는 대로 고른 것은?

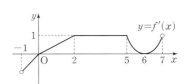

┤ 보기 ├
ㄱ. 함수 $f(x)$의 극값은 2개이다.

ㄴ. 곡선 $y=f(x)$의 변곡점은 2개이다.

ㄷ. $0<x<7$에서 함수 $f(x)$는 증가한다.

① ㄱ ② ㄴ ③ ㄷ

④ ㄱ, ㄷ ⑤ ㄴ, ㄷ

41

그림과 같은 곡선 $y=f(x)$에 대하여 〈보기〉에서 옳은 것만을
있는 대로 고른 것은?

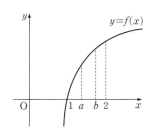

┤ 보 기 ├
ㄱ. $f'(a)>0$
ㄴ. $f''(a)f''(b)<0$
ㄷ. $f(2)=f'(c)$를 만족시키는 c가 구간 $(1, 2)$에 존재한다.

① ㄱ ② ㄴ ③ ㄱ, ㄴ
④ ㄱ, ㄷ ⑤ ㄱ, ㄴ, ㄷ

42

함수 $f(x)=x+\sin x$에 대하여 함수 $g(x)$를
$g(x)=(f \circ f)(x)$로 정의할 때, 〈보기〉에서 옳은 것만을 있는
대로 고르시오.

┤ 보 기 ├
ㄱ. 함수 $y=f(x)$의 그래프는 구간 $(0, \pi)$에서 위로 볼록하다.
ㄴ. 구간 $[0, \pi]$에서 함수 $g(x)$는 증가한다.
ㄷ. $g'(c)=1$인 실수 c가 구간 $(0, \pi)$에 존재한다.

43

이계도함수를 갖는 함수 $f(x)$의 도함수 $y=f'(x)$의 그래프가
그림과 같고 $f'(a)=0$, $f'(-x)=f'(x)$이다. 〈보기〉에서 옳은
것만을 있는 대로 고른 것은? (단, x축은 $y=f'(x)$의 점근선이다.)

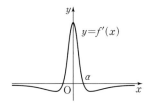

┤ 보 기 ├
ㄱ. $f(a)$는 함수 $f(x)$의 극댓값이다.
ㄴ. 방정식 $f(x)=0$은 서로 다른 두 실근을 갖는다.
ㄷ. 양수 β에 대하여 $f''(\beta)=0$이면 $0<x<\beta$에서 곡선 $y=f(x)$
는 위로 볼록하다.

① ㄱ ② ㄴ ③ ㄱ, ㄴ
④ ㄱ, ㄷ ⑤ ㄱ, ㄴ, ㄷ

44

정의역이 $\{x \,|\, 0 \le x \le \pi\}$인 함수 $f(x)=2x\cos x$에 대하여 〈보기〉
에서 옳은 것만을 있는 대로 고르시오.

┤ 보 기 ├
ㄱ. $f'(a)=0$이면 $\tan a=\dfrac{1}{a}$이다.
ㄴ. 함수 $f(x)$가 $x=\beta$에서 극댓값을 가지는 β가 구간 $\left(\dfrac{\pi}{4}, \dfrac{\pi}{3}\right)$
에 존재한다.
ㄷ. 구간 $\left[0, \dfrac{\pi}{2}\right]$에서 방정식 $f(x)=1$의 서로 다른 실근의 개수
는 2이다.

45

그림은 함수 $f(x)=x^2e^{-x+2}$의 그래프이다.

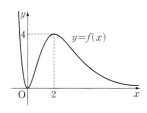

함수 $y=(f \circ f)(x)$의 그래프와 직선 $y=\dfrac{15}{e^2}$의 교점의 개수는?

(단, $\lim\limits_{x \to \infty} f(x)=0$)

① 2   ② 3   ③ 4

④ 5   ⑤ 6

46

함수 $f(x)=\dfrac{\ln x^2}{x}$의 극댓값을 a라 하자. x에 대한 방정식

$f(x)-\dfrac{a}{n}x=0$의 서로 다른 실근의 개수를 a_n이라 할 때,

$\sum\limits_{n=1}^{10} a_n$의 값을 구하시오. (단, n은 자연수이다.)

47

양수 a와 두 실수 b, c에 대하여 함수

$$f(x)=(ax^2+bx+c)e^x$$

은 다음 조건을 만족시킨다.

> (가) $f(x)$는 $x=-\sqrt{3}$과 $x=\sqrt{3}$에서 극값을 갖는다.
>
> (나) $0 \le x_1 < x_2$인 임의의 두 실수 x_1, x_2에 대하여
> $f(x_2)-f(x_1)+x_2-x_1 \ge 0$이다.

세 수 a, b, c에 대하여 abc의 최댓값을 $\dfrac{k}{e^3}$라 할 때, $60k$의 값을 구하시오. (단, k는 상수이다.)

48

$0 \le x \le 1$인 모든 실수 x에 대하여 부등식 $|e^x-kx| \le 2$가 성립하도록 하는 양수 k의 값의 범위는 $\alpha \le k \le \beta$이다. $\alpha\beta$의 값은?

① $e-2$ ② e^2-4 ③ e^2-2

④ e^2+2 ⑤ e^2+4

49

$x \geq 0$일 때, 부등식 $\dfrac{2}{e^x+1} \geq ax+1$이 항상 성립하도록 하는 상수 a의 최댓값을 구하시오.

50

수직선 위를 움직이는 두 점 P, Q의 시각 $t\ (0 \leq t \leq 2\pi)$에서의 위치는 각각

$$f(t) = \cos 2t - 3\cos t + 2,\ g(t) = \sin 2t + 2\sin t$$

이다. 두 점 P, Q가 동시에 원점을 출발하여 움직일 때, 점 P가 두 번째로 원점에 도달하는 순간 점 Q의 속도를 구하시오.

51

그림과 같이 A야구장의 베이스는 한 변의 길이가 90피트인 정사각형의 꼭 짓점 위에 있다. 1루에서 2루를 향해 30(피트/초)의 속력으로 달리는 주자 가 1루에서 60피트 떨어진 지점을 지 날 때, 홈플레이트에서 멀어지는 속력 은? (단, 단위는 피트/초이다.)

① $10\sqrt{3}$　　　② 20　　　③ $12\sqrt{5}$

④ $\dfrac{50\sqrt{3}}{3}$　　　⑤ $\dfrac{60\sqrt{13}}{13}$

최고난도 문제

52

그림과 같이 좌표평면 위에 중심이 원점 이고 반지름의 길이가 3인 원이 있다. 점 P가 점 $(0, 3)$을 출발하여 원 위를 시계 반대 방향으로 6초 동안 1회전하 는 속도로 회전할 때, 출발한 지 15초 후의 점 P의 가속도의 크기를 구하시오.

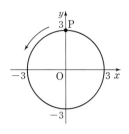

53

그림과 같이 반지름의 길이가 $10\,\mathrm{cm}$인 원이 평면에서 직선 l 위를 매초 1라디안 의 속력으로 회전하면서 굴러간다. 원 위의 한 점 P의 최대 속력은?

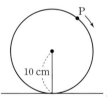

① $5\,\mathrm{cm/s}$　　　② $10\,\mathrm{cm/s}$　　　③ $20\,\mathrm{cm/s}$

④ $10\sqrt{2}\,\mathrm{cm/s}$　　　⑤ $10\sqrt{3}\,\mathrm{cm/s}$

11 여러 가지 적분법

11 여러 가지 적분법

1 함수 $y=x^n$ (n은 실수)의 부정적분

(1) $\displaystyle\int x^n dx = \frac{1}{n+1}x^{n+1}+C$ (단, $n\neq-1$)

(2) $\displaystyle\int \frac{1}{x}dx = \ln|x|+C$

개념 플러스

◀ 함수 $y=(ax+b)^n$ $(a\neq0, n\neq-1)$의 부정적분

$\displaystyle\int (ax+b)^n dx$

$= \dfrac{1}{a(n+1)}(ax+b)^{n+1}+C$

2 지수함수의 부정적분

(1) $\displaystyle\int e^x dx = e^x+C$

(2) $\displaystyle\int a^x dx = \frac{a^x}{\ln a}+C$ (단, $a>0, a\neq1$)

3 삼각함수의 부정적분

(1) $\displaystyle\int \sin x\, dx = -\cos x+C$

(2) $\displaystyle\int \cos x\, dx = \sin x+C$

(3) $\displaystyle\int \sec^2 x\, dx = \tan x+C$

(4) $\displaystyle\int \csc^2 x\, dx = -\cot x+C$

(5) $\displaystyle\int \sec x \tan x\, dx = \sec x+C$

(6) $\displaystyle\int \csc x \cot x\, dx = -\csc x+C$

◀ $\displaystyle\int \tan x\, dx = -\ln|\cos x|+C$

$\displaystyle\int \cot x\, dx = \ln|\sin x|+C$

◀ 삼각함수가 간단히 적분되지 않는 경우에는 삼각함수 사이의 관계를 이용하여 변형한 후 부정적분을 구한다.

4 치환적분법

(1) 미분가능한 함수 $g(t)$에 대하여 $x=g(t)$로 놓으면

$$\int f(x)\, dx = \int f(g(t))g'(t)\, dt$$

(2) $g(x)=t$로 놓으면

$$\int f(g(x))g'(x)\, dx = \int f(t)\, dt$$

(3) $\displaystyle\int \frac{f'(x)}{f(x)}dx = \ln|f(x)|+C$

◀ 유리함수의 부정적분

(1) (분자의 차수)≥(분모의 차수)일 때
　① 인수분해가 되면 인수분해하여 약분한다.
　② 인수분해가 되지 않으면 직접 나눗셈을 하여 몫과 나머지로 분리하여 적분한다.

(2) (분자의 차수)<(분모의 차수)일 때 부분분수로 분리한다.

5 부분적분법

두 함수 $f(x), g(x)$가 미분가능할 때,

$$\int f(x)g'(x)\, dx = f(x)g(x) - \int f'(x)g(x)\, dx$$

◀ 부분적분법을 1회 실시하여 부정적분을 구할 수 없을 때는 부분적분법을 2회 실시한다.
특히, (지수함수)×(삼각함수) 꼴의 부정적분은 같은 꼴이 나타날 때까지 부분적분법을 반복한다.

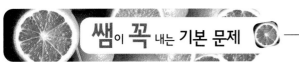

01

함수 $f(x)$의 도함수가 $f'(x)=\dfrac{(x+1)(x+2)}{x^2}$ 이고 $f(1)=0$일 때, $f(2)$의 값은?

① $1+2\ln 2$ ② $2+2\ln 2$ ③ $2+3\ln 2$

④ $3+2\ln 2$ ⑤ $3+3\ln 2$

02

함수 $f(x)=\displaystyle\int \dfrac{2x^3 e^x-5}{x^3}\,dx$이고 $f(1)=2e+\dfrac{5}{2}$일 때, $f(2)$의 값을 구하시오.

03

함수 $f(x)=\displaystyle\int (2x-1)^3\,dx$에서 $f(1)=\dfrac{1}{2}$일 때, $f(x)$를 $x-\dfrac{1}{2}$로 나눈 나머지를 구하시오.

04

부정적분 $\displaystyle\int \dfrac{1}{x}\{6(\ln x)^2+1\}\,dx$를 구하면?

(단, C는 적분상수이다.)

① $(\ln x)^2+\ln x+C$ ② $2(\ln x)^2+\ln x+C$

③ $(\ln x)^3+\ln x+C$ ④ $2(\ln x)^3+\ln x+C$

⑤ $(\ln x)^3+2\ln x+C$

05

함수 $f(x)=\displaystyle\int (1+\sin x)^4\cos x\,dx$에 대하여 $f(0)=-\dfrac{1}{5}$일 때, $f\left(\dfrac{\pi}{2}\right)$의 값을 구하시오.

06

곡선 $y=f(x)$ 위의 점 $(x,f(x))$에서의 접선의 기울기가 $\dfrac{e^x}{e^x+1}$이고 $f(0)=\ln 2$일 때, $f(\ln 2)$의 값을 구하시오.

07

함수 $f(x)$에 대하여 $f'(x)=xe^x$이고 $f(1)=2$일 때, $f(2)$의 값을 구하시오.

08

$x>0$인 모든 실수 x에서 정의된 함수 $f(x)$를 적분해야 하는데, 실수로 미분하여 $\dfrac{1}{x}$을 얻었다. 옳은 답을 구하면?

(단, $f(1)=0$이고 C는 적분상수이다.)

① $\ln x$ ② $x\ln x$ ③ $x\ln x-x+C$

④ $x\ln x+x+C$ ⑤ $-x\ln x+x+C$

유형 **1**   함수 $y=x^n$ (n은 실수)의 부정적분

09

함수 $f(x)=\displaystyle\int \frac{(\sqrt{x}-1)^2}{\sqrt{x}}\, dx$에 대하여 $f(0)=\dfrac{4}{3}$일 때, $f(4)$의 값을 구하시오.

10

곡선 $y=f(x)$에 대하여 $f'(x)=\dfrac{a}{x^3}$이고, 이 곡선 위의 $x=1$ 인 점에서의 접선의 방정식이 $y=x$이다. $f(3)=\dfrac{n}{m}$이라 할 때, $m+n$의 값을 구하시오.

(단, a는 상수이고, m과 n은 서로소인 자연수이다.)

11

함수 $f(x)$의 부정적분 $F(x)$에 대하여 $F(x)=xf(x)-x-\ln x$이고 $f(1)=4$일 때, $f(e^3)$의 값은?

① $-\dfrac{1}{e^3}$ ② $2-\dfrac{1}{e^3}$ ③ $4-\dfrac{1}{e^3}$

④ $6-\dfrac{1}{e^3}$ ⑤ $8-\dfrac{1}{e^3}$

유형 **2**   지수함수의 부정적분

12

$f(0)=-2$를 만족시키는 함수 $f(x)$의 도함수가 $f'(x)=2e^{2x}-e^x$일 때, 방정식 $f(x)=0$의 근을 구하시오.

13

함수 $f(x)=\displaystyle\int \frac{8^x+1}{2^x+1}\, dx$에 대하여 $f(2)-f(1)$의 값은?

① $\dfrac{1}{\ln 2}+1$ ② $\dfrac{2}{\ln 2}+1$ ③ $\dfrac{2}{\ln 2}+2$

④ $\dfrac{4}{\ln 2}+1$ ⑤ $\dfrac{4}{\ln 2}+2$

14

함수 $f(x)$에 대하여

$$f'(x)=\begin{cases} 3x^2+1 & (x<0) \\ e^x+2x & (x>0) \end{cases}$$

이고 $f(x)$는 $x=0$에서 연속이다. $f(2)=e^2$일 때, $f(-1)$의 값을 구하시오.

유형 **3** 삼각함수의 부정적분

15

부정적분 $\int \dfrac{1}{1+\cos x}\,dx$를 구하면? (단, C는 적분상수이다.)

① $\cot x+\sec x+C$ ② $-\cot x+\sec x+C$

③ $\cot x+\csc x+C$ ④ $-\cot x+\csc x+C$

⑤ $\sec x-\csc x+C$

16

미분가능한 함수 $f(x)$의 한 부정적분을 $F(x)$라 하면
$F(x)=xf(x)+x\cos x-\sin x$인 관계가 성립한다.
$f(0)=1$일 때, $f\left(\dfrac{\pi}{3}\right)$의 값을 구하시오.

17

곡선 $y=f(x)$ 위의 임의의 점 $(x,\,y)$에서의 접선의 기울기가
$\left(\sin\dfrac{x}{2}+\cos\dfrac{x}{2}\right)^2$이고 곡선 $y=f(x)$가 점 $(0,\,-1)$을 지날 때,
$f\left(\dfrac{\pi}{2}\right)$의 값을 구하시오.

유형 **4** 다항함수의 치환적분법

18

함수 $f(x)$에 대하여
$$f(x)=\int (ax+2)^3\,dx$$
가 성립하고, $f(0)=f(-1)=0$일 때, $f(1)$의 값은?
(단, a는 양수이다.)

① 16   ② 32   ③ 48

④ 64   ⑤ 80

19

곡선 $y=f(x)$가 점 $(1,\,1)$을 지나고 곡선 위의 점 $(x,\,f(x))$에서의 접선의 기울기가 $(6x+3)(x^2+x-3)^2$일 때, $f(0)$의 값을 구하시오.

20

다항함수 $f(x)$가 다음 조건을 만족시킨다.

(가) $\displaystyle\lim_{x\to\infty}\dfrac{f(x)}{x^2+3x+5}=1$	(나) $\displaystyle\lim_{x\to 3}\dfrac{f(x)}{x-3}=4$

$F(x)=\displaystyle\int x\{f(x)\}^3\,dx-\int \{f(x)\}^3\,dx$라 할 때,
$F(2)-F(-1)$의 값을 구하시오.

유형 **5** 무리함수의 치환적분법

21

함수 $f(x) = \displaystyle\int \frac{1}{x\sqrt{\ln x + 3}}\,dx$에 대하여 $f(e) = 1$일 때, $f(e^6)$의 값을 구하시오.

22

함수 $f(x)$의 도함수가 $f'(x) = (x+1)\sqrt{x^2+2x+3}$이고, $y = f(x)$의 그래프가 두 점 $(0, 0)$, $(4, a)$를 지날 때, a의 값은?

① $18\sqrt{3}$ ② $20\sqrt{3}$ ③ $22\sqrt{3}$

④ $24\sqrt{3}$ ⑤ $26\sqrt{3}$

★중요
23

$0 \le x \le \ln 6$일 때, 함수 $f(x) = \displaystyle\int e^x\sqrt{e^x+3}\,dx$의 최댓값과 최솟값의 합이 24이다. $f(\ln 13)$의 값을 구하시오.

유형 **6** 지수함수의 치환적분법

24

함수 $f(x) = \displaystyle\int 6xe^{x^2+1}\,dx$에 대하여 $f(0) = 3e$일 때, $f(-1)$의 값을 구하시오.

★중요
25

준수는 함수 $f(x)$를 적분하는 문제를 잘못 보고 $f(x)$를 미분하여 $2xe^{x^2} - 3x^2 + 2$를 얻었다. $f(0) = 1$일 때, $f(1)$의 값을 구하시오.

26

함수 $f(x)$의 도함수가 $f'(x) = e^{-2x+1}$이고 $f\left(\dfrac{1}{2}\right) = -\dfrac{1}{2}$일 때, 급수 $\displaystyle\sum_{n=1}^{\infty} f(n)$의 합은?

① $\dfrac{e}{e-1}$ ② $\dfrac{e}{e^2-1}$ ③ $\dfrac{e}{2(1-e^2)}$

④ $\dfrac{e}{1-e^2}$ ⑤ $\dfrac{e}{1-e}$

27

함수 $f(x) = \int \dfrac{3(\ln x)^2}{x}\,dx$에 대하여 $f(e) = 4$일 때, $f(e^2)$의 값은?

① 5   ② 7   ③ 9

④ 11   ⑤ 13

28

함수 $f(x)$에 대하여 $xf'(x) = \ln x$이고 $f(1) = \dfrac{9}{2}$일 때, 방정식 $f(x) = 3\ln x$를 만족시키는 x의 값을 구하시오.

29

함수 $f(x)$가 $\displaystyle\lim_{h \to 0} \dfrac{f(x+h) - f(x-h)}{h} = \dfrac{2}{x(\ln x)^3}$를 만족시킬 때, $f(e^2) - f(e)$의 값을 구하시오.

30

등식 $\int \dfrac{\cos^3 x}{1+\sin x}\,dx = a\sin^2 x + b\sin x + C$가 성립할 때, 두 상수 a, b에 대하여 $a+b$의 값을 구하시오.

(단, C는 적분상수이다.)

31

함수 $f(x) = \int \dfrac{\sin(\ln x)}{x}\,dx$에 대하여 $f(e^\pi) = 0$일 때, $f(1)$의 값을 구하시오.

32

함수 $f(x)$가 $f(x) = \int \sin^5 x\,dx$, $f\left(\dfrac{\pi}{2}\right) = 0$을 만족시킬 때, $f(0)$의 값은?

① $-\dfrac{1}{3}$ ② $-\dfrac{2}{5}$ ③ $-\dfrac{7}{15}$

④ $-\dfrac{8}{15}$ ⑤ $-\dfrac{3}{5}$

유형 **9** $\int \dfrac{f'(x)}{f(x)} dx$ 꼴의 부정적분

33

실수 전체의 집합에서 정의된 함수 $f(x)$에 대하여 $f(0)=\dfrac{1}{2}$,

$f'(x)=\dfrac{x}{x^2+1}$일 때, $f(\sqrt{e-1})$의 값은?

① 1　　　　② $e-1$　　　　③ 2

④ e　　　　⑤ $2e$

34

함수 $f(x)$에 대하여 $f'(x)=\dfrac{5^x \ln\sqrt{5}}{5^x+3}$이고 $f(0)=\ln 2$일 때, 함수 $f(x)$를 구하시오.

35

모든 실수 x에서 미분가능한 함수 $f(x)$가 다음 조건을 만족시킨다.

> ㈎ 모든 실수 x에 대하여 $f(x)>0$이다.
> ㈏ $f'(x)=(\cos x+\sin x)f(x)$

$f(0)=1$일 때, $f(\pi)$의 값을 구하시오.

36

함수 $f(x)$에 대하여

$$f'(x)=\dfrac{x^2+4x+1}{x+1},\ f(0)=-\dfrac{7}{2}$$

을 만족시킬 때, $f(1)$의 값을 구하시오.

37

미분가능한 함수 $f(x)$가

$$\lim_{h\to 0}\dfrac{f(x+h)-f(x)}{h}=\dfrac{1}{\sin x},\ f\!\left(\dfrac{\pi}{2}\right)=0$$

을 만족시킬 때, $f\!\left(\dfrac{\pi}{3}\right)$의 값을 구하시오.

38

부정적분 $\displaystyle\int \dfrac{2x-8}{x^2+4x-5}\,dx$를 구하면? (단, C는 적분상수이다.)

① $\ln|x+5|-\ln|x-1|+C$

② $2\ln|x+5|-\ln|x-1|+C$

③ $2\ln|x+5|-2\ln|x-1|+C$

④ $3\ln|x+5|-\ln|x-1|+C$

⑤ $3\ln|x+5|-2\ln|x-1|+C$

유형 **10** 부분적분법

39

함수 $f(x)$가
$$f'(x) = x \ln x + \frac{3}{2} x, \quad f(1) = \frac{1}{2}$$
을 만족시킨다. $f(e)$의 값을 구하시오.

40

$x > 0$인 모든 실수 x에서 정의된 함수
$$f(x) = \begin{cases} \displaystyle\int \ln x^2 \, dx & (x \neq 1) \\ 3 & (x = 1) \end{cases}$$
이 $x = 1$에서 연속일 때, $f(2)$의 값은?

① $2 \ln 2 - \dfrac{1}{2}$ ② $2 \ln 2$ ③ $2 \ln 2 + 3$

④ $4 \ln 2$ ⑤ $4 \ln 2 + 1$

41

미분가능한 함수 $f(x)$에 대하여
$$\{e^{f(x)}\}' = 3xe^{f(x)+x}$$
이 성립하고 $f(1) = e$일 때, $f(\pi)$의 값을 구하시오.

42

함수
$$f(x) = \int \sin x \ln (\cos x) \, dx \left(-\frac{\pi}{2} < x < \frac{\pi}{2} \right)$$
에 대하여 $f(0) = 2$일 때, $f\left(\dfrac{\pi}{3}\right)$의 값은?

① $-\ln 2 + 1$ ② $-\ln 2 + \dfrac{3}{2}$

③ $-\dfrac{1}{2} \ln 2 + \dfrac{3}{2}$ ④ $\dfrac{1}{2} \ln 2 + 1$

⑤ $\dfrac{1}{2} \ln 2 + \dfrac{3}{2}$

43

함수 $f(x)$가 $f(x) = \displaystyle\int e^x \cos x \, dx$, $f(0) = \dfrac{1}{2}$을 만족시킬 때, $f(\pi)$의 값을 구하시오.

44

$x^2 f'(x) + 2x f(x) = x(\ln x)^2$을 만족시키는 함수 $f(x)$에 대하여 $f(1) = \dfrac{1}{4}$일 때, $f(e^2)$의 값을 구하시오. (단, $x > 0$)

45

함수 $f(x)$가 모든 양의 실수 x에 대하여

$f(x)+xf'(x)=\dfrac{1}{\sqrt{x}}-\dfrac{2}{x}$를 만족시킨다. $f(1)=-2$일 때,

$f(4)$의 값을 구하시오.

46

$x>0$에서 정의된 미분가능한 함수 $f(x)$가 모든 양의 실수 x, y

에 대하여 $f(xy)=f(x)+f(y)+\dfrac{1}{4}$, $f'\left(\dfrac{1}{2}\right)=\sqrt{e}$를 만족시킬

때, $f(e^2)$의 값은?

① $\sqrt{e}-\dfrac{1}{2}$ ② $\sqrt{e}-\dfrac{1}{4}$ ③ $\sqrt{e}-\dfrac{1}{8}$

④ $e-\dfrac{1}{2}$ ⑤ $e-\dfrac{1}{4}$

47

두 함수 $f(x)=\displaystyle\int (x-1)(x+1)^3\,dx$,

$g(x)=\displaystyle\int \dfrac{x-3}{(x-1)^3}\,dx$에 대하여 함수 $h(x)$가

$h(x)=f(x)+g(x)$이고 $h(0)=\dfrac{1}{5}$일 때, $h(-1)$의 값을 구하

시오.

48

함수 $f(x)$가 $f'(x)=\dfrac{1}{x(x+1)^2}$, $f(1)=\dfrac{1}{2}$을 만족시킬 때,

$f(2)$의 값은?

① $\ln\dfrac{4}{3}+\dfrac{1}{9}$ ② $\ln\dfrac{4}{3}+\dfrac{1}{3}$ ③ $\ln\dfrac{4}{3}+\dfrac{1}{2}$

④ $2\ln\dfrac{4}{3}+\dfrac{1}{9}$ ⑤ $2\ln\dfrac{4}{3}+1$

49

미분가능한 두 함수 $f(x)$, $g(x)$가 다음 조건을 만족시킬 때,

$g(0)$의 값을 구하시오.

> (가) $\displaystyle\lim_{h\to 0}\dfrac{g(x+h)-g(x)}{h}=f(x)$
>
> (나) $g(x)=(x+2)f(x)-x^2e^x$
>
> (다) $f'(1)=f(1)$

 최고난도 문제

50

함수 $f(x)=\displaystyle\int \sin(\ln x)\,dx$에서 $f(1)=\dfrac{1}{2}$일 때, $f(e^\pi)$의 값

을 구하시오.

12 정적분

12 정적분

1. 정적분의 정의

구간 $[a, b]$에서 연속인 함수 $f(x)$의 한 부정적분을 $F(x)$라 할 때,

$$\int_a^b f(x)\,dx = \Big[F(x) \Big]_a^b = F(b) - F(a)$$

이다. 이때 $\int_a^b f(x)\,dx$의 값 $F(b) - F(a)$를 함수 $f(x)$의 a에서 b까지의 정적분이라고 한다.

2. 치환적분법을 이용한 정적분

(1) 구간 $[a, b]$에서 연속인 함수 $f(x)$에 대하여 미분가능한 함수 $x = g(t)$의 도함수 $g'(t)$가 구간 $[\alpha, \beta]$에서 연속이고 $a = g(\alpha)$, $b = g(\beta)$이면

$$\int_a^b f(x)\,dx = \int_\alpha^\beta f(g(t))g'(t)\,dt$$

(2) 삼각치환법

  ① $\sqrt{a^2 - x^2}$, $\dfrac{1}{\sqrt{a^2 - x^2}}$ $(a > 0)$ 꼴 ➡ $x = a\sin\theta \left(-\dfrac{\pi}{2} \le \theta \le \dfrac{\pi}{2} \right)$로 치환

  ② $\sqrt{x^2 + a^2}$, $\dfrac{1}{\sqrt{x^2 + a^2}}$ $(a > 0)$ 꼴 ➡ $x = a\tan\theta \left(-\dfrac{\pi}{2} < \theta < \dfrac{\pi}{2} \right)$로 치환

3. 부분적분법을 이용한 정적분

두 함수 $f(x)$, $g(x)$가 미분가능하고 $f'(x)$, $g'(x)$가 연속일 때,

$$\int_a^b f(x)g'(x)\,dx = \Big[f(x)g(x) \Big]_a^b - \int_a^b f'(x)g(x)\,dx$$

4. 정적분으로 정의된 함수의 미분

(1) $\dfrac{d}{dx} \displaystyle\int_a^x f(t)\,dt = f(x)$ (단, a는 상수)

(2) $\dfrac{d}{dx} \displaystyle\int_x^{x+a} f(t)\,dt = f(x+a) - f(x)$ (단, a는 상수)

5. 정적분으로 정의된 함수의 극한

(1) $\displaystyle\lim_{x \to a} \dfrac{1}{x-a} \int_a^x f(t)\,dt = f(a)$ (2) $\displaystyle\lim_{x \to 0} \dfrac{1}{x} \int_a^{x+a} f(t)\,dt = f(a)$

개념 플러스

◀ **우함수와 기함수의 정적분**

함수 $f(x)$가 구간 $[-a, a]$에서 연속이고

(1) $f(x)$가 우함수, 즉
  $f(-x) = f(x)$일 때,

$$\int_{-a}^a f(x)\,dx = 2\int_0^a f(x)\,dx$$

(2) $f(x)$가 기함수, 즉
  $f(-x) = -f(x)$일 때,

$$\int_{-a}^a f(x)\,dx = 0$$

◀ **주기함수의 정적분**

함수 $f(x)$가 임의의 실수 x에 대하여 $f(x+p) = f(x)$ (p는 0이 아닌 상수)일 때,

(1) $\displaystyle\int_{a+np}^{b+np} f(x)\,dx = \int_a^b f(x)\,dx$

                  (단, n은 정수)

(2) $\displaystyle\int_a^{a+np} f(x)\,dx = n\int_0^p f(x)\,dx$

                  (단, n은 정수)

◀ **부분적분법에서 $f(x)$, $g'(x)$의 설정**

미분한 결과가 간단한 함수(다항함수, 로그함수)를 $f(x)$, 적분하기 쉬운 함수(삼각함수, 지수함수)를 $g'(x)$로 놓는다.

◀ 연속함수 $f(x)$에 대하여 $F(x)$를 $f(x)$의 한 부정적분이라 하면

(1) $\displaystyle\lim_{x \to a} \dfrac{1}{x-a} \int_a^x f(t)\,dt$

   $= \displaystyle\lim_{x \to a} \dfrac{F(x) - F(a)}{x-a}$

   $= F'(a) = f(a)$

(2) $\displaystyle\lim_{x \to 0} \dfrac{1}{x} \int_a^{x+a} f(t)\,dt$

   $= \displaystyle\lim_{x \to 0} \dfrac{F(x+a) - F(a)}{x}$

   $= F'(a) = f(a)$

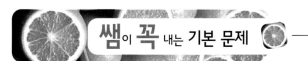

01

정적분 $\displaystyle\int_0^\pi (e^{4x}-\sin x)\,dx$의 값은?

① $\dfrac{1}{4}(e^{4\pi}-9)$　　② $\dfrac{1}{4}(e^{4\pi}-5)$　　③ $4e^{4\pi}-9$

④ $4e^{4\pi}-5$　　⑤ $4e^{4\pi}$

02

함수 $f(x)=\begin{cases} e^{2x} & (-\ln 2\le x<0) \\ e^{x} & (0\le x\le \ln 2) \end{cases}$ 에 대하여 정적분

$\displaystyle\int_{-\ln 2}^{\ln 2} f(x)\,dx$의 값을 구하시오.

03

정적분 $\displaystyle\int_{-1}^{1} |e^x-1|\,dx$의 값을 구하시오.

04

정적분 $2\displaystyle\int_0^1 xe^{-x^2}\,dx$의 값을 구하시오.

05

정적분 $\displaystyle\int_e^{e^3} \dfrac{\ln x}{x}\,dx$의 값을 구하시오.

06

정적분 $\displaystyle\int_0^\pi (1-\cos^3 x)\cos x\sin x\,dx$의 값을 구하시오.

07

정적분 $\displaystyle\int_{2\pi}^{3\pi} x\sin x\,dx$의 값은?

① π　　　　② 2π　　　　③ 3π

④ 4π　　　　⑤ 5π

08

함수 $f(x)=e^x+\displaystyle\int_0^2 f(t)\,dt$에 대하여 $f(2)$의 값을 구하시오.

유형 1 정적분의 정의

09

정적분 $\displaystyle\int_0^1 \dfrac{x-2}{x-3}\,dx$의 값은?

① $1+2\ln\dfrac{2}{3}$ ② $1+\ln\dfrac{2}{3}$ ③ $1-\ln\dfrac{2}{3}$

④ $2+\ln\dfrac{2}{3}$ ⑤ $1-2\ln\dfrac{2}{3}$

10

정적분

$$\int_0^{\frac{\pi}{2}} (\sin x+\cos x)^2\,dx - \int_{\frac{\pi}{2}}^0 (\sin x-\cos x)^2\,dx$$

의 값을 구하시오.

11

수열 $\{a_n\}$이 모든 자연수 n에 대하여

$$a_1+a_2+a_3+\cdots+a_n=\int_0^{\ln(n+2)} (e^x+1)\,dx$$

를 만족시킬 때, $a_{10}=\ln k$이다. 양수 k의 값을 구하시오.

12

함수 $f(x)=\begin{cases} e^x+a & (x<0) \\ \sqrt[3]{x} & (x\geq0) \end{cases}$ 가 실수 전체에서 연속일 때, 정적분

$\displaystyle\int_{-a}^2 f(x)\,dx - \int_a^2 f(x)\,dx$의 값은? (단, a는 상수이다.)

① $\dfrac{1}{e}-\dfrac{3}{4}$ ② $\dfrac{1}{e}-\dfrac{1}{2}$ ③ $\dfrac{1}{4}-\dfrac{1}{e}$

④ $\dfrac{1}{e}-\dfrac{1}{4}$ ⑤ $\dfrac{3}{4}-\dfrac{1}{e}$

13

실수 전체의 집합에서 연속인 함수 $f(x)$의 도함수 $f'(x)$가

$$f'(x)=\begin{cases} \sin 2x & (x<0) \\ 2x & (x\geq0) \end{cases}$$

이다. $f(1)=2$일 때, 정적분 $\displaystyle\int_{-2\pi}^3 f(x)\,dx$의 값을 구하시오.

14

함수 $f(x)$의 도함수가 $f'(x)=|e^x-1|$이고 $f(-1)=3$일 때, $f(1)$의 값을 구하시오.

유형 **2** 우함수와 기함수의 정적분

15

정적분 $\int_{-2}^{2} x(e^x + e^{-x})\,dx$의 값은?

① 0

② $2\left(e - \dfrac{1}{e}\right)$

③ $4\left(e - \dfrac{1}{e}\right)$

④ $2\left(e + \dfrac{1}{e}\right)$

⑤ $4\left(e + \dfrac{1}{e}\right)$

16

다항함수 $f(x)$가 임의의 실수 x에 대하여 $f(x) + f(-x) = 0$을 만족시키고 $f(3) = 2$일 때, 정적분 $\int_{-3}^{3} f'(x)(1 - \sin x)\,dx$의 값을 구하시오.

17

그림과 같이 함수 $y = f(x)$의 그래프가 y축에 대하여 대칭이고 이 곡선과 x축 및 직선 $x = 1$로 둘러싸인 부분의 넓이가 5일 때, 정적분 $\int_{-1}^{1} (\sin x + 2) f(x)\,dx$의 값을 구하시오.

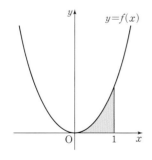

유형 **3** 정적분의 치환적분법 (1)

18

$\int_{0}^{a} \dfrac{2x}{x^2 + 2}\,dx = \ln 3$일 때, 양수 a의 값을 구하시오.

19

$\int_{3}^{6} \dfrac{x}{\sqrt{x-2}}\,dx = \dfrac{q}{p}$일 때, 두 상수 p, q에 대하여 $p + q$의 값을 구하시오. (단, p와 q는 서로소인 자연수이다.)

20

정적분 $\int_{0}^{1} (x+2)^2 e^{x^2}\,dx - \int_{0}^{1} (x-2)^2 e^{x^2}\,dx$의 값은?

① $4e - 4$

② $4e - 2$

③ $4e$

④ $4e + 2$

⑤ $4e + 4$

21

정적분 $\ln 3 \displaystyle\int_0^2 \dfrac{9^x}{9^x+3^x}\,dx$의 값은?

① $\ln 2$ ② $\ln \dfrac{5}{2}$ ③ $\ln 3$

④ $\ln 5$ ⑤ $\ln 9$

22

정적분 $\displaystyle\int_1^{e^2} \ln \sqrt[x]{x}\,dx$의 값을 구하시오.

23

정적분 $\displaystyle\int_1^e \dfrac{(2-3\ln x)\ln x}{x}\,dx$의 값은?

① 0 ② $\ln 2$ ③ 1

④ $\ln 3$ ⑤ $2\ln 2$

유형 ④ 정적분의 치환적분법 (2)

24

정적분 $\displaystyle\int_{\frac{\pi}{6}}^{\frac{\pi}{2}} \dfrac{\cos x(1+\sin x)}{\sin^2 x}\,dx$의 값은?

① $-1-\ln 2$ ② $-1+\ln 2$ ③ $1-\ln 2$

④ $1+\ln 2$ ⑤ $1+2\ln 2$

25

정적분 $\displaystyle\int_0^{\frac{\pi}{2}} \dfrac{\sin x}{1+\cos x}\,dx - \int_{\frac{\pi}{2}}^0 \dfrac{\sin x}{1+\cos x}\,dx$의 값을 구하시오.

26

함수 $f(x)=e^x-ex+1$에 대하여 정적분

$\displaystyle\int_0^{\frac{\pi}{2}} f(\sin \theta)\cos \theta\,d\theta$의 값을 구하시오.

27

$\displaystyle\int_0^{\frac{\pi}{2}} \frac{2\sin x}{1+\cos^2 x}\,dx = k$일 때, 상수 k의 값을 구하시오.

중요
28

정적분 $\displaystyle\int_0^1 \sqrt{1-x^2}\,dx$의 값은?

① $\dfrac{\pi}{4}$ ② $\dfrac{\pi}{3}$ ③ $\dfrac{\pi}{2}$

④ π ⑤ $\dfrac{3}{2}\pi$

29

정적분 $\displaystyle\int_0^3 \frac{4}{x^2+9}\,dx$의 값을 α라 할 때, $\cos\alpha$의 값을 구하시오.

유형 **5**   **그래프의 대칭성과 주기를 이용한 정적분**

30

자연수 n에 대하여 정적분 $\displaystyle\int_0^{\frac{n}{2}\pi} |\sin x|\,dx$의 값은?

① $\dfrac{n}{2}$ ② n ③ $n+1$

④ $\dfrac{3n}{2}$ ⑤ $2n+1$

중요
31

연속함수 $f(x)$가 다음 조건을 만족시킨다.

> (가) 모든 실수 x에 대하여
> $f(\ln 2 + x) = f(\ln 2 - x)$, $f(x) = f(-x)$이다.
> (나) $0 \le x \le \ln 2$에서 $f(x) = e^x$이다.

정적분 $\displaystyle\int_0^{\ln 128} f(x)\,dx$의 값을 구하시오.

32

함수 $f(x)$가 $f(4-x) + f(x) = x^2 - 4x + \cos\dfrac{\pi}{2}x$를 만족시킬 때, 정적분 $\displaystyle\int_0^4 f(x)\,dx$의 값을 구하시오.

유형 **6** 정적분의 부분적분법

33

정적분 $\displaystyle\int_{-1}^{2} |x| e^x dx$의 값을 구하시오.

34

정적분 $\displaystyle\int_{1}^{e} (x+\ln x)^2 dx - \int_{1}^{e} (x-\ln x)^2 dx$의 값을 구하시오.

35

정적분 $\displaystyle\int_{-\pi}^{\pi} e^x (\cos x - \sin x)\,dx$의 값은?

① $\dfrac{1}{e^\pi} - e^\pi$ ② 0 ③ $e^\pi - \dfrac{1}{e^\pi}$

④ $\dfrac{1}{e^\pi} + e^\pi$ ⑤ $2e^\pi + \dfrac{1}{e^\pi}$

유형 **7** 정적분으로 정의된 함수 – 적분 구간이 상수

36

연속함수 $f(x)$가

$$f(x) = \sin x + 3\int_{0}^{\frac{\pi}{2}} f(t)\cos t\,dt$$

를 만족시킬 때, $f\left(\dfrac{\pi}{2}\right)$의 값은?

① $-\pi+1$ ② $\dfrac{1}{4}$ ③ $\dfrac{1}{2}$

④ $\dfrac{\pi}{2}$ ⑤ $\pi-1$

37

미분가능한 함수 $f(x)$가 $f(x) = \ln x + \displaystyle\int_{1}^{e} f(t)\,dt$를 만족시킬 때, $f(1)$의 값을 구하시오.

38

연속함수 $f(x)$가 $f(x) = e^x + \displaystyle\int_{0}^{1} t f(t)\,dt$를 만족시킬 때, $f(\ln 10)$의 값을 구하시오.

유형 8 정적분으로 정의된 함수 – 적분 구간이 변수

39

연속함수 $f(x)$가 임의의 실수 x에 대하여

$$\int_a^x f(t)\,dt = (x-a)e^x + x - 2$$

를 만족시킬 때, $f(a)$의 값은? (단, a는 상수이다.)

① $e-1$ ② $e+1$ ③ e^2-1

④ e^2 ⑤ e^2+1

40

연속함수 $f(x)$가 모든 실수 x에 대하여

$$e^x - a - bx = \int_0^x (x-t)f(t)\,dt$$

를 만족시킬 때, 두 상수 a, b에 대하여 $a+b+f(\ln 3)$의 값을 구하시오.

41

미분가능한 함수 $f(x)$가 $f(0)=\dfrac{1}{2}$이고,

$$2xf(x) = xe^x + \int_0^x (x+t)f'(t)\,dt$$

를 만족시킬 때, $f(2)$의 값을 구하시오.

유형 9 정적분으로 정의된 함수 – 극한과 미분

42

함수 $f(x)=\displaystyle\int_0^x e^t(t^2-7t+12)\,dt$의 극댓값과 극솟값의 차는?

① $3e^3-e^4$ ② e^3-e^2 ③ e^4-2e^3

④ e^3-e ⑤ e^4-e^3

43

$\displaystyle\lim_{x\to\pi} \dfrac{1}{x-\pi}\int_\pi^x \dfrac{2\cos t}{1+\sin t}\,dt$의 값을 구하시오.

44

함수 $f(x)=e^x(\sin x+\cos x)$에 대하여

$\displaystyle\lim_{x\to 0} \dfrac{1}{x}\int_{\pi-x}^{\pi+x} f(t)\,dt$의 값을 구하시오.

45

함수 $f(x)=\lim\limits_{n\to\infty}\dfrac{x^n+2x-1}{x^{n+1}+1}$에 대하여 정적분 $\displaystyle\int_0^{e^2}f(x)\,dx$

의 값은?

① 2   ② 4   ③ $2e-1$

④ $2e+1$ ⑤ e^2+e

46

$n\geq2$인 정수 n에 대하여

$$f_n(x)=n-\int_1^x\left(\frac{1}{t^2}+\frac{2}{t^3}+\frac{3}{t^4}+\cdots+\frac{n-1}{t^n}\right)dt$$

일 때, $\lim\limits_{n\to\infty}f_n\left(\dfrac{4}{3}\right)$의 값을 구하시오.

47

$\displaystyle\int_{-\frac{\pi}{4}}^{\frac{\pi}{4}}(x^3+3\sin x+k)\cos 3x\,dx=2\sqrt{2}$일 때, 상수 k의 값을
구하시오.

48

임의의 두 양수 a, b $(a<b)$에 대하여

$$\int_a^b f(x)\,dx+\int_{-a}^{-b}f(x)\,dx=0$$

을 만족시키는 함수를 〈보기〉에서 있는 대로 고르시오.

┤ 보기 ├

ㄱ. $f(x)=\dfrac{1}{2}x^2-1$ ㄴ. $f(x)=x^2\sin x$

ㄷ. $f(x)=x\tan x$ ㄹ. $f(x)=\dfrac{3^x+3^{-x}}{2}$

49

$0\leq x\leq4$에서 정의된 함수 $y=f(x)$의 그래프가 그림과 같을

때, $\displaystyle\int_0^3 e^x f(x+1)\,dx$의 값을 구하시오.

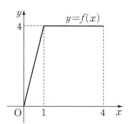

50

함수 $f(x)$가 $f(x)=\displaystyle\int_0^x\dfrac{e^t}{1+e^t}\,dt$일 때, $(f\circ f)(a)=\ln 7$을
만족시키는 상수 a의 값은?

① $\ln 19$ ② $\ln 21$ ③ $\ln 23$

④ $\ln 25$ ⑤ $\ln 27$

51

$A=\int_1^e (x\ln x)^2\,dx$, $B=\int_{-1}^0 x^2 e^x\,dx$, $C=\int_0^1 x^2 e^{2x}\,dx$의 대소 관계로 옳은 것은?

① $A<B=C$　　② $A<C<B$　　③ $B<C=A$

④ $B<C<A$　　⑤ $C<A<B$

52

그림과 같이 제1사분면에 있는 점 P에서 x축에 내린 수선의 발을 H라 하고, $\angle POH=\theta$라 하자. $\dfrac{\overline{OH}}{\overline{PH}}$를 $f(\theta)$라

할 때, $\int_{\frac{\pi}{6}}^{\frac{\pi}{3}} f(\theta)\,d\theta$의 값을 구하시오.

(단, O는 원점이다.)

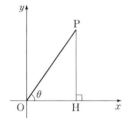

53

자연수 n에 대하여 $a_n=\int_0^{\frac{\pi}{4}} \tan^n x\,dx$로 정의할 때, 〈보기〉에서 옳은 것만을 있는 대로 고르시오.

┤ 보 기 ├

ㄱ. $a_1+a_3=\dfrac{1}{2}$

ㄴ. $a_1+a_2+a_3+a_4=\dfrac{1}{2}+\dfrac{1}{3}$

ㄷ. $\displaystyle\sum_{k=1}^{100} a_k=\dfrac{1}{2}+\dfrac{1}{3}+\dfrac{1}{4}+\cdots+\dfrac{1}{99}$

54

연속함수 $f(x)$에 대하여 등식

$$f(1-x)=e^x+e^{1-x}+\cos\left(\dfrac{\pi}{2}x-\dfrac{\pi}{4}\right)-f(x)$$

가 성립할 때, 정적분 $\int_0^1 f(x)\,dx$의 값은?

① $\dfrac{e-1}{2\pi}$　　② $\dfrac{\sqrt{2}}{\pi}$　　③ $\dfrac{e-1}{\pi}$

④ $\sqrt{2}$　　⑤ $e-1+\dfrac{\sqrt{2}}{\pi}$

55

도함수 $f'(x)$가 연속인 함수 $y=f(x)$의 그래프가 그림과 같이 $x=1$에서 극댓값 e, $x=2$에서 극솟값 1을 갖고 $f(3)=e^2$이다. 정적분 $\int_1^3 |f'(x)|\ln f(x)\,dx$의 값을 구하시오.

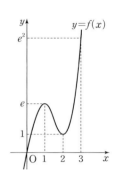

56

양의 실수 x에 대하여 함수 $f(x)$가

$$f(x)=e^x\ln x+\dfrac{e^x}{x}+\int_1^3 f(t)\,dt$$

를 만족시킬 때, $f(3)$의 값을 구하시오.

57

$x > 0$에서 연속인 함수 $f(x)$에 대하여

$$\int_1^{x^2} f(t)\, dt = \frac{1}{2} x^2 - \ln x - \frac{1}{2}$$

이 성립할 때, 정적분 $\int_1^e \frac{1}{t} f\left(\frac{1}{t}\right) dt$의 값을 구하시오.

58

$x > -1$에서 연속인 함수 $f(x)$가

$$\int_0^x (x-t) f(t)\, dt = \ln(x+1) - x$$

를 만족시킬 때, 〈보기〉에서 옳은 것만을 있는 대로 고른 것은?

┤ 보기 ├

ㄱ. $f(0) = 0$

ㄴ. $-1 < x_1 < x_2$이면 $f(x_1) < f(x_2)$이다.

ㄷ. $x > -1$에서 방정식 $f(x) = x$는 적어도 하나의 실근을 가진다.

① ㄱ   ② ㄴ   ③ ㄱ, ㄴ

④ ㄴ, ㄷ   ⑤ ㄱ, ㄴ, ㄷ

59

$\lim\limits_{x \to 1} \dfrac{1}{x-1} \int_1^{x^2} \left(e^t + \cos \pi t - \sin \dfrac{\pi}{2} t \right) dt$의 값을 구하시오.

최고난도 문제

60

미분가능한 함수 $f(x)$가 다음 조건을 만족시킨다.

(가) 모든 실수 x에 대하여 $f(x) = e^x + \int_0^1 f(x+t)\, dt$이다.

(나) $f(0) = 1$, $f(1) = 2e + 3$

$\int_1^2 x f(x)\, dx - \int_0^1 x f(x)\, dx$의 값을 구하시오.

61

구간 $[0, 1]$에서 정의된 연속함수 $f(x)$에 대하여 함수

$$F(x) = \int_0^x f(t)\, dt \quad (0 \le x \le 1)$$

는 다음 조건을 만족시킨다.

(가) $F(x) = f(x) - x$

(나) $\int_0^1 F(x)\, dx = e - \dfrac{5}{2}$

〈보기〉에서 옳은 것만을 있는 대로 고르시오.

┤ 보기 ├

ㄱ. $F(1) = e$

ㄴ. $\int_0^1 x F(x)\, dx = \dfrac{1}{6}$

ㄷ. $\int_0^1 \{F(x)\}^2\, dx = \dfrac{1}{2} e^2 - 2e + \dfrac{11}{6}$

13 정적분과 도형의 넓이

13 정적분과 도형의 넓이

개념 플러스

1 구분구적법

다음과 같이 도형의 넓이나 부피를 구하는 방법을 구분구적법이라고 한다.
① 주어진 도형을 충분히 작은 n개의 기본 도형으로 세분한다.
② 그 기본 도형의 넓이나 부피의 합 S_n을 구한다.
③ $n \to \infty$일 때, S_n의 극한값을 구한다.

2 정적분과 급수의 관계

(1) $\displaystyle \lim_{n \to \infty} \sum_{k=1}^{n} f\left(a + \frac{b-a}{n} \times k\right) \times \frac{b-a}{n} = \int_a^b f(x)\,dx$

(2) $\displaystyle \lim_{n \to \infty} \sum_{k=1}^{n} f\left(\frac{pk}{n}\right) \times \frac{p}{n} = \int_0^p f(x)\,dx$

(3) $\displaystyle \lim_{n \to \infty} \sum_{k=1}^{n} f\left(\frac{k}{n}\right) \times \frac{1}{n} = \int_0^1 f(x)\,dx$

◀ $\displaystyle \lim_{n \to \infty} \sum_{k=1}^{n} f\left(a + \frac{pk}{n}\right) \times \frac{p}{n}$
$\displaystyle = \int_a^{a+p} f(x)\,dx$
$\displaystyle = \int_0^p f(a+x)\,dx$
$\displaystyle = p \int_0^1 f(a+px)\,dx$

3 곡선과 좌표축 사이의 넓이

(1) 함수 $y=f(x)$가 구간 $[a, b]$에서 연속일 때, 곡선
$y=f(x)$와 x축 및 두 직선 $x=a$, $x=b$로 둘러싸인
부분의 넓이 S는
$$S = \int_a^b |f(x)|\,dx$$

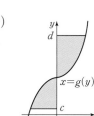

(2) 함수 $x=g(y)$가 구간 $[c, d]$에서 연속일 때, 곡선 $x=g(y)$
와 y축 및 두 직선 $y=c$, $y=d$로 둘러싸인 부분의 넓이 S는
$$S = \int_c^d |g(y)|\,dy$$

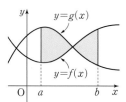

◀ 구간 $[a, b]$에서 $f(x)$의 값이 양수인 경우와
음수인 경우가 모두 있을 때 $f(x)$의 값이 양수
인 구간과 음수인 구간으로 나누어 넓이를
구한다.

◀ 곡선 $y=a(x-\alpha)(x-\beta)$ $(a \neq 0)$와 x축으로
둘러싸인 부분의 넓이 S는
$$S = \int_\alpha^\beta |a(x-\alpha)(x-\beta)|\,dx$$
$$= \frac{|a|(\beta-\alpha)^3}{6} \ (\text{단, } \beta > \alpha)$$

4 두 곡선 사이의 넓이

(1) 두 함수 $y=f(x)$, $y=g(x)$가 구간 $[a, b]$에서 연속
일 때, 두 곡선 $y=f(x)$, $y=g(x)$와 두 직선 $x=a$,
$x=b$로 둘러싸인 부분의 넓이 S는
$$S = \int_a^b |f(x)-g(x)|\,dx$$

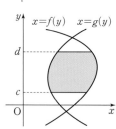

(2) 두 함수 $x=f(y)$, $x=g(y)$가 구간 $[c, d]$에서 연속
일 때, 두 곡선 $x=f(y)$, $x=g(y)$와 두 직선 $y=c$,
$y=d$로 둘러싸인 부분의 넓이 S는
$$S = \int_c^d |f(y)-g(y)|\,dy$$

◀ 역함수와 넓이의 관계
(1)

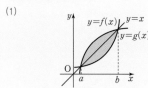

$$S = \int_a^b |f(x)-g(x)|\,dx$$
$$= 2\int_a^b |x-f(x)|\,dx$$

(2) 함수 $y=f(x)$와 그 역함수 $y=g(x)$로
둘러싸인 부분의 넓이 S는 직선 $y=x$와
곡선 $y=f(x)$로 둘러싸인 부분의 넓이의
2배이다.

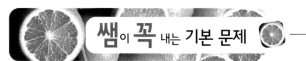

쌤이 꼭 내는 기본 문제

01

함수 $f(x)=e^x$에 대하여 $\displaystyle\lim_{n\to\infty}\sum_{k=1}^{n}f\left(1+\dfrac{k}{n}\right)\times\dfrac{1}{n}$ 의 값은?

① e^2-e ② e^2 ③ e^2+e

④ e^2+2e ⑤ e^2+3e

02

곡선 $y=e^x$과 x축 및 두 직선 $x=0$, $x=1$로 둘러싸인 부분의 넓이를 구하시오.

03

곡선 $y=\sqrt{x}-1$과 x축 및 두 직선 $x=0$, $x=2$로 둘러싸인 부분의 넓이를 구하시오.

04

곡선 $y=xe^x$과 직선 $y=ex$로 둘러싸인 부분의 넓이를 구하시오.

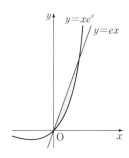

05

구간 $[0, 2\pi]$에서 두 곡선 $y=\sin x$, $y=\cos x$로 둘러싸인 부분의 넓이를 구하시오.

06

두 곡선 $y=2^x$, $y=\left(\dfrac{1}{2}\right)^x$과 직선 $x=1$로 둘러싸인 부분의 넓이는?

① $\dfrac{5}{4\ln 2}$ ② $\dfrac{1}{\ln 2}$ ③ $\dfrac{3}{4\ln 2}$

④ $\dfrac{1}{2\ln 2}$ ⑤ $\dfrac{1}{4\ln 2}$

07

곡선 $y=e^x-1$과 이 곡선 위의 점 $(1, e-1)$에서의 접선 및 y축으로 둘러싸인 부분의 넓이를 구하시오.

08

함수 $f(x)=\sqrt{x-1}+1$의 역함수를 $g(x)$라 할 때, 두 곡선 $y=f(x)$, $y=g(x)$로 둘러싸인 부분의 넓이를 구하시오.

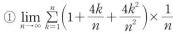
유형 **1** 구분구적법

09

그림과 같이 곡선 $y=x^2$과 x축 및 두 직선 $x=1$, $x=3$으로 둘러싸인 부분의 넓이를 구분구적법을 이용하여 나타낸 것은?

① $\displaystyle\lim_{n\to\infty}\sum_{k=1}^{n}\left(1+\frac{4k}{n}+\frac{4k^2}{n^2}\right)\times\frac{1}{n}$

② $\displaystyle\lim_{n\to\infty}\sum_{k=1}^{n}\left(1+\frac{4k}{n}+\frac{4k^2}{n^2}\right)\times\frac{2}{n}$

③ $\displaystyle\lim_{n\to\infty}\sum_{k=1}^{n}\left(1+\frac{2k}{n}+\frac{2k^2}{n^2}\right)\times\frac{1}{n}$

④ $\displaystyle\lim_{n\to\infty}\sum_{k=1}^{n}\left(1+\frac{2k}{n}+\frac{2k^2}{n^2}\right)\times\frac{2}{n}$

⑤ $\displaystyle\lim_{n\to\infty}\sum_{k=1}^{n}\left(1+\frac{2k}{n}+\frac{2k^2}{n^2}\right)^2\times\frac{2}{n}$

10

밑면은 한 변의 길이가 a인 정사각형이고, 높이가 h인 정사각뿔의 부피를 구분구적법으로 구하시오.

11

반지름의 길이가 r인 구의 부피를 구분구적법으로 구하시오.

유형 **2** 정적분과 급수

12

$\displaystyle\int_{1}^{4}e^x\,dx=\lim_{n\to\infty}\sum_{k=1}^{n}e^{1+\frac{ak}{n}}\times\frac{a}{n}$일 때, 상수 a의 값을 구하시오.

13

$\displaystyle\lim_{n\to\infty}\frac{1}{n\sqrt{n}}\left(\sqrt{n+1}+\sqrt{n+2}+\sqrt{n+3}+\cdots+\sqrt{n+n}\right)$의 값은?

① $\dfrac{3\sqrt{2}-1}{3}$ 　② $\dfrac{4\sqrt{2}-2}{3}$ 　③ $\dfrac{3\sqrt{2}+1}{3}$

④ $\dfrac{3\sqrt{2}+2}{3}$ 　⑤ $\dfrac{4\sqrt{2}+1}{3}$

14

$\displaystyle\lim_{n\to\infty}\left\{\frac{e^{\left(\frac{1}{n}\right)^2}}{n^2}+\frac{2e^{\left(\frac{2}{n}\right)^2}}{n^2}+\frac{3e^{\left(\frac{3}{n}\right)^2}}{n^2}+\cdots+\frac{ne^{\left(\frac{n}{n}\right)^2}}{n^2}\right\}$의 값을 구하시오.

15

$\lim\limits_{n\to\infty}\left(\dfrac{n}{n^2+1^2}+\dfrac{n}{n^2+2^2}+\dfrac{n}{n^2+3^2}+\cdots+\dfrac{n}{2n^2}\right)$ 의 값을 구하시오.

16

그림과 같이 선분 AB를 지름으로 하고 반지름의 길이가 $\sqrt{2}$ 인 반원 O의 호 AB를 n등분한 점을 P_k $(k=1, 2, 3, \cdots, n-1)$라 하자. 삼각형 AP_kB의 넓이를 S_k라 할 때, $\lim\limits_{n\to\infty}\dfrac{1}{n}\sum\limits_{k=1}^{n-1}S_k$의 값을 구하시오.

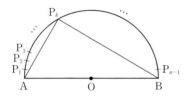

17

그림과 같이 두 점 $O(0, 0)$, $A\left(\dfrac{\pi}{2}, 0\right)$에 대하여 선분 OA를 n등분한 점을 A_1, A_2, A_3, $\cdots$, A_{n-1}이라 하고, 점 A_k $(k=1, 2, 3, \cdots, n-1)$에서 x축에 수직인 직선을 그어 곡선 $y=\cos x$와 만나는 점을 각각 B_1, B_2, B_3, $\cdots$, B_{n-1}이라 할 때, $\lim\limits_{n\to\infty}\dfrac{1}{n}\sum\limits_{k=1}^{n-1}\overline{OB_k}^2$의 값은?

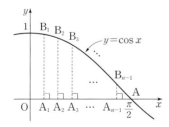

① $\dfrac{\pi^2}{12}$ ② $\dfrac{\pi^2}{12}+\dfrac{1}{2}$ ③ $\dfrac{\pi^2}{6}$

④ π^2+1 ⑤ $2\pi^2$

유형 **3** 곡선과 x축, y축 사이의 넓이

18

곡선 $y=\ln(x-2)$와 x축 및 직선 $x=e+2$로 둘러싸인 부분의 넓이를 구하시오.

19

곡선 $y=\sqrt{x-a}$와 x축 및 직선 $x=3$으로 둘러싸인 부분의 넓이가 $\dfrac{2}{3}$일 때, 상수 a의 값을 구하시오. (단, $0<a<3$)

20

곡선 $y=\dfrac{1}{x}-x$ $(x>0)$와 x축 및 두 직선 $x=\dfrac{1}{2}$, $x=2$로 둘러싸인 부분의 넓이는?

① $\dfrac{5}{8}$ ② $\dfrac{7}{8}$ ③ $\dfrac{9}{8}$

④ $\dfrac{11}{8}$ ⑤ $\dfrac{13}{8}$

21

그림과 같이 곡선 $y=\dfrac{x}{x^2+1}$ 와 x축 및 두 직선 $x=-1$, $x=1$ 로 둘러싸인 부분의 넓이를 구하시오.

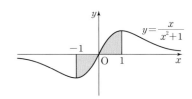

22

자연수 n에 대하여 구간 $[(n-1)\pi,\ n\pi]$에서 곡선

$y=\left(\dfrac{1}{2}\right)^n \sin x$와 x축으로 둘러싸인 부분의 넓이를 S_n이라 하자.

$\displaystyle\sum_{n=1}^{\infty} S_n = \alpha$일 때, 50α의 값을 구하시오.

23

곡선 $y=\ln(x+1)$과 y축 및 직선 $y=2$로 둘러싸인 부분의 넓이는?

① e ② $e+1$ ③ $e+3$

④ e^2-3 ⑤ e^2-1

유형 **4** **곡선과 직선 사이의 넓이**

24

그림과 같이 곡선 $y=\dfrac{2x}{x^2+1}$ 와 직선 $y=\dfrac{1}{2}x$로 둘러싸인 부분의 넓이를 구하시오.

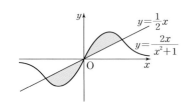

25

자연수 n에 대하여 곡선 $y=\dfrac{2n}{x}$ 과

직선 $y=-\dfrac{x}{n}+3$으로 둘러싸인 부분의 넓이를 S_n이라 할 때, $S_{n+1}-S_n$의 값은?

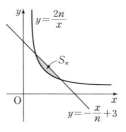

① $\dfrac{3}{2}-2\ln 2$ ② $1-\ln 2$ ③ $\dfrac{3}{2}-\ln 2$

④ $1+\ln 2$ ⑤ $\dfrac{3}{2}+2\ln 2$

26

그림과 같이 원점을 지나고 x축의 양의 방향과 이루는 각의 크기가

$\theta\left(0\le\theta<\dfrac{\pi}{4}\right)$인 직선을 l이라 하자.

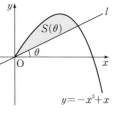

곡선 $y=-x^3+x\ (x\ge 0)$와 직선 l로 둘러싸인 부분의 넓이를 $S(\theta)$라 할 때,

$\displaystyle\int_{0}^{\frac{\pi}{6}} \{4S(\theta)+2\tan\theta\}\,d\theta$의 값을 구하시오.

유형 5 두 곡선 사이의 넓이

27

구간 $[0, \pi]$에서 두 곡선 $y=\sin x$, $y=\sin 2x$로 둘러싸인 부분의 넓이가 $\dfrac{q}{p}$일 때, $p+q$의 값을 구하시오.

(단, p와 q는 서로소인 자연수이다.)

28

그림과 같이 두 함수 $y=\sqrt{ax}$, $y=\sqrt{bx}$의 그래프와 직선 $x=2$로 둘러싸인 부분의 넓이가 $\dfrac{8}{3}$일 때, $\sqrt{a}-\sqrt{b}$의 값은? (단, $a>b>0$)

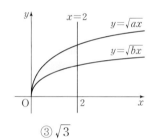

① 1 ② $\sqrt{2}$ ③ $\sqrt{3}$

④ 2 ⑤ $\sqrt{5}$

29

두 곡선 $y=x\ln x$, $y=x\ln\dfrac{4}{x}$ 및 두 직선 $x=1$, $x=3$으로 둘러싸인 부분의 넓이를 구하시오.

30

2 이상의 자연수 k에 대하여 두 곡선 $y=\ln kx$, $y=\ln\dfrac{k}{x}$ 및 직선 $x=k$로 둘러싸인 부분의 넓이를 $S(k)$라 하자.

$S(2)+S(3)+6=\ln p$일 때, 상수 p의 값은?

① $2^2\times 3^3$ ② $2^4\times 3^4$ ③ $2^4\times 3^6$

④ $2^6\times 3^4$ ⑤ $2^6\times 3^9$

31

자연수 n에 대하여 구간 $\left[-\dfrac{\pi}{2}, \dfrac{\pi}{2}\right]$에서 두 곡선 $y=\dfrac{1}{n}\cos x$,

$y=\dfrac{1}{n+1}\cos x$로 둘러싸인 부분의 넓이를 S_n이라 할 때,

$\displaystyle\lim_{n\to\infty}\sum_{k=1}^{n}S_k$의 값을 구하시오.

32

두 곡선 $y=\ln x$, $y=-\ln x$와 두 직선 $y=1$, $y=-1$로 둘러싸인 부분의 넓이는?

① $e-\dfrac{1}{e}+1$ ② $e+\dfrac{1}{e}+2$ ③ $2\left(e-\dfrac{1}{e}+2\right)$

④ $2\left(e+\dfrac{1}{e}-2\right)$ ⑤ $2\left(e+\dfrac{1}{e}+2\right)$

유형 **6** 곡선과 접선으로 둘러싸인 부분의 넓이

33
곡선 $y=e\ln x$와 이 곡선 위의 점 (e, e)에서의 접선 및 x축으로 둘러싸인 부분의 넓이는?

① $\dfrac{e(e-2)}{4}$ ② $\dfrac{e(e-1)}{4}$ ③ $\dfrac{e(e-2)}{2}$

④ $\dfrac{e(e-1)}{2}$ ⑤ $\dfrac{e(e+2)}{2}$

34
곡선 $y=e^x$과 이 곡선 위의 점 $\mathrm{P}(t, e^t)$ $(t>0)$에서의 접선 및 y축으로 둘러싸인 부분의 넓이를 $S(t)$라 할 때, $\dfrac{S(t)+1}{e^t}$의 최솟값을 구하시오.

35
곡선 $y=\ln(x-2)$와 점 $(2, 0)$에서 이 곡선에 그은 접선 및 x축으로 둘러싸인 부분의 넓이를 구하시오.

유형 **7** 두 곡선 사이의 넓이의 응용

36
그림과 같이 곡선 $y=e^{-x}$과 두 직선 $y=1$, $x=k$로 둘러싸인 부분을 A라 하고, 곡선 $y=e^{-x}$과 x축 및 두 직선 $x=k$, $x=2$로 둘러싸인 부분을 B라 하자. A의 넓이와 B의 넓이가 서로 같도록 하는 상수 k의 값을 구하시오. (단, $0<k<2$)

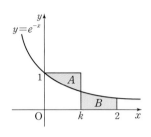

37
곡선 $y=(x^2-a)\sin x$ $(0\leq x\leq\pi)$와 x축으로 둘러싸인 두 부분의 넓이가 서로 같을 때, 상수 a의 값은? (단, $0<a<\pi$)

① $\dfrac{\pi}{2}-1$ ② $\pi-2$ ③ $\pi-1$

④ $\dfrac{\pi^2}{3}-1$ ⑤ $\dfrac{\pi^2}{2}-2$

38
그림과 같이 $-\dfrac{\pi}{2}\leq x\leq\dfrac{\pi}{2}$에서 곡선 $y=\cos x$와 x축으로 둘러싸인 부분의 넓이를 곡선 $y=ax^2+1$이 삼등분할 때, 상수 a의 값을 구하시오.

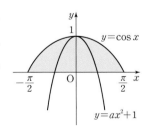

유형 8 함수와 그 역함수의 정적분

39

그림은 함수 $f(x)=xe^x$ $(0\le x\le 1)$의 그래프이다. 함수 $f(x)$의 역함수를 $g(x)$라 할 때, $\displaystyle\int_0^e g(x)\,dx$의 값을 구하시오.

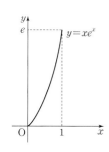

40

함수 $f(x)=e^x+2$의 역함수를 $g(x)$라 할 때, $\displaystyle\int_0^1 f(x)\,dx+\int_3^{e+2} g(x)\,dx$의 값을 구하시오.

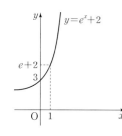

41

함수 $f(x)=2^x$의 그래프와 x축, y축 및 직선 $x=2$로 둘러싸인 부분의 넓이를 A라 할 때, $\displaystyle\int_1^4 \log_2 x\,dx$의 값을 A로 나타내면?

① $5-A$ ② $6-A$

③ $7-A$ ④ $8-A$

⑤ $9-A$

42

함수 $f(x)=\tan x\left(0\le x\le\dfrac{\pi}{2}\right)$의 역함수를 $g(x)$라 할 때, $\displaystyle\int_{\frac{\pi}{4}}^{\frac{\pi}{3}} f(x)\,dx+\int_1^{\sqrt3} g(x)\,dx$의 값을 구하시오.

43

그림은 역함수를 갖는 연속함수 $y=f(x)$의 그래프이다. $\displaystyle\int_1^3 f(x)\,dx=S$라 하고 함수 $f(x)$의 역함수를 $g(x)$라 할 때, $\displaystyle\lim_{n\to\infty}\sum_{k=1}^n g\left(2+\dfrac{3k}{n}\right)\times\dfrac{1}{n}$의 값을 S로 나타내면?

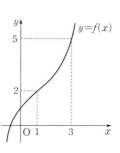

① $\dfrac{1}{5}(13-S)$ ② $\dfrac{1}{3}(13-S)$ ③ $\dfrac{1}{5}(15-S)$

④ $\dfrac{1}{3}(15-S)$ ⑤ $\dfrac{1}{2}(15-S)$

44

그림은 역함수를 갖는 연속함수 $y=f(x)$의 그래프이다. 함수 $f(x)$의 역함수를 $g(x)$라 하고 $\displaystyle\int_1^6 f(x)\,dx=S$일 때, $\displaystyle\lim_{n\to\infty}\sum_{k=1}^n g\left(2+\dfrac{2k}{n}\right)\times\dfrac{5}{n}$의 값을 S로 나타내면?

① $55-\dfrac{5}{2}S$ ② $44-2S$ ③ $33-\dfrac{3}{2}S$

④ $22-S$ ⑤ $11-\dfrac{1}{2}S$

45

함수 $f(x) = \dfrac{1}{x^2 + x}$ 에 대하여 $\displaystyle\lim_{n\to\infty} \dfrac{2}{n} \sum_{k=1}^{n} f\left(1 + \dfrac{2k}{n}\right)$ 의 값은?

① $\ln \dfrac{9}{8}$ ② $\ln \dfrac{5}{4}$ ③ $\ln \dfrac{11}{8}$

④ $\ln \dfrac{3}{2}$ ⑤ $\ln \dfrac{13}{8}$

46

자연수 n과 함수 $f(x) = \sqrt{x}$ 에 대하여 구간 $[0, 3]$을 n등분한 각 분점(양 끝점도 포함)을 순서대로

$$0 = x_0, \ x_1, \ x_2, \ \cdots, \ x_{n-1}, \ x_n = 3$$

이라 하자. 함수 $y = f(x)$의 그래프
위의 점 $P_k(x_k, \sqrt{x_k})$에 대하여
삼각형 $P_k Q_k R_k$가 정삼각형이 되도록
x축 위의 두 점 Q_k, R_k를 잡는다.
삼각형 $P_k Q_k R_k$의 둘레의 길이를

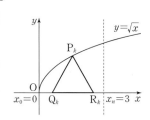

l_k라 할 때, $\displaystyle\lim_{n\to\infty} \sum_{k=1}^{n} \dfrac{l_k}{n}$ 의 값을 구하시오.

47

그림과 같이 중심각의 크기가 $\dfrac{\pi}{2}$ 이고,
반지름의 길이가 8인 부채꼴 OAB가
있다. 2 이상의 자연수 n에 대하여 호
AB를 n등분한 각 분점을 점 A에서
가까운 것부터 순서대로 P_1, P_2, P_3,

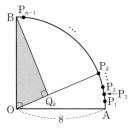

$\cdots$, P_{n-1}이라 하자. $1 \le k \le n-1$인 자연수 k에 대하여 점 B에서
선분 OP_k에 내린 수선의 발을 Q_k라 하고, 삼각형 $OQ_k B$의 넓이
를 S_k라 하자. $\displaystyle\lim_{n\to\infty} \dfrac{1}{n} \sum_{k=1}^{n-1} S_k = \dfrac{\alpha}{\pi}$ 일 때, 상수 α의 값을 구하시오.

48

곡선 $y = |\sin x + \cos x|$ 와 x축 및 두 직선 $x = 0$, $x = 2\pi$로 둘러싸인 부분의 넓이는?

① $4\sqrt{2}$ ② 8 ③ $6\sqrt{2}$

④ $8\sqrt{2}$ ⑤ 12

49

함수 $f(x) = \sin^2 \dfrac{x}{2}$ $(0 \le x \le \pi)$의 그래프와 y축 및 두 직선
$y = \dfrac{1}{4}$, $y = 1$로 둘러싸인 부분의 넓이는 $a\pi + b\sqrt{3}$이다. 두 유리수
a, b에 대하여 $a + b$의 값을 구하시오.

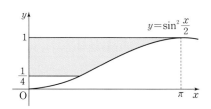

50

그림은 구간 $\left[0, \dfrac{3}{2}\pi\right]$에서의 함수 $f(x) = \cos x$의 그래프이다.
함수 $g(x)$를 $g(x) = \displaystyle\int_{x}^{x+1} f(t)\, dt$라 할 때, 주어진 그래프를
이용하여 $g(x)$의 최솟값을 구하시오.

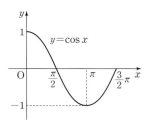

51

그림과 같이 두 함수

$y=\cos x \ (0\le x\le 2\pi)$,

$y=k \ (-1<k<1)$의 그래프가 서로

다른 두 점에서 만날 때, 곡선

$y=\cos x$와 y축 및 직선 $y=k$로

둘러싸인 부분의 넓이를 S라 하자.

S가 최소가 되도록 하는 상수 k의 값을 구하시오.

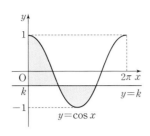

52

곡선 $y=\ln x$ 위의 점 $\mathrm{P}(e,\,1)$과 이 곡선

위를 움직이는 점 $\mathrm{Q}(t,\,\ln t)$에 대하여

선분 PQ의 수직이등분선을 l이라 할

때, 곡선 $y=\ln x$와 x축 및 직선 l로

둘러싸인 부분의 넓이를 $S(t)$라 하자.

$\lim\limits_{t\to e} S(t)$의 값을 구하시오.

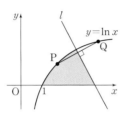

53

실수 전체의 집합에서 미분가능한 함수 $f(x)$가 $f(0)=0$이고

모든 실수 x에 대하여 $f'(x)>0$이다. 곡선 $y=f(x)$ 위의 점

$\mathrm{A}(t,\,f(t))\,(t>0)$에서 x축에 내린 수선의 발을 B라 하고, 점

A를 지나고 점 A에서의 접선과 수직인 직선이 x축과 만나는 점

을 C라 하자. 모든 양수 t에 대하여 삼각형 ABC의 넓이가

$\dfrac{1}{2}(e^{3t}-2e^{2t}+e^{t})$일 때, 곡선 $y=f(x)$와 x축 및 직선 $x=1$로

둘러싸인 부분의 넓이는?

① $e-2$ ② e ③ $e+2$

④ $e+4$ ⑤ $e+6$

54

곡선 $y=\dfrac{xe^{x^{2}}}{e^{x^{2}}+1}$과 직선 $y=\dfrac{2}{3}x$로 둘러싸인 부분의 넓이는?

① $\dfrac{5}{3}\ln 2-\ln 3$ ② $2\ln 3-\dfrac{5}{3}\ln 2$ ③ $\dfrac{5}{3}\ln 2+\ln 3$

④ $2\ln 3+\dfrac{5}{3}\ln 2$ ⑤ $\dfrac{7}{3}\ln 2-\ln 3$

55

그림과 같이 x축 및 곡선

$y=\log_a x$와 두 직선 $x=p$, $x=q$

로 둘러싸인 부분을 곡선

$y=\log_b x$가 두 부분 A와 B로

나눈다. A와 B의 넓이를 각각 α,

β라 할 때, $\dfrac{\alpha}{\beta}$의 값은? (단, $1<a<b$, $1<p<q$)

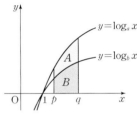

① $\left(\dfrac{b}{a}-1\right)(q-p)$ ② $\dfrac{a}{b}-1$ ③ $\log_a b-1$

④ $\log_b a-1$ ⑤ $(q-p)\log_b a$

56

$0\le x\le \dfrac{\pi}{2}$에서 곡선 $y=k\cos x$와 x축 및 y축으로 둘러싸인 부분

의 넓이를 곡선 $y=\sin x$가 이등분한다. 양수 k의 값을 구하시오.

57

세 상수 a, b, c가 이 순서대로 등비수열을 이루고 $x > 0$일 때, 곡선 $y = \dfrac{1}{x}$과 두 직선 $y = ax$, $y = bx$로 둘러싸인 부분의 넓이를 S_1, 곡선 $y = \dfrac{1}{x}$과 두 직선 $y = bx$, $y = cx$로 둘러싸인 부분의 넓이를 S_2라고 한다. S_1과 S_2의 관계식으로 옳은 것은? (단, $a > b > c > 0$)

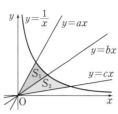

① $S_1 = \sqrt{2}\,S_2$ ② $S_2 = \sqrt{2}\,S_1$ ③ $S_1 = S_2$

④ $S_1{}^2 = S_2$ ⑤ $S_1 = S_2{}^2$

58

2 이상의 자연수 n에 대하여 곡선 $y = (\ln x)^n$ $(x \geq 1)$과 x축, y축 및 직선 $y = 1$로 둘러싸인 부분의 넓이를 S_n이라 하자. 〈보기〉에서 옳은 것만을 있는 대로 고르시오.

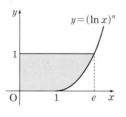

┤ 보기 ├

ㄱ. $1 \leq x \leq e$일 때, $(\ln x)^n \geq (\ln x)^{n+1}$이다.

ㄴ. $S_n < S_{n+1}$

ㄷ. 함수 $f(x) = (\ln x)^n$ $(x \geq 1)$의 역함수를 $g(x)$라 하면 $S_n = \displaystyle\int_0^1 g(x)\,dx$이다.

59

함수 $f(x) = e^{ax}$의 역함수를 $g(x)$라 하면 두 곡선 $y = f(x)$, $y = g(x)$는 $x = e$인 점에서 접한다. 두 곡선 $y = f(x)$, $y = g(x)$와 x축 및 y축으로 둘러싸인 부분의 넓이를 구하시오.

(단, a는 상수이다.)

최고난도 문제

60

실수 전체의 집합에서 미분가능한 함수

$$f(x) = \lim_{n \to \infty} \frac{(ax^2 + b)(2x)^{2n} + \pi^{2n}\cos x}{(2x)^{2n} + \pi^{2n}}$$에 대하여 곡선 $y = f(x)$와 x축으로 둘러싸인 부분의 넓이를 S라 할 때, 세 실수 a, b, S에 대하여 abS의 값을 구하시오.

61

좌표평면에서 곡선 $y = x^2 + x$ 위의 두 점 A, B의 x좌표를 각각 s, t $(0 < s < t)$라 하자. 양수 k에 대하여 두 직선 OA, OB와 곡선 $y = x^2 + x$로 둘러싸인 부분의 넓이가 k가 되도록 하는 점 (s, t)가 나타내는 곡선을 C라 하자. 곡선 C 위의 점 중에서 점 $(1, 0)$까지의 거리가 최소인 점의 x좌표가 $\dfrac{2}{3}$일 때, k의 값은?

① $\dfrac{26}{81}$ ② $\dfrac{28}{81}$ ③ $\dfrac{10}{27}$

④ $\dfrac{32}{81}$ ⑤ $\dfrac{34}{81}$

14 정적분의 활용

14 정적분의 활용

1 입체도형의 부피

구간 $[a, b]$의 임의의 점 x에서 x축에 수직인 평면으로 자른 단면의 넓이가 $S(x)$인 입체도형의 부피 V는

$$V = \int_a^b S(x)\,dx$$

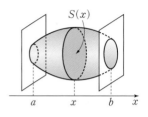

개념 플러스

◁ x좌표가 x_k인 점을 지나고 x축에 수직인 평면으로 자른 단면의 넓이를 $S(x_k)$라 하면

$$V = \lim_{n \to \infty} \sum_{k=1}^{n} S(x_k)\,\Delta x$$
$$= \int_a^b S(x)\,dx$$

$$\left(\text{단, } \Delta x = \frac{b-a}{n}, \ x_k = a + k\Delta x\right)$$

2 직선 위에서 점이 움직인 거리

수직선 위를 움직이는 점 P의 시각 t에서의 속도가 $v(t)$일 때, 시각 $t=a$에서 $t=b$ $(a<b)$까지 점 P가 움직인 거리 s는

$$s = \int_a^b |v(t)|\,dt$$

3 평면 위에서 점이 움직인 거리

좌표평면 위를 움직이는 점 $P(x, y)$의 시각 t에서의 위치가 $x=f(t)$, $y=g(t)$일 때, $t=a$에서 $t=b$ $(a<b)$까지 점 P가 움직인 거리 s는

$$s = \int_a^b \sqrt{\left(\frac{dx}{dt}\right)^2 + \left(\frac{dy}{dt}\right)^2}\,dt = \int_a^b \sqrt{\{f'(t)\}^2 + \{g'(t)\}^2}\,dt$$

◁ 좌표평면 위를 움직이는 점 $P(x, y)$의 시각 t에서의 위치가 $x=f(t)$, $y=g(t)$일 때, 점 P의 속도와 속력은

(1) (속도)$= \left(\dfrac{dx}{dt}, \ \dfrac{dy}{dt}\right)$

(2) (속력)$= \sqrt{\left(\dfrac{dx}{dt}\right)^2 + \left(\dfrac{dy}{dt}\right)^2}$

4 곡선의 길이

(1) 곡선 $x=f(t)$, $y=g(t)$ $(a \le t \le b)$의 길이 l은

$$l = \int_a^b \sqrt{\left(\frac{dx}{dt}\right)^2 + \left(\frac{dy}{dt}\right)^2}\,dt = \int_a^b \sqrt{\{f'(t)\}^2 + \{g'(t)\}^2}\,dt$$

(2) 곡선 $y=f(x)$ $(a \le x \le b)$의 길이 l은

$$l = \int_a^b \sqrt{1 + \{f'(x)\}^2}\,dx$$

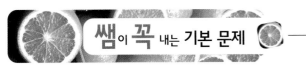

쌤이 꼭 내는 기본 문제

01
어떤 용기에 깊이가 $x\,\text{cm}$가 되도록 물을 넣으면 그때의 수면의 넓이는 $(3x^2+2x)\,\text{cm}^2$이다. 물의 깊이가 $4\,\text{cm}$일 때, 물의 부피를 구하시오.

02
높이가 $8\,\text{cm}$인 입체도형을 높이가 $x\,\text{cm}$인 지점에서 밑면에 평행하게 자를 때 생기는 단면은 한 변의 길이가 $\sqrt{10-x}\,\text{cm}$인 정사각형이다. 이 입체도형의 부피를 구하시오.

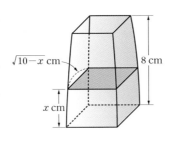

03
그림과 같이 곡선 $y=\sqrt{x}+1$과 x축, y축 및 직선 $x=1$로 둘러싸인 부분을 밑면으로 하는 입체도형이 있다. 이 입체도형을 x축에 수직인 평면으로 자른 단면이 모두 정사각형일 때, 이 입체도형의 부피를 구하시오.

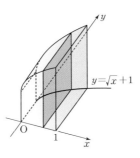

04
그림과 같이 높이가 1인 입체도형을 밑면으로부터 높이가 x인 지점에서 밑면에 평행한 평면으로 자른 단면이 반지름의 길이가 $2e^x$인 원일 때, 이 입체도형의 부피는?

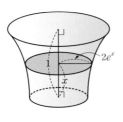

① $\dfrac{\pi}{4}(e-1)$ ② $\dfrac{\pi}{2}(e-1)$ ③ $\dfrac{\pi}{4}(e^2-1)$

④ $\pi(e^2-1)$ ⑤ $2\pi(e^2-1)$

05
수직선 위를 움직이는 점 P의 시각 t에서의 속도가 $v(t)=(t-1)e^t$일 때, $t=0$에서 $t=2$까지의 점 P의 위치의 변화량은?

① 1 ② $\sqrt{e}$ ③ 2
④ e ⑤ e^2

06
좌표평면 위를 움직이는 점 $\text{P}(x,\,y)$의 시각 t에서의 위치가 $x=3-3t,\ y=4t$일 때, $t=0$에서 $t=1$까지 점 P가 움직인 거리를 구하시오.

07
좌표평면 위를 움직이는 점 $\text{P}(x,\,y)$의 시각 t에서의 속도 v가 $v=(-\sin t,\,\cos t)$일 때, $t=0$에서 $t=1$까지 점 P가 움직인 거리를 구하시오.

08
곡선 $y=x\sqrt{x}$의 $x=0$에서 $x=4$까지의 길이를 구하시오.

유형 1	단면의 넓이가 주어진 입체도형의 부피

09

어떤 그릇에 깊이가 x cm가 되도록 물을 넣었을 때, 수면의 넓이가 $\ln(x+1)$ cm²라고 한다. 물의 깊이가 5 cm일 때, 이 그릇에 들어 있는 물의 부피를 구하시오.

10

높이가 3 m인 용기에 물을 부어 물의 깊이가 x m일 때, 수면의 넓이를 측정해 보았더니 $\left(1+\sin^2\dfrac{\pi x}{8}-\cos\dfrac{\pi x}{4}\right)$ m²이었다.

수면의 넓이가 $\dfrac{3}{2}$ m²일 때, 이 용기에 들어 있는 물의 부피는?

① $\left(3-\dfrac{2}{\pi}\right)$ m³ ② $\left(3-\dfrac{4}{\pi}\right)$ m³ ③ $\left(3-\dfrac{6}{\pi}\right)$ m³

④ $\left(3-\dfrac{8}{\pi}\right)$ m³ ⑤ $\left(3-\dfrac{10}{\pi}\right)$ m³

11

어떤 그릇에 깊이가 x cm가 되도록 물을 넣으면 물의 부피가 $\dfrac{1}{2\ln 2}(4^x+2^{x+1}-3)$ cm³라고 한다. 수면의 넓이가 72 cm²일 때, 이 그릇에 들어 있는 물의 깊이를 구하시오.

유형 2	단면이 다각형인 입체도형의 부피

12

곡선 $y=e^x$과 x축, y축 및 직선 $x=\ln 3$으로 둘러싸인 부분을 밑면으로 하고, x축에 수직인 평면으로 자른 단면이 정사각형인 입체도형의 부피를 구하시오.

13

곡선 $y=\dfrac{\sqrt{x}}{x-1}$ $(2\le x\le 4)$ 위의 점에서 x축에 내린 수선을 한 변으로 하는 정사각형을 좌표평면에 수직이 되도록 만든다. 이 정사각형으로 이루어지는 입체도형의 부피는?

① $\ln 2$ ② $\ln 3$ ③ $\ln 2+\dfrac{2}{3}$

④ $\ln 2+\dfrac{4}{5}$ ⑤ $\ln 3+\dfrac{2}{3}$

14

그림과 같이 반지름의 길이가 a인 원이 있다. 원의 지름 AB에 수직인 현 CD가 선분 AB와 만나는 점을 P라 하자. 선분 CD를 한 변으로 하는 정삼각형이 만드는 입체도형의 부피를 구하시오.
(단, 점 P는 점 A에서 점 B까지 움직인다.)

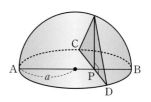

15

그림과 같이 밑면의 중심이 O이고 밑면의 반지름의 길이가 4, 높이가 8인 원기둥이 있다. 밑면의 한 지름을 지나고 밑면과 이루는 각의 크기가 45°인 평면으로 이 원기둥을 자를 때 생기는 두 입체도형 중에서 작은 것의 부피를 구하시오.

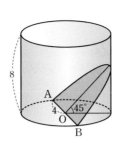

16

밑면의 반지름의 길이가 5, 높이가 5인 원기둥 모양의 그릇에 물이 가득 담겨 있다. 그림과 같이 이 그릇을 45°의 각도로 기울였을 때, 그릇에 남아 있는 물의 부피를 구하시오.

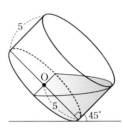

17

곡선 $y=e^x$과 y축 및 직선 $y=e$로 둘러싸인 부분을 밑면으로 하는 입체도형이 있다. 이 입체도형을 y축에 수직인 평면으로 자른 단면이 모두 정삼각형일 때, 이 입체도형의 부피는?

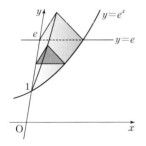

① $\dfrac{\sqrt{3}}{4}(e+1)$ ② $\dfrac{\sqrt{3}}{2}(e-1)$ ③ $\dfrac{\sqrt{3}}{4}(e-1)$

④ $\dfrac{\sqrt{3}}{2}(e-2)$ ⑤ $\dfrac{\sqrt{3}}{4}(e-2)$

유형 3   **단면이 원 또는 반원인 입체도형의 부피**

18

곡선 $f(x)=\sqrt{x\sin x}$ $(0\le x\le\pi)$와 x축으로 둘러싸인 부분을 밑면으로 하는 입체도형이 있다. 두 점 $P(x,0)$, $Q(x,f(x))$를 지나고 x축에 수직인 평면으로 이 입체도형을 자른 단면은 선분 PQ를 지름으로 하는 반원일 때, 이 입체도형의 부피는?

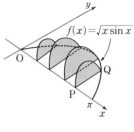

① $\dfrac{\sqrt{3}}{8}\pi$ ② $\dfrac{\pi^2}{16}$ ③ $\dfrac{\pi}{8}$

④ $\dfrac{\pi^2}{8}$ ⑤ π

19

곡선 $y=x^2+1$ 위의 점 P에서 x축에 내린 수선의 발을 H라 하고, 선분 PH를 지름으로 하는 원을 좌표평면에 수직으로 $x=0$에서 $x=1$까지 세워 나갈 때 생기는 입체도형의 부피는 $\dfrac{k}{15}\pi$이다. 상수 k의 값을 구하시오.

20

반지름의 길이가 8 cm인 반구형 모양의 그릇에 물이 가득 들어 있다. 그림과 같이 그릇을 30°만큼 기울였을 때, 남아 있는 물의 양을 $k\pi$ cm³라 하자. $3k$의 값을 구하시오. (단, k는 상수이다.)

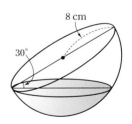

유형 4 직선 위에서 점이 움직인 거리

21 (중요)

수직선 위를 움직이는 점 P의 시각 $t\,(t>0)$에서의 속도를 $v(t)$라 하면 $v(t)=4t-\dfrac{1}{2\sqrt{t}}$이다. 점 P가 진행 방향을 바꿀 때부터 $t=1$이 될 때까지 움직인 거리는?

① 1   ② $\dfrac{9}{8}$ ③ $\dfrac{5}{4}$

④ $\dfrac{11}{8}$ ⑤ $\dfrac{3}{2}$

22

수직선 위를 움직이는 물체의 시각 t에서의 속도가 $v(t)=5\sin^2 t\cos t$일 때, $t=0$부터 $t=2\pi$까지 이 물체의 위치의 변화량과 움직인 거리의 차를 구하시오.

23

원점을 동시에 출발하여 수직선 위를 움직이는 두 점 P와 Q의 t초 후의 속도가 각각 $2\cos t$와 $\cos 2t$일 때, 두 점이 출발하고 7π초 동안 만난 횟수를 구하시오.

유형 5 평면 위에서 점이 움직인 거리

24

좌표평면 위를 움직이는 점 P의 좌표 $(x,\,y)$가 시각 t에서의 함수 $x=\dfrac{4}{3}t\sqrt{t}$, $y=t\left(1-\dfrac{1}{2}t\right)$로 나타내어질 때, $t=1$에서 $t=5$까지 점 P가 실제로 이동한 거리를 구하시오.

25 (중요)

좌표평면 위를 움직이는 점 $P(x,\,y)$의 시각 t에서의 위치가 $x=e^t\cos t$, $y=e^t\sin t$로 주어질 때, $t=0$에서 $t=\pi$까지 점 P가 움직인 거리는?

① $\sqrt{2}\,(e^\pi-1)$ ② $\sqrt{2}\,e^\pi$ ③ $\sqrt{2}\,(e^\pi+1)$
④ $2(e^\pi-1)$ ⑤ $2(e^\pi+1)$

26

좌표평면 위를 움직이는 점 $P(x,\,y)$의 시각 t에서의 위치가 $x=t-\sin t$, $y=1-\cos t$이다. $t=0$에서 $t=2\pi$까지 점 P가 움직인 거리를 구하시오.

27

좌표평면 위를 움직이는 점 $P(x, y)$의 시각 t에서의 위치가 $P(2\sqrt{2}\sin t+\cos t,\ 2\sqrt{2}\cos t-\sin t)$이다. $t=0$에서 $t=a$까지 점 P가 움직인 거리가 12π가 되도록 하는 상수 a의 값은?

① π ② 2π ③ 3π

④ 4π ⑤ 5π

28

좌표평면 위를 움직이는 점 $P(x, y)$의 시각 t에서의 위치가 $x=\cos(t^2-4t)$, $y=\sin(t^2-4t)$일 때, 출발 후 처음으로 점 P의 속력이 0이 될 때까지 점 P가 실제로 움직인 거리를 구하시오.

29

좌표평면 위를 움직이는 점 $P(x, y)$의 시각 t에서의 위치가 $x=\dfrac{1}{2}t^2-\ln 2t$, $y=2t$이다. 점 P의 속력이 최소일 때부터 시각 $t=e$까지 움직인 거리를 구하시오.

유형 6 곡선의 길이

30

$-\sqrt{3}\leq t\leq\sqrt{3}$일 때, 곡선 $x=3t^2$, $y=3t-t^3$의 길이는?

① $10\sqrt{3}$ ② $12\sqrt{3}$ ③ $14\sqrt{3}$

④ $16\sqrt{3}$ ⑤ $18\sqrt{3}$

31

좌표평면에서 매개변수 θ로 나타낸 곡선
$$x=2\cos\theta+\cos 2\theta,\ y=2\sin\theta+\sin 2\theta$$
가 있다. $0\leq\theta\leq\pi$일 때, 이 곡선의 길이를 구하시오.

32

$0\leq x\leq\ln 3$일 때, 곡선 $y=\dfrac{1}{4}(e^{2x}+e^{-2x})$의 길이를 구하시오.

33

그림과 같이 x축 위의 점 P를 지나면서 x축과 수직인 직선이 곡선 $y=\sin x$와 만나는 점을 Q, 직선 $y=-\dfrac{1}{2}x$와 만나는 점을 R라 하자.

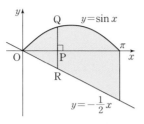

x축을 접는 선으로 하여 두 평면이 서로 수직이 되도록 하였을 때의 삼각형 PQR에 대하여 점 P가 원점 O에서 점 $(\pi, 0)$까지 움직일 때, 삼각형 PQR가 나타내는 입체도형의 부피를 구하시오.

34

좌표평면 위의 두 점 $P(x, 0)$, $Q(x, 2\sin x)$를 이은 선분을 한 변으로 하고, 좌표평면에 수직으로 세운 $\overline{PQ}=\overline{QR}$를 만족시키는 직각이등변삼각형 PQR의 내부 중에서 점 Q가 중심이고 변 PR에 접하는 사분원을 제외한 부분을 색칠한 도형을 S라 하자. 점 P가 x축 위를 원점에서 점 $C\left(\dfrac{\pi}{2}, 0\right)$까지 움직일 때, 도형 S가 그리는 입체도형의 부피를 구하시오.

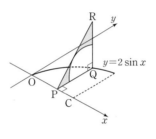

35

그림과 같이 함수 $f(x)=\sqrt{x(x^2+1)\sin x^2}\,(0\le x\le\sqrt{\pi})$에 대하여 곡선 $y=f(x)$와 x축으로 둘러싸인 부분을 밑면으로 하는 입체도형이 있다. 두 점 $P(x, 0)$, $Q(x, f(x))$를 지나고 x축에 수직인 평면으로 입체도형을 자른 단면이 선분 PQ를 한 변으로 하는 정삼각형일 때, 이 입체도형의 부피를 구하시오.

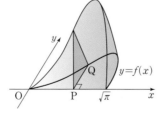

36

어떤 그릇에 깊이가 h cm가 되도록 물을 넣을 때 수면은 반지름의 길이가 $\sqrt{9+h^2}$ cm인 원이 된다. 이 그릇에 매 초 260π cm³의 비율로 물을 넣을 때, 수면의 높이가 2 cm인 순간의 수면이 상승하는 속도는 몇 cm/s인지 구하시오. (단, 그릇의 높이는 2 cm보다 크다.)

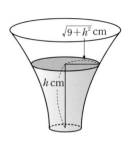

37

수직선 위에서 원점을 출발하여 움직이는 점 P의 시각 t에서의 속도 $v(t)$가

$$v(t)=\begin{cases} t-2 & (0\le t<4) \\ 2e^{4-t} & (t\ge4) \end{cases}$$

이고 시각 t에서의 위치를 $P(t)$라 할 때, $\displaystyle\lim_{t\to\infty}P(t)$의 값은?

① -2 ② -1 ③ 1

④ 2 ⑤ 3

38

수직선 위에서 원점으로부터 출발한 두 점 P, Q의 시각 t에서의 속도가 각각 $\sin\pi t$, $\cos\pi t$이다. 두 점이 원점을 동시에 출발한 후 20초가 될 때까지 두 점이 만나는 횟수를 구하시오.

39

좌표평면 위를 움직이는 점 $P(x, y)$의 시각 t $(t \geq 0)$에서의 위치가

$$x = \sqrt{t+1}, \quad y = \frac{1}{3}(t+3)\sqrt{t+3}$$

이다. 시각 t에서의 x, y의 속도를 각각 $v_x(t)$, $v_y(t)$라 할 때, 부등식 $v_y(t) \leq 2\sqrt{2}\,v_x(t)$를 만족시키는 시간 동안 점 P가 움직인 거리를 구하시오.

40

그림과 같이 중심이 원점이고 반지름의 길이가 4인 원 C_1의 내부에서 반지름의 길이가 1인 원 C_2를 원 C_1에 접하면서 미끄러지지 않게 굴린다. 원 C_2 위의 점 P의 처음 위치가 $(4, 0)$일 때, 점 P의 시각 t에서의 위치는 $(4\cos^3 t, 4\sin^3 t)$이다. 점 P가 처음 위치로 돌아올 때까지 움직인 거리를 구하시오.

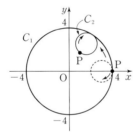

41

자연수 n에 대하여 곡선 $y = \dfrac{e^{nx} + e^{-nx}}{2n}$ $\left(-\dfrac{1}{n} \leq x \leq \dfrac{1}{n}\right)$의 길이를 a_n이라 할 때, $\displaystyle\sum_{n=1}^{48} \ln \dfrac{a_n}{a_{n+2}}$의 값은?

① $4\ln 2 + \ln 3$ ② $4\ln 2 + \ln 7$ ③ $2(\ln 2 + \ln 7)$

④ $4\ln 2 + 2\ln 7$ ⑤ $2(\ln 5 + \ln 7)$

42

그림과 같이 함수

$$f(x) = \begin{cases} e^{-x} & (x < 0) \\ \sqrt{\ln(x+1) + 1} & (x \geq 0) \end{cases}$$

의 그래프 위의 점 $P(x, f(x))$에서 x축에 내린 수선의 발을 H라 하고, 선분 PH를 한 변으로 하는 정사각형을 x축에 수직인 평면 위에 그린다. 점 P의 x좌표가 $x = -\ln 2$에서 $x = e-1$까지 변할 때, 이 정사각형이 만드는 입체도형의 부피는?

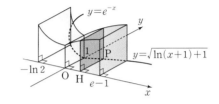

① $e - \dfrac{3}{2}$ ② $e + \dfrac{2}{3}$ ③ $2e - \dfrac{3}{2}$

④ $e + \dfrac{3}{2}$ ⑤ $2e - \dfrac{2}{3}$

43

그림과 같이 반지름의 길이가 1 m인 원 모양의 물체가 점 P에서 지평면에 접해 있다. 이 물체를 미끄러지지 않게 오른쪽으로 한 바퀴 굴릴 때, 점 P가 움직인 모양을 나타내는 도형의 길이를 구하시오.

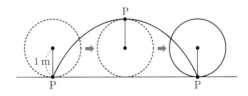

빠른 정답 확인

01 수열의 극한

본문 007~016쪽

01 ③	02 -1	03 6
04 1	05 3	06 ⑤
07 8	08 8	
09 ⑤	10 15	11 6
12 ③	13 -36	14 1
15 3	16 ④	17 25
18 ①	19 2	20 $\frac{3}{4}$
21 -6	22 110	23 ③
24 ①	25 $-\frac{1}{2}$	26 9
27 ③	28 ㄱ, ㄷ	29 ㄱ
30 ②	31 54	32 24
33 ⑤	34 $\frac{2}{3}$	35 1
36 ①	37 2	38 $-\frac{3}{2}$
39 ③	40 5	41 48
42 ④	43 $\frac{1}{4}$	
44 $\frac{1}{4}$	45 ④	46 81
47 -3	48 ④	49 $\frac{1}{6}$
50 ㄱ	51 ②	52 25
53 1	54 ④	55 4
56 3	57 8	58 $2\sqrt{2}$
59 50	60 125	

02 등비수열의 극한

본문 019~024쪽

01 ③	02 15	03 2
04 2	05 ⑤	06 $\frac{1}{4}$
07 0	08 2	
09 4	10 -2	11 ①
12 ②	13 ⑤	14 16
15 1	16 -12	17 ③
18 12	19 0	20 ④
21 ㄱ, ㄴ, ㄷ	22 5	23 ①
24 1	25 $-\sqrt{2}$	26 ②
27 $\frac{10}{9}$	28 ③	29 -5
30 10	31 $\frac{3}{4}$	32 ③
33 50	34 ③	35 0
36 2	37 2	
38 12		

03 급수

본문 027~032쪽

01 ④	02 $\frac{3}{4}$	03 ⑤
04 ㄱ, ㄷ	05 ⑤	06 $-\frac{2+\sqrt{2}}{2}$
07 3	08 54	
09 $\frac{1}{2}$	10 ②	11 $\frac{1}{2}$
12 6	13 1	14 ③
15 ①	16 $\log 2$	17 $\frac{1}{2}$
18 ⑤	19 ㄴ, ㄷ	20 0
21 ③	22 4	23 3
24 10	25 ②	26 ㄴ
27 ③	28 40	29 1
30 ⑤	31 $\frac{1}{4}$	32 $\frac{3}{4}$
33 ①	34 $\sqrt{3}$	35 $\frac{1}{2}$
36 ㄱ, ㄴ	37 $\frac{1}{2}$	
38 $\frac{5}{6}$		

04 등비급수

본문 035~040쪽

01 ①	02 $-\frac{2}{3}$	03 5
04 3	05 ②	06 $\frac{44}{5}$
07 $\frac{5}{9}$	08 1	
09 $\frac{18}{5}$	10 4	11 ③
12 ⑤	13 $\frac{9}{2}$	14 $\frac{15}{2}$
15 $\frac{4}{5}$	16 ③	17 2
18 4	19 ③	20 $-1 < x < 0$
21 $-\frac{2}{3} < x < \frac{2}{3}$	22 ⑤	23 ㄱ, ㄹ
24 9	25 ①	26 12
27 $\frac{5}{3}$	28 ⑤	29 $2+\sqrt{2}$
30 ②	31 $\frac{40}{61}$	
32 1	33 ③	34 11
35 169		
36 $\frac{32\pi - 24\sqrt{3}}{15}$		

05 지수함수와 로그함수의 미분
본문 043~052쪽

01 ④	02 25	03 $\sqrt{e}$
04 1	05 -3	06 ①
07 1	08 ④	
09 19	10 ②	11 4
12 ⑤	13 $-\dfrac{15}{2}$	14 $e^{\frac{1}{4}}$
15 ⑤	16 1	17 $\dfrac{1}{2}$
18 8	19 ④	20 25
21 ②	22 $\dfrac{15}{4}$	23 $\dfrac{1}{4}$
24 ②	25 15	26 6
27 ①	28 $\dfrac{1}{\ln 5}$	29 $\dfrac{3}{\ln 2}$
30 ④	31 $\ln 3$	32 4
33 ⑤	34 2	35 $3e^2$
36 $\ln 108$	37 ①	38 1
39 ⑤	40 ⑤	41 6
42 6	43 ④	
44 2	45 $-\dfrac{1}{3}$	46 ③
47 ⑤	48 -3	49 594
50 ②	51 4	52 7
53 ①	54 6	55 ㄱ, ㄴ
56 $2\ln 2$	57 2	58 ②
59 99	60 ⑤	

06 삼각함수의 미분
본문 055~064쪽

01 2	02 ②	03 $45°$
04 $\sqrt{3}$	05 $-\dfrac{3}{2}$	06 2
07 $\dfrac{1}{2}$	08 ②	
09 $-\dfrac{5}{2}$	10 ③	11 $\dfrac{1}{5}$
12 ②	13 $\dfrac{56}{65}$	14 $\dfrac{3}{4}$
15 28	16 6	17 ②
18 ④	19 40	20 $2\sqrt{5}$
21 ②	22 210	23 13
24 12	25 ③	26 4
27 ③	28 8	29 -4
30 1	31 $\sqrt{2}$	32 ③
33 ⑤	34 18	35 3
36 ②	37 $\dfrac{1}{2}$	38 1
39 $-\pi$	40 ③	41 $\dfrac{\pi}{12}$
42 1	43 ③	44 2
45 ④	46 98	47 $\dfrac{\pi}{2}$
48 ④	49 $\sqrt{2}-1$	50 -20
51 $\dfrac{\pi^2}{4}+2$	52 ④	53 $\dfrac{1}{9}$
54 ②	55 5	56 1
57 ①	58 1	59 1
60 -6	61 $\dfrac{\pi^2}{8}$	

07 몫의 미분법과 합성함수의 미분법
본문 067~072쪽

01 -1	02 -140	03 ⑤
04 48	05 12	06 $\dfrac{5}{8}$
07 ②	08 2	
09 ①	10 5	11 2
12 72	13 4	14 ②
15 $\dfrac{9}{2}$	16 $-3\sqrt{2}$	17 ⑤
18 ④	19 -2	20 -1
21 ④	22 1	23 59
24 ④	25 1	26 3
27 8	28 $\dfrac{1}{12}$	29 ⑤
30 $\dfrac{15}{2}$	31 ②	32 -2
33 $-\dfrac{1}{4}$	34 ②	35 6
36 ④	37 4	
38 33		

45 2　　46 ⑤　　47 $\frac{15}{16}$

48 16　　49 $\frac{1}{2}$　　50 ②

51 $\frac{8}{e^2}$　　52 $0 \le k \le 2$　　53 ⑤

54 $-\frac{1}{4}$　　55 ④　　56 $\sqrt{5}$

57 ②　　58 $3\sqrt{3}+e$　　59 ①

60 -3　　61 ④

08 여러 가지 미분법

본문 075~080쪽

01 $-\frac{3}{2}$　　02 $2\sqrt{3}$　　03 4

04 ①　　05 12　　06 ②

07 $\frac{1}{4}$　　08 $\frac{1}{2}$

09 ②　　10 $\frac{4}{5}$　　11 $\frac{5}{3}$

12 $\frac{1}{e^\pi}$　　13 $\frac{1}{2}$　　14 ③

15 ②　　16 7　　17 -6

18 2　　19 ⑤　　20 4

21 $\frac{1}{9}$　　22 ②　　23 1

24 3　　25 ②　　26 $\frac{1}{10}$

27 ③　　28 $\frac{1}{2}$　　29 6

30 9　　31 -2　　32 ③

33 ⑤　　34 3　　35 -1

36 11　　37 ②

38 $\frac{\sqrt{3}}{3}$

09 접선의 방정식과 극대·극소

본문 083~092쪽

01 ⑤　　02 $y=\frac{1}{2}x-\frac{\pi}{6}+\frac{\sqrt{3}}{2}$

03 1　　04 1　　05 0

06 ②　　07 $\frac{1}{2}$　　08 $\frac{1}{e}$

09 $\frac{5}{2}$　　10 ②　　11 10

12 19　　13 2　　14 ⑤

15 -2　　16 $\sqrt{5}$　　17 ③

18 ③　　19 1　　20 -4

21 $\frac{2}{3}$　　22 ①　　23 $\frac{3}{2}$

24 ①　　25 1　　26 $\frac{\pi}{2}-1$

27 $-\frac{4}{3}$　　28 ①　　29 $\ln 2-5$

30 7　　31 ④　　32 $-e^{2\pi}$

33 ⑤　　34 $0<a<1$　　35 $k \le -1$ 또는 $k \ge 1$

36 36　　37 ④　　38 0

39 -2　　40 ④　　41 2

42 ②　　43 -1　　44 $\frac{\pi}{3}$

10 도함수의 활용

본문 095~104쪽

01 $0<x<\sqrt{e}$　　02 -2　　03 ②

04 $0<a<\frac{1}{e^2}$　　05 $\frac{1}{2e}$　　06 $-2\pi+\frac{3}{4}\pi^2$

07 ③　　08 속도: $\left(2, \frac{1}{2}\right)$, 가속도: $\left(0, -\frac{1}{4}\right)$

09 ③　　10 $0 \le a \le 2$　　11 1

12 ②　　13 7　　14 9

15 ②　　16 ④　　17 ㄴ

18 ③　　19 ㄱ, ㄴ, ㄷ　　20 $1-\ln 3$

21 $\frac{\sqrt{3}}{6}$　　22 ⑤　　23 3

24 ③　　25 $k \le 1$　　26 ②

27 $k \le 1$　　28 ②　　29 1

30 $(2\pi, 4)$　　31 가속도: $\left(\frac{\sqrt{3}}{2}, -\frac{1}{2}\right)$, 가속도의 크기: 1

32 3　　33 $\frac{2\sqrt{6}}{3}$　　34 ①

35 $\sqrt{3}$ m/s

36 ④　　37 1　　38 2

39 ⑤　　40 ③　　41 ④

42 ㄱ, ㄴ, ㄷ　　43 ④　　44 ㄱ, ㄴ, ㄷ

45 ③　　46 34　　47 15

48 ②　　49 $-\frac{1}{2}$　　50 0

51 ⑤

52 $\frac{\pi^2}{3}$　　53 ③

11 여러 가지 적분법

본문 107~114쪽

01 ③　　**02** $2e^2+\dfrac{5}{8}$　　**03** $\dfrac{3}{8}$

04 ④　　**05** 6　　**06** $\ln 3$

07 e^2+2　　**08** ③

09 $\dfrac{8}{3}$　　**10** 22　　**11** ⑤

12 $\ln 2$　　**13** ④　　**14** -5

15 ④　　**16** $\dfrac{3}{2}$　　**17** $\dfrac{\pi}{2}$

18 ⑤　　**19** -25　　**20** $\dfrac{81}{8}$

21 3　　**22** ⑤　　**23** 43

24 $3e^2$　　**25** $e+1$　　**26** ③

27 ④　　**28** e^3　　**29** $\dfrac{3}{8}$

30 $\dfrac{1}{2}$　　**31** -2　　**32** ④

33 ①　　**34** $f(x)=\dfrac{1}{2}\ln(5^x+3)$

35 e^2　　**36** $-2\ln 2$　　**37** $-\dfrac{\ln 3}{2}$

38 ④　　**39** e^2　　**40** ⑤

41 $3(\pi-1)e^\pi+e$　　**42** ⑤　　**43** $-\dfrac{1}{2}e^\pi$

44 $\dfrac{5}{4}$

45 $-\ln 2$　　**46** ②　　**47** $-\dfrac{3}{4}$

48 ②　　**49** $2e-2$

50 $\dfrac{1}{2}e^\pi+1$

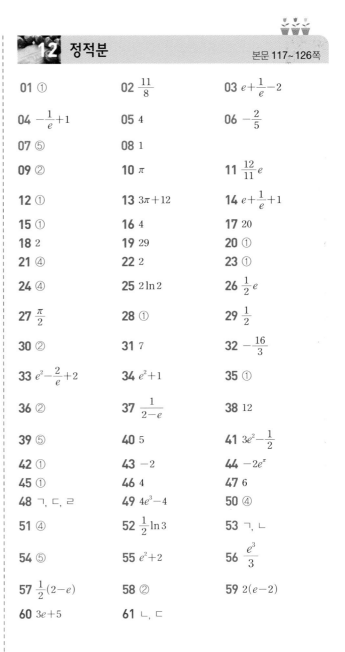

12 정적분

본문 117~126쪽

01 ①　　**02** $\dfrac{11}{8}$　　**03** $e+\dfrac{1}{e}-2$

04 $-\dfrac{1}{e}+1$　　**05** 4　　**06** $-\dfrac{2}{5}$

07 ⑤　　**08** 1

09 ②　　**10** π　　**11** $\dfrac{12}{11}e$

12 ①　　**13** $3\pi+12$　　**14** $e+\dfrac{1}{e}+1$

15 ①　　**16** 4　　**17** 20

18 2　　**19** 29　　**20** ①

21 ④　　**22** 2　　**23** ①

24 ④　　**25** $2\ln 2$　　**26** $\dfrac{1}{2}e$

27 $\dfrac{\pi}{2}$　　**28** ①　　**29** $\dfrac{1}{2}$

30 ②　　**31** 7　　**32** $-\dfrac{16}{3}$

33 $e^2-\dfrac{2}{e}+2$　　**34** e^2+1　　**35** ①

36 ②　　**37** $\dfrac{1}{2-e}$　　**38** 12

39 ⑤　　**40** 5　　**41** $3e^2-\dfrac{1}{2}$

42 ①　　**43** -2　　**44** $-2e^\pi$

45 ①　　**46** 4　　**47** 6

48 ㄱ, ㄷ, ㄹ　　**49** $4e^3-4$　　**50** ④

51 ④　　**52** $\dfrac{1}{2}\ln 3$　　**53** ㄱ, ㄴ

54 ⑤　　**55** e^2+2　　**56** $\dfrac{e^3}{3}$

57 $\dfrac{1}{2}(2-e)$　　**58** ②　　**59** $2(e-2)$

60 $3e+5$　　**61** ㄴ, ㄷ

01 ①　　**02** $e-1$　　**03** $\dfrac{4}{3}(\sqrt{2}-1)$

04 $\dfrac{e}{2}-1$　　**05** $2\sqrt{2}$　　**06** ④

07 $\dfrac{e}{2}-1$　　**08** $\dfrac{1}{3}$

09 ②　　**10** $\dfrac{1}{3}a^2h$　　**11** $\dfrac{4}{3}\pi r^3$

12 3　　**13** ②　　**14** $\dfrac{1}{2}(e-1)$

15 $\dfrac{\pi}{4}$　　**16** $\dfrac{4}{\pi}$　　**17** ②

18 1　　**19** 2　　**20** ③

21 $\ln 2$　　**22** 100　　**23** ④

24 $4\ln 2-\dfrac{3}{2}$　　**25** ①　　**26** $\dfrac{\sqrt{3}}{3}$

27 7　　**28** ②　　**29** $9\ln 3-10\ln 2-1$

30 ③　　**31** 2　　**32** ④

33 ③　　**34** $\dfrac{1}{2}$　　**35** $\dfrac{e}{2}-1$

36 $\dfrac{e^2-1}{e^2}$　　**37** ⑤　　**38** -4

39 $e-1$　　**40** $e+2$　　**41** ④

42 $\left(\dfrac{\sqrt{3}}{3}-\dfrac{1}{4}\right)\pi$　　**43** ②　　**44** ①

45 ④　　**46** 4　　**47** 32

48 ①　　**49** $\dfrac{1}{3}$　　**50** $-2\sin\dfrac{1}{2}$

51 $-\dfrac{1}{2}$　　**52** $1+\dfrac{1}{2e}$　　**53** ①

54 ①　　**55** ③　　**56** $\dfrac{4}{3}$

57 ③　　**58** ㄱ, ㄴ, ㄷ　　**59** e^2-2e

60 $-\dfrac{1}{2}$　　**61** ②

01 $80\,\text{cm}^3$　　**02** $48\,\text{cm}^3$　　**03** $\dfrac{17}{6}$

04 ⑤　　**05** ③　　**06** 5

07 1　　**08** $\dfrac{8}{27}(10\sqrt{10}-1)$

09 $(6\ln 6-5)\,\text{cm}^3$　　**10** ③　　**11** $3\,\text{cm}$

12 4　　**13** ⑤　　**14** $\dfrac{4\sqrt{3}}{3}a^3$

15 $\dfrac{128}{3}$　　**16** $\dfrac{250}{3}$　　**17** ⑤

18 ④　　**19** 7　　**20** 320

21 ④　　**22** $\dfrac{20}{3}$　　**23** 7

24 16　　**25** ①　　**26** 8

27 ④　　**28** 4　　**29** $\dfrac{e^2+1}{2}$

30 ②　　**31** 8　　**32** $\dfrac{20}{9}$

33 $\dfrac{\pi}{4}$　　**34** $\dfrac{\pi}{2}-\dfrac{\pi^2}{8}$　　**35** $\dfrac{\sqrt{3}(\pi+2)}{8}$

36 $20\,\text{cm/s}$　　**37** ④　　**38** 20

39 $\dfrac{5\sqrt{2}}{3}-\dfrac{4}{3}$　　**40** 24　　**41** ⑤

42 ④　　**43** $8\,\text{m}$

짱시리즈의 완결판!

짱 Final

실전모의고사

짱 시리즈는 연계가 아니라 적중입니다!!!

수능 문제지와
가장 유사한
난이도와 문제로 구성된
실전 모의고사 7회

EBS교재
연계 문항을 수록한
실전 모의고사 교재

최상위권 유형별
문제기본서 하이 하이

Hi High

미적분

정답 및 해설

최상위권 유형별
문제기본서

아름다운샘

아름다운 샘과 함께

수학의 자신감과 최고 실력을 완성!!!

아름다운 샘과 함께

수학의 자신감과 최고 실력을 완성!!!

Hi High
미적분

정답 및 해설

본책 007~016쪽

01 수열의 극한

01 ㄱ. $1, -\dfrac{1}{2}, \dfrac{1}{4}, \cdots, \left(-\dfrac{1}{2}\right)^{n-1}, \cdots$

에서 n이 한없이 커지면 $\left(-\dfrac{1}{2}\right)^{n-1}$의 값은 0에 한없이 가까워

지므로 주어진 수열은 0에 수렴한다.

ㄴ. $\dfrac{2}{1}, \dfrac{3}{2}, \dfrac{4}{3}, \cdots, \dfrac{n+1}{n}, \cdots$

$\dfrac{n+1}{n}=1+\dfrac{1}{n}$에서 n이 한없이 커지면 $\dfrac{1}{n}$의 값은 0에 한

없이 가까워지므로 주어진 수열은 1에 수렴한다.

ㄷ. $2, 4, 6, \cdots, 2n, \cdots$

에서 n이 한없이 커지면 $2n$의 값도 한없이 커지므로 주어진

수열은 양의 무한대로 발산한다.

따라서 수렴하는 것은 ㄱ, ㄴ이다. **답** ③

02 $\lim\limits_{n\to\infty}(a_n^{\ 2}+a_n-3)=\lim\limits_{n\to\infty}a_n\times\lim\limits_{n\to\infty}a_n+\lim\limits_{n\to\infty}a_n-\lim\limits_{n\to\infty}3$

$=(-2)^2+(-2)-3$

$=-1$ **답** -1

03 $\lim\limits_{n\to\infty}\dfrac{(3n-1)(2n-3)}{n^2+3}=\lim\limits_{n\to\infty}\dfrac{6n^2-11n+3}{n^2+3}$

$=\lim\limits_{n\to\infty}\dfrac{6-\dfrac{11}{n}+\dfrac{3}{n^2}}{1+\dfrac{3}{n^2}}$

$=6$ **답** 6

04 $\lim\limits_{n\to\infty}\dfrac{n-2}{\sqrt{4n^2+1}-n}=\lim\limits_{n\to\infty}\dfrac{1-\dfrac{2}{n}}{\sqrt{4+\dfrac{1}{n^2}}-1}=\dfrac{1}{2-1}=1$

답 1

05 $\lim\limits_{n\to\infty}(\sqrt{n^2+6n+4}-n)$

$=\lim\limits_{n\to\infty}\dfrac{(\sqrt{n^2+6n+4}-n)(\sqrt{n^2+6n+4}+n)}{\sqrt{n^2+6n+4}+n}$

$=\lim\limits_{n\to\infty}\dfrac{6n+4}{\sqrt{n^2+6n+4}+n}$

$=\lim\limits_{n\to\infty}\dfrac{6+\dfrac{4}{n}}{\sqrt{1+\dfrac{6}{n}+\dfrac{4}{n^2}}+1}=\dfrac{6}{1+1}=3$ **답** 3

06 $3n-4<(2n+3)a_n<3n+2$에서

$\dfrac{3n-4}{2n+3}<a_n<\dfrac{3n+2}{2n+3}$

$\lim\limits_{n\to\infty}\dfrac{3n-4}{2n+3}=\dfrac{3}{2}$, $\lim\limits_{n\to\infty}\dfrac{3n+2}{2n+3}=\dfrac{3}{2}$이므로

$\lim\limits_{n\to\infty}a_n=\dfrac{3}{2}$ **답** ⑤

07 $\dfrac{2a_n+3}{a_n+2}=b_n$으로 놓으면

$a_n=\dfrac{3-2b_n}{b_n-2}$이고, $\lim\limits_{n\to\infty}b_n=4$이므로

$\lim\limits_{n\to\infty}a_n=\lim\limits_{n\to\infty}\dfrac{3-2b_n}{b_n-2}$

$=\dfrac{3-2\times4}{4-2}=-\dfrac{5}{2}$

$\therefore \lim\limits_{n\to\infty}(3-2a_n)=3-2\times\left(-\dfrac{5}{2}\right)=8$ **답** 8

08 $f(n)=1+2+3+\cdots+n=\dfrac{n(n+1)}{2}$이므로

$f(2n^2)=\dfrac{2n^2(2n^2+1)}{2}=2n^4+n^2$

$\{f(n)\}^2=\left\{\dfrac{n(n+1)}{2}\right\}^2=\dfrac{n^4+2n^3+n^2}{4}$

$\therefore \lim\limits_{n\to\infty}\dfrac{f(2n^2)}{\{f(n)\}^2}=\lim\limits_{n\to\infty}\dfrac{2n^4+n^2}{\dfrac{n^4+2n^3+n^2}{4}}$

$=\lim\limits_{n\to\infty}4\times\dfrac{2+\dfrac{1}{n^2}}{1+\dfrac{2}{n}+\dfrac{1}{n^2}}=8$ **답** 8

09 $\lim\limits_{n\to\infty}\dfrac{a_n-4}{a_nb_n+2}=\dfrac{\lim\limits_{n\to\infty}a_n-\lim\limits_{n\to\infty}4}{\lim\limits_{n\to\infty}a_n\times\lim\limits_{n\to\infty}b_n+\lim\limits_{n\to\infty}2}$

$=\dfrac{-3-4}{(-3)\times1+2}=7$ **답** ⑤

10 $\lim\limits_{n\to\infty}a_n=\lim\limits_{n\to\infty}\left(\dfrac{2}{n}-1\right)=-1$

$\lim\limits_{n\to\infty}b_n=\lim\limits_{n\to\infty}\left\{5-\dfrac{3}{n^2(n+1)}\right\}=5$

$\therefore \lim\limits_{n\to\infty}b_n(2a_n+b_n)=\lim\limits_{n\to\infty}b_n\times(2\lim\limits_{n\to\infty}a_n+\lim\limits_{n\to\infty}b_n)$

$=5\times(-2+5)$

$=15$ **답** 15

11 $\lim\limits_{n\to\infty}(a_n^{\ 2}+b_n^{\ 2})$

$=\lim\limits_{n\to\infty}\{(a_n-b_n)^2+2a_nb_n\}$

$=\lim\limits_{n\to\infty}(a_n-b_n)^2+\lim\limits_{n\to\infty}2a_nb_n$

$=\lim\limits_{n\to\infty}(a_n-b_n)\times\lim\limits_{n\to\infty}(a_n-b_n)+2\lim\limits_{n\to\infty}a_nb_n$

$=(-2)^2+2\times1=6$ **답** 6

12 $\lim\limits_{n\to\infty}\dfrac{an^2-3n-1}{2n^2+n}=\lim\limits_{n\to\infty}\dfrac{a-\dfrac{3}{n}-\dfrac{1}{n^2}}{2+\dfrac{1}{n}}=\dfrac{a}{2}$

따라서 $\dfrac{a}{2}=3$이므로

$a=6$ 답 ③

13 $\displaystyle\lim_{n\to\infty}\dfrac{(a+b)n^2-bn-1}{3n+1}$ 에서 $a+b\neq0$이면 발산하므로

$a+b=0$

즉, $\displaystyle\lim_{n\to\infty}\dfrac{-bn-1}{3n+1}=\lim_{n\to\infty}\dfrac{-b-\dfrac{1}{n}}{3+\dfrac{1}{n}}=-\dfrac{b}{3}=2$이므로

$b=-6,\ a=6$

$\therefore ab=-36$ 답 -36

14 주어진 수열의 일반항을 a_n이라 하면

$a_n=\dfrac{n(2n-1)}{(n+1)\times 2n}=\dfrac{2n^2-n}{2n^2+2n}$

$\therefore \displaystyle\lim_{n\to\infty}a_n=\lim_{n\to\infty}\dfrac{2n^2-n}{2n^2+2n}=\lim_{n\to\infty}\dfrac{2-\dfrac{1}{n}}{2+\dfrac{2}{n}}=1$ 답 1

15 $\displaystyle\lim_{n\to\infty}\{\log_3(3n+1)+\log_3(9n-2)-2\log_3(n-1)\}$

$=\displaystyle\lim_{n\to\infty}\{\log_3(3n+1)(9n-2)-\log_3(n-1)^2\}$

$=\displaystyle\lim_{n\to\infty}\log_3\dfrac{27n^2+3n-2}{n^2-2n+1}$

$=\displaystyle\lim_{n\to\infty}\log_3\dfrac{27+\dfrac{3}{n}-\dfrac{2}{n^2}}{1-\dfrac{2}{n}+\dfrac{1}{n^2}}$

$=\log_3 27=\log_3 3^3=3$ 답 3

16 $\displaystyle\lim_{n\to\infty}(\log_4\sqrt{n^2+n+2}-\log_4\sqrt{2n^2-n+1})$

$=\displaystyle\lim_{n\to\infty}\log_4\dfrac{\sqrt{n^2+n+2}}{\sqrt{2n^2-n+1}}$

$=\displaystyle\lim_{n\to\infty}\log_4\dfrac{\sqrt{1+\dfrac{1}{n}+\dfrac{2}{n^2}}}{\sqrt{2-\dfrac{1}{n}+\dfrac{1}{n^2}}}$

$=\log_4\dfrac{1}{\sqrt{2}}=\log_{2^2}2^{-\frac{1}{2}}=-\dfrac{1}{4}$ 답 ④

17 $\displaystyle\lim_{n\to\infty}\dfrac{\sqrt{kn+1}}{n(\sqrt{n+1}-\sqrt{n-1})}$

$=\displaystyle\lim_{n\to\infty}\dfrac{\sqrt{kn+1}(\sqrt{n+1}+\sqrt{n-1})}{n(\sqrt{n+1}-\sqrt{n-1})(\sqrt{n+1}+\sqrt{n-1})}$

$=\displaystyle\lim_{n\to\infty}\dfrac{\sqrt{kn+1}(\sqrt{n+1}+\sqrt{n-1})}{2n}$

$=\displaystyle\lim_{n\to\infty}\dfrac{\sqrt{k+\dfrac{1}{n}}\left(\sqrt{1+\dfrac{1}{n}}+\sqrt{1-\dfrac{1}{n}}\right)}{2}$

$=\dfrac{2\sqrt{k}}{2}$

$=\sqrt{k}$

따라서 $\sqrt{k}=5$이므로

$k=25$ 답 25

18 $\displaystyle\lim_{n\to\infty}n(\sqrt{n}-\sqrt{n-1})^2$

$=\displaystyle\lim_{n\to\infty}n(2n-1-2\sqrt{n^2-n})$

$=\displaystyle\lim_{n\to\infty}\dfrac{n(2n-1-2\sqrt{n^2-n})(2n-1+2\sqrt{n^2-n})}{2n-1+2\sqrt{n^2-n}}$

$=\displaystyle\lim_{n\to\infty}\dfrac{n}{2n-1+2\sqrt{n^2-n}}$

$=\displaystyle\lim_{n\to\infty}\dfrac{1}{2-\dfrac{1}{n}+2\sqrt{1-\dfrac{1}{n}}}$

$=\dfrac{1}{2+2}=\dfrac{1}{4}$ 답 ①

19 $\displaystyle\lim_{n\to\infty}\dfrac{2}{\sqrt{n^2+2n}-\sqrt{n^2+1}}$

$=\displaystyle\lim_{n\to\infty}\dfrac{2(\sqrt{n^2+2n}+\sqrt{n^2+1})}{(\sqrt{n^2+2n}-\sqrt{n^2+1})(\sqrt{n^2+2n}+\sqrt{n^2+1})}$

$=\displaystyle\lim_{n\to\infty}\dfrac{2(\sqrt{n^2+2n}+\sqrt{n^2+1})}{2n-1}$

$=\displaystyle\lim_{n\to\infty}\dfrac{2\left(\sqrt{1+\dfrac{2}{n}}+\sqrt{1+\dfrac{1}{n^2}}\right)}{2-\dfrac{1}{n}}$

$=\dfrac{2(1+1)}{2}$

$=2$ 답 2

20 $\displaystyle\lim_{n\to\infty}\dfrac{\sqrt{n+3}-\sqrt{n}}{\sqrt{n+5}-\sqrt{n+1}}$

$=\displaystyle\lim_{n\to\infty}\dfrac{(\sqrt{n+3}-\sqrt{n})(\sqrt{n+3}+\sqrt{n})(\sqrt{n+5}+\sqrt{n+1})}{(\sqrt{n+5}-\sqrt{n+1})(\sqrt{n+5}+\sqrt{n+1})(\sqrt{n+3}+\sqrt{n})}$

$=\displaystyle\lim_{n\to\infty}\dfrac{3(\sqrt{n+5}+\sqrt{n+1})}{4(\sqrt{n+3}+\sqrt{n})}$

$=\displaystyle\lim_{n\to\infty}\dfrac{3\left(\sqrt{1+\dfrac{5}{n}}+\sqrt{1+\dfrac{1}{n}}\right)}{4\left(\sqrt{1+\dfrac{3}{n}}+1\right)}$

$=\dfrac{3(1+1)}{4(1+1)}$

$=\dfrac{3}{4}$ 답 $\dfrac{3}{4}$

21 $\displaystyle\lim_{n\to\infty}(\sqrt{n^2+an-1}-\sqrt{bn^2-3n+2})$

$=\displaystyle\lim_{n\to\infty}\dfrac{(n^2+an-1)-(bn^2-3n+2)}{\sqrt{n^2+an-1}+\sqrt{bn^2-3n+2}}$

$=\displaystyle\lim_{n\to\infty}\dfrac{(1-b)n^2+(a+3)n-3}{\sqrt{n^2+an-1}+\sqrt{bn^2-3n+2}}$

$=\displaystyle\lim_{n\to\infty}\dfrac{(1-b)n+(a+3)-\dfrac{3}{n}}{\sqrt{1+\dfrac{a}{n}-\dfrac{1}{n^2}}+\sqrt{b-\dfrac{3}{n}+\dfrac{2}{n^2}}}$

위의 식이 -2로 수렴하므로

$1-b=0,\ \dfrac{a+3}{1+\sqrt{b}}=-2$

따라서 $a=-7,\ b=1$이므로

$a+b=-6$ 답 -6

22

$$\lim_{n \to \infty} (\sqrt{an^2+4n}-bn)$$

$$= \lim_{n \to \infty} \frac{(\sqrt{an^2+4n}-bn)(\sqrt{an^2+4n}+bn)}{\sqrt{an^2+4n}+bn}$$

$$= \lim_{n \to \infty} \frac{(a-b^2)n^2+4n}{\sqrt{an^2+4n}+bn}$$

$$= \lim_{n \to \infty} \frac{(a-b^2)n+4}{\sqrt{a+\dfrac{4}{n}}+b}$$

위의 식이 $\dfrac{1}{5}$로 수렴하므로 $a-b^2=0$, $\dfrac{4}{\sqrt{a}+b}=\dfrac{1}{5}$

즉, $\dfrac{4}{|b|+b}=\dfrac{1}{5}$에서 $b \le 0$이면 만족시킬 수 없으므로 $b>0$이다.

$$\therefore \frac{4}{2b}=\frac{1}{5}$$

따라서 $a=100$, $b=10$이므로

$a+b=110$ <u>답 110</u>

23

$(3n)^2<9n^2+5n+1<(3n+1)^2$이므로

$3n<\sqrt{9n^2+5n+1}<3n+1$

즉, $\sqrt{9n^2+5n+1}$의 정수 부분이 $3n$이므로

$a_n=\sqrt{9n^2+5n+1}-3n$

$$\therefore \lim_{n \to \infty} a_n = \lim_{n \to \infty} (\sqrt{9n^2+5n+1}-3n)$$

$$= \lim_{n \to \infty} \frac{(\sqrt{9n^2+5n+1}-3n)(\sqrt{9n^2+5n+1}+3n)}{\sqrt{9n^2+5n+1}+3n}$$

$$= \lim_{n \to \infty} \frac{5n+1}{\sqrt{9n^2+5n+1}+3n}$$

$$= \lim_{n \to \infty} \frac{5+\dfrac{1}{n}}{\sqrt{9+\dfrac{5}{n}+\dfrac{1}{n^2}}+3}$$

$$= \frac{5}{3+3}=\frac{5}{6}$$ <u>답 ③</u>

24

$\dfrac{1}{3n+1}<\dfrac{a_n+2}{n+1}<\dfrac{1}{3n}$에서

$\dfrac{n+1}{3n+1}<a_n+2<\dfrac{n+1}{3n}$

$$\therefore \frac{n+1}{3n+1}-2<a_n<\frac{n+1}{3n}-2$$

$$\lim_{n \to \infty} \left(\frac{n+1}{3n+1}-2\right)=\frac{1}{3}-2=-\frac{5}{3},$$

$$\lim_{n \to \infty} \left(\frac{n+1}{3n}-2\right)=\frac{1}{3}-2=-\frac{5}{3}$$이므로

$$\lim_{n \to \infty} a_n=-\frac{5}{3}$$ <u>답 ①</u>

25

$4n^2-3<a_n<4n^2$에서 $4-\dfrac{3}{n^2}<\dfrac{a_n}{n^2}<4$

$\lim_{n \to \infty} \left(4-\dfrac{3}{n^2}\right)=4$이므로 $\lim_{n \to \infty} \dfrac{a_n}{n^2}=4$

$$\therefore \lim_{n \to \infty} \frac{3n^2-a_n}{2a_n-6n^2} = \lim_{n \to \infty} \frac{3-\dfrac{a_n}{n^2}}{\dfrac{2a_n}{n^2}-6}$$

$$= \frac{3-4}{2\times4-6}=-\frac{1}{2}$$ <u>답 $-\dfrac{1}{2}$</u>

26

$3n-1<na_n<\sqrt{9n^2+n}$에서

$$\frac{3n-1}{n}<a_n<\frac{\sqrt{9n^2+n}}{n}$$

$\lim_{n \to \infty} \dfrac{3n-1}{n}=3$, $\lim_{n \to \infty} \dfrac{\sqrt{9n^2+n}}{n}=3$이므로

$$\lim_{n \to \infty} a_n=3$$

$$\therefore \lim_{n \to \infty} \frac{3na_n-a_n}{n+1} = \lim_{n \to \infty} \frac{3n-1}{n+1}a_n=3\times3=9$$

<u>답 9</u>

27

ㄱ. [반례] $a_n=n$, $b_n=-n$이면

　$a_n+b_n=n+(-n)=0$이므로 수열 $\{a_n+b_n\}$은 0에 수렴하지만 두 수열 $\{a_n\}$, $\{b_n\}$은 발산한다. (거짓)

ㄴ. [반례] $a_n=(-1)^n$, $b_n=(-1)^n$이면

　두 수열 $\{a_n\}$, $\{b_n\}$은 발산(진동)하지만 $a_nb_n=(-1)^{2n}=1$이므로 수열 $\{a_nb_n\}$은 1에 수렴한다. (거짓)

ㄷ. $a_n-b_n=c_n$으로 놓으면 $\lim_{n \to \infty} c_n=0$이므로

　$b_n=a_n-c_n$에서

$$\lim_{n \to \infty} b_n = \lim_{n \to \infty} (a_n-c_n)$$

$$= \lim_{n \to \infty} a_n - \lim_{n \to \infty} c_n$$

$$= \alpha-0=\alpha \ (참)$$

따라서 옳은 것은 ㄷ뿐이다. <u>답 ③</u>

28

ㄱ. $\lim_{n \to \infty} a_nb_n = \lim_{n \to \infty} a_n \times \lim_{n \to \infty} b_n=\alpha \times 0=0$ (참)

ㄴ. [반례] $a_n=n+1$, $b_n=n$이면

　$\lim_{n \to \infty} a_n=\infty$, $\lim_{n \to \infty} b_n=\infty$이지만

　$\lim_{n \to \infty} (a_n-b_n)=1$ (거짓)

ㄷ. $a_n-b_n=c_n$으로 놓으면 $b_n=a_n-c_n$이고 $\lim_{n \to \infty} c_n=\alpha$이므로

$$\lim_{n \to \infty} \frac{b_n}{a_n} = \lim_{n \to \infty} \frac{a_n-c_n}{a_n} = \lim_{n \to \infty} \left(1-\frac{c_n}{a_n}\right)=1 \ (참)$$

따라서 옳은 것은 ㄱ, ㄷ이다. <u>답 ㄱ, ㄷ</u>

29

ㄱ. $a_n<b_n$이므로 $\lim_{n \to \infty} a_n=\infty$이면 $\lim_{n \to \infty} b_n=\infty$가 성립한다. (참)

ㄴ. [반례] $a_n=1-\dfrac{1}{n}$, $b_n=1+\dfrac{1}{n}$이면

　두 수열 $\{a_n\}$, $\{b_n\}$이 수렴하고, $a_n<b_n$이지만

　$\lim_{n \to \infty} a_n = \lim_{n \to \infty} b_n=1$ (거짓)

ㄷ. [반례] $\{a_n\}: 1, 0, 1, 0, 1, 0, \cdots,$

　$\{b_n\}: 0, 1, 0, 1, 0, 1, \cdots$

　이면 $\lim_{n \to \infty} a_nb_n=0$이지만 $\lim_{n \to \infty} a_n \ne 0$, $\lim_{n \to \infty} b_n \ne 0$이다.

　(거짓)

따라서 옳은 것은 ㄱ뿐이다. <u>답 ㄱ</u>

30

수열 $\{a_n\}$이 수렴하므로 $\lim_{n \to \infty} a_n=\alpha$ (α는 실수)라 하면

$\lim_{n \to \infty} a_n = \lim_{n \to \infty} a_{n+1} = \lim_{n \to \infty} a_{n-1}=\alpha$

$\lim_{n \to \infty} \dfrac{a_{n-1}+20}{a_{n+1}-14}=2$에서 $\dfrac{\alpha+20}{\alpha-14}=2$

$\alpha+20=2\alpha-28$ $\therefore \alpha=48$

$\therefore \lim_{n \to \infty} a_n=48$ <u>답 ②</u>

31 $na_n=b_n$으로 놓으면

$$a_n=\frac{b_n}{n}$$

$\lim\limits_{n\to\infty}b_n=\dfrac{1}{9}$이므로

$$\lim_{n\to\infty}\frac{6n+1}{n^2a_n}=\lim_{n\to\infty}\frac{6n+1}{nb_n}$$
$$=\lim_{n\to\infty}\frac{6n+1}{n}\times\lim_{n\to\infty}\frac{1}{b_n}$$
$$=6\times9=54$$

답 54

32 $(2n-1)a_n=c_n$으로 놓으면

$$a_n=\frac{c_n}{2n-1}$$

$(n^2+3n+2)b_n=d_n$으로 놓으면

$$b_n=\frac{d_n}{n^2+3n+2}$$

$\lim\limits_{n\to\infty}c_n=3,\ \lim\limits_{n\to\infty}d_n=2$이므로

$$\lim_{n\to\infty}(2n+1)^3a_nb_n$$
$$=\lim_{n\to\infty}\frac{(2n+1)^3}{(2n-1)(n^2+3n+2)}c_nd_n$$
$$=4\times3\times2=24$$

답 24

33 $1+3+5+\cdots+(2n-1)=2\times\dfrac{n(n+1)}{2}-n$

$$=n^2$$

$2+4+6+\cdots+2n=2\times\dfrac{n(n+1)}{2}$

$$=n^2+n$$

$$\therefore\lim_{n\to\infty}\frac{1+3+5+\cdots+(2n-1)}{2+4+6+\cdots+2n}=\lim_{n\to\infty}\frac{n^2}{n^2+n}$$
$$=\lim_{n\to\infty}\frac{1}{1+\dfrac{1}{n}}=1$$

답 ⑤

34 $a_n=1+(n-1)\times6=6n-5$이므로

$$a_n+a_{n+1}=(6n-5)+\{6(n+1)-5\}$$
$$=12n\quad4$$

$$\therefore b_n=\frac{a_n+a_{n+1}}{3}=4n-\frac{4}{3}$$

$$\therefore\lim_{n\to\infty}\frac{b_n}{a_n}=\lim_{n\to\infty}\frac{4n-\dfrac{4}{3}}{6n-5}$$
$$=\lim_{n\to\infty}\frac{4-\dfrac{4}{3}\times\dfrac{1}{n}}{6-\dfrac{5}{n}}=\frac{2}{3}$$

답 $\dfrac{2}{3}$

35 $n\geq2$일 때,

$$a_n=S_n-S_{n-1}$$
$$=\sqrt{n^2+2n}-\sqrt{(n-1)^2+2(n-1)}$$
$$=\sqrt{n^2+2n}-\sqrt{n^2-1}$$

$a_1=S_1=\sqrt3$이므로 위의 식에 $n=1$을 대입한 것과 같다.

$$\therefore a_n=\sqrt{n^2+2n}-\sqrt{n^2-1}$$

$$\therefore\lim_{n\to\infty}\frac{1}{a_n}=\lim_{n\to\infty}\frac{1}{\sqrt{n^2+2n}-\sqrt{n^2-1}}$$
$$=\lim_{n\to\infty}\frac{\sqrt{n^2+2n}+\sqrt{n^2-1}}{(\sqrt{n^2+2n}-\sqrt{n^2-1})(\sqrt{n^2+2n}+\sqrt{n^2-1})}$$
$$=\lim_{n\to\infty}\frac{\sqrt{n^2+2n}+\sqrt{n^2-1}}{2n+1}$$
$$=\lim_{n\to\infty}\frac{\sqrt{1+\dfrac{2}{n}}+\sqrt{1-\dfrac{1}{n^2}}}{2+\dfrac{1}{n}}$$
$$=\frac{1+1}{2}=1$$

답 1

36 주어진 수열의 일반항 a_n은

$$a_{n+1}=1+\frac{1}{1+a_n}$$

$\lim\limits_{n\to\infty}a_{n+1}=\lim\limits_{n\to\infty}a_n=\alpha$ (α는 실수)라 하면

$\lim\limits_{n\to\infty}a_{n+1}=\lim\limits_{n\to\infty}\left(1+\dfrac{1}{1+a_n}\right)$에서

$$\alpha=1+\frac{1}{1+\alpha},\ \alpha(1+\alpha)=1+\alpha+1$$
$$\alpha^2=2\quad\therefore\alpha=\pm\sqrt2$$

그런데 $\alpha>0$이므로

$$\lim_{n\to\infty}a_n=\sqrt2$$

답 ①

37 이차방정식의 근과 계수의 관계에서

$$\alpha_n+\beta_n=n,\ \alpha_n\beta_n=n+\sqrt{n^2+n}$$

한편, $\dfrac{4}{\alpha_n}+\dfrac{4}{\beta_n}=\dfrac{4(\alpha_n+\beta_n)}{\alpha_n\beta_n}=\dfrac{4n}{n+\sqrt{n^2+n}}$

$$\therefore\lim_{n\to\infty}\left(\frac{4}{\alpha_n}+\frac{4}{\beta_n}\right)=\lim_{n\to\infty}\frac{4n}{n+\sqrt{n^2+n}}$$
$$=\lim_{n\to\infty}\frac{4}{1+\sqrt{1+\dfrac{1}{n}}}$$
$$=\frac{4}{2}=2$$

답 2

38 이차방정식의 근과 계수의 관계에서

$$\alpha+\beta=-3$$

$$\therefore\lim_{n\to\infty}(n-\sqrt{n-\alpha}\sqrt{n-\beta})$$
$$=\lim_{n\to\infty}\frac{(n-\sqrt{n-\alpha}\sqrt{n-\beta})(n+\sqrt{n-\alpha}\sqrt{n-\beta})}{n+\sqrt{n-\alpha}\sqrt{n-\beta}}$$
$$=\lim_{n\to\infty}\frac{n^2-(n-\alpha)(n-\beta)}{n+\sqrt{(n-\alpha)(n-\beta)}}$$
$$=\lim_{n\to\infty}\frac{(\alpha+\beta)n-\alpha\beta}{n+\sqrt{n^2-(\alpha+\beta)n+\alpha\beta}}$$
$$=\lim_{n\to\infty}\frac{\alpha+\beta-\dfrac{\alpha\beta}{n}}{1+\sqrt{1-\dfrac{\alpha+\beta}{n}+\dfrac{\alpha\beta}{n^2}}}$$
$$=\frac{\alpha+\beta}{2}=-\frac{3}{2}$$

답 $-\dfrac{3}{2}$

39 그림과 같이 선분의 개수는 6씩 늘어나므로 첫째항이 4, 공차가 6인 등차수열이고 일반항 a_n은

$$a_n=4+(n-1)\times6=6n-2$$

한편, 정사각형의 개수는 2씩 늘어나므로 첫째항이 1, 공차가 2인 등차수열이고 일반항 b_n은

$b_n = 1 + (n-1) \times 2 = 2n-1$

$\therefore \displaystyle\lim_{n\to\infty} \frac{a_n}{b_n} = \lim_{n\to\infty} \frac{6n-2}{2n-1} = 3$　　　　**답 ③**

40 주어진 점의 좌표를 좌표평면 위에 나타내면 그림과 같다. 즉,

$a_n = \sqrt{n^4+9n^2},\ b_n = \sqrt{n^4+n^2},\ c_n = n^2$

이므로

$\displaystyle\lim_{n\to\infty}(a_n+b_n-2c_n)$

$= \displaystyle\lim_{n\to\infty}(\sqrt{n^4+9n^2}+\sqrt{n^4+n^2}-2n^2)$

$= \displaystyle\lim_{n\to\infty}\{(\sqrt{n^4+9n^2}-n^2)+(\sqrt{n^4+n^2}-n^2)\}$

$= \displaystyle\lim_{n\to\infty}\left(\frac{9n^2}{\sqrt{n^4+9n^2}+n^2}+\frac{n^2}{\sqrt{n^4+n^2}+n^2}\right)$

$= \displaystyle\lim_{n\to\infty}\left(\frac{9}{\sqrt{1+\frac{9}{n^2}}+1}+\frac{1}{\sqrt{1+\frac{1}{n^2}}+1}\right)$

$= \dfrac{9}{2}+\dfrac{1}{2}=5$　　　　**답 5**

41 곡선 $y=x^2-2nx$와 직선 $y=2nx-n^2$의 두 교점의 x좌표는 방정식 $x^2-2nx=2nx-n^2$의 근과 같으므로 이차방정식 $x^2-4nx+n^2=0$의 두 실근을 $\alpha,\ \beta\ (\alpha<\beta)$라 하면

$\alpha+\beta=4n,\ \alpha\beta=n^2$

$P_n(\alpha,\ 2n\alpha-n^2),\ Q_n(\beta,\ 2n\beta-n^2)$이므로

$\overline{P_nQ_n}=\sqrt{(\alpha-\beta)^2+\{2n(\alpha-\beta)\}^2}$

$\quad = \sqrt{(1+4n^2)(\alpha-\beta)^2}$

$\quad = \sqrt{1+4n^2}\times\sqrt{(\alpha-\beta)^2}$

$\quad = \sqrt{1+4n^2}\times\sqrt{(\alpha+\beta)^2-4\alpha\beta}$

$\quad = \sqrt{1+4n^2}\times\sqrt{(4n)^2-4n^2}$

$\quad = \sqrt{1+4n^2}\times\sqrt{12}\,n$

$\therefore \displaystyle\lim_{n\to\infty}\frac{\overline{P_nQ_n}}{n^2} = \lim_{n\to\infty}\frac{\sqrt{1+4n^2}\times\sqrt{12}\,n}{n^2}$

$\quad = \displaystyle\lim_{n\to\infty}\frac{\sqrt{1+4n^2}\times\sqrt{12}}{n}$

$\quad = \displaystyle\lim_{n\to\infty}\frac{\sqrt{\frac{1}{n^2}+4}\times\sqrt{12}}{1}$

$\quad = 2\times2\sqrt{3}=4\sqrt{3}=k$

$\therefore k^2 = (4\sqrt{3})^2 = 48$　　　　**답 48**

42 점 A_n이 곡선 $y=2^x$ 위에 있으므로 $A_n(\log_2 n,\ n)$이다.

점 B_n의 좌표를 $(b_n,\ n)$이라 하면 점 B_n이 곡선 $y=2^{x-1}$ 위의 점이므로 $2^{b_n-1}=n$이다.

$b_n-1=\log_2 n,\ b_n=1+\log_2 n=\log_2 2n$

$\therefore B_n(\log_2 2n,\ n)$

또 점 C_n이 곡선 $y=2^x$ 위에 있으므로

$C_n(\log_2 2n,\ 2n)$

따라서 $\overline{A_nB_n}=1,\ \overline{B_nC_n}=2n-n=n$이므로 피타고라스 정리에 의하여 $\overline{A_nC_n}=\sqrt{n^2+1}$이다.

$\therefore f(n)=\sqrt{n^2+1},\ g(n)=n$

$\therefore \displaystyle\lim_{n\to\infty}n\{f(n)-g(n)\}$

$= \displaystyle\lim_{n\to\infty}n(\sqrt{n^2+1}-n)$

$= \displaystyle\lim_{n\to\infty}\frac{n(\sqrt{n^2+1}-n)(\sqrt{n^2+1}+n)}{\sqrt{n^2+1}+n}$

$= \displaystyle\lim_{n\to\infty}\frac{n}{\sqrt{n^2+1}+n}$

$= \displaystyle\lim_{n\to\infty}\frac{1}{\sqrt{1+\frac{1}{n^2}}+1}=\frac{1}{2}$　　　　**답 ④**

43 삼각형 A_nOB_n에 내접하는 원의 반지름의 길이를 r_n이라 하면 C_n의 좌표는 $(n-r_n,\ r_n)$

점 C_n에서 직선 $x-ny=0$까지의 거리가 r_n이므로

$\dfrac{|n-r_n-nr_n|}{\sqrt{1^2+(-n)^2}}=r_n$

$|n-(n+1)r_n|=\sqrt{n^2+1}\times r_n$

그런데 $\overline{A_nB_n}=1$에서 $r_n<\dfrac{1}{2}$이므로

$n-(n+1)r_n>0\left(\because r_n<\dfrac{n}{n+1}\right)$

따라서 $n-(n+1)r_n=\sqrt{n^2+1}\times r_n$이므로

$r_n=\dfrac{n}{n+1+\sqrt{n^2+1}}$

$\therefore S_n=\dfrac{1}{2}\times\overline{OA_n}\times r_n$

$\quad = \dfrac{1}{2}\times\sqrt{n^2+1}\times\dfrac{n}{n+1+\sqrt{n^2+1}}$

$\quad = \dfrac{n\sqrt{n^2+1}}{2(n+1+\sqrt{n^2+1})}$

$\therefore \displaystyle\lim_{n\to\infty}\frac{S_n}{n} = \lim_{n\to\infty}\frac{n\sqrt{n^2+1}}{2n(n+1+\sqrt{n^2+1})}$

$\quad = \displaystyle\lim_{n\to\infty}\frac{\sqrt{1+\frac{1}{n^2}}}{2\left(1+\frac{1}{n}+\sqrt{1+\frac{1}{n^2}}\right)}$

$\quad = \dfrac{1}{4}$　　　　**답 $\dfrac{1}{4}$**

44 $a_n{}^2+b_n{}^2=(a_n+b_n)^2-2a_nb_n$이므로

$\displaystyle\lim_{n\to\infty}a_nb_n = \lim_{n\to\infty}\frac{(a_n+b_n)^2-(a_n{}^2+b_n{}^2)}{2} = \frac{25-13}{2}=6$

또 $(a_n-b_n)^2=(a_n{}^2+b_n{}^2)-2a_nb_n$이므로

$\displaystyle\lim_{n\to\infty}(a_n-b_n)^2 = \lim_{n\to\infty}\{(a_n{}^2+b_n{}^2)-2a_nb_n\}$

$\qquad\qquad = 13-12=1$

$a_n>b_n$이므로 $\displaystyle\lim_{n\to\infty}(a_n-b_n)=1$

$\therefore \displaystyle\lim_{n\to\infty}a_n = \frac{1}{2}\lim_{n\to\infty}\{(a_n+b_n)+(a_n-b_n)\}$

$\qquad\qquad = \frac{1}{2}(5+1)=3$

$\therefore \displaystyle\lim_{n\to\infty}\frac{a_n}{(a_n+1)(b_n+1)} = \lim_{n\to\infty}\frac{a_n}{(a_n+b_n)+a_nb_n+1}$

$\qquad\qquad = \frac{3}{5+6+1}=\frac{1}{4}$　　　　**답 $\dfrac{1}{4}$**

45

$$\sum_{k=1}^{n}(2+a_k)=\sum_{k=1}^{n}2+\sum_{k=1}^{n}a_k=2n+S_n$$

$$\sum_{k=1}^{n}(2k+a_k)=2\sum_{k=1}^{n}k+\sum_{k=1}^{n}a_k$$

$$=2\times\frac{n(n+1)}{2}+\sum_{k=1}^{n}a_k$$

$$=n^2+n+S_n$$

$$\therefore \lim_{n\to\infty}\frac{\sum_{k=1}^{n}(2+a_k)}{\sum_{k=1}^{n}(2k+a_k)}=\lim_{n\to\infty}\frac{2n+S_n}{n^2+n+S_n}$$

$$=\lim_{n\to\infty}\frac{\dfrac{2}{n}+\dfrac{S_n}{n^2}}{1+\dfrac{1}{n}+\dfrac{S_n}{n^2}}$$

$$=\frac{\dfrac{1}{2}}{1+\dfrac{1}{2}}=\frac{1}{3}$$

답 ④

46

$$\lim_{n\to\infty}\sqrt{n}(\sqrt{an+1}-\sqrt{bn})$$

$$=\lim_{n\to\infty}\frac{\sqrt{n}(\sqrt{an+1}-\sqrt{bn})(\sqrt{an+1}+\sqrt{bn})}{\sqrt{an+1}+\sqrt{bn}}$$

$$=\lim_{n\to\infty}\frac{\sqrt{n}\{(a-b)n+1\}}{\sqrt{an+1}+\sqrt{bn}} \quad \cdots\cdots \text{㉠}$$

㉠이 $\dfrac{1}{6}$로 수렴하려면 $a-b=0$이어야 하므로 $a=b$

$a=b$를 ㉠에 대입하면

$$\lim_{n\to\infty}\frac{\sqrt{n}}{\sqrt{an+1}+\sqrt{an}}=\lim_{n\to\infty}\frac{1}{\sqrt{a+\dfrac{1}{n}}+\sqrt{a}}$$

$$=\frac{1}{\sqrt{a}+\sqrt{a}}=\frac{1}{2\sqrt{a}}=\frac{1}{6}$$

즉, $2\sqrt{a}=6$이므로 $a=b=9$

$\therefore ab=81$

답 81

47

극한값이 존재하기 위해서는 $n\to\infty$일 때, $\infty-\infty$ 꼴이어야 하므로 $a>0$

$$\therefore \lim_{n\to\infty}\{\sqrt{n^2+2n+3}-(an+b)\}$$

$$=\lim_{n\to\infty}\frac{n^2+2n+3-(an+b)^2}{\sqrt{n^2+2n+3}+(an+b)}$$

$$=\lim_{n\to\infty}\frac{n^2+2n+3-a^2n^2-2abn-b^2}{\sqrt{n^2+2n+3}+(an+b)}$$

$$=\lim_{n\to\infty}\frac{(1-a^2)n^2+2(1-ab)n+3-b^2}{\sqrt{n^2+2n+3}+an+b} \quad \cdots\cdots \text{㉠}$$

㉠이 5로 수렴하려면 $1-a^2=0$이어야 하므로

$a^2=1 \quad \therefore a=1 \;(\because a>0)$

$a=1$을 ㉠에 대입하면

$$\lim_{n\to\infty}\frac{2(1-b)n+3-b^2}{\sqrt{n^2+2n+3}+n+b}$$

$$=\lim_{n\to\infty}\frac{2(1-b)+\dfrac{3-b^2}{n}}{\sqrt{1+\dfrac{2}{n}+\dfrac{3}{n^2}}+1+\dfrac{b}{n}}$$

$$=\frac{2(1-b)}{1+1}=1-b=5$$

따라서 $b=-4$이므로 $a+b=-3$

답 -3

48

$n^2<n^2+n+1<(n+1)^2$이므로

$n<\sqrt{n^2+n+1}<n+1$

즉, $\sqrt{n^2+n+1}$의 정수 부분은 n, 소수 부분은 $\sqrt{n^2+n+1}-n$

이므로

$a_n=n,\ b_n=\sqrt{n^2+n+1}-n$

$$\therefore \lim_{n\to\infty}\frac{a_nb_n}{a_n+b_n}$$

$$=\lim_{n\to\infty}\frac{n(\sqrt{n^2+n+1}-n)}{\sqrt{n^2+n+1}}$$

$$=\lim_{n\to\infty}\frac{n(\sqrt{n^2+n+1}-n)(\sqrt{n^2+n+1}+n)}{\sqrt{n^2+n+1}(\sqrt{n^2+n+1}+n)}$$

$$=\lim_{n\to\infty}\frac{n(n+1)}{\sqrt{n^2+n+1}(\sqrt{n^2+n+1}+n)}$$

$$=\lim_{n\to\infty}\frac{1+\dfrac{1}{n}}{\sqrt{1+\dfrac{1}{n}+\dfrac{1}{n^2}}\times\left(\sqrt{1+\dfrac{1}{n}+\dfrac{1}{n^2}}+1\right)}$$

$$=\frac{1}{2}$$

답 ④

49

$2n<a_n<2n+1$에서

$$\sum_{k=1}^{n}2k<\sum_{k=1}^{n}a_k<\sum_{k=1}^{n}(2k+1)$$

$$n(n+1)<\sum_{k=1}^{n}a_k<n(n+1)+n$$

$$n^2+n<\sum_{k=1}^{n}a_k<n^2+2n$$

$$\therefore \frac{n^2+n}{6n^2+10}<\frac{a_1+a_2+a_3+\cdots+a_n}{6n^2+10}<\frac{n^2+2n}{6n^2+10}$$

$$\lim_{n\to\infty}\frac{n^2+n}{6n^2+10}=\frac{1}{6},\ \lim_{n\to\infty}\frac{n^2+2n}{6n^2+10}=\frac{1}{6}\text{이므로}$$

$$\lim_{n\to\infty}\frac{a_1+a_2+a_3+\cdots+a_n}{6n^2+10}=\frac{1}{6}$$

답 $\dfrac{1}{6}$

50

ㄱ. $a=0$이면

$$\lim_{n\to\infty}\frac{an^{k+1}+bn^k-1}{3n^2-2n-1}=\lim_{n\to\infty}\frac{bn^k-1}{3n^2-2n-1}=-2$$

위의 등식이 성립하려면

$$k=2,\ \frac{b}{3}=-2$$

$$\therefore k=2,\ b=-6$$

$$\therefore b+k=-4 \text{ (참)}$$

ㄴ. ㄱ의 $a=0$이면 $b=-6$에서

$b\ne-6$이면 $a\ne0$이므로 $b>0$이면 $a\ne0$

$$\lim_{n\to\infty}\frac{an^{k+1}+bn^k-1}{3n^2-2n-1}=-2\text{가 성립하려면}$$

$$k+1=2,\ \frac{a}{3}=-2$$

$$\therefore k=1,\ a=-6$$

$$\therefore a+k=-5 \text{ (거짓)}$$

ㄷ. [반례] $a=-6,\ b=-1,\ k=1$이면

$$\lim_{n\to\infty}\frac{an^{k+1}+bn^k-1}{3n^2-2n-1}=\lim_{n\to\infty}\frac{-6n^2-n-1}{3n^2-2n-1}=-2$$

이지만 $abk=6>0$이다. (거짓)

따라서 옳은 것은 ㄱ뿐이다.

답 ㄱ

51 ㄱ. [반례] $a_n = \dfrac{1}{n}$, $b_n = n$이면

$$\lim_{n \to \infty} a_n b_n = \lim_{n \to \infty} \left(\dfrac{1}{n} \times n \right) = 1,$$

$$\lim_{n \to \infty} \dfrac{a_n}{b_n} = \lim_{n \to \infty} \dfrac{1}{n^2} = 0$$

이므로 두 수열 $\{a_n b_n\}$, $\left\{ \dfrac{a_n}{b_n} \right\}$이 모두 수렴하지만

$$\lim_{n \to \infty} b_n = \lim_{n \to \infty} n = \infty \text{ (발산) (거짓)}$$

ㄴ. $b_n - a_n = c_n$으로 놓으면

$$b_n = a_n + c_n, \quad \lim_{n \to \infty} c_n = \alpha$$

$\lim\limits_{n \to \infty} a_n = \infty$이므로 $\lim\limits_{n \to \infty} \dfrac{c_n}{a_n} = 0$

$$\therefore \lim_{n \to \infty} \dfrac{3b_n}{a_n} = 3 \lim_{n \to \infty} \dfrac{a_n + c_n}{a_n}$$

$$= 3 \lim_{n \to \infty} \left(1 + \dfrac{c_n}{a_n} \right) = 3 \text{ (참)}$$

ㄷ. [반례] $a_n = \dfrac{1}{n}$, $b_n = \dfrac{2}{n}$이면

$$a_n b_n = \dfrac{2}{n^2} \ne 0 \text{이고 } \lim_{n \to \infty} a_n = \lim_{n \to \infty} b_n = 0 \text{이지만}$$

$$\lim_{n \to \infty} \dfrac{b_n}{a_n} = \lim_{n \to \infty} \dfrac{2n}{n} = 2 \text{ (거짓)}$$

따라서 옳은 것은 ㄴ뿐이다. 　답 ②

52 두 수열 $\{a_n\}$, $\{b_n\}$이 수렴하므로

$\lim\limits_{n \to \infty} a_n = \alpha$, $\lim\limits_{n \to \infty} b_n = \beta$ (α, β는 실수)라 하면

$\lim\limits_{n \to \infty} a_n = \lim\limits_{n \to \infty} a_{n+1} = \alpha$, $\lim\limits_{n \to \infty} b_n = \lim\limits_{n \to \infty} b_{n+1} = \beta$

$a_{n+1} = 2b_n + 3$에서 $\lim\limits_{n \to \infty} a_{n+1} = 2 \lim\limits_{n \to \infty} b_n + 3$

즉, $\alpha = 2\beta + 3$ ……㉠

$b_{n+1} = 3a_n + 2$에서 $\lim\limits_{n \to \infty} b_{n+1} = 3 \lim\limits_{n \to \infty} a_n + 2$

즉, $\beta = 3\alpha + 2$ ……㉡

㉠, ㉡을 연립하여 풀면

$$\alpha = -\dfrac{7}{5}, \quad \beta = -\dfrac{11}{5}$$

$$\therefore \lim_{n \to \infty} \dfrac{a_n + b_n}{a_n} = \dfrac{\alpha + \beta}{\alpha} = \dfrac{-\dfrac{7}{5} - \dfrac{11}{5}}{-\dfrac{7}{5}}$$

$$= \dfrac{18}{7}$$

따라서 $p = 7$, $q = 18$이므로

$p + q = 25$ 　답 25

53 $a_{2n} = 4 \times 2n - 3 = 8n - 3$이므로

$$a_2 + a_4 + a_6 + \cdots + a_{2n} = \sum_{k=1}^{n} a_{2k} = \sum_{k=1}^{n} (8k - 3)$$

$$= 8 \times \dfrac{n(n+1)}{2} - 3n$$

$$= 4n^2 + n$$

또 $a_{2n-1} = 4(2n-1) - 3 = 8n - 7$이므로

$$a_1 + a_3 + a_5 + \cdots + a_{2n-1} = \sum_{k=1}^{n} a_{2k-1} = \sum_{k=1}^{n} (8k - 7)$$

$$= 8 \times \dfrac{n(n+1)}{2} - 7n$$

$$= 4n^2 - 3n$$

$$\therefore \lim_{n \to \infty} \left(\sqrt{a_2 + a_4 + a_6 + \cdots + a_{2n}} - \sqrt{a_1 + a_3 + a_5 + \cdots + a_{2n-1}} \right)$$

$$= \lim_{n \to \infty} \left(\sqrt{4n^2 + n} - \sqrt{4n^2 - 3n} \right)$$

$$= \lim_{n \to \infty} \dfrac{\left(\sqrt{4n^2 + n} - \sqrt{4n^2 - 3n} \right) \left(\sqrt{4n^2 + n} + \sqrt{4n^2 - 3n} \right)}{\sqrt{4n^2 + n} + \sqrt{4n^2 - 3n}}$$

$$= \lim_{n \to \infty} \dfrac{4n}{\sqrt{4n^2 + n} + \sqrt{4n^2 - 3n}}$$

$$= \lim_{n \to \infty} \dfrac{4}{\sqrt{4 + \dfrac{1}{n}} + \sqrt{4 - \dfrac{3}{n}}}$$

$$= \dfrac{4}{2 + 2} = 1$$ 　答 1

54 수열 $\{a_n\}$의 첫째항을 a, 공차를 d라 하면

$a_n = a + (n-1)d$

　$= dn + (a - d)$

수열 $\{b_n\}$의 첫째항을 b, 공차를 e라 하면

$b_n = b + (n-1)e = en + (b - e)$

$\lim\limits_{n \to \infty} \dfrac{a_n b_n}{4n^2 - 1} = \lim\limits_{n \to \infty} \dfrac{a_n b_n}{(2n-1)(2n+1)} = 2$이므로

$$\lim_{n \to \infty} \dfrac{dn + (a-d)}{2n-1} \times \dfrac{en + (b-e)}{2n+1} = 2$$

$$\dfrac{d}{2} \times \dfrac{e}{2} = 2$$

$$\therefore de = 8$$

또 $\sum\limits_{k=1}^{n} a_k = \dfrac{n\{2a + (n-1)d\}}{2} = \dfrac{dn^2 + (2a-d)n}{2}$,

$\sum\limits_{k=1}^{n} b_k = \dfrac{n\{2b + (n-1)e\}}{2} = \dfrac{en^2 + (2b-e)n}{2}$이므로

$$\lim_{n \to \infty} \dfrac{\sum\limits_{k=1}^{n} a_k \sum\limits_{k=1}^{n} b_k}{n^4}$$

$$= \lim_{n \to \infty} \dfrac{\{dn^2 + (2a-d)n\}\{en^2 + (2b-e)n\}}{4n^4}$$

$$= \lim_{n \to \infty} \dfrac{dn^2 + (2a-d)n}{2n^2} \times \dfrac{en^2 + (2b-e)n}{2n^2}$$

$$= \dfrac{d}{2} \times \dfrac{e}{2}$$

$$= \dfrac{de}{4} = 2$$ 　답 ④

55 삼각형 QOA의 넓이가 삼각형 POA의 넓이의 $\dfrac{n}{n+2}$일 때,

두 점 P, Q의 좌표를 $P(t_n, 2)$, $Q(x_n, y_n)$이라 하면

$$\triangle QOA = \dfrac{n}{n+2} \triangle POA$$

$$\dfrac{1}{2} \times 2 \times y_n = \dfrac{n}{n+2} \times \dfrac{1}{2} \times 2 \times 2$$

$$\therefore y_n = \dfrac{2n}{n+2}$$

점 $Q(x_n, y_n)$은 직선 $y = \dfrac{1}{2}x$ 위의 한 점이므로

$$x_n = 2y_n = \dfrac{4n}{n+2}$$

$$\therefore Q\left(\dfrac{4n}{n+2}, \dfrac{2n}{n+2} \right)$$

따라서 직선 AQ의 방정식은

$$y=\left(\dfrac{\dfrac{2n}{n+2}-0}{\dfrac{4n}{n+2}-2}\right)(x-2)=\dfrac{n}{n-2}(x-2)$$

이고, 점 $P(t_n, 2)$는 직선 AQ 위의 한 점이므로

$$2=\dfrac{n}{n-2}(t_n-2) \qquad \therefore t_n=\dfrac{2n-4}{n}+2$$

$$\therefore \lim_{n\to\infty}t_n=\lim_{n\to\infty}\left(\dfrac{2n-4}{n}+2\right)=4 \qquad \boxed{\text{답}}\ 4$$

56 직선 $y=x$와 함수 $y=\sqrt{5x-6}$의 그래프의 교점을 구하면
$x=\sqrt{5x-6}$에서 $x^2-5x+6=0$
$(x-2)(x-3)=0 \quad \therefore x=2$ 또는 $x=3$
즉, 직선 $y=x$와 함수 $y=\sqrt{5x-6}$의 그래프는 두 점 $(2, 2)$,
$(3, 3)$에서 만나고 그 그래프를 그리면 다음과 같다.
(i) $2<a_1<3$일 때,

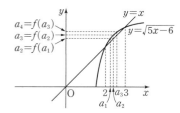

$$\therefore \lim_{n\to\infty}a_n=3$$

(ii) $a_1\geq3$일 때,

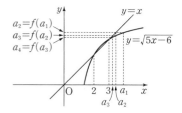

$$\therefore \lim_{n\to\infty}a_n=3$$

(i), (ii)에서 $a_1>2$이면 $\lim_{n\to\infty}a_n=3$ $\qquad \boxed{\text{답}}\ 3$

57 원 C_n의 중심을 $A_n(n, 0)$, 점 A_n에서 직선 $x-2y=0$에 내린
수선의 발을 H_n이라 하자. 원 C_n과 직선 $x-2y=0$에 동시에
접하고 점 P_n을 지나는 원의 중심을 B_n, 점 B_n에서 직선
$x-2y=0$에 내린 수선의 발을 G_n이라 하자.

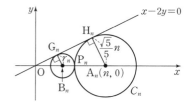

점 A_n과 직선 $x-2y=0$ 사이의 거리를 구하면

$$\overline{A_nH_n}=\dfrac{|n|}{\sqrt{1^2+(-2)^2}}=\dfrac{\sqrt{5}}{5}n$$

직각삼각형 OB_nG_n과 직각삼각형 OA_nH_n은 서로 닮음이므로
$\overline{B_nG_n}:\overline{A_nH_n}=\overline{OB_n}:\overline{OA_n}$

$$r_n:\dfrac{\sqrt{5}}{5}n=n-\left(r_n+\dfrac{\sqrt{5}}{5}n\right):n$$

$$\dfrac{\sqrt{5}}{5}n\times\left\{n-\left(r_n+\dfrac{\sqrt{5}}{5}n\right)\right\}=n\times r_n$$

$$r_n=\dfrac{-5+3\sqrt{5}}{10}n$$

$$\therefore \lim_{n\to\infty}\dfrac{r_n}{n}=-\dfrac{1}{2}+\dfrac{3}{10}\sqrt{5}$$

따라서 $a=-\dfrac{1}{2}$, $b=\dfrac{3}{10}$이므로

$10(b-a)=8$ $\qquad \boxed{\text{답}}\ 8$

58 직선 P_0P_1의 기울기가 1이므로
직선 P_1P_2의 기울기는 -1이다.
점 $P_1(1, 1)$을 지나고 기울기가 -1인 직선의 방정식은
$y-1=-(x-1)$
즉, $y=-x+2$이므로 점 P_2의 좌표를 구하면
$x^2=-x+2$에서 $x^2+x-2=0$, $(x+2)(x-1)=0$
$x<0$이므로 $x=-2$
$\therefore P_2(-2, 4)$
점 $P_2(-2, 4)$를 지나고 기울기가 1인 직선의 방정식은
$y-4=x+2$ 즉, $y=x+6$이므로
점 P_3의 좌표를 구하면
$x^2=x+6$에서 $x^2-x-6=0$, $(x+2)(x-3)=0$
$x>0$이므로 $x=3$
$\therefore P_3(3, 9)$
점 $P_3(3, 9)$를 지나고 기울기가 -1인 직선의 방정식은
$y-9=-(x-3)$ 즉, $y=-x+12$이므로
점 P_4의 좌표를 구하면
$x^2=-x+12$에서 $x^2+x-12=0$, $(x+4)(x-3)=0$
$x<0$이므로 $x=-4$
$\therefore P_4(-4, 16)$
이와 같은 방법으로 P_n의 좌표를 구하면
$P_{2m-1}(2m-1, 4m^2-4m+1)$
$P_{2m}(-2m, 4m^2)$
(i) $n=2m$일 때,

$$l_n=l_{2m}=\overline{P_{2m-1}P_{2m}}$$
$$=\sqrt{(4m-1)^2+(4m-1)^2}=\sqrt{2}(4m-1)$$
$$=\sqrt{2}(2n-1)$$

(ii) $n=2m+1$일 때,

$$l_n=l_{2m+1}=\overline{P_{2m}P_{2m+1}}$$
$$=\sqrt{(4m+1)^2+(4m+1)^2}=\sqrt{2}(4m+1)$$
$$=\sqrt{2}(2n-1)$$

(i), (ii)에서

$$\lim_{n\to\infty}\dfrac{l_n}{n}=\lim_{n\to\infty}\dfrac{\sqrt{2}(2n-1)}{n}=2\sqrt{2} \qquad \boxed{\text{답}}\ 2\sqrt{2}$$

59 직선 l_n의 방정식은 $y=2nx-n^2$이므로
$Y_n(0, -n^2)$
직선 l_n이 x축과 만나는 점을 X_n이라 하면
$X_n\left(\dfrac{1}{2}n, 0\right)$

$$\overline{OX_n}=\dfrac{1}{2}n$$

$$\overline{X_nQ_n}=\overline{X_nP_n}=\sqrt{n^4+\dfrac{1}{4}n^2}$$

$$\overline{Y_nR_n}=\overline{Y_nP_n}=\sqrt{4n^4+n^2}$$

이므로

$$\alpha = \lim_{n \to \infty} \frac{\overline{OQ_n}}{\overline{Y_nR_n}} = \lim_{n \to \infty} \frac{\overline{OX_n} + \overline{X_nQ_n}}{\overline{Y_nR_n}}$$

$$= \lim_{n \to \infty} \frac{\frac{1}{2}n + \sqrt{n^4 + \frac{1}{4}n^2}}{\sqrt{4n^4 + n^2}}$$

$$= \lim_{n \to \infty} \frac{\frac{1}{2n} + \sqrt{1 + \frac{1}{4n^2}}}{\sqrt{4 + \frac{1}{n^2}}} = \frac{1}{2}$$

$$\therefore 100\alpha = 50$$

답 50

60

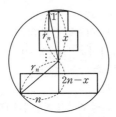

[도형 n]을 포함하는 원들 중에서 가장 작은 원은 그림과 같이 네 꼭짓점을 지나게 된다. 이 원의 반지름의 길이를 r_n이라 하고, 원의 중심에서 도형의 윗변까지의 길이를 x라 하면
$${r_n}^2 = x^2 + 1, \quad {r_n}^2 = (2n-x)^2 + n^2$$
따라서 $x^2 + 1 = (2n-x)^2 + n^2$이므로
$$x = \frac{5n^2 - 1}{4n}$$
즉, ${r_n}^2 = \left(\frac{5n^2 - 1}{4n}\right)^2 + 1 = \frac{25n^4 + 6n^2 + 1}{16n^2}$이므로
$$a_n = \pi {r_n}^2 = \frac{25n^4 + 6n^2 + 1}{16n^2}\pi$$
$$\therefore \lim_{n \to \infty} \frac{80a_n}{\pi n^2} = \lim_{n \to \infty} \frac{125n^4 + 30n^2 + 5}{n^4} = 125$$

답 125

다른 풀이

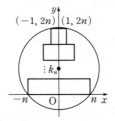

[도형 n]을 포함하는 원들 중에서 가장 작은 원은 그림처럼 네 점을 지나게 된다. 이 원의 방정식을 $x^2 + (y - k_n)^2 = {r_n}^2$이라 하자.
이 원은 $(n, 0)$과 $(1, 2n)$을 지나므로
$$\begin{cases} n^2 + {k_n}^2 = {r_n}^2 \\ 1 + (2n - k_n)^2 = {r_n}^2 \end{cases}$$
따라서 $n^2 + {k_n}^2 = 1 + (2n - k_n)^2$이므로
$$k_n = \frac{3n^2 + 1}{4n}$$
즉, ${r_n}^2 = n^2 + \left(\frac{3n^2 + 1}{4n}\right)^2 = \frac{25n^4 + 6n^2 + 1}{16n^2}$이므로
$$a_n = \pi {r_n}^2 = \frac{25n^4 + 6n^2 + 1}{16n^2}\pi$$
$$\therefore \lim_{n \to \infty} \frac{80a_n}{\pi n^2} = \lim_{n \to \infty} \frac{125n^4 + 30n^2 + 5}{n^4} = 125$$

01 ㄱ. 수열 $\left\{\frac{1}{3^n}\right\} = \left\{\left(\frac{1}{3}\right)^n\right\}$은 공비가 $\frac{1}{3}$이고,

$-1 < \frac{1}{3} < 1$이므로 0에 수렴한다.

ㄴ. 수열 $\{(0.99)^n\}$은 공비가 0.99이고,

$-1 < 0.99 < 1$이므로 0에 수렴한다.

ㄷ. 수열 $\{(-1)^n\}$은 공비가 -1이므로 진동한다.

즉, 수열 $\{2 + (-1)^n\}$은 발산(진동)한다.

ㄹ. 수열 $\left\{\left(-\frac{3}{4}\right)^n\right\}$은 공비가 $-\frac{3}{4}$이고,

$-1 < -\frac{3}{4} < 1$이므로 0에 수렴한다.

ㅁ. 수열 $\left\{\frac{2^{2n}}{3^n}\right\} = \left\{\left(\frac{4}{3}\right)^n\right\}$은 공비가 $\frac{4}{3}$이고,

$\frac{4}{3} > 1$이므로 양의 무한대로 발산한다.

따라서 수렴하는 것의 개수는 ㄱ, ㄴ, ㄹ의 3이다.

답 ③

02 분모, 분자를 3^n으로 각각 나누면

$$\lim_{n \to \infty} \frac{5 \times 3^{n+1} + 2^{n+1}}{3^n + 2^n} = \lim_{n \to \infty} \frac{5 \times 3 + 2 \times \left(\frac{2}{3}\right)^n}{1 + \left(\frac{2}{3}\right)^n}$$

$$= 15$$

답 15

03 $\lim_{n \to \infty} a_n = 12$이므로

$$\lim_{n \to \infty} \frac{3^{n-1}a_n + 2^n}{2^n a_n + 2 \times 3^n} = \lim_{n \to \infty} \frac{\frac{1}{3}a_n + \left(\frac{2}{3}\right)^n}{\left(\frac{2}{3}\right)^n a_n + 2} = \frac{\frac{1}{3} \times 12}{2} = 2$$

답 2

04 수열 $\{(x^2 - 2x)^n\}$에서 공비가 $x^2 - 2x$이므로 수렴 조건에 의하여
$-1 < x^2 - 2x \leq 1$

(ⅰ) $-1 < x^2 - 2x$에서 $x^2 - 2x + 1 > 0$, $(x-1)^2 > 0$

이므로 $x \neq 1$인 모든 실수에 대하여 성립한다.

(ⅱ) $x^2 - 2x \leq 1$에서 $x^2 - 2x - 1 \leq 0$

$\therefore 1 - \sqrt{2} \leq x \leq 1 + \sqrt{2}$

(ⅰ), (ⅱ)에서 구하는 정수 x의 개수는 0, 2의 2이다.

답 2

05 $a_n = 1 + (n-1) \times 2 = 2n - 1$이므로
수열 $\{x^{a_n}\}$, 즉 수열 $\{x^{2n-1}\}$은 등비수열이다.
첫째항이 x, 공비가 x^2이므로 수렴 조건에 의하여
$x = 0$ 또는 $-1 < x^2 \leq 1$ $\therefore -1 \leq x \leq 1$

답 ⑤

06 $F(r) = \lim_{n \to \infty} \frac{1 - r^n}{1 + r^{n+2}}$에서

(ⅰ) $-1 < r < 1$일 때, $\lim_{n \to \infty} r^n = 0$이므로

$$F(r) = \lim_{n \to \infty} \frac{1 - r^n}{1 + r^{n+2}} = \frac{1 - 0}{1 + 0} = 1$$

$$\therefore F\left(\frac{1}{2}\right) = 1$$

(ii) $r>1$일 때, $\displaystyle\lim_{n\to\infty}r^n=\infty$이므로

$$F(r)=\lim_{n\to\infty}\frac{1-r^n}{1+r^{n+2}}=\lim_{n\to\infty}\frac{\dfrac{1}{r^n}-1}{\dfrac{1}{r^n}+r^2}=-\frac{1}{r^2}$$

$$\therefore F(\sqrt{2})+F(2)=-\frac{1}{2}-\frac{1}{4}=-\frac{3}{4}$$

(i), (ii)에서

$$F\!\left(\frac{1}{2}\right)+F(\sqrt{2})+F(2)=1-\frac{3}{4}=\frac{1}{4}$$

답 $\dfrac{1}{4}$

07
$$1+2+2^2+\cdots+2^n=\frac{2^{n+1}-1}{2-1}=2^{n+1}-1$$

$$1+3+3^2+\cdots+3^n=\frac{3^{n+1}-1}{3-1}=\frac{1}{2}(3^{n+1}-1)$$

$$\therefore \lim_{n\to\infty}\frac{1+2+2^2+\cdots+2^n}{1+3+3^2+\cdots+3^n}=\lim_{n\to\infty}\frac{2^{n+1}-1}{\frac{1}{2}(3^{n+1}-1)}$$

$$=2\lim_{n\to\infty}\frac{\left(\frac{2}{3}\right)^{n+1}-\left(\frac{1}{3}\right)^{n+1}}{1-\left(\frac{1}{3}\right)^{n+1}}=0$$

답 0

08 $n\geq2$일 때,
$$\begin{aligned}a_n&=S_n-S_{n-1}\\&=n\times2^n-(n-1)2^{n-1}\\&=(n+1)2^{n-1}\end{aligned}$$

$$\begin{aligned}\therefore \lim_{n\to\infty}\frac{S_n}{a_n}&=\lim_{n\to\infty}\frac{n\times2^n}{(n+1)2^{n-1}}\\&=\lim_{n\to\infty}\frac{2n}{n+1}=2\end{aligned}$$

답 2

09 분모, 분자를 4^{n-1}으로 각각 나누면
$$\lim_{n\to\infty}\frac{4^n+2}{4^{n-1}+3^{-n}}=\lim_{n\to\infty}\frac{4+\dfrac{2}{4^{n-1}}}{1+\dfrac{3^{-n}}{4^{n-1}}}$$

$$=\lim_{n\to\infty}\frac{4+2\times\left(\frac{1}{4}\right)^{n-1}}{1+\frac{1}{3}\times\left(\frac{1}{12}\right)^{n-1}}=4$$

답 4

10 분모, 분자를 4^n으로 각각 나누면
$$\lim_{n\to\infty}\frac{2^{n+1}-2^{2n}}{3^n+2^{2n-1}}=\lim_{n\to\infty}\frac{2^{n+1}-4^n}{3^n+\dfrac{4^n}{2}}$$

$$=\lim_{n\to\infty}\frac{2\times\left(\frac{1}{2}\right)^n-1}{\left(\frac{3}{4}\right)^n+\frac{1}{2}}=-2$$

답 -2

11 분모, 분자를 3^n으로 각각 나누면
$$\lim_{n\to\infty}\frac{2^{n+2}+3^{n-1}+4}{\sqrt{9^n+2^{2n}}}=\lim_{n\to\infty}\frac{4\times\left(\frac{2}{3}\right)^n+\frac{1}{3}+4\times\left(\frac{1}{3}\right)^n}{\sqrt{1+\left(\frac{4}{9}\right)^n}}$$

$$=\frac{1}{3}$$

답 ①

12
$$\lim_{n\to\infty}\{(\log3)^n-(\log2)^n\}$$

$$=\lim_{n\to\infty}(\log3)^n\left\{1-\left(\frac{\log2}{\log3}\right)^n\right\}=0$$

답 ②

13 $0<a<b$에서 $0<\dfrac{a}{b}<1$

$$\therefore \lim_{n\to\infty}\frac{a^n+b^{n+1}}{a^{n+1}+b^n}=\lim_{n\to\infty}\frac{\left(\frac{a}{b}\right)^n+b}{a\times\left(\frac{a}{b}\right)^n+1}=b$$

답 ⑤

14 $4^{n+1}-3^n<(2^{n+1}+4^{n-1})a_n<2^n+4^{n+1}$에서

$$\frac{4^{n+1}-3^n}{2^{n+1}+4^{n-1}}<a_n<\frac{2^n+4^{n+1}}{2^{n+1}+4^{n-1}}$$

$$\lim_{n\to\infty}\frac{4^{n+1}-3^n}{2^{n+1}+4^{n-1}}=\lim_{n\to\infty}\frac{16-3\times\left(\frac{3}{4}\right)^{n-1}}{4\times\left(\frac{1}{2}\right)^{n-1}+1}=16,$$

$$\lim_{n\to\infty}\frac{2^n+4^{n+1}}{2^{n+1}+4^{n-1}}=\lim_{n\to\infty}\frac{2\times\left(\frac{1}{2}\right)^{n-1}+16}{4\times\left(\frac{1}{2}\right)^{n-1}+1}=16$$이므로

$$\lim_{n\to\infty}a_n=16$$

답 16

15 $\displaystyle\lim_{n\to\infty}a_n=3,\ \lim_{n\to\infty}b_n=15$이므로

$$\lim_{n\to\infty}\frac{3^n a_n+5^{n-1}b_n}{5^n a_n+3\times4^{n+1}}=\lim_{n\to\infty}\frac{\left(\frac{3}{5}\right)^n a_n+\frac{1}{5}b_n}{a_n+12\times\left(\frac{4}{5}\right)^n}$$

$$=\frac{\frac{1}{5}\times15}{3}=1$$

답 1

16
$$\lim_{n\to\infty}\frac{(-2)^n+3^{n-1}a_n}{2^n a_n-3^n}=\lim_{n\to\infty}\frac{\left(-\frac{2}{3}\right)^n+\frac{1}{3}a_n}{\left(\frac{2}{3}\right)^n a_n-1}$$

$$=-\frac{1}{3}\lim_{n\to\infty}a_n=4$$

$$\therefore \lim_{n\to\infty}a_n=-12$$

답 -12

17 $\displaystyle\lim_{n\to\infty}\frac{5^n a_n}{3^n+1}=k$ (k는 0이 아닌 상수)라 하고, $\dfrac{5^n a_n}{3^n+1}=b_n$으로 놓으면

$$\lim_{n\to\infty}b_n=k,\ \lim_{n\to\infty}b_{n+1}=k$$

$$\frac{5^n a_n}{3^n+1}=b_n에서\ a_n=\frac{3^n+1}{5^n}b_n이므로$$

$$\frac{a_n}{a_{n+1}}=\frac{\dfrac{3^n+1}{5^n}b_n}{\dfrac{3^{n+1}+1}{5^{n+1}}b_{n+1}}=\frac{3^n+1}{3^{n+1}+1}\times\frac{5b_n}{b_{n+1}}$$

$$\therefore \lim_{n\to\infty}\frac{a_n}{a_{n+1}}=\lim_{n\to\infty}\left(\frac{3^n+1}{3^{n+1}+1}\times\frac{5b_n}{b_{n+1}}\right)$$

$$=\lim_{n\to\infty}\left(\frac{1+\frac{1}{3^n}}{3+\frac{1}{3^n}}\times\frac{5b_n}{b_{n+1}}\right)$$

$$=\frac{1}{3}\times\frac{5k}{k}=\frac{5}{3}$$

답 ③

18 수열 $\{(\log_2 x-3)^n\}$에서 공비가 $\log_2 x-3$이므로 수렴 조건에 의하여
$-1<\log_2 x-3\le 1$, $2<\log_2 x\le 4$
$\therefore 4<x\le 16$
따라서 자연수 x의 개수는 $5, 6, 7, \cdots, 16$의 12이다.

目 12

19 (i) 수열 $\{2x^{2n}\}$에서 공비가 x^2이므로 수렴 조건에 의하여
$-1<x^2\le 1$, 즉 $0\le x^2\le 1$　　$\therefore -1\le x\le 1$
(ii) 수열 $\{(x+1)(x-1)^{n-1}\}$에서 첫째항이 $x+1$, 공비가
$x-1$이므로 수렴 조건에 의하여
$x+1=0$ 또는 $-1<x-1\le 1$
$\therefore x=-1$ 또는 $0<x\le 2$
(i), (ii)에서 $x=-1$ 또는 $0<x\le 1$
따라서 정수 x의 값은 $-1, 1$이므로 그 합은
$-1+1=0$

目 0

20 등비수열 $\{r^{2n}\}$이 수렴하므로 $-1<r^2\le 1$, 즉 $0\le r^2\le 1$
$\therefore -1\le r\le 1$
ㄱ. 수열 $\left\{\left(\dfrac{r}{3}\right)^n\right\}$에서 공비가 $\dfrac{r}{3}$이고, $-\dfrac{1}{3}\le \dfrac{r}{3}\le \dfrac{1}{3}$이므로
수열 $\left\{\left(\dfrac{r}{3}\right)^n\right\}$은 항상 수렴한다.
ㄴ. 수열 $\{(3r)^n\}$에서 공비가 $3r$이고, $-3\le 3r\le 3$이므로 수열
$\{(3r)^n\}$은 항상 수렴한다고 할 수 없다.
ㄷ. 수열 $\left\{\left(\dfrac{1+r}{3-r}\right)^n\right\}$의 공비가 $\dfrac{1+r}{3-r}$이고,
$\dfrac{1+r}{3-r}=-1+\dfrac{4}{3-r}$에서
$2\le 3-r\le 4$, $1\le \dfrac{4}{3-r}\le 2$
$\therefore 0\le -1+\dfrac{4}{3-r}\le 1$
즉, 수열 $\left\{\left(\dfrac{1+r}{3-r}\right)^n\right\}$은 항상 수렴한다.
따라서 항상 수렴하는 것은 ㄱ, ㄷ이다.

目 ④

21 (i) $|r|<1$일 때, $\lim\limits_{n\to\infty}r^{2n}=\lim\limits_{n\to\infty}r^{2n+1}=0$
$\therefore \lim\limits_{n\to\infty}\dfrac{r^{2n+1}-1}{r^{2n}+1}=\dfrac{0-1}{0+1}=-1$
(ii) $r=1$일 때, $\lim\limits_{n\to\infty}r^{2n}=\lim\limits_{n\to\infty}r^{2n+1}=1$
$\therefore \lim\limits_{n\to\infty}\dfrac{r^{2n+1}-1}{r^{2n}+1}=\dfrac{1-1}{1+1}=0$
(iii) $r=-1$일 때, $\lim\limits_{n\to\infty}r^{2n}=1$, $\lim\limits_{n\to\infty}r^{2n+1}=-1$
$\therefore \lim\limits_{n\to\infty}\dfrac{r^{2n+1}-1}{r^{2n}+1}=\dfrac{-1-1}{1+1}=-1$
(iv) $|r|>1$일 때, $\lim\limits_{n\to\infty}|r^n|=\infty$
$\therefore \lim\limits_{n\to\infty}\dfrac{r^{2n+1}-1}{r^{2n}+1}=\lim\limits_{n\to\infty}\dfrac{r-\dfrac{1}{r^{2n}}}{1+\dfrac{1}{r^{2n}}}=r$
(i)~(iv)에서 극한값은 $-1, 0, r$ $(|r|>1)$이므로 극한값이 될
수 있는 것은 ㄱ, ㄴ, ㅁ이다.

目 ㄱ, ㄴ, ㅁ

22 (i) $0<r<1$일 때, $\lim\limits_{n\to\infty}r^n=0$이므로
$\lim\limits_{n\to\infty}\dfrac{r^{n+1}+2r+5}{r^n+1}=2r+5=4$
$\therefore r=-\dfrac{1}{2}$
그런데 이것은 $0<r<1$을 만족시키지 않는다.
(ii) $r=1$일 때, $\lim\limits_{n\to\infty}r^n=1$이므로
$\lim\limits_{n\to\infty}\dfrac{r^{n+1}+2r+5}{r^n+1}=\dfrac{8}{2}=4$
(iii) $r>1$일 때, $\lim\limits_{n\to\infty}r^n=\infty$이므로
$\lim\limits_{n\to\infty}\dfrac{r^{n+1}+2r+5}{r^n+1}=\lim\limits_{n\to\infty}\dfrac{r+2r\times\left(\dfrac{1}{r}\right)^n+5\times\left(\dfrac{1}{r}\right)^n}{1+\left(\dfrac{1}{r}\right)^n}$
$=r=4$
$\therefore r=4$
(i), (ii), (iii)에서 조건을 만족시키는 r의 값은 $1, 4$이므로 그 합
은 5이다.

目 5

23 (i) $|r|<1$일 때, $\lim\limits_{n\to\infty}r^n=0$
$\therefore f(r)=\lim\limits_{n\to\infty}\dfrac{1+2r^n}{1+r^n}=1$
(ii) $r=1$일 때, $\lim\limits_{n\to\infty}r^n=1$
$\therefore f(r)=\lim\limits_{n\to\infty}\dfrac{1+2r^n}{1+r^n}=\dfrac{3}{2}$
(iii) $|r|>1$일 때, $\lim\limits_{n\to\infty}|r^n|=\infty$
$\therefore f(r)=\lim\limits_{n\to\infty}\dfrac{1+2r^n}{1+r^n}$
$=\lim\limits_{n\to\infty}\dfrac{\dfrac{1}{r^n}+2}{\dfrac{1}{r^n}+1}=2$
(i), (ii), (iii)에서 함수 $y=f(r)$의 그래프는 그림과 같다.

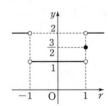

目 ①

24 주어진 수열의 일반항을 a_n이라 하면
$a_n=\dfrac{1+2+2^2+\cdots+2^{n-1}}{2^n}$
$=\dfrac{\dfrac{2^n-1}{2-1}}{2^n}$
$=\dfrac{2^n-1}{2^n}$
$=1-\left(\dfrac{1}{2}\right)^n$
$\therefore \lim\limits_{n\to\infty}a_n=\lim\limits_{n\to\infty}\left\{1-\left(\dfrac{1}{2}\right)^n\right\}=1$

目 1

25 수열 $\{a_n\}$은 첫째항이 2, 공비가 $\sqrt{2}$인 등비수열이므로
$a_n=2(\sqrt{2})^{n-1}$

$$\therefore \lim_{n \to \infty} \frac{1+a_{n+1}}{2-a_n} = \lim_{n \to \infty} \frac{1+2(\sqrt{2})^n}{2-2(\sqrt{2})^{n-1}}$$

$$= \lim_{n \to \infty} \frac{\dfrac{1}{(\sqrt{2})^{n-1}}+2\sqrt{2}}{\dfrac{2}{(\sqrt{2})^{n-1}}-2} = -\sqrt{2}$$

$$\boxed{\text{답}} -\sqrt{2}$$

26 수열 $3, 6, 12, 24, \cdots$은 첫째항이 3, 공비가 2인 등비수열이므로
$$a_n = 3 \times 2^{n-1}$$
$$S_n = \frac{3(2^n-1)}{2-1} = 3 \times 2^n - 3$$
$$\therefore \lim_{n \to \infty} \frac{a_n}{S_n} = \lim_{n \to \infty} \frac{3 \times 2^{n-1}}{3 \times 2^n - 3}$$
$$= \lim_{n \to \infty} \frac{3 \times \dfrac{1}{2}}{3 - 3 \times \dfrac{1}{2^n}} = \frac{1}{2} \qquad \boxed{\text{답}} ②$$

27 $n \geq 2$일 때,
$$a_n = S_n - S_{n-1}$$
$$= 10^n - 3 - (10^{n-1}-3)$$
$$= 9 \times 10^{n-1}$$
$$\therefore \lim_{n \to \infty} \frac{S_n}{a_n} = \lim_{n \to \infty} \frac{10^n-3}{9 \times 10^{n-1}}$$
$$= \lim_{n \to \infty} \frac{10 - 3 \times \left(\dfrac{1}{10}\right)^{n-1}}{9} = \frac{10}{9} \qquad \boxed{\text{답}} \frac{10}{9}$$

28 이차방정식 $x^2 - 6x + 4 = 0$의 두 실근은 $3 \pm \sqrt{5}$이다.
$\alpha = 3 - \sqrt{5}$, $\beta = 3 + \sqrt{5}$라 하면 $\alpha < \beta$이고,
$$\frac{\alpha}{\beta} = \frac{3-\sqrt{5}}{3+\sqrt{5}} = \frac{7-3\sqrt{5}}{2} \text{에서 } -1 < \frac{\alpha}{\beta} < 1 \text{이므로}$$
$$\lim_{n \to \infty} \frac{\alpha^{n-1}+\beta^{n-1}}{\alpha^{n+1}+\beta^{n+1}} = \lim_{n \to \infty} \frac{\dfrac{1}{\beta^2}\left(\dfrac{\alpha}{\beta}\right)^{n-1}+\dfrac{1}{\beta^2}}{\left(\dfrac{\alpha}{\beta}\right)^{n+1}+1} = \frac{1}{\beta^2}$$
$$= \frac{1}{(3+\sqrt{5})^2} = \frac{7-3\sqrt{5}}{8} \qquad \boxed{\text{답}} ③$$

29 $\dfrac{a_{n+1}}{a_n} \leq \dfrac{999}{1000}$의 n에 $1, 2, 3, \cdots, n-1$을 순서대로 대입하여
변끼리 곱하면
$$\frac{a_2}{a_1} \leq \frac{999}{1000}$$
$$\frac{a_3}{a_2} \leq \frac{999}{1000}$$
$$\frac{a_4}{a_3} \leq \frac{999}{1000}$$
$$\vdots$$
$$\times \left) \frac{a_n}{a_{n-1}} \leq \frac{999}{1000} \right.$$
$$\frac{a_2}{a_1} \times \frac{a_3}{a_2} \times \frac{a_4}{a_3} \times \cdots \times \frac{a_n}{a_{n-1}} \leq \left(\frac{999}{1000}\right)^{n-1}$$
$$\therefore \frac{a_n}{a_1} \leq \left(\frac{999}{1000}\right)^{n-1}$$

$a_n > 0$이므로 $0 < a_n \leq a_1 \left(\dfrac{999}{1000}\right)^{n-1}$

한편, $\lim\limits_{n \to \infty} a_1 \left(\dfrac{999}{1000}\right)^{n-1} = 0$이므로 $\lim\limits_{n \to \infty} a_n = 0$

$$\therefore \lim_{n \to \infty} \frac{999a_n + 10n - 2}{a_{n+1} - 2n + 3} = \lim_{n \to \infty} \frac{10n-2}{-2n+3} = -5$$

$$\boxed{\text{답}} -5$$

30 $\overline{P_n Q_n} = 10^n - 5^n$, $\overline{P_{n+1}Q_{n+1}} = 10^{n+1} - 5^{n+1}$이므로
$$\lim_{n \to \infty} \frac{\overline{P_{n+1}Q_{n+1}}}{\overline{P_n Q_n}} = \lim_{n \to \infty} \frac{10^{n+1}-5^{n+1}}{10^n - 5^n}$$
$$= \lim_{n \to \infty} \frac{10 - 5 \times \left(\dfrac{1}{2}\right)^n}{1 - \left(\dfrac{1}{2}\right)^n} = 10 \qquad \boxed{\text{답}} 10$$

31 $P_n(n, 2^n)$, $Q_n(n, 3^n)$, $P_{n-1}(n-1, 2^{n-1})$이므로
$$\overline{P_n Q_n} = 3^n - 2^n$$
따라서 삼각형 $P_n Q_n P_{n-1}$의 넓이 S_n은 $S_n = \dfrac{1}{2}(3^n - 2^n)$
$$\therefore T_n = \sum_{k=1}^{n} S_k = \sum_{k=1}^{n} \frac{1}{2}(3^k - 2^k)$$
$$= \frac{1}{2}\left(\sum_{k=1}^{n} 3^k - \sum_{k=1}^{n} 2^k\right)$$
$$= \frac{1}{2}\left\{\frac{3(3^n-1)}{3-1} - \frac{2(2^n-1)}{2-1}\right\}$$
$$= \frac{1}{2}\left\{\frac{3}{2}(3^n-1) - 2(2^n-1)\right\}$$
$$= \frac{1}{4}(3^{n+1} - 2^{n+2} + 1)$$
$$\therefore \lim_{n \to \infty} \frac{T_n}{3^n} = \lim_{n \to \infty} \frac{1}{4} \times \frac{3^{n+1}-2^{n+2}+1}{3^n}$$
$$= \lim_{n \to \infty} \frac{1}{4}\left\{3 - 4 \times \left(\frac{2}{3}\right)^n + \left(\frac{1}{3}\right)^n\right\}$$
$$= \frac{3}{4} \qquad \boxed{\text{답}} \frac{3}{4}$$

32 점 $P_n(2^n, 2)$에서의 접선의 방정식은 $2^n x + 2y = 4^n + 4$
이 직선이 x축과 만나는 점의 x좌표는
$$2^n x = 4^n + 4 \text{에서 } x = \frac{4^n+4}{2^n} \qquad \therefore Q_n\left(\frac{4^n+4}{2^n}, 0\right)$$

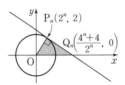

따라서 삼각형 $OP_n Q_n$의 넓이 S_n은
$$S_n = \frac{1}{2} \times \frac{4^n+4}{2^n} \times 2 = \frac{4^n+4}{2^n}$$
$$\therefore \lim_{n \to \infty} \frac{S_n}{S_{n+1}} = \lim_{n \to \infty} \frac{\dfrac{4^n+4}{2^n}}{\dfrac{4^{n+1}+4}{2^{n+1}}} = \lim_{n \to \infty} 2 \times \frac{4^n+4}{4^{n+1}+4}$$
$$= 2 \lim_{n \to \infty} \frac{\dfrac{1}{4}+\left(\dfrac{1}{4}\right)^n}{1+\left(\dfrac{1}{4}\right)^n}$$
$$= 2 \times \frac{1}{4} = \frac{1}{2} \qquad \boxed{\text{답}} ③$$

33 수열 $\left\{\left(\sqrt{2}\sin\dfrac{\pi}{8}x\right)^n\right\}$ 에서 공비가 $\sqrt{2}\sin\dfrac{\pi}{8}x$ 이므로

수렴 조건에 의하여

$$-1<\sqrt{2}\sin\dfrac{\pi}{8}x\le1 \qquad \therefore -\dfrac{\sqrt{2}}{2}<\sin\dfrac{\pi}{8}x\le\dfrac{\sqrt{2}}{2}$$

$0<x\le16$일 때, $0<\dfrac{\pi}{8}x\le2\pi$이므로 위의 부등식을 만족시키는 x의 값의 범위는

$$0<\dfrac{\pi}{8}x\le\dfrac{\pi}{4}, \ \dfrac{3}{4}\pi\le\dfrac{\pi}{8}x<\dfrac{5}{4}\pi, \ \dfrac{7}{4}\pi<\dfrac{\pi}{8}x\le2\pi$$

$$0<x\le2, \ 6\le x<10, \ 14<x\le16$$

이므로 자연수 x의 개수는 1, 2, 6, 7, 8, 9, 15, 16의 8이다.

$100=16\times6+4$이므로 주기가 6번 반복되고 $0<x\le4$에서 부등식을 만족시키는 x의 개수는 2이다.

따라서 구하는 100 이하의 자연수 x의 개수는

$$8\times6+2=50 \qquad \qquad \text{답}\ 50$$

34 (ⅰ) $|x|<1$일 때,

$$\lim_{n\to\infty}x^{2n+1}=\lim_{n\to\infty}x^{2n}=\lim_{n\to\infty}x^{2n-1}=0$$이므로

$$f(x)=\dfrac{0+0}{0+0+1}=0$$

(ⅱ) $x=1$일 때, $f(1)=\dfrac{2}{3}$

(ⅲ) $x=-1$일 때, $f(-1)=\dfrac{-1+1}{-1+1+1}=0$

(ⅳ) $|x|>1$일 때, $\lim_{n\to\infty}|x^{2n+1}|=\infty$이므로

$$f(x)=\lim_{n\to\infty}\dfrac{\dfrac{1}{x^2}+\dfrac{1}{x}}{1+\dfrac{1}{x}+\dfrac{1}{x^{2n+1}}}=\dfrac{1}{x}$$

ㄱ. $f(f(1))=f\left(\dfrac{2}{3}\right)=0$, $f(f(-1))=f(0)=0$

$\therefore f(f(1))=f(f(-1))$ (참)

ㄴ. $|x|>1$이면 $x>1$ 또는 $x<-1$에서

$-1<\dfrac{1}{x}<0$ 또는 $0<\dfrac{1}{x}<1$이므로

$$f\left(\dfrac{1}{x}\right)=0 \ (거짓)$$

ㄷ. $0<x_1<x_2<1$일 때, $f(x_1)=f(x_2)=0$이므로

$$f(x_1)\le f(x_2) \ (참)$$

따라서 옳은 것은 ㄱ, ㄷ이다. $\qquad \text{답}\ ③$

35 $\dfrac{a_{n+1}}{a_n}=\sqrt{\dfrac{n}{n+1}}$에서 $a_{n+1}=\sqrt{\dfrac{n}{n+1}}\,a_n$

n에 1, 2, 3, $\cdots$, $n-1$을 순서대로 대입하여 변끼리 곱하면

$$a_2=\sqrt{\dfrac{1}{2}}\,a_1$$

$$a_3=\sqrt{\dfrac{2}{3}}\,a_2$$

$$a_4=\sqrt{\dfrac{3}{4}}\,a_3$$

$$\vdots$$

$$\times)\ a_n=\sqrt{\dfrac{n-1}{n}}\,a_{n-1}$$

$$a_n=\sqrt{\dfrac{1}{2}}\times\sqrt{\dfrac{2}{3}}\times\sqrt{\dfrac{3}{4}}\times\cdots\times\sqrt{\dfrac{n-1}{n}}\,a_1$$

$$\therefore a_n=\dfrac{1}{\sqrt{n}}\,a_1$$

따라서 $\lim_{n\to\infty}a_{n+1}=\lim_{n\to\infty}a_n=0$이므로

$$\lim_{n\to\infty}\dfrac{a_{n+1}+2^n-4^n}{2a_n+3^n+5^n}=\lim_{n\to\infty}\dfrac{\left(\dfrac{2}{5}\right)^n-\left(\dfrac{4}{5}\right)^n}{\left(\dfrac{3}{5}\right)^n+1}=0 \qquad \text{답}\ 0$$

36 x^n을 $(x-2)(x-3)$으로 나누었을 때의 몫을 $Q(x)$라 하고, $R_n(x)=ax+b$ (a, b는 상수)로 놓으면

$$x^n=(x-2)(x-3)Q(x)+ax+b \qquad \cdots\cdots ㉠$$

㉠의 양변에 $x=2$를 대입하면

$$2^n=2a+b \qquad \cdots\cdots ㉡$$

㉠의 양변에 $x=3$을 대입하면

$$3^n=3a+b \qquad \cdots\cdots ㉢$$

㉢$-$㉡을 하면 $a=3^n-2^n$

이것을 ㉡에 대입하면

$$2^n=2(3^n-2^n)+b$$

$$\therefore b=3\times2^n-2\times3^n$$

즉, $R_n(x)=(3^n-2^n)x+3\times2^n-2\times3^n$이므로

$$R_n(0)=3\times2^n-2\times3^n, \ R_n(1)=2\times2^n-3^n$$

$$\therefore \lim_{n\to\infty}\dfrac{R_n(0)}{R_n(1)}=\lim_{n\to\infty}\dfrac{3\times2^n-2\times3^n}{2\times2^n-3^n}$$

$$=\lim_{n\to\infty}\dfrac{3\times\left(\dfrac{2}{3}\right)^n-2}{2\times\left(\dfrac{2}{3}\right)^n-1}=2 \qquad \text{답}\ 2$$

37 $S_{n+2}=3S_{n+1}-2S_n$에서

$$S_{n+2}-S_{n+1}=2(S_{n+1}-S_n)$$

$S_{n+1}-S_n=T_n$으로 놓으면

$$T_{n+1}=2T_n, \ T_1=S_2-S_1=3$$

따라서 수열 $\{T_n\}$의 첫째항은 3, 공비는 2이므로

$$T_n=3\times2^{n-1}$$

즉, $S_{n+1}-S_n=3\times2^{n-1}$의 n에 1, 2, 3, $\cdots$, $n-1$을 순서대로 대입하여 변끼리 더하면

$$S_2-S_1=3$$

$$S_3-S_2=3\times2$$

$$S_4-S_3=3\times2^2$$

$$\vdots$$

$$+)\ S_n-S_{n-1}=3\times2^{n-2}$$

$$S_n-S_1=3+3\times2+3\times2^2+\cdots+3\times2^{n-2}$$

$$\therefore S_n=S_1+\dfrac{3(2^{n-1}-1)}{2-1}$$

$$=1+3(2^{n-1}-1)$$

$$=3\times2^{n-1}-2$$

$n\ge2$일 때,

$$a_n=S_n-S_{n-1}$$

$$=3\times2^{n-1}-2-(3\times2^{n-2}-2)$$

$$=3\times2^{n-2}$$

$$\therefore \lim_{n\to\infty}\dfrac{S_n}{a_n}=\lim_{n\to\infty}\dfrac{3\times2^{n-1}-2}{3\times2^{n-2}}$$

$$=\lim_{n\to\infty}\dfrac{3\times2-2\times\dfrac{1}{2^{n-2}}}{3}=2 \qquad \text{답}\ 2$$

38 그림에서 삼각형 T_n의 넓이 a_n은

$$a_n = \frac{1}{2} \times (2^{n-1})^2 = \frac{1}{2} \times 4^{n-1}$$

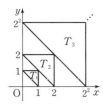

삼각형 T_n에서 세 개의 꼭짓점을 제외한 각 변에 존재하는 x좌표와 y좌표가 모두 정수인 점의 개수는 각각 $2^{n-1}-1$이므로

$$b_n = 3(2^{n-1}-1) + 3 = 3 \times 2^{n-1}$$

$$\therefore \lim_{n \to \infty} \frac{2^n b_n}{a_n + 2^n} = \lim_{n \to \infty} \frac{2^n \times 3 \times 2^{n-1}}{\frac{1}{2} \times 4^{n-1} + 2^n}$$

$$= \lim_{n \to \infty} \frac{6}{\frac{1}{2} + \left(\frac{1}{2}\right)^{n-2}} = 12 \qquad \boxed{답} \, 12$$

참고

삼각형 T_n 위에 일일이 x좌표와 y좌표가 모두 정수인 점을 세어 보면

$$b_1 = 3, \ b_2 = 6, \ b_3 = 12, \ b_4 = 24, \cdots$$

이 되어 수열 $\{b_n\}$은 첫째항이 3, 공비가 2인 등비수열임을 알 수 있다.

---

01 $\displaystyle\sum_{n=1}^{\infty} \frac{1}{n(n+1)}$

$$= \lim_{n \to \infty} \sum_{k=1}^{n} \frac{1}{k(k+1)}$$

$$= \lim_{n \to \infty} \sum_{k=1}^{n} \left(\frac{1}{k} - \frac{1}{k+1}\right)$$

$$= \lim_{n \to \infty} \left\{\left(1 - \frac{1}{2}\right) + \left(\frac{1}{2} - \frac{1}{3}\right) + \left(\frac{1}{3} - \frac{1}{4}\right) + \cdots \right.$$
$$\left. + \left(\frac{1}{n} - \frac{1}{n+1}\right)\right\}$$

$$= \lim_{n \to \infty} \left(1 - \frac{1}{n+1}\right) = 1 \qquad \boxed{답} \, ④$$

02 제 n항까지의 부분합을 S_n이라 하면

$$S_n = \sum_{k=1}^{n} \frac{1}{k(k+2)}$$

$$= \sum_{k=1}^{n} \frac{1}{2}\left(\frac{1}{k} - \frac{1}{k+2}\right)$$

$$= \frac{1}{2}\left\{\left(1 - \frac{1}{3}\right) + \left(\frac{1}{2} - \frac{1}{4}\right) + \left(\frac{1}{3} - \frac{1}{5}\right) + \cdots \right.$$
$$\left. + \left(\frac{1}{n-1} - \frac{1}{n+1}\right) + \left(\frac{1}{n} - \frac{1}{n+2}\right)\right\}$$

$$= \frac{1}{2}\left(1 + \frac{1}{2} - \frac{1}{n+1} - \frac{1}{n+2}\right)$$

$$\therefore \lim_{n \to \infty} S_n = \lim_{n \to \infty} \frac{1}{2}\left(1 + \frac{1}{2} - \frac{1}{n+1} - \frac{1}{n+2}\right)$$

$$= \frac{1}{2}\left(1 + \frac{1}{2}\right) = \frac{3}{4} \qquad \boxed{답} \, \frac{3}{4}$$

03 $\displaystyle\sum_{k=2}^{\infty} \log\left(1 - \frac{1}{k}\right)$

$$= \lim_{n \to \infty} \sum_{k=2}^{n} \log \frac{k-1}{k}$$

$$= \lim_{n \to \infty} \left(\log \frac{1}{2} + \log \frac{2}{3} + \log \frac{3}{4} + \cdots + \log \frac{n-1}{n}\right)$$

$$= \lim_{n \to \infty} \log\left(\frac{1}{2} \times \frac{2}{3} \times \frac{3}{4} \times \cdots \times \frac{n-1}{n}\right)$$

$$= \lim_{n \to \infty} \log \frac{1}{n} = -\infty$$

따라서 주어진 급수는 음의 무한대로 발산한다. $\qquad \boxed{답} \, ⑤$

04 ㄱ. 제 n항까지의 부분합을 S_n이라 할 때, 자연수 k에 대하여

$$S_{2k} = 2 + \left(-\frac{1}{3} + \frac{1}{3}\right) + \left(-\frac{1}{5} + \frac{1}{5}\right) + \cdots$$
$$+ \left(-\frac{1}{2k-1} + \frac{1}{2k-1}\right) - \frac{1}{2k+1}$$

$$= 2 - \frac{1}{2k+1}$$

$$S_{2k+1} = 2 + \left(-\frac{1}{3} + \frac{1}{3}\right) + \left(-\frac{1}{5} + \frac{1}{5}\right) + \cdots$$
$$+ \left(-\frac{1}{2k+1} + \frac{1}{2k+1}\right)$$

$$= 2$$

즉, $\displaystyle \lim_{n \to \infty} S_{2n} = \lim_{n \to \infty}\left(2 - \frac{1}{2n+1}\right) = 2$, $\displaystyle \lim_{n \to \infty} S_{2n+1} = 2$

이므로 주어진 급수는 2에 수렴한다.

ㄴ. 제n항까지의 부분합을 S_n이라 하면 자연수 k에 대하여

$$S_{2k}=\frac{1}{2}+\left(-\frac{2}{3}+\frac{2}{3}\right)+\left(-\frac{3}{4}+\frac{3}{4}\right)+\cdots$$
$$+\left(-\frac{k}{k+1}+\frac{k}{k+1}\right)-\frac{k+1}{k+2}$$
$$=\frac{1}{2}-\frac{k+1}{k+2}$$

$$S_{2k+1}=\frac{1}{2}+\left(-\frac{2}{3}+\frac{2}{3}\right)+\left(-\frac{3}{4}+\frac{3}{4}\right)+\cdots$$
$$+\left(-\frac{k+1}{k+2}+\frac{k+1}{k+2}\right)$$
$$=\frac{1}{2}$$

즉, $\displaystyle\lim_{n\to\infty}S_{2n}=\lim_{n\to\infty}\left(\frac{1}{2}-\frac{n+1}{n+2}\right)=\frac{1}{2}-1=-\frac{1}{2}$,

$\displaystyle\lim_{n\to\infty}S_{2n+1}=\frac{1}{2}$

이므로 주어진 급수는 발산한다.

ㄷ. 제n항까지의 부분합을 S_n이라 하면

$$S_n=\left(\frac{1}{2}-\frac{2}{3}\right)+\left(\frac{2}{3}-\frac{3}{4}\right)+\left(\frac{3}{4}-\frac{4}{5}\right)+\cdots$$
$$+\left(\frac{n}{n+1}-\frac{n+1}{n+2}\right)$$
$$=\frac{1}{2}-\frac{n+1}{n+2}$$

즉, $\displaystyle\lim_{n\to\infty}S_n=\lim_{n\to\infty}\left(\frac{1}{2}-\frac{n+1}{n+2}\right)=\frac{1}{2}-1=-\frac{1}{2}$

이므로 주어진 급수는 $-\dfrac{1}{2}$에 수렴한다.

따라서 수렴하는 것은 ㄱ, ㄷ이다. **답** ㄱ, ㄷ

05 $\displaystyle\sum_{n=1}^{\infty}(\sqrt{n+1}-\sqrt{n})$

$=\displaystyle\lim_{n\to\infty}\sum_{k=1}^{n}(\sqrt{k+1}-\sqrt{k})$

$=\displaystyle\lim_{n\to\infty}\{(\sqrt{2}-1)+(\sqrt{3}-\sqrt{2})+(\sqrt{4}-\sqrt{3})+\cdots$

$\qquad\qquad\qquad +(\sqrt{n+1}-\sqrt{n})\}$

$=\displaystyle\lim_{n\to\infty}(\sqrt{n+1}-1)=\infty$

따라서 주어진 급수는 양의 무한대로 발산한다. **답** ⑤

06 $\displaystyle\sum_{n=1}^{\infty}a_n$

$=\displaystyle\sum_{n=1}^{\infty}\left(\frac{1}{\sqrt{n+2}}-\frac{1}{\sqrt{n}}\right)$

$=\displaystyle\lim_{n\to\infty}\sum_{k=1}^{n}\left(\frac{1}{\sqrt{k+2}}-\frac{1}{\sqrt{k}}\right)=\lim_{n\to\infty}\sum_{k=1}^{n}-\left(\frac{1}{\sqrt{k}}-\frac{1}{\sqrt{k+2}}\right)$

$=\displaystyle\lim_{n\to\infty}-\left\{\left(1-\frac{1}{\sqrt{3}}\right)+\left(\frac{1}{\sqrt{2}}-\frac{1}{\sqrt{4}}\right)+\left(\frac{1}{\sqrt{3}}-\frac{1}{\sqrt{5}}\right)+\cdots\right.$

$\qquad\qquad \left.+\left(\frac{1}{\sqrt{n-1}}-\frac{1}{\sqrt{n+1}}\right)+\left(\frac{1}{\sqrt{n}}-\frac{1}{\sqrt{n+2}}\right)\right\}$

$=\displaystyle\lim_{n\to\infty}-\left(1+\frac{1}{\sqrt{2}}-\frac{1}{\sqrt{n+1}}-\frac{1}{\sqrt{n+2}}\right)$

$=-1-\dfrac{1}{\sqrt{2}}$

$=-\dfrac{2+\sqrt{2}}{2}$ **답** $-\dfrac{2+\sqrt{2}}{2}$

07 $\displaystyle\sum_{n=1}^{\infty}a_n$이 수렴하므로 $\displaystyle\lim_{n\to\infty}a_n=0$

$\therefore\displaystyle\lim_{n\to\infty}\frac{-2a_n+6}{a_n+2}=3$ **답** 3

08 $\displaystyle\sum_{n=1}^{\infty}(a_n+5b_n)=\sum_{n=1}^{\infty}a_n+5\sum_{n=1}^{\infty}b_n$
$\qquad\qquad\qquad\quad =4+5\times10=54$ **답** 54

09 $\displaystyle\sum_{n=1}^{\infty}\frac{1}{4n^2-1}$

$=\displaystyle\lim_{n\to\infty}\sum_{k=1}^{n}\frac{1}{4k^2-1}$

$=\displaystyle\lim_{n\to\infty}\sum_{k=1}^{n}\frac{1}{2}\left(\frac{1}{2k-1}-\frac{1}{2k+1}\right)$

$=\displaystyle\lim_{n\to\infty}\frac{1}{2}\left\{\left(1-\frac{1}{3}\right)+\left(\frac{1}{3}-\frac{1}{5}\right)+\left(\frac{1}{5}-\frac{1}{7}\right)+\cdots\right.$

$\qquad\qquad\qquad\qquad \left.+\left(\frac{1}{2n-1}-\frac{1}{2n+1}\right)\right\}$

$=\displaystyle\lim_{n\to\infty}\frac{1}{2}\left(1-\frac{1}{2n+1}\right)$

$=\dfrac{1}{2}$ **답** $\dfrac{1}{2}$

10 제n항을 a_n, 제n항까지의 부분합을 S_n이라 하면

$a_n=\dfrac{1}{n^2+3n}=\dfrac{1}{n(n+3)}$

$\quad =\dfrac{1}{3}\left(\dfrac{1}{n}-\dfrac{1}{n+3}\right)$

$S_n=\displaystyle\sum_{k=1}^{n}\frac{1}{3}\left(\frac{1}{k}-\frac{1}{k+3}\right)$

$=\dfrac{1}{3}\left\{\left(1-\dfrac{1}{4}\right)+\left(\dfrac{1}{2}-\dfrac{1}{5}\right)+\left(\dfrac{1}{3}-\dfrac{1}{6}\right)+\left(\dfrac{1}{4}-\dfrac{1}{7}\right)+\cdots\right.$

$\quad\left.+\left(\dfrac{1}{n-2}-\dfrac{1}{n+1}\right)+\left(\dfrac{1}{n-1}-\dfrac{1}{n+2}\right)+\left(\dfrac{1}{n}-\dfrac{1}{n+3}\right)\right\}$

$=\dfrac{1}{3}\left(1+\dfrac{1}{2}+\dfrac{1}{3}-\dfrac{1}{n+1}-\dfrac{1}{n+2}-\dfrac{1}{n+3}\right)$

$\therefore\displaystyle\lim_{n\to\infty}S_n=\lim_{n\to\infty}\frac{1}{3}\left(1+\frac{1}{2}+\frac{1}{3}-\frac{1}{n+1}-\frac{1}{n+2}-\frac{1}{n+3}\right)$

$\qquad\quad =\dfrac{1}{3}\left(1+\dfrac{1}{2}+\dfrac{1}{3}\right)$

$\qquad\quad =\dfrac{11}{18}$ **답** ②

11 $\displaystyle\sum_{n=1}^{\infty}\frac{2}{n(n+1)(n+2)}$

$=\displaystyle\lim_{n\to\infty}\sum_{k=1}^{n}\frac{2}{k(k+1)(k+2)}$

$=\displaystyle\lim_{n\to\infty}\sum_{k=1}^{n}\left\{\frac{1}{k(k+1)}-\frac{1}{(k+1)(k+2)}\right\}$

$=\displaystyle\lim_{n\to\infty}\left\{\frac{1}{1\times2}-\frac{1}{2\times3}+\frac{1}{2\times3}-\frac{1}{3\times4}+\cdots\right.$

$\qquad\qquad\qquad \left.+\frac{1}{n(n+1)}-\frac{1}{(n+1)(n+2)}\right\}$

$=\displaystyle\lim_{n\to\infty}\left\{\frac{1}{2}-\frac{1}{(n+1)(n+2)}\right\}=\frac{1}{2}$ **답** $\dfrac{1}{2}$

12 제 n항을 a_n, 제 n항까지의 부분합을 S_n이라 하면

$$a_n = \frac{2n+1}{1^2+2^2+3^2+\cdots+n^2}$$

$$= \frac{2n+1}{\dfrac{n(n+1)(2n+1)}{6}}$$

$$= \frac{6}{n(n+1)} = 6\left(\frac{1}{n} - \frac{1}{n+1}\right)$$

$$S_n = \sum_{k=1}^{n} 6\left(\frac{1}{k} - \frac{1}{k+1}\right)$$

$$= 6\left\{\left(1 - \frac{1}{2}\right) + \left(\frac{1}{2} - \frac{1}{3}\right) + \left(\frac{1}{3} - \frac{1}{4}\right) + \cdots \right.$$
$$\left. + \left(\frac{1}{n} - \frac{1}{n+1}\right)\right\}$$

$$= 6\left(1 - \frac{1}{n+1}\right)$$

$$\therefore \lim_{n\to\infty} S_n = \lim_{n\to\infty} 6\left(1 - \frac{1}{n+1}\right) = 6 \qquad \text{답 } 6$$

13 $n \geq 2$일 때,

$$a_n = S_n - S_{n-1}$$
$$= n^2 - (n-1)^2 = 2n - 1 \qquad \cdots\cdots \text{㉠}$$

$a_1 = S_1 = 1$이므로 ㉠에 $n=1$을 대입한 것과 같다.

$$\therefore a_n = 2n - 1$$

$$\therefore \sum_{n=1}^{\infty} \frac{2}{a_n a_{n+1}}$$

$$= \sum_{n=1}^{\infty} \frac{2}{(2n-1)(2n+1)}$$

$$= \lim_{n\to\infty} \sum_{k=1}^{n} \frac{2}{(2k-1)(2k+1)}$$

$$= \lim_{n\to\infty} \sum_{k=1}^{n} \left(\frac{1}{2k-1} - \frac{1}{2k+1}\right)$$

$$= \lim_{n\to\infty} \left\{\left(1 - \frac{1}{3}\right) + \left(\frac{1}{3} - \frac{1}{5}\right) + \left(\frac{1}{5} - \frac{1}{7}\right) + \cdots \right.$$
$$\left. + \left(\frac{1}{2n-1} - \frac{1}{2n+1}\right)\right\}$$

$$= \lim_{n\to\infty} \left(1 - \frac{1}{2n+1}\right) = 1 \qquad \text{답 } 1$$

14 이차방정식의 근과 계수의 관계에서

$$\alpha_n + \beta_n = n+1, \ \alpha_n \beta_n = n^2 + 2n$$

$$\therefore \sum_{n=1}^{\infty} \frac{1}{(\alpha_n - 1)(\beta_n - 1)}$$

$$= \sum_{n=1}^{\infty} \frac{1}{\alpha_n \beta_n - (\alpha_n + \beta_n) + 1}$$

$$= \sum_{n=1}^{\infty} \frac{1}{n^2 + 2n - n - 1 + 1}$$

$$= \sum_{n=1}^{\infty} \frac{1}{n(n+1)} = \lim_{n\to\infty} \sum_{k=1}^{n} \frac{1}{k(k+1)}$$

$$= \lim_{n\to\infty} \sum_{k=1}^{n} \left(\frac{1}{k} - \frac{1}{k+1}\right)$$

$$= \lim_{n\to\infty} \left\{\left(1 - \frac{1}{2}\right) + \left(\frac{1}{2} - \frac{1}{3}\right) + \left(\frac{1}{3} - \frac{1}{4}\right) + \cdots \right.$$
$$\left. + \left(\frac{1}{n} - \frac{1}{n+1}\right)\right\}$$

$$= \lim_{n\to\infty} \left(1 - \frac{1}{n+1}\right) = 1 \qquad \text{답 } ③$$

15

$$\sum_{n=1}^{\infty} \log_3 a_n = \lim_{n\to\infty} \sum_{k=1}^{n} \log_3 a_k$$

$$= \lim_{n\to\infty} (\log_3 a_1 + \log_3 a_2 + \log_3 a_3 + \cdots + \log_3 a_n)$$

$$= \lim_{n\to\infty} \log_3 (a_1 a_2 a_3 \cdots a_n)$$

$$= \lim_{n\to\infty} \log_3 \frac{n+2}{9n-1}$$

$$= \log_3 \frac{1}{9} = -2 \qquad \text{답 } ①$$

16

$$\sum_{n=2}^{\infty} \log\left(1 + \frac{1}{n^2 - 1}\right)$$

$$= \lim_{n\to\infty} \sum_{k=2}^{n} \log \frac{k^2}{k^2 - 1}$$

$$= \lim_{n\to\infty} \sum_{k=2}^{n} \log \frac{k^2}{(k-1)(k+1)}$$

$$= \lim_{n\to\infty} \left\{\log \frac{2^2}{1\times 3} + \log \frac{3^2}{2\times 4} + \log \frac{4^2}{3\times 5} + \cdots \right.$$
$$\left. + \log \frac{n^2}{(n-1)(n+1)}\right\}$$

$$= \lim_{n\to\infty} \log\left\{\frac{2^2}{1\times 3} \times \frac{3^2}{2\times 4} \times \frac{4^2}{3\times 5} \times \cdots \right.$$
$$\left. \times \frac{n^2}{(n-1)(n+1)}\right\}$$

$$= \lim_{n\to\infty} \log \frac{2n}{n+1} = \log 2 \qquad \text{답 } \log 2$$

17

$$f(n) = \sum_{k=2}^{n} \log_2 \frac{k^2 - 1}{k^2}$$

$$= \sum_{k=2}^{n} \log_2 \frac{(k-1)(k+1)}{k^2}$$

$$= \log_2 \frac{1\times 3}{2^2} + \log_2 \frac{2\times 4}{3^2} + \log_2 \frac{3\times 5}{4^2} + \cdots$$
$$+ \log_2 \frac{(n-1)(n+1)}{n^2}$$

$$= \log_2 \left\{\frac{1\times 3}{2^2} \times \frac{2\times 4}{3^2} \times \frac{3\times 5}{4^2} \times \cdots \right.$$
$$\left. \times \frac{(n-1)(n+1)}{n^2}\right\}$$

$$= \log_2 \frac{n+1}{2n}$$

즉, $\displaystyle\lim_{n\to\infty} f(n) = \lim_{n\to\infty} \log_2 \frac{n+1}{2n} = \log_2 \frac{1}{2} = -1$

$$\therefore \lim_{n\to\infty} 2^{f(n)} = 2^{-1} = \frac{1}{2} \qquad \text{답 } \frac{1}{2}$$

18 제 n항까지의 부분합을 S_n이라 할 때, 자연수 k에 대하여

$$S_{2k} = 2 + \left(-\frac{4}{5} + \frac{4}{5}\right) + \left(-\frac{6}{7} + \frac{6}{7}\right) + \cdots$$
$$+ \left(-\frac{2k}{2k+1} + \frac{2k}{2k+1}\right) - \frac{2k+2}{2k+3}$$

$$= 2 - \frac{2k+2}{2k+3}$$

$$S_{2k+1} = 2 + \left(-\frac{4}{5} + \frac{4}{5}\right) + \left(-\frac{6}{7} + \frac{6}{7}\right) + \cdots$$
$$+ \left(-\frac{2k+2}{2k+3} + \frac{2k+2}{2k+3}\right)$$

$$= 2$$

$$\lim_{n\to\infty}S_{2n}=\lim_{n\to\infty}\left(2-\frac{2n+2}{2n+3}\right)=2-1=1,\ \lim_{n\to\infty}S_{2n+1}=2$$

이므로 주어진 급수는 발산한다. **답** ⑤

19 ㄱ. 제 n항까지의 부분합을 S_n이라 하면

$S_{2n}=0,\ S_{2n+1}=2$이므로 주어진 급수는 발산한다.

ㄴ. 제 n항까지의 부분합을 S_n이라 하면

$$S_n=\left(1-\frac{1}{2}\right)+\left(\frac{1}{2}-\frac{1}{3}\right)+\left(\frac{1}{3}-\frac{1}{4}\right)+\cdots+\left(\frac{1}{n}-\frac{1}{n+1}\right)$$

$$=1-\frac{1}{n+1}$$

$\lim_{n\to\infty}S_n=\lim_{n\to\infty}\left(1-\frac{1}{n+1}\right)=1$이므로 주어진 급수는 1에 수렴한다.

ㄷ. 제 n항까지의 부분합을 S_n이라 할 때, 자연수 k에 대하여

$$S_{2k}=2+\left(-\frac{1}{2}+\frac{1}{2}\right)+\left(-\frac{1}{3}+\frac{1}{3}\right)+\cdots$$
$$+\left(-\frac{1}{k}+\frac{1}{k}\right)-\frac{1}{k+1}$$

$$=2-\frac{1}{k+1}$$

$$S_{2k+1}=2+\left(-\frac{1}{2}+\frac{1}{2}\right)+\left(-\frac{1}{3}+\frac{1}{3}\right)+\cdots$$
$$+\left(-\frac{1}{k+1}+\frac{1}{k+1}\right)$$

$$=2$$

$\lim_{n\to\infty}S_{2n}=\lim_{n\to\infty}\left(2-\frac{1}{n+1}\right)=2,\ \lim_{n\to\infty}S_{2n+1}=2$

이므로 주어진 급수는 2에 수렴한다.

따라서 수렴하는 것은 ㄴ, ㄷ이다. **답** ㄴ, ㄷ

20 $a_n=\dfrac{1}{\sqrt{n+1}+\sqrt{n}}$

$$=\frac{\sqrt{n+1}-\sqrt{n}}{(\sqrt{n+1}+\sqrt{n})(\sqrt{n+1}-\sqrt{n})}$$
$$=\sqrt{n+1}-\sqrt{n}$$

$S_n=\sum_{k=1}^{n}(\sqrt{k+1}-\sqrt{k})$

$$=(\sqrt{2}-1)+(\sqrt{3}-\sqrt{2})+\cdots+(\sqrt{n+1}-\sqrt{n})$$
$$=\sqrt{n+1}-1$$

$\therefore \lim_{n\to\infty}\dfrac{1}{S_n}=\lim_{n\to\infty}\dfrac{1}{\sqrt{n+1}-1}=0$ **답** 0

21 $\sum_{n=1}^{\infty}(a_n+3)$이 수렴하므로 $\lim_{n\to\infty}(a_n+3)=0$

$\therefore \lim_{n\to\infty}a_n=-3$ **답** ③

22 급수 $\sum_{n=1}^{\infty}\left(a_n-\dfrac{n}{n+1}\right)$이 수렴하므로 $\lim_{n\to\infty}\left(a_n-\dfrac{n}{n+1}\right)=0$

$\lim_{n\to\infty}\dfrac{n}{n+1}=1$이므로 $\lim_{n\to\infty}a_n=1$

$\therefore \lim_{n\to\infty}(3a_n+1)=4$ **답** 4

23 급수 $\sum_{n=1}^{\infty}\left(a_n-\dfrac{n^3}{1^2+2^2+3^2+\cdots+n^2}\right)$이 수렴하므로

$$\lim_{n\to\infty}\left(a_n-\frac{n^3}{1^2+2^2+3^2+\cdots+n^2}\right)=0\text{이다.}$$

즉, $\lim_{n\to\infty}\left\{a_n-\dfrac{n^3}{\dfrac{n(n+1)(2n+1)}{6}}\right\}=0$에서

$$\lim_{n\to\infty}\left\{a_n-\frac{6n^3}{n(n+1)(2n+1)}\right\}=0$$

$\lim_{n\to\infty}\dfrac{6n^3}{n(n+1)(2n+1)}=3$이므로

$\lim_{n\to\infty}a_n=3$ **답** 3

24 급수 $\sum_{n=1}^{\infty}\dfrac{an^2+30}{9n^2-3n-2}$이 수렴하므로

$\lim_{n\to\infty}\dfrac{an^2+30}{9n^2-3n-2}=0$ $\therefore a=0$

첫째항부터 제 n항까지의 합을 S_n이라 하면

$$S_n=\sum_{k=1}^{n}\frac{30}{9k^2-3k-2}$$
$$=\sum_{k=1}^{n}\frac{30}{(3k-2)(3k+1)}$$
$$=10\sum_{k=1}^{n}\left(\frac{1}{3k-2}-\frac{1}{3k+1}\right)$$
$$=10\left\{\left(1-\frac{1}{4}\right)+\left(\frac{1}{4}-\frac{1}{7}\right)+\left(\frac{1}{7}-\frac{1}{10}\right)+\cdots\right.$$
$$\left.+\left(\frac{1}{3n-2}-\frac{1}{3n+1}\right)\right\}$$
$$=10\left(1-\frac{1}{3n+1}\right)$$

$\therefore \lim_{n\to\infty}S_n=\lim_{n\to\infty}10\left(1-\dfrac{1}{3n+1}\right)=10$

따라서 $b=10$이므로 $b-a=10$ **답** 10

25 ㄱ. $a_n=\dfrac{n-1}{2n+1}$이라 하면 $\lim_{n\to\infty}a_n=\dfrac{1}{2}\neq0$이므로

$\sum_{n=1}^{\infty}\dfrac{n-1}{2n+1}$은 발산한다.

ㄴ. 주어진 급수의 공비 $r=-\dfrac{1}{\sqrt{2}}$로 $-1<r<1$이므로

급수 $\sum_{n=1}^{\infty}\left(-\dfrac{1}{\sqrt{2}}\right)^n$은 수렴한다.

ㄷ. $\sum_{n=1}^{\infty}\dfrac{1}{\sqrt{n+1}+\sqrt{n}}$

$$=\lim_{n\to\infty}\sum_{k=1}^{n}\frac{1}{\sqrt{k+1}+\sqrt{k}}$$
$$=\lim_{n\to\infty}\sum_{k=1}^{n}\left\{\frac{\sqrt{k+1}-\sqrt{k}}{(\sqrt{k+1}+\sqrt{k})(\sqrt{k+1}-\sqrt{k})}\right\}$$
$$=\lim_{n\to\infty}\sum_{k=1}^{n}(\sqrt{k+1}-\sqrt{k})$$
$$=\lim_{n\to\infty}(\sqrt{n+1}-1)=\infty$$

따라서 수렴하는 것은 ㄴ뿐이다. **답** ②

26 ㄱ. $\lim_{n\to\infty}a_n=1\neq0$이므로 급수 $\sum_{n=1}^{\infty}a_n$은 발산한다. (거짓)

ㄴ. $\sum_{n=1}^{\infty}a_n$이 수렴하면 $\lim_{n\to\infty}a_n=0$

즉, $\lim_{n\to\infty}\dfrac{1}{a_n}\neq0\left(\lim_{n\to\infty}\dfrac{1}{a_n}=\infty \text{ 또는 } \lim_{n\to\infty}\dfrac{1}{a_n}=-\infty\right)$이므로

급수 $\displaystyle\sum_{n=1}^{\infty}\frac{1}{a_n}$ 은 발산한다. (참)

ㄷ. [반례] 두 수열 $\{a_n\}$, $\{b_n\}$이

$$\{a_n\}:1,\ 0,\ 1,\ 0,\ \cdots$$
$$\{b_n\}:0,\ 1,\ 0,\ 1,\ \cdots$$

이면 $a_nb_n=0$이므로 $\displaystyle\sum_{n=1}^{\infty}a_nb_n=0$

즉, $\displaystyle\sum_{n=1}^{\infty}a_nb_n=0$이 수렴하지만

$\displaystyle\lim_{n\to\infty}a_n\neq0$, $\displaystyle\lim_{n\to\infty}b_n\neq0$이다. (거짓)

따라서 옳은 것은 ㄴ뿐이다.   탑 ㄴ

27

$$\sum_{n=1}^{\infty}n(a_{n+1}-a_n)$$
$$=\lim_{n\to\infty}\sum_{k=1}^{n}k(a_{k+1}-a_k)$$
$$=\lim_{n\to\infty}\{(a_2-a_1)+2(a_3-a_2)+3(a_4-a_3)+\cdots$$
$$+n(a_{n+1}-a_n)\}$$
$$=\lim_{n\to\infty}\{na_{n+1}-(a_1+a_2+\cdots+a_n)\}$$
$$=\lim_{n\to\infty}na_{n+1}-\sum_{n=1}^{\infty}a_n$$
$$=1-2=-1$$ 탑 ③

28

$$\sum_{n=1}^{\infty}n^2(a_n-a_{n+1})$$
$$=\lim_{n\to\infty}\sum_{k=1}^{n}k^2(a_k-a_{k+1})$$
$$=\lim_{n\to\infty}\{1^2(a_1-a_2)+2^2(a_2-a_3)+3^2(a_3-a_4)+\cdots$$
$$+n^2(a_n-a_{n+1})\}$$
$$=\lim_{n\to\infty}\{a_1+3a_2+5a_3+\cdots+(2n-1)a_n-n^2a_{n+1}\}$$
$$=\sum_{n=1}^{\infty}(2n-1)a_n-\lim_{n\to\infty}n^2a_{n+1}$$
$$=2014-14$$
$$=2000$$
$$\therefore \frac{1}{50}\sum_{n=1}^{\infty}n^2(a_n-a_{n+1})=\frac{1}{50}\times2000$$
$$=40$$ 탑 40

29 두 급수 $\displaystyle\sum_{n=1}^{\infty}u_n$, $\displaystyle\sum_{n=1}^{\infty}b_n$이 모두 수렴하므로

$$\sum_{n=1}^{\infty}(2a_n-b_n)=5에서\ 2\sum_{n=1}^{\infty}a_n-\sum_{n=1}^{\infty}b_n=5\quad\cdots\cdots㉠$$

$$\sum_{n=1}^{\infty}(a_n-2b_n)=4에서\ \sum_{n=1}^{\infty}a_n-2\sum_{n=1}^{\infty}b_n=4\quad\cdots\cdots㉡$$

$2\times㉠-㉡$을 하면

$$3\sum_{n=1}^{\infty}a_n=6에서\ \sum_{n=1}^{\infty}a_n=2$$

$\displaystyle\sum_{n=1}^{\infty}a_n=2$를 ㉠에 대입하면

$$2\times2-\sum_{n=1}^{\infty}b_n=5에서\ \sum_{n=1}^{\infty}b_n=-1$$

$$\therefore \sum_{n=1}^{\infty}(a_n+b_n)=\sum_{n=1}^{\infty}a_n+\sum_{n=1}^{\infty}b_n$$
$$=2+(-1)=1$$ 탑 1

30 피타고라스 정리에 의하여 $l_n=\sqrt{n^2-1}$이므로

$$\sum_{n=2}^{\infty}\frac{4}{l_n{}^2}=\sum_{n=2}^{\infty}\frac{4}{n^2-1}$$
$$=\sum_{n=2}^{\infty}\frac{4}{(n-1)(n+1)}$$
$$=\lim_{n\to\infty}\sum_{k=2}^{n}\frac{4}{(k-1)(k+1)}$$
$$=2\lim_{n\to\infty}\sum_{k=2}^{n}\left(\frac{1}{k-1}-\frac{1}{k+1}\right)$$
$$=2\lim_{n\to\infty}\left\{\left(1-\frac{1}{3}\right)+\left(\frac{1}{2}-\frac{1}{4}\right)+\left(\frac{1}{3}-\frac{1}{5}\right)+\cdots\right.$$
$$\left.+\left(\frac{1}{n-2}-\frac{1}{n}\right)+\left(\frac{1}{n-1}-\frac{1}{n+1}\right)\right\}$$
$$=2\lim_{n\to\infty}\left(1+\frac{1}{2}-\frac{1}{n}-\frac{1}{n+1}\right)=3$$ 탑 ⑤

31 $x-3y+6=0$에서 $y=\dfrac{1}{3}x+2$이므로 y좌표가 자연수가 되는

x좌표는 3의 배수이다.

$x=3n$으로 놓으면 $y=n+2$ (단, $n=1,\ 2,\ 3,\ \cdots$)

즉, $a_n=3n$, $b_n=n+2$이므로

$$\frac{1}{a_nb_n}=\frac{1}{3n(n+2)}=\frac{1}{6}\left(\frac{1}{n}-\frac{1}{n+2}\right)$$

$$\therefore \sum_{n=1}^{\infty}\frac{1}{a_nb_n}$$
$$=\sum_{n=1}^{\infty}\frac{1}{6}\left(\frac{1}{n}-\frac{1}{n+2}\right)$$
$$=\lim_{n\to\infty}\sum_{k=1}^{n}\frac{1}{6}\left(\frac{1}{k}-\frac{1}{k+2}\right)$$
$$=\lim_{n\to\infty}\frac{1}{6}\left\{\left(1-\frac{1}{3}\right)+\left(\frac{1}{2}-\frac{1}{4}\right)+\left(\frac{1}{3}-\frac{1}{5}\right)+\cdots\right.$$
$$\left.+\left(\frac{1}{n-1}-\frac{1}{n+1}\right)+\left(\frac{1}{n}-\frac{1}{n+2}\right)\right\}$$
$$=\lim_{n\to\infty}\frac{1}{6}\left(1+\frac{1}{2}-\frac{1}{n+1}-\frac{1}{n+2}\right)$$
$$=\frac{1}{4}$$ 탑 $\dfrac{1}{4}$

32 $6^n=2^n\times3^n$이므로

전체 약수의 개수는 $(n+1)^2$

전체 약수 중에서 홀수는 3^n의 약수이므로 $g(n)=n+1$

전체 약수 중에서 짝수의 개수는 $2^n\times3^n$의 전체 약수의 개수에서 홀수의 개수를 빼면 되므로

$$f(n)=(n+1)^2-(n+1)=n(n+1)$$
$$a_n=f(n)-g(n)=n(n+1)-(n+1)=n^2-1$$

$$\therefore \sum_{n=2}^{\infty}\frac{1}{a_n}=\sum_{n=2}^{\infty}\frac{1}{n^2-1}=\lim_{n\to\infty}\sum_{k=2}^{n}\frac{1}{k^2-1}$$
$$=\lim_{n\to\infty}\sum_{k=2}^{n}\frac{1}{2}\left(\frac{1}{k-1}-\frac{1}{k+1}\right)$$
$$=\lim_{n\to\infty}\frac{1}{2}\left\{\left(1-\frac{1}{3}\right)+\left(\frac{1}{2}-\frac{1}{4}\right)+\left(\frac{1}{3}-\frac{1}{5}\right)+\cdots\right.$$
$$\left.+\left(\frac{1}{n-2}-\frac{1}{n}\right)+\left(\frac{1}{n-1}-\frac{1}{n+1}\right)\right\}$$
$$=\frac{1}{2}\lim_{n\to\infty}\left(1+\frac{1}{2}-\frac{1}{n}-\frac{1}{n+1}\right)=\frac{3}{4}$$ 탑 $\dfrac{3}{4}$

33 $a_1+2a_2+3a_3+\cdots+na_n=S_n$이라 하면

$S_n=n^2(n+1)$이므로

$$na_n = S_n - S_{n-1}$$
$$= n^2(n+1) - (n-1)^2 n$$
$$= n(3n-1)$$
$$\therefore a_n = 3n-1 \ (\text{단}, \ n \geq 2) \quad \cdots\cdots \text{㉠}$$

$a_1 = S_1 = 2$이므로 ㉠에 $n=1$을 대입한 것과 같다.

$$\therefore a_n = 3n-1$$

$$\therefore \sum_{n=1}^{\infty} \frac{1}{a_n a_{n+1}}$$
$$= \lim_{n \to \infty} \sum_{k=1}^{n} \frac{1}{a_k a_{k+1}}$$
$$= \lim_{n \to \infty} \sum_{k=1}^{n} \frac{1}{(3k-1)(3k+2)}$$
$$= \lim_{n \to \infty} \sum_{k=1}^{n} \frac{1}{3}\left(\frac{1}{3k-1} - \frac{1}{3k+2}\right)$$
$$= \lim_{n \to \infty} \frac{1}{3}\left\{\left(\frac{1}{2} - \frac{1}{5}\right) + \left(\frac{1}{5} - \frac{1}{8}\right) + \left(\frac{1}{8} - \frac{1}{11}\right) + \cdots \right.$$
$$\left. + \left(\frac{1}{3n-1} - \frac{1}{3n+2}\right)\right\}$$
$$= \lim_{n \to \infty} \frac{1}{3}\left(\frac{1}{2} - \frac{1}{3n+2}\right)$$
$$= \frac{1}{6}$$

답 ①

34 $a_n = (n+1)d = 2d + (n-1)d$이므로 수열 $\{a_n\}$은 첫째항이 $2d$, 공차가 d인 등차수열이다.

$$\therefore S_n = \frac{n\{4d + (n-1)d\}}{2} = \frac{n(n+3)d}{2} \quad \cdots\cdots \text{㉠}$$

$$\sum_{n=1}^{\infty} \frac{1}{S_n}$$
$$= \lim_{n \to \infty} \sum_{k=1}^{n} \frac{1}{S_k}$$
$$= \lim_{n \to \infty} \sum_{k=1}^{n} \frac{2}{k(k+3)d}$$
$$= \frac{2}{3d} \lim_{n \to \infty} \sum_{k=1}^{n} \left(\frac{1}{k} - \frac{1}{k+3}\right)$$
$$= \frac{2}{3d} \lim_{n \to \infty} \left\{\left(1 - \frac{1}{4}\right) + \left(\frac{1}{2} - \frac{1}{5}\right) + \left(\frac{1}{3} - \frac{1}{6}\right) + \left(\frac{1}{4} - \frac{1}{7}\right) + \cdots \right.$$
$$\left. + \left(\frac{1}{n-2} - \frac{1}{n+1}\right) + \left(\frac{1}{n-1} - \frac{1}{n+2}\right) + \left(\frac{1}{n} - \frac{1}{n+3}\right)\right\}$$
$$= \frac{2}{3d} \lim_{n \to \infty}\left(1 + \frac{1}{2} + \frac{1}{3} - \frac{1}{n+1} - \frac{1}{n+2} - \frac{1}{n+3}\right)$$
$$= \frac{11}{9d} = \frac{11}{54}$$

즉, $d=6$이고, ㉠에서 $S_n = 3n(n+3)$이므로

$$\lim_{n \to \infty} (\sqrt{S_{n+1}} - \sqrt{S_n})$$
$$= \lim_{n \to \infty} \frac{S_{n+1} - S_n}{\sqrt{S_{n+1}} + \sqrt{S_n}}$$
$$= \lim_{n \to \infty} \frac{3(n+1)(n+4) - 3n(n+3)}{\sqrt{3(n+1)(n+4)} + \sqrt{3n(n+3)}}$$
$$= \lim_{n \to \infty} \frac{6n+12}{\sqrt{3n^2 + 15n + 12} + \sqrt{3n^2 + 9n}}$$
$$= \lim_{n \to \infty} \frac{6 + \dfrac{12}{n}}{\sqrt{3 + \dfrac{15}{n} + \dfrac{12}{n^2}} + \sqrt{3 + \dfrac{9}{n}}}$$
$$= \frac{6}{2\sqrt{3}} = \sqrt{3}$$

답 $\sqrt{3}$

35 $a_1 = 1$, $a_2 = 2$이고 $a_{n+2} = a_{n+1} + a_n$에서 수열 $\{a_n\}$은 증가하는 수열이므로

$$\lim_{n \to \infty} a_n = \lim_{n \to \infty} a_{n+1} = \lim_{n \to \infty} a_{n+2} = \infty$$

또 $a_n = a_{n+2} - a_{n+1}$이므로

$$\sum_{n=1}^{\infty} \frac{a_n}{a_{n+1} a_{n+2}}$$
$$= \sum_{n=1}^{\infty} \frac{a_{n+2} - a_{n+1}}{a_{n+1} a_{n+2}}$$
$$= \sum_{n=1}^{\infty} \left(\frac{1}{a_{n+1}} - \frac{1}{a_{n+2}}\right)$$
$$= \lim_{n \to \infty} \sum_{k=1}^{n} \left(\frac{1}{a_{k+1}} - \frac{1}{a_{k+2}}\right)$$
$$= \lim_{n \to \infty} \left\{\left(\frac{1}{a_2} - \frac{1}{a_3}\right) + \left(\frac{1}{a_3} - \frac{1}{a_4}\right) + \left(\frac{1}{a_4} - \frac{1}{a_5}\right) + \cdots \right.$$
$$\left. + \left(\frac{1}{a_{n+1}} - \frac{1}{a_{n+2}}\right)\right\}$$
$$= \lim_{n \to \infty}\left(\frac{1}{a_2} - \frac{1}{a_{n+2}}\right)$$
$$= \frac{1}{2} - \lim_{n \to \infty} \frac{1}{a_{n+2}} = \frac{1}{2}$$

답 $\dfrac{1}{2}$

36 ㄱ. $\displaystyle\sum_{n=1}^{\infty} |a_n|$이 수렴하면 $\displaystyle\lim_{n \to \infty} |a_n| = 0$

$$\therefore \lim_{n \to \infty} (-|a_n|) = 0$$

즉, $-|a_n| \leq a_n \leq |a_n|$에서 $\displaystyle\lim_{n \to \infty} a_n = 0$이므로 수열 $\{a_n\}$도 수렴한다. (참)

ㄴ. $\displaystyle\sum_{n=1}^{\infty} a_n = \alpha$, $\displaystyle\sum_{n=1}^{\infty} (a_n + b_n) = \beta$라 하면

$$\sum_{n=1}^{\infty} b_n = \sum_{n=1}^{\infty} \{(a_n + b_n) - a_n\}$$
$$= \sum_{n=1}^{\infty} (a_n + b_n) - \sum_{n=1}^{\infty} a_n$$
$$= \beta - \alpha$$

즉, $\displaystyle\sum_{n=1}^{\infty} b_n$도 수렴한다. (참)

ㄷ. $\displaystyle\sum_{n=1}^{\infty} a_n$, $\displaystyle\sum_{n=1}^{\infty} b_n$이 수렴하면

$$\lim_{n \to \infty} a_n = 0, \ \lim_{n \to \infty} b_n = 0$$
$$\therefore \lim_{n \to \infty} (a_n + b_n) = 0$$
$$\lim_{n \to \infty} 3^{a_n + b_n} = 3^0 = 1$$이므로

$\displaystyle\sum_{n=1}^{\infty} 3^{a_n + b_n}$은 발산한다. (거짓)

따라서 옳은 것은 ㄱ, ㄴ이다.

답 ㄱ, ㄴ

37 직선 $y = ax$가 원 $(x-4)^2 + y^2 = \dfrac{4}{n^2}$에 접하므로 원의 중심 $(4, 0)$에서 직선 $ax - y = 0$에 이르는 거리와 원의 반지름의 길이 $\dfrac{2}{n}$가 같다.

즉, $\dfrac{|4a|}{\sqrt{a^2+1}} = \dfrac{2}{n}$이므로 $\dfrac{16a^2}{a^2+1} = \dfrac{4}{n^2}$

$$16a^2 n^2 = 4a^2 + 4, \ (16n^2 - 4)a^2 = 4$$
$$\therefore a^2 = \frac{4}{16n^2 - 4} = \frac{1}{4n^2 - 1}$$

$a = f(n)$이므로

$$a^2 = \{f(n)\}^2$$
$$= \frac{1}{4n^2-1} = \frac{1}{(2n-1)(2n+1)}$$
$$\therefore \sum_{n=1}^{\infty} \{f(n)\}^2$$
$$= \sum_{n=1}^{\infty} \frac{1}{(2n-1)(2n+1)}$$
$$= \lim_{n \to \infty} \sum_{k=1}^{n} \frac{1}{(2k-1)(2k+1)}$$
$$= \lim_{n \to \infty} \sum_{k=1}^{n} \frac{1}{2}\left(\frac{1}{2k-1} - \frac{1}{2k+1}\right)$$
$$= \lim_{n \to \infty} \frac{1}{2}\left\{\left(1-\frac{1}{3}\right)+\left(\frac{1}{3}-\frac{1}{5}\right)+\left(\frac{1}{5}-\frac{1}{7}\right)+\cdots \right.$$
$$\left. +\left(\frac{1}{2n-1}-\frac{1}{2n+1}\right)\right\}$$
$$= \lim_{n \to \infty} \frac{1}{2}\left(1-\frac{1}{2n+1}\right)$$
$$= \frac{1}{2}$$
답 $\frac{1}{2}$

38 함수 $y=f(x)$의 그래프와 직선 $y=\frac{1}{n}x$의 그래프는 그림과 같다.

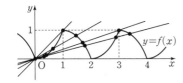

그림에서 $a_1=2$, $a_2=3$, $a_3=4$, $a_4=5$, $\cdots$이므로 $a_n=n+1$
$$\therefore \sum_{n=1}^{\infty} \frac{2}{a_n a_{n+2}}$$
$$= \sum_{n=1}^{\infty} \frac{2}{(n+1)(n+3)}$$
$$= \lim_{n \to \infty} \sum_{k=1}^{n} \frac{2}{(k+1)(k+3)}$$
$$= \lim_{n \to \infty} \sum_{k=1}^{n} \left(\frac{1}{k+1} - \frac{1}{k+3}\right)$$
$$= \lim_{n \to \infty} \left\{\left(\frac{1}{2}-\frac{1}{4}\right)+\left(\frac{1}{3}-\frac{1}{5}\right)+\left(\frac{1}{4}-\frac{1}{6}\right)+\cdots \right.$$
$$\left. +\left(\frac{1}{n}-\frac{1}{n+2}\right)+\left(\frac{1}{n+1}-\frac{1}{n+3}\right)\right\}$$
$$= \lim_{n \to \infty} \left(\frac{1}{2}+\frac{1}{3}-\frac{1}{n+2}-\frac{1}{n+3}\right)=\frac{5}{6}$$
답 $\frac{5}{6}$

01 주어진 급수는 첫째항 $a=\frac{1}{3}$, 공비 $r=-\frac{1}{2}$이고,
$\left|-\frac{1}{2}\right|<1$이므로 수렴하고 그 합은
$$\frac{a}{1-r} = \frac{\frac{1}{3}}{1-\left(-\frac{1}{2}\right)}=\frac{2}{9}$$
답 ①

02 주어진 급수는 첫째항 $a=1$, 공비 $r=\frac{1-x}{2}$이므로 그 합은
$$\frac{a}{1-r} = \frac{1}{1-\frac{1-x}{2}}=\frac{2}{2-(1-x)}=\frac{2}{1+x}$$
즉, $\frac{2}{1+x}=6$이므로 $1=3+3x$
$$\therefore x=-\frac{2}{3}$$
답 $-\frac{2}{3}$

03 이차방정식 $5x^2-2x-2=0$의 두 근을 α, β라 하면 근과 계수의 관계에서
$$\alpha+\beta=\frac{2}{5},\ \alpha\beta=-\frac{2}{5}$$
$$S_1 \times S_2 = \frac{1}{(1-\alpha)(1-\beta)} = \frac{1}{1-(\alpha+\beta)+\alpha\beta}$$
$$= \frac{1}{1-\frac{2}{5}-\frac{2}{5}}=5$$
답 5

04 주어진 급수의 공비가 $\frac{1}{2}(x-1)$이므로 수렴할 조건은
$$-1<\frac{1}{2}(x-1)<1,\ -2<x-1<2$$
$$\therefore -1<x<3$$
따라서 정수 x의 개수는 0, 1, 2의 3이다.
답 3

05 주어진 급수의 공비가 $\log_2 x-2$이므로 수렴할 조건은
$$-1<\log_2 x-2<1,\ 1<\log_2 x<3$$
$$\therefore 2<x<8$$
답 ②

06
$$\sum_{n=1}^{\infty} \frac{3^{n+1}+(-1)^n}{4^n} = \sum_{n=1}^{\infty}\left\{3\times\left(\frac{3}{4}\right)^n+\left(-\frac{1}{4}\right)^n\right\}$$
$$= 3\times\frac{\frac{3}{4}}{1-\frac{3}{4}}+\frac{-\frac{1}{4}}{1-\left(-\frac{1}{4}\right)}$$
$$= 9-\frac{1}{5}=\frac{44}{5}$$
답 $\frac{44}{5}$

07 주어진 수열 $\{a_n\}$은 첫째항이 0.5, 공비가 0.1인 등비수열이다.
따라서 구하는 등비급수의 합은
$$\sum_{n=1}^{\infty} a_n = \frac{\frac{5}{10}}{1-\frac{1}{10}}=\frac{5}{9}$$
답 $\frac{5}{9}$

$$\sum_{n=1}^{\infty} a_n = 0.5 + 0.05 + 0.005 + 0.0005 + \cdots = 0.5555\cdots$$
$$= 0.\dot{5} = \frac{5}{9}$$

08 길이의 비가 $1 : \frac{1}{2}$이므로 넓이의 비는 $1 : \frac{1}{4}$이다.

따라서 구하는 넓이의 합은

$$\frac{3}{4} + \frac{3}{16} + \frac{3}{64} + \cdots = \frac{\frac{3}{4}}{1 - \frac{1}{4}} = 1 \qquad \boxed{\text{답}}\,1$$

09 $1 - \frac{1}{2} + \frac{1}{4} - \frac{1}{8} + \cdots = \frac{1}{1 - \left(-\frac{1}{2}\right)} = \frac{2}{3} = a$

$9 - 6 + 4 - \frac{8}{3} + \cdots = \frac{9}{1 - \left(-\frac{2}{3}\right)} = \frac{27}{5} = b$

$\therefore ab = \frac{18}{5} \qquad \boxed{\text{답}}\,\dfrac{18}{5}$

10 $a_n - 4a_{n+1} = 0$에서 $a_{n+1} = \frac{1}{4}a_n$이므로

수열 $\{a_n\}$은 첫째항이 3, 공비가 $\frac{1}{4}$인 등비수열이다.

$$\therefore \lim_{n \to \infty} \sum_{k=1}^{n} a_k = \frac{3}{1 - \frac{1}{4}} = 4 \qquad \boxed{\text{답}}\,4$$

11 $\frac{a}{1-r} = \frac{9}{2}$에서 $a = \frac{9}{2}(1-r)$ $\quad\cdots\cdots$ ㉠

$ar = -2$ $\quad\cdots\cdots$ ㉡

㉠을 ㉡에 대입하면

$\frac{9}{2}(1-r)r = -2,\ 9r^2 - 9r - 4 = 0$

$(3r+1)(3r-4) = 0$

$\therefore r = -\frac{1}{3}\ (\because |r| < 1)$

$r = -\frac{1}{3}$을 ㉡에 대입하면 $a = 6$

$\therefore 2a + 6r = 12 - 2 = 10 \qquad \boxed{\text{답}}\,③$

12 등비수열 $\{a_n\}$의 첫째항을 a, 공비를 $r\ (-1 < r < 1)$라 하면

$\sum_{n=1}^{\infty} a_n = \frac{3}{2}$에서 $\frac{a}{1-r} = \frac{3}{2}$ $\quad\cdots\cdots$ ㉠

$\sum_{n=1}^{\infty} a_n{}^2 = \frac{9}{8}$에서

$\frac{a^2}{1-r^2} = \frac{a^2}{(1+r)(1-r)} = \frac{9}{8}$ $\quad\cdots\cdots$ ㉡

㉠을 ㉡에 대입하면

$\frac{3}{2} \times \frac{a}{1+r} = \frac{9}{8}$

$\therefore \frac{a}{1+r} = \frac{3}{4}$ $\quad\cdots\cdots$ ㉢

㉠, ㉢을 연립하여 풀면

$a = 1,\ r = \frac{1}{3}$

13 등비수열 $\{a_n\}$의 첫째항을 a, 공비를 $r\ (-1 < r < 1)$라 하면

$a + ar + ar^2 + \cdots = \frac{a}{1-r} = 3$ $\quad\cdots\cdots$ ㉠

$ar + ar^3 + ar^5 + \cdots = \frac{ar}{1-r^2} = \frac{a}{1-r} \times \frac{r}{1+r} = \frac{3}{4}$ $\quad\cdots\cdots$ ㉡

㉠을 ㉡에 대입하면

$\frac{3r}{1+r} = \frac{3}{4},\ 3(1+r) = 12r$

$\therefore r = \frac{1}{3}$

$r = \frac{1}{3}$을 ㉠에 대입하면 $a = 2$

$\therefore a_1{}^2 + a_2{}^2 + a_3{}^2 + \cdots = \sum_{n=1}^{\infty} a_n{}^2 = \frac{a^2}{1-r^2}$

$= \frac{4}{1 - \frac{1}{9}} = \frac{9}{2} \qquad \boxed{\text{답}}\,\dfrac{9}{2}$

14 $S = 4 + \frac{6}{3} + \frac{8}{3^2} + \frac{10}{3^3} + \cdots$ $\quad\cdots\cdots$ ㉠

으로 놓고 양변에 $\frac{1}{3}$을 곱하면

$\frac{1}{3}S = \frac{4}{3} + \frac{6}{3^2} + \frac{8}{3^3} + \cdots$ $\quad\cdots\cdots$ ㉡

㉠ − ㉡을 하면

$\frac{2}{3}S = 4 + \frac{2}{3} + \frac{2}{3^2} + \frac{2}{3^3} + \cdots = 4 + \frac{\frac{2}{3}}{1 - \frac{1}{3}} = 5$

$\therefore S = \frac{15}{2} \qquad \boxed{\text{답}}\,\dfrac{15}{2}$

15 $n \geq 2$일 때,

$a_n = S_n - S_{n-1}$

$= 2\left\{1 - \left(\frac{2}{3}\right)^n\right\} - 2\left\{1 - \left(\frac{2}{3}\right)^{n-1}\right\}$

$= -\frac{4}{3}\left(\frac{2}{3}\right)^{n-1} + 2\left(\frac{2}{3}\right)^{n-1}$

$= \left(\frac{2}{3}\right)^n$

$a_1 = S_1$이므로 $a_n = \left(\frac{2}{3}\right)^n$ (단, $n \geq 1$)

$\therefore a_{2n} = \left(\frac{2}{3}\right)^{2n} = \left(\frac{4}{9}\right)^n$ (단, $n \geq 1$)

$\therefore \sum_{n=1}^{\infty} a_{2n} = \sum_{n=1}^{\infty} \left(\frac{4}{9}\right)^n = \frac{\frac{4}{9}}{1 - \frac{4}{9}} = \frac{4}{5} \qquad \boxed{\text{답}}\,\dfrac{4}{5}$

16 $21^n x^2 - (7^n + 2 \times 3^n)x + 2 = 0$에서

$(3^n x - 1)(7^n x - 2) = 0$

$\therefore x = \frac{1}{3^n}$ 또는 $x = \frac{2}{7^n}$

따라서 수열 $\{a_n{}^3\}$의 첫째항은 $a^3 = 1$, 공비는 $r^3 = \frac{1}{27}$이므로

$\sum_{n=1}^{\infty} a_n{}^3 = \frac{a^3}{1-r^3} = \frac{1}{1 - \frac{1}{27}} = \frac{27}{26} \qquad \boxed{\text{답}}\,⑤$

$$\therefore \sum_{n=1}^{\infty} l_n = \sum_{n=1}^{\infty}\left(\frac{1}{3^n} - \frac{2}{7^n}\right)$$

$$= \sum_{n=1}^{\infty} \frac{1}{3^n} - \sum_{n=1}^{\infty} \frac{2}{7^n}$$

$$= \frac{\frac{1}{3}}{1-\frac{1}{3}} - \frac{\frac{2}{7}}{1-\frac{1}{7}}$$

$$= \frac{1}{2} - \frac{1}{3} = \frac{1}{6} \qquad \qquad \text{답 ③}$$

17
$$\lim_{n\to\infty} A_n = \lim_{n\to\infty} \sum_{k=1}^{n}\left(\frac{1}{2}\right)^{k-1} = \sum_{n=1}^{\infty}\left(\frac{1}{2}\right)^{n-1}$$

$$= \frac{1}{1-\frac{1}{2}} = 2$$

$$\lim_{n\to\infty} B_n = \lim_{n\to\infty} \sum_{k=1}^{n} \frac{1}{k(k+1)}$$

$$= \lim_{n\to\infty} \sum_{k=1}^{n}\left(\frac{1}{k} - \frac{1}{k+1}\right)$$

$$= \lim_{n\to\infty}\left\{\left(1-\frac{1}{2}\right)+\left(\frac{1}{2}-\frac{1}{3}\right)+\left(\frac{1}{3}-\frac{1}{4}\right)+\cdots\right.$$

$$\left. +\left(\frac{1}{n}-\frac{1}{n+1}\right)\right\}$$

$$= \lim_{n\to\infty}\left(1-\frac{1}{n+1}\right) = 1$$

$x^2 - A_n x + B_n = 0$의 두 근이 α_n, β_n이므로 근과 계수의 관계에서 $\alpha_n + \beta_n = A_n$, $\alpha_n \beta_n = B_n$

$$\therefore \lim_{n\to\infty}(\alpha_n{}^2 + \beta_n{}^2) = \lim_{n\to\infty}\{(\alpha_n+\beta_n)^2 - 2\alpha_n\beta_n\}$$

$$= \lim_{n\to\infty}(A_n{}^2 - 2B_n)$$

$$= 2^2 - 2\times 1 = 2 \qquad \text{답 2}$$

18 $\dfrac{(4x-1)^n}{3^{2n}} = \left(\dfrac{4x-1}{9}\right)^n$에서 주어진 수열의 공비는 $\dfrac{4x-1}{9}$

이므로 수렴할 조건은

$$-1 < \frac{4x-1}{9} < 1, \quad -9 < 4x-1 < 9$$

$$-8 < 4x < 10 \qquad \therefore -2 < x < \frac{5}{2}$$

따라서 정수 x의 개수는 $-1, 0, 1, 2$의 4이다.   답 4

19 두 등비급수 $\displaystyle\sum_{n=1}^{\infty}(\log x)^n$, $\displaystyle\sum_{n=1}^{\infty}(1+\log x)^n$의 공비가 각각 $\log x$, $1+\log x$이므로 수렴할 조건은

$$-1 < \log x < 1 \qquad \therefore \frac{1}{10} < x < 10 \qquad \cdots\cdots ㉠$$

$$-1 < \log x + 1 < 1 \qquad \therefore \frac{1}{100} < x < 1 \qquad \cdots\cdots ㉡$$

㉠, ㉡의 공통 범위는 $\dfrac{1}{10} < x < 1$ 답 ③

20 주어진 등비급수의 공비가 x^2+x+1이므로 수렴할 조건은
$$-1 < x^2+x+1 < 1$$
(i) $-1 < x^2+x+1$에서 $x^2+x+2 > 0$
$$x^2+x+2 = \left(x+\frac{1}{2}\right)^2 + \frac{7}{4} > 0$$이므로

모든 실수 x에 대하여 성립한다.
(ii) $x^2+x+1 < 1$에서 $x^2+x < 0$
$$x(x+1) < 0$$
$$\therefore -1 < x < 0$$
(i), (ii)에서 $-1 < x < 0$ 답 $-1 < x < 0$

21
$$\sum_{n=1}^{\infty}\left(\frac{1-3^n}{2^n}\right)\times x^{n-1} = \sum_{n=1}^{\infty}\left\{\frac{1}{2}\left(\frac{x}{2}\right)^{n-1} - \frac{3}{2}\left(\frac{3x}{2}\right)^{n-1}\right\}$$

$\left|\dfrac{x}{2}\right| < \left|\dfrac{3x}{2}\right|$이므로

급수 $\displaystyle\sum_{n=1}^{\infty}\frac{3}{2}\left(\frac{3x}{2}\right)^{n-1}$이 수렴할 조건은

$$-1 < \frac{3x}{2} < 1$$

$$\therefore -\frac{2}{3} < x < \frac{2}{3} \qquad \text{답 } -\frac{2}{3} < x < \frac{2}{3}$$

22 $\displaystyle\sum_{n=1}^{\infty} r^n$이 수렴하므로 $-1 < r < 1$ $\cdots\cdots ㉠$

ㄱ. $\displaystyle\sum_{n=1}^{\infty} r^{n+2} = r^2 \sum_{n=1}^{\infty} r^n$은 공비가 r인 등비급수이므로 주어진 급수는 수렴한다.

ㄴ. $\displaystyle\sum_{n=1}^{\infty} r^{2n} = \sum_{n=1}^{\infty}(r^2)^n$은 공비가 r^2인 등비급수이고 ㉠에서 $0 \le r^2 < 1$이므로 주어진 급수는 수렴한다.

ㄷ. $\displaystyle\sum_{n=1}^{\infty}\left(\frac{1-2r}{4}\right)^n$은 공비가 $\dfrac{1-2r}{4}$인 등비급수이고

㉠에서 $-1 < 1-2r < 3$

$$\therefore -\frac{1}{4} < \frac{1-2r}{4} < \frac{3}{4}$$

즉, 주어진 급수는 수렴한다.
따라서 등비급수 중에서 수렴하는 것은 ㄱ, ㄴ, ㄷ이다.   답 ⑤

23 $\displaystyle\sum_{n=1}^{\infty} a^{n-1}$이 수렴하므로

$$-1 < a < 1 \qquad \cdots\cdots ㉠$$

또 $\displaystyle\sum_{n=1}^{\infty} b^n$이 수렴하므로

$$-1 < b < 1 \qquad \cdots\cdots ㉡$$

ㄱ. $\displaystyle\sum_{n=1}^{\infty}(ab)^{n-1}$은 공비가 ab인 등비급수이고 ㉠, ㉡에서 $-1 < ab < 1$이므로 주어진 급수는 수렴한다.

ㄴ. [반례] $a = \dfrac{1}{2}$, $b = \dfrac{1}{3}$이라 하면

$\displaystyle\sum_{n=1}^{\infty} a^{n-1}$, $\displaystyle\sum_{n=1}^{\infty} b^n$은 모두 수렴하지만

$\dfrac{a}{b} = \dfrac{3}{2} > 1$이므로 $\displaystyle\sum_{n=1}^{\infty}\left(\frac{a}{b}\right)^{n-1}$은 발산한다.

ㄷ. $\displaystyle\sum_{n=1}^{\infty}(a+b)^{n-1}$은 공비가 $a+b$인 등비급수이고 ㉠, ㉡에서 $-2 < a+b < 2$이므로 주어진 급수는 항상 수렴한다고 할 수 없다.

ㄹ. $\displaystyle\sum_{n=1}^{\infty}(|a|-|b|)^{n-1}$은 공비가 $|a|-|b|$인 등비급수이고

㉠, ㉡에서 $0 \le |a| < 1$, $0 \le |b| < 1$이므로 $-1 < |a|-|b| < 1$

즉, 주어진 급수는 수렴한다.
따라서 등비급수 중에서 수렴하는 것은 ㄱ, ㄹ이다.   답 ㄱ, ㄹ

24
$$\sum_{n=1}^{\infty}(3\times4^{1-n}+5\times2^{-n})=\sum_{n=1}^{\infty}\left\{3\times\left(\frac{1}{4}\right)^{n-1}+5\times\left(\frac{1}{2}\right)^{n}\right\}$$
$$=3\sum_{n=1}^{\infty}\left(\frac{1}{4}\right)^{n-1}+5\sum_{n=1}^{\infty}\left(\frac{1}{2}\right)^{n}$$
$$=3\times\frac{1}{1-\frac{1}{4}}+5\times\frac{\frac{1}{2}}{1-\frac{1}{2}}$$
$$=4+5=9 \qquad \text{답 } 9$$

25
$$\sum_{n=1}^{\infty}(2^{n}-a)\times\left(-\frac{1}{3}\right)^{n}=\sum_{n=1}^{\infty}\left(-\frac{2}{3}\right)^{n}-a\sum_{n=1}^{\infty}\left(-\frac{1}{3}\right)^{n}$$
$$=\frac{-\frac{2}{3}}{1-\left(-\frac{2}{3}\right)}-a\times\frac{-\frac{1}{3}}{1-\left(-\frac{1}{3}\right)}$$
$$=-\frac{2}{5}+\frac{a}{4}$$

즉, $-\frac{2}{5}+\frac{a}{4}=\frac{7}{10}$이므로

$$a=\frac{22}{5} \qquad \text{답 } ①$$

26
$$\frac{1}{p}=\sum_{n=1}^{\infty}\left(\frac{a}{6^{2n-1}}+\frac{b}{6^{2n}}\right)$$
$$=\left(\frac{a}{6}+\frac{a}{6^{3}}+\frac{a}{6^{5}}+\cdots\right)+\left(\frac{b}{6^{2}}+\frac{b}{6^{4}}+\frac{b}{6^{6}}+\cdots\right)$$
$$=\frac{\frac{a}{6}}{1-\frac{1}{6^{2}}}+\frac{\frac{b}{6^{2}}}{1-\frac{1}{6^{2}}}=\frac{6a+b}{35}$$
$$\therefore p=\frac{35}{6a+b}=\frac{5\times7}{6a+b}$$

p는 소수이므로 $6a+b=7$일 때 $p=5$이고, $6a+b=5$일 때 $p=7$이다.
따라서 두 소수의 합 $5+7=12$ $\qquad \text{답 } 12$

27 $\frac{13}{99}=0.\dot{1}\dot{3}=0.131313\cdots$이므로 수열 $\{a_n\}$의 각 항은

$a_1=1$, $a_2=3$, $a_3=1$, $a_4=3$, $a_5=1$, $a_6=3$, $\cdots$

$$\therefore \sum_{n=1}^{\infty}\frac{a_n}{2^n}$$
$$=\frac{1}{2}+\frac{3}{2^{2}}+\frac{1}{2^{3}}+\frac{3}{2^{4}}+\frac{1}{2^{5}}+\frac{3}{2^{6}}+\cdots$$
$$=\left(\frac{1}{2}+\frac{1}{2^{3}}+\frac{1}{2^{5}}+\cdots\right)+\left(\frac{3}{2^{2}}+\frac{3}{2^{4}}+\frac{3}{2^{6}}+\cdots\right)$$
$$=\frac{\frac{1}{2}}{1-\frac{1}{2^{2}}}+\frac{\frac{3}{2^{2}}}{1-\frac{1}{2^{2}}}=\frac{2}{3}+1=\frac{5}{3} \qquad \text{답 } \frac{5}{3}$$

28
$\overline{PP_1}=4\sin30°=2$
$\overline{P_1P_2}=2\cos30°=\sqrt{3}$
$\overline{P_2P_3}=\sqrt{3}\cos30°=\frac{3}{2}$
$\overline{P_3P_4}=\frac{3}{2}\cos30°=\frac{3\sqrt{3}}{4}$
$\vdots$

즉, 첫째항이 2, 공비가 $\frac{\sqrt{3}}{2}$이므로

$$\overline{PP_1}+\overline{P_1P_2}+\overline{P_2P_3}+\cdots=\frac{2}{1-\frac{\sqrt{3}}{2}}=\frac{4}{2-\sqrt{3}}=8+4\sqrt{3}$$
$$\text{답 } ⑤$$

29
$\overline{AB}=2$, $\overline{AC}=2\sqrt{2}$이므로
$\overline{A_1B_1}=2\sqrt{2}-2$
$\overline{B_1C}=\sqrt{2}(2\sqrt{2}-2)$이므로
$\overline{A_2B_2}=\sqrt{2}(2\sqrt{2}-2)-(2\sqrt{2}-2)=2(\sqrt{2}-1)^2$
$\vdots$
즉, 첫째항이 2, 공비가 $\sqrt{2}-1$이므로

$$\overline{AB}+\overline{A_1B_1}+\overline{A_2B_2}+\cdots=\frac{2}{1-(\sqrt{2}-1)}$$
$$=2+\sqrt{2} \qquad \text{답 } 2+\sqrt{2}$$

30 그림과 같이 원 O_1의 반지름의 길이를 r_1, 원 O_2의 반지름의 길이를 r_2라 하면

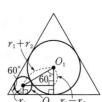

$(r_1+r_2):(r_1-r_2)=2:1$
$r_1+r_2=2r_1-2r_2$
$\therefore r_2=\frac{1}{3}r_1$

즉, 원의 반지름의 길이의 비는 3 : 1이므로 넓이의 비는 9 : 1이다. 한편, 그림에서

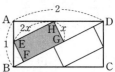

$\overline{PQ}=\sqrt{9-\frac{9}{4}}=\sqrt{\frac{27}{4}}=\frac{3\sqrt{3}}{2}$
$\therefore r_1=\frac{1}{3}\overline{PQ}=\frac{\sqrt{3}}{2}$

즉, 원 O_1의 넓이는 $\frac{3}{4}\pi$이므로
구하는 모든 원의 넓이의 합은

$$\frac{3}{4}\pi+3\times\frac{3}{4}\pi\times\frac{1}{9}+3\times\frac{3}{4}\pi\times\left(\frac{1}{9}\right)^2+\cdots$$
$$=\frac{3}{4}\pi+\frac{3\times\frac{3}{4}\pi\times\frac{1}{9}}{1-\frac{1}{9}}=\frac{3}{4}\pi+\frac{9}{32}\pi=\frac{33}{32}\pi \qquad \text{답 } ②$$

31 그림과 같이 R_1에서 사각형의 각 꼭짓점을 E, F, G, H라 하고 긴 변의 길이를 $2x$라 하자.

$\overline{BD}=\sqrt{5}$이므로 직각삼각형 ABD에서

$\cos\angle ADB=\frac{2}{\sqrt{5}}$, $\sin\angle ADB=\frac{1}{\sqrt{5}}$

한편, 직각삼각형 HGD에서

$\sin\angle ADB=\frac{\overline{HG}}{\overline{HD}}$

$\frac{1}{\sqrt{5}}=\frac{x}{\overline{HD}}$

$\therefore \overline{HD}=\sqrt{5}x \qquad \cdots\cdots \text{㉠}$

또 직각삼각형 AEH에서

$$\cos \angle AHE = \frac{\overline{AH}}{\overline{EH}}$$

$\angle AHE = \angle ADB$이므로

$$\frac{\overline{AH}}{2x} = \frac{2}{\sqrt{5}}$$

$$\therefore \overline{AH} = \frac{4}{\sqrt{5}}x \quad \cdots\cdots \text{ⓛ}$$

㉠, ⓛ에서

$$\overline{AD} = \overline{AH} + \overline{HD}$$

$$2 = \frac{4}{\sqrt{5}}x + \sqrt{5}x$$

$$2 = \frac{9}{\sqrt{5}}x \quad \therefore x = \frac{2\sqrt{5}}{9}$$

그러므로 R_1의 색칠된 사각형의 넓이는

$$S_1 = x \times 2x = 2x^2 = \frac{40}{81}$$

또 사각형 ABCD와 사각형 EFGH의 길이의 비는 $1:x$, 즉

$1 : \dfrac{2\sqrt{5}}{9}$ 이므로 넓이의 비는 $1 : \dfrac{20}{81}$ 이다.

따라서 구하는 극한값은

$$\lim_{n\to\infty} S_n = \frac{\frac{40}{81}}{1-\frac{20}{81}} = \frac{40}{61} \qquad \boxed{\text{답}} \ \frac{40}{61}$$

32 $\displaystyle\sum_{n=1}^{\infty} \frac{2n-1}{3^n} = S$라 하면

$$S = \frac{1}{3} + \frac{3}{3^2} + \frac{5}{3^3} + \cdots + \frac{2n-3}{3^{n-1}} + \frac{2n-1}{3^n} + \cdots \quad \cdots\cdots \text{㉠}$$

$$\frac{1}{3}S = \frac{1}{3^2} + \frac{3}{3^3} + \frac{5}{3^4} + \cdots + \frac{2n-3}{3^n} + \frac{2n-1}{3^{n+1}} + \cdots$$

$$\cdots\cdots \text{ⓛ}$$

㉠-ⓛ을 하면

$$\frac{2}{3}S = \frac{1}{3} + \frac{2}{3^2} + \frac{2}{3^3} + \cdots + \frac{2}{3^n} + \frac{2}{3^{n+1}} + \cdots$$

$$= \frac{1}{3} + \frac{\frac{2}{3^2}}{1-\frac{1}{3}} = \frac{1}{3} + \frac{1}{3} = \frac{2}{3}$$

$$\therefore S = \sum_{n=1}^{\infty} \frac{2n-1}{3^n} = 1 \qquad \boxed{\text{답}} \ 1$$

33 $\displaystyle\sum_{n=1}^{\infty} \left(\frac{x}{3}\right)^n (x-2)^{n-1} = \sum_{n=1}^{\infty} \frac{x}{3}\left\{\frac{x(x-2)}{3}\right\}^{n-1}$ 에서

첫째항은 $\dfrac{x}{3}$, 공비는 $\dfrac{x(x-2)}{3}$ 이므로 수렴할 조건은

$$\frac{x}{3} = 0 \text{ 또는 } -1 < \frac{x(x-2)}{3} < 1$$

(i) $-1 < \dfrac{x(x-2)}{3}$ 에서 $x^2-2x+3 > 0$

  $(x-1)^2 + 2 > 0$이므로 모든 실수 x에 대하여 성립한다.

(ii) $\dfrac{x(x-2)}{3} < 1$ 에서 $x^2-2x-3 < 0$

  $(x-3)(x+1) < 0 \quad \therefore -1 < x < 3$

$x=0$과 (i), (ii)에서

$$-1 < x < 3 \quad \cdots\cdots \text{㉠}$$

$\displaystyle\sum_{n=1}^{\infty} \left(\log_2 \frac{x}{2}\right)^n = \sum_{n=1}^{\infty} (\log_2 x - 1)^n$ 에서

첫째항은 $\log_2 x - 1$, 공비는 $\log_2 x - 1$이므로 수렴할 조건은

$$-1 < \log_2 x - 1 < 1$$

$$0 < \log_2 x < 2 \quad \therefore 1 < x < 4 \quad \cdots\cdots \text{ⓛ}$$

㉠, ⓛ의 공통 범위는

$$1 < x < 3 \qquad \boxed{\text{답}} \ \text{③}$$

34 $9x^2 - 6x - 1 = 0$의 두 근은 $x = \dfrac{1 \pm \sqrt{2}}{3}$ 이고

두 근을 각각 α, β라 하면

$|\alpha| < 1$, $|\beta| < 1$이므로 $\displaystyle\sum_{n=1}^{\infty} \alpha^n$, $\displaystyle\sum_{n=1}^{\infty} \beta^n$은 수렴한다.

근과 계수의 관계에서 $\alpha + \beta = \dfrac{2}{3}$, $\alpha\beta = -\dfrac{1}{9}$이므로

$$\frac{1}{\beta-\alpha}\sum_{n=1}^{\infty}(\beta^n - \alpha^n) = \frac{1}{\beta-\alpha}\left(\frac{\beta}{1-\beta} - \frac{\alpha}{1-\alpha}\right)$$

$$= \frac{1}{\beta-\alpha} \times \frac{\beta-\alpha}{(1-\beta)(1-\alpha)}$$

$$= \frac{1}{1-(\alpha+\beta)+\alpha\beta}$$

$$= \frac{9}{2}$$

$$\therefore p+q = 2+9 = 11 \qquad \boxed{\text{답}} \ 11$$

35 $\dfrac{16}{11} = 1.454545\cdots$

$$= 1 + 0.4 + 0.05 + 0.004 + 0.0005 + 0.00004 + \cdots$$

$$= \frac{1}{10^{1-1}} + \frac{4}{10^{2-1}} + \frac{5}{10^{3-1}} + \frac{4}{10^{4-1}} + \cdots$$

한편, $\displaystyle\sum_{n=1}^{\infty} \frac{a_n}{10^{n-1}} = \frac{a_1}{10^{1-1}} + \frac{a_2}{10^{2-1}} + \frac{a_3}{10^{3-1}} + \cdots$이고

$a_1, a_2, a_3, \cdots$은 9 이하의 자연수이므로

$a_1 = 1$, $a_{2n} = 4$, $a_{2n+1} = 5$ (단, $n = 1, 2, 3, \cdots$)

$$\therefore \sum_{n=1}^{\infty} \frac{a_n}{5^n} = \frac{a_1}{5} + \frac{a_2}{5^2} + \frac{a_3}{5^3} + \frac{a_4}{5^4} + \frac{a_5}{5^5} + \cdots$$

$$= \frac{1}{5} + \frac{4}{5^2} + \frac{5}{5^3} + \frac{4}{5^4} + \frac{5}{5^5} + \cdots$$

$$= \frac{1}{5} + 4\left(\frac{1}{5^2} + \frac{1}{5^4} + \cdots\right) + \left(\frac{1}{5^2} + \frac{1}{5^4} + \cdots\right)$$

$$= \frac{1}{5} + 4 \times \frac{\frac{1}{5^2}}{1-\frac{1}{5^2}} + \frac{\frac{1}{5^2}}{1-\frac{1}{5^2}}$$

$$= \frac{1}{5} + \frac{1}{6} + \frac{1}{24} = \frac{49}{120}$$

따라서 $p = 120$, $q = 49$이므로

$$p+q = 169 \qquad \boxed{\text{답}} \ 169$$

36 R_1에서 두 점 C, Q를 연결하면 그림과 같다.

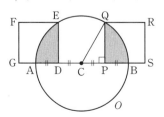

직각삼각형 QCP에서 $\overline{CQ} = 2$, $\overline{CP} = 1$이므로

$$\overline{PQ}=\sqrt{\overline{CQ}^2-\overline{CP}^2}$$
$$=\sqrt{2^2-1^2}=\sqrt{3}$$

$\angle QCP=\dfrac{\pi}{3}$이므로 R_1에서 색칠된 부분의 넓이는

$2\{($부채꼴 QCB의 넓이$)-\triangle QCP\}$

$=2\left(\dfrac{1}{2}\times 2^2\times\dfrac{\pi}{3}-\dfrac{1}{2}\times 1\times\sqrt{3}\right)$

$=\dfrac{4}{3}\pi-\sqrt{3}$

R_2에서 새로 그려진 원의 반지름의 길이는

$\dfrac{1}{2}\overline{DE}=\dfrac{1}{2}\overline{PQ}=\dfrac{\sqrt{3}}{2}$

그러므로 R_1에 있는 원과 R_2에 있는 원의 반지름의 길이의 비는

$2:\dfrac{\sqrt{3}}{2}=1:\dfrac{\sqrt{3}}{4}$

즉, 넓이의 비는 $1:\dfrac{3}{16}$이다.

한편, R_{n+1}에서 그려지는 원의 개수는 R_n에서 그려지는 원의 개수의 2배이므로 공비는

$\dfrac{3}{16}\times 2=\dfrac{3}{8}$

$\therefore \displaystyle\lim_{n\to\infty}S_n$

$=\left(\dfrac{4}{3}\pi-\sqrt{3}\right)+\dfrac{3}{8}\left(\dfrac{4}{3}\pi-\sqrt{3}\right)+\left(\dfrac{3}{8}\right)^2\left(\dfrac{4}{3}\pi-\sqrt{3}\right)+\cdots$

$=\dfrac{\dfrac{4}{3}\pi-\sqrt{3}}{1-\dfrac{3}{8}}$

$=\dfrac{32\pi-24\sqrt{3}}{15}$

답 $\dfrac{32\pi-24\sqrt{3}}{15}$

01 $\displaystyle\lim_{x\to\infty}\dfrac{3^x}{3^x+2^x}+\lim_{x\to\infty}\dfrac{2^x}{3^x-1}$

$=\displaystyle\lim_{x\to\infty}\dfrac{1}{1+\left(\dfrac{2}{3}\right)^x}+\lim_{x\to\infty}\dfrac{\left(\dfrac{2}{3}\right)^x}{1-\dfrac{1}{3^x}}$

$=1+0=1$

답 ④

02 $\displaystyle\lim_{x\to\infty}\{\log_5(ax+2)-\log_5(x-1)\}$

$=\displaystyle\lim_{x\to\infty}\log_5\dfrac{ax+2}{x-1}$

$=\displaystyle\lim_{x\to\infty}\log_5\dfrac{a+\dfrac{2}{x}}{1-\dfrac{1}{x}}$

$=\log_5 a=2$

$\therefore a=5^2=25$

답 25

03 $\displaystyle\lim_{x\to 0}(1+3x)^{\frac{1}{6x}}=\lim_{x\to 0}\{(1+3x)^{\frac{1}{3x}}\}^{\frac{1}{2}}$

$=e^{\frac{1}{2}}=\sqrt{e}$

답 $\sqrt{e}$

04 $\displaystyle\lim_{x\to 0}\dfrac{\ln(3x+1)}{2x^2+3x}=\lim_{x\to 0}\dfrac{\ln(1+3x)}{3x}\times\dfrac{3x}{2x^2+3x}$

$=\displaystyle\lim_{x\to 0}\dfrac{\ln(1+3x)}{3x}\times\dfrac{3}{2x+3}$

$=1\times 1=1$

답 1

05 $\displaystyle\lim_{x\to 0}\dfrac{e^{2x}-e^{5x}}{x}=\lim_{x\to 0}\dfrac{e^{2x}-1-(e^{5x}-1)}{x}$

$=\displaystyle\lim_{x\to 0}\left(\dfrac{e^{2x}-1}{x}-\dfrac{e^{5x}-1}{x}\right)$

$=\displaystyle\lim_{x\to 0}\left(\dfrac{e^{2x}-1}{2x}\times 2-\dfrac{e^{5x}-1}{5x}\times 5\right)$

$=1\times 2-1\times 5=-3$

답 -3

06 $\displaystyle\lim_{x\to 0}\dfrac{x}{10^x-1}=\lim_{x\to 0}\dfrac{1}{\dfrac{10^x-1}{x}}=\dfrac{1}{\ln 10}$

답 ①

07 $f(x)=(x^2+x)e^x$에서

$f'(x)=(2x+1)e^x+(x^2+x)e^x$

$=(x^2+3x+1)e^x$

$\therefore f'(0)=e^0=1$

답 1

08 $f(x)=x^2\log_3 x$에서

$f'(x)=2x\log_3 x+x^2\times\dfrac{1}{x\ln 3}$

$=2x\log_3 x+\dfrac{x}{\ln 3}$

$\therefore f'(e)=2e\log_3 e+\dfrac{e}{\ln 3}$

$=\dfrac{2e}{\ln 3}+\dfrac{e}{\ln 3}=\dfrac{3e}{\ln 3}$

답 ④

09
$$\lim_{x\to\infty}\frac{2^{3x+2}-3^{2x+1}}{2^{3x}-3^{2x}}=\lim_{x\to\infty}\frac{4\times8^x-3\times9^x}{8^x-9^x}$$
$$=\lim_{x\to\infty}\frac{4\times\left(\frac{8}{9}\right)^x-3}{\left(\frac{8}{9}\right)^x-1}$$
$$=\frac{4\times0-3}{0-1}=3$$
$$\therefore a=3$$
$$\lim_{x\to\infty}(4^x+3^x)^{\frac{2}{x}}=\lim_{x\to\infty}\left[4^x\left\{1+\left(\frac{3}{4}\right)^x\right\}\right]^{\frac{2}{x}}$$
$$=\lim_{x\to\infty}4^2\times\left\{1+\left(\frac{3}{4}\right)^x\right\}^{\frac{2}{x}}$$
$$=16(1+0)^0=16$$
$$\therefore b=16$$
$$\therefore a+b=19 \qquad\qquad \text{답} \ 19$$

10
$x=-t$로 놓으면 $x\to-\infty$일 때, $t\to\infty$이므로
$$\lim_{x\to-\infty}\frac{a\left(\frac{1}{3}\right)^{x-1}+2}{\left(\frac{1}{3}\right)^{x+1}-5}=\lim_{t\to\infty}\frac{a\left(\frac{1}{3}\right)^{-t-1}+2}{\left(\frac{1}{3}\right)^{-t+1}-5}$$
$$=\lim_{t\to\infty}\frac{a\times3^{t+1}+2}{3^{t-1}-5}$$
$$=\lim_{t\to\infty}\frac{3a+\frac{2}{3^t}}{\frac{1}{3}-\frac{5}{3^t}}$$
$$=9a=18$$
$$\therefore a=2 \qquad\qquad \text{답} \ ②$$

11
$$\lim_{x\to2}(\log_2|x^2+4x-12|-\log_2|\sqrt{x+2}-\sqrt{3x-2}|)$$
$$=\lim_{x\to2}\log_2\left|\frac{x^2+4x-12}{\sqrt{x+2}-\sqrt{3x-2}}\right|$$
$$=\lim_{x\to2}\log_2\left|\frac{(x-2)(x+6)(\sqrt{x+2}+\sqrt{3x-2})}{(\sqrt{x+2}-\sqrt{3x-2})(\sqrt{x+2}+\sqrt{3x-2})}\right|$$
$$=\lim_{x\to2}\log_2\left|\frac{(x-2)(x+6)(\sqrt{x+2}+\sqrt{3x-2})}{-2(x-2)}\right|$$
$$=\lim_{x\to2}\log_2\left|\frac{(x+6)(\sqrt{x+2}+\sqrt{3x-2})}{-2}\right|$$
$$=\log_2\frac{8\times4}{2}=\log_2 16=4 \qquad\qquad \text{답} \ 4$$

12
$$\lim_{x\to\infty}\left(\frac{x+3}{x+1}\right)^x=\lim_{x\to\infty}\left(1+\frac{2}{x+1}\right)^x$$
$$=\lim_{x\to\infty}\left\{\left(1+\frac{2}{x+1}\right)^{\frac{x+1}{2}}\right\}^2\times\left(1+\frac{2}{x+1}\right)^{-1}$$
$$=e^2 \qquad\qquad \text{답} \ ⑤$$

13
$$\lim_{x\to0}\left\{\left(1-\frac{x}{2}\right)(1-2x)\right\}^{\frac{3}{x}}$$
$$=\lim_{x\to0}\left(1-\frac{x}{2}\right)^{\frac{3}{x}}(1-2x)^{\frac{3}{x}}$$
$$=\lim_{x\to0}\left\{\left(1-\frac{x}{2}\right)^{-\frac{2}{x}}\right\}^{-\frac{3}{2}}\times\left\{(1-2x)^{-\frac{1}{2x}}\right\}^{-6}$$
$$=e^{-\frac{3}{2}}\times e^{-6}=e^{-\frac{15}{2}}$$

따라서 $e^{-\frac{15}{2}}=e^a$이므로
$$a=-\frac{15}{2} \qquad\qquad \text{답} \ -\frac{15}{2}$$

14
$$\lim_{n\to\infty}\left\{\frac{1}{2}\left(1+\frac{1}{n}\right)\left(1+\frac{1}{n+1}\right)\left(1+\frac{1}{n+2}\right)\times\cdots\right.$$
$$\left.\times\left(1+\frac{1}{2n}\right)\right\}^{\frac{1}{2}n}$$
$$=\lim_{n\to\infty}\left(\frac{1}{2}\times\frac{n+1}{n}\times\frac{n+2}{n+1}\times\cdots\times\frac{2n}{2n-1}\times\frac{2n+1}{2n}\right)^{\frac{1}{2}n}$$
$$=\lim_{n\to\infty}\left(\frac{2n+1}{2n}\right)^{\frac{1}{2}n}=\lim_{n\to\infty}\left(1+\frac{1}{2n}\right)^{\frac{1}{2}n}$$
$$=\lim_{n\to\infty}\left\{\left(1+\frac{1}{2n}\right)^{2n}\right\}^{\frac{1}{4}}=e^{\frac{1}{4}} \qquad \text{답} \ e^{\frac{1}{4}}$$

15
$$\lim_{x\to0}\frac{\ln(1+ax)}{x}=\lim_{x\to0}\frac{\ln(1+ax)}{ax}\times a$$
$$=1\times a=a$$
$$\therefore a=5 \qquad\qquad \text{답} \ ⑤$$

16
$e^{-x}=t$로 놓으면 $x\to\infty$일 때, $t\to0$이므로
$$\lim_{x\to\infty}e^x\ln(1+e^{-x})=\lim_{t\to0}\frac{1}{t}\ln(1+t)$$
$$=\lim_{t\to0}\frac{\ln(1+t)}{t}=1 \qquad\qquad \text{답} \ 1$$

17
$x-2=t$로 놓으면 $x\to2$일 때, $t\to0$이므로
$$\lim_{x\to2}\frac{\ln\sqrt{x-1}}{x-2}=\lim_{t\to0}\frac{\ln\sqrt{1+t}}{t}$$
$$=\lim_{t\to0}\frac{1}{2}\times\frac{\ln(1+t)}{t}=\frac{1}{2} \qquad\qquad \text{답} \ \frac{1}{2}$$

18
$\lim_{x\to\infty}x^2f(x)=\lim_{x\to\infty}\dfrac{f(x)}{\frac{1}{x^2}}=8$에서 $x\to\infty$일 때, (분모)$\to0$이고
극한값이 존재하므로 (분자)$\to0$이어야 한다.
즉, $\lim_{x\to\infty}f(x)=0$
$$\therefore\frac{1}{4}\lim_{x\to\infty}x^2\ln\{1+4f(x)\}$$
$$=\frac{1}{4}\lim_{x\to\infty}x^2\times4f(x)\times\frac{\ln\{1+4f(x)\}}{4f(x)}$$
$$=\lim_{x\to\infty}x^2\times f(x)\times\frac{\ln\{1+4f(x)\}}{4f(x)}$$
$$=8\lim_{x\to\infty}\frac{\ln\{1+4f(x)\}}{4f(x)}$$
$f(x)=t$로 놓으면 $x\to\infty$일 때, $t\to0$이므로
$$8\lim_{x\to\infty}\frac{\ln\{1+4f(x)\}}{4f(x)}=8\lim_{t\to0}\frac{\ln(1+4t)}{4t}$$
$$=8\times1=8 \qquad\qquad \text{답} \ 8$$

19
$\dfrac{1}{x}=t$로 놓으면 $x\to\infty$일 때, $t\to0$이므로
$$\lim_{x\to\infty}x^a\ln\left(b+\frac{c}{x^3}\right)=\lim_{t\to0}\frac{\ln(b+ct^3)}{t^a}$$
$t\to0$일 때, (분모)$\to0$이고 극한값이 존재하므로 (분자)$\to0$이
어야 한다.

즉, $\lim_{t \to 0} \ln(b+ct^3)=0$에서 $\ln b=0$

$\therefore b=1$

$\lim_{t \to 0} \dfrac{\ln(1+ct^3)}{t^a}=\lim_{t \to 0} \dfrac{\ln(1+ct^3)}{ct^3} \times \dfrac{c}{t^{a-3}}=4$에서

$a=3$, $c=4$

$\therefore a+b+c=8$　　　　　　　　　답 ④

20 함수 $f(x)g(x)$가 구간 $(-1, \infty)$에서 연속이려면 $x=0$에서 연속이면 된다.

$f(x)=x^2+ax+b$ (a, b는 상수)라 하면 $f(0)g(0)=3b$이고,

$\lim_{x \to 0} f(x)g(x)=\lim_{x \to 0} \dfrac{x^2+ax+b}{\ln(x+1)}$이므로

$\lim_{x \to 0} \dfrac{x^2+ax+b}{\ln(x+1)}=3b$　　······ ㉠

㉠에서 $x \to 0$일 때, (분모) $\to 0$이고 극한값이 존재하므로 (분자) $\to 0$이어야 한다.

즉, $\lim_{x \to 0}(x^2+ax+b)=0$에서 $b=0$

$b=0$을 ㉠에 대입하면

$\lim_{x \to 0} \dfrac{x^2+ax}{\ln(x+1)}=0$이므로

$\lim_{x \to 0} \left\{ \dfrac{x}{\ln(x+1)} \times (x+a) \right\}=0$

$\therefore a=0$

따라서 $f(x)=x^2$이므로

$f(5)=25$　　　　　　　　　답 25

21 $\lim_{x \to 0} \dfrac{2x}{e^x+x-1}=\lim_{x \to 0} \dfrac{2}{\dfrac{e^x-1}{x}+1}$

$=\dfrac{2}{2}=1$　　　　　　답 ②

22 $\lim_{x \to 0} \dfrac{\ln\{(1+3x)(1+5x)(1+7x)\}}{e^{4x}-1}$

$=\lim_{x \to 0} \dfrac{\dfrac{\ln(1+3x)+\ln(1+5x)+\ln(1+7x)}{4x}}{\dfrac{e^{4x}-1}{4x}}$

$=\lim_{x \to 0} \dfrac{\dfrac{\ln(1+3x)}{3x} \times \dfrac{3}{4}+\dfrac{\ln(1+5x)}{5x} \times \dfrac{5}{4}+\dfrac{\ln(1+7x)}{7x} \times \dfrac{7}{4}}{\dfrac{e^{4x}-1}{4x}}$

$=\dfrac{\dfrac{3}{4}+\dfrac{5}{4}+\dfrac{7}{4}}{1}=\dfrac{15}{4}$　　　　답 $\dfrac{15}{4}$

23 $\lim_{x \to 0} \dfrac{e^{3x}-1}{f(x)}=\lim_{x \to 0} \dfrac{\dfrac{e^{3x}-1}{3x}}{\dfrac{f(x)}{3x}}=3 \times \dfrac{1}{\lim\limits_{x \to 0} \dfrac{f(x)}{x}}=12$

$\therefore \lim_{x \to 0} \dfrac{f(x)}{x}=\dfrac{1}{4}$　　　　답 $\dfrac{1}{4}$

24 $x-1=t$로 놓으면 $x \to 1$일 때, $t \to 0$이므로

$\lim_{x \to 1} \dfrac{e^{x^2-1}-1}{x-1}=\lim_{t \to 0} \dfrac{e^{t(t+2)}-1}{t}$

$=\lim_{t \to 0} \dfrac{e^{t(t+2)}-1}{t(t+2)} \times (t+2)$

$=1 \times 2=2$　　　　답 ②

25 $x \to 1$일 때, (분모) $\to 0$이고 극한값이 존재하므로 (분자) $\to 0$이어야 한다.

즉, $\lim_{x \to 1}(ax+b)=0$에서 $a+b=0$　　$\therefore b=-a$

$\lim_{x \to 1} \dfrac{ax+b}{e^{x-1}-1}=\lim_{x \to 1} \dfrac{ax-a}{e^{x-1}-1}=\lim_{x \to 1} \dfrac{a(x-1)}{e^{x-1}-1}$

$x-1=t$로 놓으면 $x \to 1$일 때, $t \to 0$이므로

$\lim_{x \to 1} \dfrac{a(x-1)}{e^{x-1}-1}=a \lim_{t \to 0} \dfrac{t}{e^t-1}=a=5$

$\therefore a=5$, $b=-5$

$\therefore 2a-b=10+5=15$　　　　답 15

26 함수 $f(x)$가 실수 전체의 집합에서 연속이므로 $x=0$에서 연속이다.

즉, $\lim_{x \to 0-} \dfrac{e^{ax}-1}{3x}=\lim_{x \to 0+}(x^2+3x+2)=f(0)$

$\lim_{x \to 0-} \dfrac{e^{ax}-1}{3x}=\lim_{x \to 0-} \dfrac{e^{ax}-1}{ax} \times \dfrac{a}{3}=\dfrac{a}{3}$

$\lim_{x \to 0+}(x^2+3x+2)=2$, $f(0)=2$

따라서 $\dfrac{a}{3}=2$이므로 $a=6$　　　　답 6

27 $\lim_{x \to 0} \dfrac{\log_3(1-3x)}{x}=\lim_{x \to 0} \dfrac{\log_3(1-3x)}{-3x} \times (-3)$

$=\dfrac{1}{\ln 3} \times (-3)$

$=-\dfrac{3}{\ln 3}$　　　　答 ①

28 $x-5=t$로 놓으면 $x \to 5$일 때, $t \to 0$이므로

$\lim_{x \to 5} \dfrac{\log_5(x-4)}{x-5}=\lim_{t \to 0} \dfrac{\log_5(1+t)}{t}$

$=\dfrac{1}{\ln 5}$　　　　답 $\dfrac{1}{\ln 5}$

29 $x-1=t$로 놓으면 $x \to 1$일 때, $t \to 0$이므로

$\lim_{x \to 1} \dfrac{\log_2(2x-1)+\log_4(4x-3)+\log_8(6x-5)}{x^2-1}$

$=\lim_{t \to 0} \dfrac{1}{t+2} \left\{ \dfrac{\log_2(1+2t)}{t}+\dfrac{\log_4(1+4t)}{t} \right.$

$\left. +\dfrac{\log_8(1+6t)}{t} \right\}$

$=\lim_{t \to 0} \dfrac{1}{t+2} \left\{ \dfrac{\log_2(1+2t)}{2t} \times 2+\dfrac{\log_4(1+4t)}{4t} \times 4 \right.$

$\left. +\dfrac{\log_8(1+6t)}{6t} \times 6 \right\}$

$=\dfrac{1}{2} \left(\dfrac{2}{\ln 2}+\dfrac{4}{\ln 4}+\dfrac{6}{\ln 8} \right)$

$=\dfrac{3}{\ln 2}$　　　　답 $\dfrac{3}{\ln 2}$

30
$$\lim_{x \to 0} \frac{2^{2x}-1}{\log_4(1+x)} = \lim_{x \to 0} \frac{4^x-1}{x} \times \frac{x}{\log_4(1+x)}$$
$$= \ln 4 \times \ln 4$$
$$= (\ln 4)^2 \qquad \text{탭 ④}$$

31 $x-1=t$로 놓으면 $x \to 1$일 때, $t \to 0$이므로
$$\lim_{x \to 1} \frac{3^{x-1}-1}{x^2-x} = \lim_{t \to 0} \frac{3^t-1}{t(t+1)}$$
$$= \lim_{t \to 0} \frac{3^t-1}{t} \times \frac{1}{t+1}$$
$$= \ln 3 \times 1 = \ln 3 \qquad \text{탭 } \ln 3$$

32 $\lim\limits_{x \to 0} \dfrac{a^x+b}{\ln(x+1)} = \ln 3$에서 $x \to 0$일 때, (분모)$\to 0$이고 극한
값이 존재하므로 (분자)$\to 0$이어야 한다.
즉, $\lim\limits_{x \to 0}(a^x+b)=0$에서 $1+b=0$
$$\therefore b=-1$$
$$\lim_{x \to 0} \frac{a^x-1}{\ln(x+1)} = \lim_{x \to 0} \frac{a^x-1}{x} \times \frac{x}{\ln(x+1)}$$
$$= \ln a = \ln 3$$
$$\therefore a=3$$
$$\therefore a-b = 3-(-1) = 4 \qquad \text{탭 } 4$$

33 점 P의 좌표를 P$(t, \ln(1+10t))$라 하면
$$\tan\theta = \frac{\ln(1+10t)}{t}$$
P$\to$O이면 $t \to 0$이므로
$$\lim_{P \to O} \tan\theta = \lim_{t \to 0} \frac{\ln(1+10t)}{t}$$
$$= \lim_{t \to 0} \frac{\ln(1+10t)}{10t} \times 10 = 10 \qquad \text{탭 ⑤}$$

34 점 A의 좌표를 $(t, \ln(2t+1))$이라 하면
$$S_1 = \frac{1}{2} \times 1 \times \ln(2t+1) = \frac{1}{2}\ln(2t+1)$$
$$S_2 = \frac{1}{2} \times 1 \times t = \frac{t}{2}$$
$a \to \infty$일 때, 곡선 $y=ax^2$은 y축에 한없이 가까워지므로
$t \to 0$이다.
$$\therefore a = \lim_{a \to \infty} \frac{S_1}{S_2}$$
$$= \lim_{t \to 0} \frac{\frac{1}{2}\ln(2t+1)}{\frac{t}{2}}$$
$$= \lim_{t \to 0} \frac{\ln(2t+1)}{2t} \times 2 = 2 \qquad \text{탭 } 2$$

35 $f(x)=xe^x$에서
$$f'(x) = e^x + xe^x = (x+1)e^x$$
$$\therefore \lim_{h \to 0} \frac{f(2+h)-f(2)}{h} = f'(2)$$
$$= 3e^2 \qquad \text{탭 } 3e^2$$

36 $f(x)=2^x+3^x$에서
$$f'(x) = 2^x\ln 2 + 3^x\ln 3$$
$f(1)=2+3=5$이므로
$$\lim_{x \to 1} \frac{f(x)-5}{x-1} = \lim_{x \to 1} \frac{f(x)-f(1)}{x-1}$$
$$= f'(1)$$
$$= 2\ln 2 + 3\ln 3$$
$$= \ln(2^2 \times 3^3)$$
$$= \ln 108 \qquad \text{탭 } \ln 108$$

37 $\lim\limits_{x \to 1} \dfrac{f(x)-1}{x^2-1} = b$에서 $x \to 1$일 때, (분모)$\to 0$이고 극한값이
존재하므로 (분자)$\to 0$이어야 한다.
즉, $\lim\limits_{x \to 1}\{f(x)-1\}=0$에서 $\lim\limits_{x \to 1}(ax+2^x-1)=0$
$a+2-1=0 \qquad \therefore a=-1$
$f(x)=2^x-x$에서
$$f'(x) = 2^x\ln 2 - 1$$
$$\therefore \lim_{x \to 1} \frac{f(x)-1}{x^2-1} = \lim_{x \to 1} \frac{f(x)-f(1)}{(x-1)(x+1)}$$
$$= \lim_{x \to 1} \frac{f(x)-f(1)}{x-1} \times \frac{1}{x+1}$$
$$= \frac{f'(1)}{2}$$
$$= \frac{2\ln 2 - 1}{2}$$
$$= \ln 2 - \frac{1}{2} = b$$
$$\therefore a+b = -1 + \ln 2 - \frac{1}{2} = \ln 2 - \frac{3}{2} \qquad \text{탭 ①}$$

38 $f(x)=\ln x$에서 $f'(x)=\dfrac{1}{x}$이므로
$$\sum_{n=1}^{\infty} \frac{f'(n)}{n+1}$$
$$= \sum_{n=1}^{\infty} \frac{1}{n(n+1)}$$
$$= \sum_{n=1}^{\infty} \left(\frac{1}{n} - \frac{1}{n+1}\right)$$
$$= \lim_{n \to \infty} \sum_{k=1}^{n} \left(\frac{1}{k} - \frac{1}{k+1}\right)$$
$$= \lim_{n \to \infty} \left\{\left(1-\frac{1}{2}\right)+\left(\frac{1}{2}-\frac{1}{3}\right)+\left(\frac{1}{3}-\frac{1}{4}\right)+\cdots+\left(\frac{1}{n}-\frac{1}{n+1}\right)\right\}$$
$$= \lim_{n \to \infty} \left(1 - \frac{1}{n+1}\right) = 1 \qquad \text{탭 } 1$$

39
$$\lim_{h \to 0} \frac{f(e+h)-f(e-2h)}{h}$$
$$= \lim_{h \to 0} \frac{f(e+h)-f(e)-f(e-2h)+f(e)}{h}$$
$$= \lim_{h \to 0} \frac{f(e+h)-f(e)}{h} + \lim_{h \to 0} \frac{f(e-2h)-f(e)}{-2h} \times 2$$
$$= f'(e) + 2f'(e) = 3f'(e)$$
$f(x)=x\log_3 x + 2x$에서
$$f'(x) = \log_3 x + x \times \frac{1}{x\ln 3} + 2 = \log_3 x + \frac{1}{\ln 3} + 2$$

$$\therefore 3f'(e)=3\left(\log_3 e+\frac{1}{\ln 3}+2\right)$$
$$=3\left(\frac{1}{\ln 3}+\frac{1}{\ln 3}+2\right)$$
$$=\frac{6}{\ln 3}+6 \qquad \text{답 ⑤}$$

40 $x \to 2$일 때, (분모)$\to 0$이고 극한값이 존재하므로 (분자)$\to 0$이 어야 한다.

즉, $\lim\limits_{x \to 2}(x^2+x\ln x-a)=0$에서 $4+2\ln 2-a=0$

$\therefore a=4+2\ln 2$

$f(x)=x^2+x\ln x$로 놓으면 $f(2)=4+2\ln 2$이므로

$$\lim_{x \to 2}\frac{x^2+x\ln x-a}{x^2-4}=\lim_{x \to 2}\frac{f(x)-f(2)}{x^2-4}$$
$$=\lim_{x \to 2}\frac{f(x)-f(2)}{x-2}\times\frac{1}{x+2}$$
$$=\frac{1}{4}f'(2)$$

$f'(x)=2x+\ln x+x\times\dfrac{1}{x}=2x+\ln x+1$이므로

$$\frac{1}{4}f'(2)=\frac{1}{4}(4+\ln 2+1)=\frac{1}{4}(5+\ln 2)$$

$\therefore b=\dfrac{1}{4}(5+\ln 2)$

$$\therefore a+4b=(4+2\ln 2)+4\times\frac{1}{4}(5+\ln 2)$$
$$=9+3\ln 2 \qquad \text{답 ⑤}$$

41 함수 $f(x)$가 $x=0$에서 미분가능하므로 $x=0$에서 연속이다.

즉, $\lim\limits_{x \to 0-}(ax+5)=\lim\limits_{x \to 0+}\{b+\ln (x+1)\}=f(0)$에서

$b=5$

$f'(x)=\begin{cases} a & (x<0) \\ \dfrac{1}{x+1} & (x>0) \end{cases}$ 에서 미분계수 $f'(0)$이 존재하므로

$\lim\limits_{x \to 0-}a=\lim\limits_{x \to 0+}\dfrac{1}{x+1} \qquad \therefore a=1$

$\therefore a+b=1+5=6 \qquad \text{답 6}$

42 함수 $f(x)$가 모든 실수 x에 대하여 미분가능하므로 $x=1$에서 연속이고 미분가능하다.

$x=1$에서 연속이므로

$\lim\limits_{x \to 1-}(ax^2+2)=\lim\limits_{x \to 1+}be^{x-1}=f(1)$에서

$a+2=b \qquad \cdots\cdots \text{㉠}$

$f'(x)=\begin{cases} 2ax & (x<1) \\ be^{x-1} & (x>1) \end{cases}$ 에서 미분계수 $f'(1)$이 존재하므로

$\lim\limits_{x \to 1-}2ax=\lim\limits_{x \to 1+}be^{x-1}$에서

$2a=b \qquad \cdots\cdots \text{㉡}$

㉠, ㉡을 연립하여 풀면

$a=2,\ b=4$

$\therefore a+b=6 \qquad \text{답 6}$

43 함수 $f(x)$가 $x=1$에서 미분가능하므로 $x=1$에서 연속이다.

즉, $\lim\limits_{x \to 1-}(e^{x-2}+ax)=\lim\limits_{x \to 1+}\ln bx=f(1)$에서

$e^{-1}+a=\ln b \qquad \cdots\cdots \text{㉠}$

$f'(x)=\begin{cases} e^{x-2}+a & (0<x<1) \\ \dfrac{1}{x} & (x>1) \end{cases}$ 에서

미분계수 $f'(1)$이 존재하므로

$\lim\limits_{x \to 1-}(e^{x-2}+a)=\lim\limits_{x \to 1+}\dfrac{1}{x}$에서

$e^{-1}+a=1 \qquad \therefore a=1-e^{-1}$

$a=1-e^{-1}$을 ㉠에 대입하면 $b=e$

$\therefore ab=\left(1-\dfrac{1}{e}\right)\times e=e-1 \qquad \text{답 ④}$

44 $\lim\limits_{x \to 0}\dfrac{2^{\frac{1}{x}}+a}{2^{\frac{1-x}{x}}}=\lim\limits_{x \to 0}\dfrac{2^{\frac{1}{x}}+a}{2^{-1}\times 2^{\frac{1}{x}}}=\lim\limits_{x \to 0}2\times\dfrac{2^{\frac{1}{x}}+a}{2^{\frac{1}{x}}}$

(i) $x \to 0+$일 때, $\lim\limits_{x \to 0+}\dfrac{1}{x}=\infty$이므로

$\lim\limits_{x \to 0+}2^{\frac{1}{x}}=\infty$

$\therefore \lim\limits_{x \to 0+}2\times\dfrac{2^{\frac{1}{x}}+a}{2^{\frac{1}{x}}}=\lim\limits_{x \to 0+}2\left(1+\dfrac{a}{2^{\frac{1}{x}}}\right)=2$

(ii) $x \to 0-$일 때, $\lim\limits_{x \to 0-}\dfrac{1}{x}=-\infty$이므로

$\lim\limits_{x \to 0-}2^{\frac{1}{x}}=0$

$\lim\limits_{x \to 0-}2\times\dfrac{2^{\frac{1}{x}}+a}{2^{\frac{1}{x}}}=b$에서 (분모)$\to 0$이고 극한값이

존재하므로 (분자)$\to 0$이어야 한다.

즉, $\lim\limits_{x \to 0-}(2^{\frac{1}{x}}+a)=0$에서 $a=0$

$\therefore \lim\limits_{x \to 0-}2\times\dfrac{2^{\frac{1}{x}}}{2^{\frac{1}{x}}}=2$

(i), (ii)에서 $a=0,\ b=2$이므로

$a+b=2 \qquad \text{답 2}$

45 $\lim\limits_{n \to \infty}\dfrac{a_n}{n}=k$ (k는 상수)로 놓으면

$$\lim_{n \to \infty}\left(1+\frac{3}{n}\right)^{a_n}=\lim_{n \to \infty}\left(1+\frac{3}{n}\right)^{\frac{n}{3}\times\frac{a_n}{n}\times 3}$$
$$=e^{3k}=\frac{1}{e}$$

즉, $3k=-1$이므로

$k=-\dfrac{1}{3}$

$\therefore \lim\limits_{n \to \infty}\dfrac{a_n}{n}=-\dfrac{1}{3} \qquad \text{답} -\dfrac{1}{3}$

46 ㄱ. $x-1=t$로 놓으면 $x \to \infty$일 때, $t \to \infty$이므로

$$\lim_{x \to \infty}f(x)=\lim_{x \to \infty}\left(\frac{x}{x-1}\right)^x$$
$$=\lim_{t \to \infty}\left(\frac{t+1}{t}\right)^{t+1}$$
$$=\lim_{t \to \infty}\left(1+\frac{1}{t}\right)^t\left(1+\frac{1}{t}\right)=e \text{ (참)}$$

ㄴ. $\lim\limits_{x \to \infty}f(x+1)=\lim\limits_{x \to \infty}\left(\dfrac{x+1}{x}\right)^{x+1}$

$$=\lim_{x \to \infty}\left(1+\frac{1}{x}\right)^x\left(1+\frac{1}{x}\right)=e$$

$$\therefore \lim_{x\to\infty} f(x)f(x+1)=e\times e=e^2 \text{ (참)}$$

ㄷ. $kx-1=t$로 놓으면 $x\to\infty$일 때, $t\to\infty$이므로

$$\lim_{x\to\infty} f(kx)=\lim_{x\to\infty}\left(\frac{kx}{kx-1}\right)^{kx}$$

$$=\lim_{t\to\infty}\left(\frac{t+1}{t}\right)^{t+1}$$

$$=\lim_{t\to\infty}\left(1+\frac{1}{t}\right)^{t}\left(1+\frac{1}{t}\right)$$

$$=e \text{ (거짓)}$$

따라서 옳은 것은 ㄱ, ㄴ이다.   답 ③

다른 풀이

ㄱ. $\lim_{x\to\infty} f(x)=\lim_{x\to\infty}\left(\frac{x}{x-1}\right)^{x}$

$$=\lim_{x\to\infty}\left(1+\frac{1}{x-1}\right)^{x}$$

$$=\lim_{x\to\infty}\left\{\left(1+\frac{1}{x-1}\right)^{x-1}\right\}^{\frac{x}{x-1}}=e \text{ (참)}$$

ㄴ. $\lim_{x\to\infty} f(x+1)=\lim_{x\to\infty}\left(\frac{x+1}{x}\right)^{x+1}$

$$=\lim_{x\to\infty}\left\{\left(1+\frac{1}{x}\right)^{x}\right\}^{\frac{x+1}{x}}=e$$

$$\therefore \lim_{x\to\infty} f(x)f(x+1)=e\times e=e^2 \text{ (참)}$$

ㄷ. $\lim_{x\to\infty} f(kx)=\lim_{x\to\infty}\left(\frac{kx}{kx-1}\right)^{kx}$

$$=\lim_{x\to\infty}\left\{\left(1+\frac{1}{kx-1}\right)^{kx-1}\right\}^{\frac{kx}{kx-1}}=e \text{ (거짓)}$$

47 $\ln P_n=\lim_{x\to\infty}\ln\left\{\left(1+\frac{1}{x}\right)\left(1+\frac{2}{x}\right)\left(1+\frac{3}{x}\right)\times\cdots\times\left(1+\frac{n}{x}\right)\right\}^{x}$

$$=\lim_{x\to\infty}\sum_{k=1}^{n}\ln\left(1+\frac{k}{x}\right)^{x}$$

$$=\sum_{k=1}^{n}\lim_{x\to\infty}\ln\left(1+\frac{k}{x}\right)^{\frac{x}{k}\times k}$$

$$=\sum_{k=1}^{n}\ln e^{k}$$

$$=\sum_{k=1}^{n}k$$

$$=\frac{n(n+1)}{2}$$

$$\therefore \sum_{n=1}^{20}\frac{1}{\ln P_n}$$

$$=\sum_{n=1}^{20}\frac{2}{n(n+1)}=\sum_{n=1}^{20}2\left(\frac{1}{n}-\frac{1}{n+1}\right)$$

$$=2\left\{\left(1-\frac{1}{2}\right)+\left(\frac{1}{2}-\frac{1}{3}\right)+\left(\frac{1}{3}-\frac{1}{4}\right)+\cdots+\left(\frac{1}{20}-\frac{1}{21}\right)\right\}$$

$$=2\left(1-\frac{1}{21}\right)$$

$$=\frac{40}{21}$$ 답 ⑤

참고

$\lim_{x\to a} f_k(x)(k=1, 2, 3, \cdots, n)$가 수렴하면

$$\lim_{x\to a}\sum_{k=1}^{n} f_k(x)=\lim_{x\to a}\{f_1(x)+f_2(x)+\cdots+f_n(x)\}$$

$$=\lim_{x\to a} f_1(x)+\lim_{x\to a} f_2(x)+\cdots+\lim_{x\to a} f_n(x)$$

$$=\sum_{k=1}^{n}\lim_{x\to a} f_k(x)$$

48 $x-1=t$로 놓으면 $x\to1$일 때, $t\to0$이므로

$$\lim_{x\to1}\frac{f(x)-x^2 f(1)}{\ln x}$$

$$=\lim_{t\to0}\frac{f(1+t)-(1+t)^2 f(1)}{\ln(1+t)}$$

$$=\lim_{t\to0}\frac{\{f(1+t)-f(1)\}+f(1)-(1+t)^2 f(1)}{\ln(1+t)}$$

$$=\lim_{t\to0}\frac{\{f(1+t)-f(1)\}+f(1)(-t^2-2t)}{\ln(1+t)}$$

$$=\lim_{t\to0}\left\{\frac{f(1+t)-f(1)}{\ln(1+t)}+\frac{f(1)(-t^2-2t)}{\ln(1+t)}\right\}$$

$$=\lim_{t\to0}\left\{\frac{\dfrac{f(1+t)-f(1)}{t}}{\dfrac{\ln(1+t)}{t}}+\frac{\dfrac{f(1)(-t-2)t}{t}}{\dfrac{\ln(1+t)}{t}}\right\}$$

$$=-1-2f(1)$$

$$=-1-2=-3$$ 답 -3

49 $f(n)=\lim_{x\to0}\frac{30x}{\ln\{(1+x)(1+2x)\times\cdots\times(1+nx)\}}$

$$=\lim_{x\to0}\frac{30x}{\ln(1+x)+\ln(1+2x)+\cdots+\ln(1+nx)}$$

$$=\lim_{x\to0}\frac{30}{\dfrac{\ln(1+x)}{x}+\dfrac{\ln(1+2x)}{x}+\cdots+\dfrac{\ln(1+nx)}{x}}$$

$$=\lim_{x\to0}\frac{30}{\dfrac{\ln(1+x)}{x}+\dfrac{\ln(1+2x)}{2x}\times2+\cdots+\dfrac{\ln(1+nx)}{nx}\times n}$$

$$=\frac{30}{1+2+\cdots+n}$$

$$=\frac{60}{n(n+1)}$$

$$=60\left(\frac{1}{n}-\frac{1}{n+1}\right)$$

$$\therefore 10\sum_{n=1}^{99} f(n)=600\sum_{n=1}^{99}\left(\frac{1}{n}-\frac{1}{n+1}\right)$$

$$=600\left\{\left(1-\frac{1}{2}\right)+\left(\frac{1}{2}-\frac{1}{3}\right)+\left(\frac{1}{3}-\frac{1}{4}\right)+\cdots\right.$$

$$\left.+\left(\frac{1}{99}-\frac{1}{100}\right)\right\}$$

$$=600\left(1-\frac{1}{100}\right)=594$$ 답 594

50 $\lim_{x\to0}\dfrac{e^{2x}-a}{\ln(x+1)}=b$에서 $x\to0$일 때, (분모)$\to0$이고 극한값이

존재하므로 (분자)$\to0$이어야 한다.

즉, $\lim_{x\to0}(e^{2x}-a)=0$에서

$$1-a=0 \quad \therefore a=1$$

$$\lim_{x\to0}\frac{e^{2x}-1}{\ln(x+1)}=2\lim_{x\to0}\frac{e^{2x}-1}{2x}\times\frac{x}{\ln(x+1)}$$

$$=2\times1\times1=2=b$$

$$\therefore \lim_{x\to0}\frac{e^{ax}-e^{bx}}{x}=\lim_{x\to0}\frac{e^{x}-e^{2x}}{x}$$

$$=\lim_{x\to0}(-e^{x})\times\frac{e^{x}-1}{x}$$

$$=(-1)\times1=-1$$ 답 ②

51 $y=2\ln(x+1)+1$에서

$\ln(x+1)=\dfrac{y-1}{2}$

$\therefore x=e^{\frac{y-1}{2}}-1$

x와 y를 서로 바꾸면

$y=e^{\frac{x-1}{2}}-1$

$\therefore g(x)=e^{\frac{x-1}{2}}-1$

$x-1=t$로 놓으면 $x\to1$일 때, $t\to0$이므로

$$\lim_{x\to1}\frac{f(x-1)-f(0)}{g(x)-g(1)}=\lim_{x\to1}\frac{(2\ln x+1)-1}{e^{\frac{x-1}{2}}-1}$$

$$=2\lim_{x\to1}\frac{\ln x}{e^{\frac{x-1}{2}}-1}$$

$$=2\lim_{t\to0}\frac{\ln(1+t)}{e^{\frac{t}{2}}-1}$$

$$=4\lim_{t\to0}\frac{\ln(1+t)}{t}\times\frac{\frac{t}{2}}{e^{\frac{t}{2}}-1}$$

$$=4\times1\times1=4$$

답 4

52 $\lim\limits_{x\to0}\dfrac{e^x-1}{f(x)}=\dfrac{1}{3}$에서 $x\to0$일 때, (분자)$\to0$이고 0이 아닌 극한

값이 존재하므로 (분모)$\to0$이어야 한다.

즉, $\lim\limits_{x\to0}f(x)=0$에서 $f(0)=0$

$f(x)=a_1x+a_2x^2+a_3x^3+\cdots+a_nx^n$이라 하면

$$\lim_{x\to0}\frac{e^x-1}{f(x)}=\lim_{x\to0}\frac{e^x-1}{x}\times\frac{x}{f(x)}$$

$$=\lim_{x\to0}\frac{e^x-1}{x}\times\frac{1}{a_1+a_2x+a_3x^2+\cdots+a_nx^{n-1}}$$

$$=\frac{1}{a_1}=\frac{1}{3}$$

$\therefore a_1=3$

$$\lim_{x\to\infty}f(x)\ln\left(1+\frac{1}{x^2}\right)$$

$$=\lim_{x\to\infty}\frac{\ln\left(1+\frac{1}{x^2}\right)}{\frac{1}{x^2}}\times\frac{f(x)}{x^2}$$

$$=\lim_{x\to\infty}\frac{\ln\left(1+\frac{1}{x^2}\right)}{\frac{1}{x^2}}\times\left(\frac{3}{x}+a_2+a_3x+\cdots+a_nx^{n-2}\right)=4$$

$\therefore a_2=4,\ a_3=\cdots=a_n=0$

따라서 $f(x)=4x^2+3x$이므로

$f(1)=4+3=7$

답 7

53 등차수열 $1,\ a_1,\ a_2,\ \cdots,\ a_{n-2},\ e$에서

$$S_a=\frac{n(e+1)}{2}$$

등비수열 $1,\ b_1,\ b_2,\ \cdots,\ b_{n-2},\ e$에서 공비를 r라 하면

$e=r^{n-1}$, 즉 $r=e^{\frac{1}{n-1}}$

$$\therefore S_b=\frac{r^n-1}{r-1}=\frac{e^{\frac{n}{n-1}}-1}{e^{\frac{1}{n-1}}-1}$$

$$\therefore \lim_{n\to\infty}\frac{S_b}{S_a}=\lim_{n\to\infty}\frac{\dfrac{e^{\frac{n}{n-1}}-1}{e^{\frac{1}{n-1}}-1}}{\dfrac{(e+1)n}{2}}$$

$$=\lim_{n\to\infty}\frac{2(e^{\frac{n}{n-1}}-1)}{(e+1)n(e^{\frac{1}{n-1}}-1)}$$

$$=\lim_{n\to\infty}\frac{2(e^{\frac{n}{n-1}}-1)}{e+1}\times\frac{1}{n(e^{\frac{1}{n-1}}-1)}$$

$$=\lim_{n\to\infty}\frac{2(e^{\frac{n}{n-1}}-1)}{e+1}\times\frac{\dfrac{1}{n-1}}{e^{\frac{1}{n-1}}-1}\times\frac{n-1}{n}$$

$$=\frac{2(e-1)}{e+1}\times1\times1$$

$$=\frac{2(e-1)}{e+1}$$

답 ①

54 $$\lim_{x\to0}\frac{(a+12)^x-a^x}{x}=\lim_{x\to0}\frac{(a+12)^x-1+1-a^x}{x}$$

$$=\lim_{x\to0}\left\{\frac{(a+12)^x-1}{x}-\frac{a^x-1}{x}\right\}$$

$$=\ln(a+12)-\ln a$$

$$=\ln\frac{a+12}{a}$$

즉, $\ln\dfrac{a+12}{a}=\ln3$에서 $\dfrac{a+12}{a}=3$

$a+12=3a$

$\therefore a=6$

답 6

55 ㄱ. $f(x)=x^2$이면

$$\lim_{x\to0}\frac{e^{f(x)}-1}{x}=\lim_{x\to0}\frac{e^{x^2}-1}{x^2}\times x=0\ (참)$$

ㄴ. $\lim\limits_{x\to0}\dfrac{e^x-1}{f(x)}=\lim\limits_{x\to0}\dfrac{e^x-1}{x}\times\dfrac{x}{f(x)}=1$이므로

$$\lim_{x\to0}\frac{x}{f(x)}=1$$

$$\therefore \lim_{x\to0}\frac{3^x-1}{f(x)}=\lim_{x\to0}\frac{3^x-1}{x}\times\frac{x}{f(x)}=\ln3\ (참)$$

ㄷ. [반례] $f(x)=|x|$라 하면 $\lim\limits_{x\to0}f(x)=0$이지만

$$\lim_{x\to0+}\frac{e^{|x|}-1}{x}=\lim_{x\to0+}\frac{e^{|x|}-1}{|x|}\times\frac{|x|}{x}=1$$

$$\lim_{x\to0-}\frac{e^{|x|}-1}{x}=\lim_{x\to0-}\frac{e^{|x|}-1}{|x|}\times\frac{|x|}{x}=-1$$

즉, $\lim\limits_{x\to0}\dfrac{e^{|x|}-1}{x}$ 은 존재하지 않는다. (거짓)

따라서 옳은 것은 ㄱ, ㄴ이다.

답 ㄱ, ㄴ

56 점 C는 두 곡선 $y=2^x$, $y=-2^x+a$의 교점이므로

$2^x=-2^x+a$에서

$2^{x+1}=a$, $x+1=\log_2 a$

$\therefore x=\log_2 a-1=\log_2\dfrac{a}{2}$

$\therefore \text{C}\left(\log_2\dfrac{a}{2},\ \dfrac{a}{2}\right)$

$A(0, 1)$, $C\left(\log_2\dfrac{a}{2}, \dfrac{a}{2}\right)$이므로 직선 AC의 기울기는

$$f(a)=\dfrac{\dfrac{a}{2}-1}{\log_2\dfrac{a}{2}}$$

$B(0, a-1)$, $C\left(\log_2\dfrac{a}{2}, \dfrac{a}{2}\right)$이므로 직선 BC의 기울기는

$$g(a)=\dfrac{\dfrac{a}{2}-(a-1)}{\log_2\dfrac{a}{2}}=-\dfrac{\dfrac{a}{2}-1}{\log_2\dfrac{a}{2}}$$

$$\therefore f(a)-g(a)=2\times\dfrac{\dfrac{a}{2}-1}{\log_2\dfrac{a}{2}}$$

$\dfrac{a}{2}-1=t$로 놓으면 $a\to 2+$일 때, $t\to 0+$이므로

$$\lim_{a\to 2+}\{f(a)-g(a)\}=\lim_{t\to 0+}2\times\dfrac{\dfrac{a}{2}-1}{\log_2\dfrac{a}{2}}=2\lim_{t\to 0+}\dfrac{t}{\log_2(1+t)}$$

$$=2\lim_{t\to 0+}\dfrac{1}{\dfrac{\log_2(1+t)}{t}}$$

$$=2\ln 2 \qquad\qquad \blacksquare\ 2\ln 2$$

57 두 곡선 $y=\ln(x+1)$, $y=e^x-1$은 직선 $y=x$에 대하여 대칭이고, 두 점 P, Q는 기울기가 -1인 직선 위의 점이므로 직선 $y=x$에 대하여 대칭이다.

두 점 $P(a, b)$, $Q(b, a)$에 대하여

선분 PQ의 중점을 M이라 하면 $M\left(\dfrac{a+b}{2}, \dfrac{a+b}{2}\right)$

$$\overline{PM}=\dfrac{\sqrt{2}}{2}(a-b)\ (\because a>b)$$

$$\therefore S(a)=\dfrac{\pi}{2}(a-b)^2$$

$$\dfrac{1}{2}\overline{OM}=\dfrac{\sqrt{2}}{4}(a+b) \qquad \therefore T(a)=\dfrac{\pi}{8}(a+b)^2$$

$$4T(a)-S(a)=2\pi ab=2\pi a\ln(a+1)$$

$$\therefore \lim_{a\to 0+}\dfrac{4T(a)-S(a)}{\pi a^2}=\lim_{a\to 0+}\dfrac{2\ln(a+1)}{a}$$

$$=2 \qquad\qquad \blacksquare\ 2$$

58 $x-1=t$로 놓으면 $x\to 1$일 때, $t\to 0$이므로

$$\lim_{x\to 1}\dfrac{f(x)-ex^2}{\ln x}$$

$$=\lim_{t\to 0}\dfrac{f(1+t)-e(1+t)^2}{\ln(1+t)}$$

$$=\lim_{t\to 0}\dfrac{f(1+t)-e(t^2+2t+1)}{\ln(1+t)}$$

$$=\lim_{t\to 0}\left\{\dfrac{f(1+t)-e}{\ln(1+t)}-e\times\dfrac{t^2+2t}{\ln(1+t)}\right\}$$

$$=\lim_{t\to 0}\left\{\dfrac{f(1+t)-f(1)}{t}\times\dfrac{t}{\ln(1+t)}\right.$$

$$\left.-e\times\dfrac{t}{\ln(1+t)}\times(t+2)\right\}$$

$$=f'(1)-2e$$

$f'(x)=\dfrac{2}{x}+e^x$이므로

$$f'(1)-2e=2+e-2e=2-e \qquad\qquad \blacksquare\ ②$$

59 조건 ㈎에서 $f_1(x)=xe^x$이므로 $a_1=1$, $b_1=0$

$f_n(x)=e^x(a_nx+b_n)$에서

$$f_n'(x)=e^x(a_nx+b_n)+e^x\times a_n$$

$$=e^x(a_nx+a_n+b_n)$$

조건 ㈏에서

$$f_{n+1}(x)=f_n(x)+f_n'(x)$$

$$=e^x(a_nx+b_n)+e^x(a_nx+a_n+b_n)$$

$$=e^x(2a_nx+a_n+2b_n)$$

$f_n(x)=e^x(a_nx+b_n)$에서

$f_{n+1}(x)=e^x(a_{n+1}x+b_{n+1})$이므로

$$a_{n+1}=2a_n, \quad b_{n+1}=a_n+2b_n$$

즉, 수열 $\{a_n\}$은 첫째항이 1, 공비가 2인 등비수열이므로

$$a_n=2^{n-1}$$

$$\therefore \log_2 a_{100}=\log_2 2^{99}=99 \qquad\qquad \blacksquare\ 99$$

60 함수 $g(x)$가 모든 실수 x에 대하여 미분가능하므로

$x=a$, $x=b$에서 연속이고 미분가능하다.

$x=a$에서 연속이므로 $\lim_{x\to a}g(x)=g(a)$에서

$$f(a)=m-f(a)$$

$$\therefore m=2f(a) \qquad\qquad \cdots\cdots ㉠$$

$x=b$에서 연속이므로 $\lim_{x\to b}g(x)=g(b)$에서

$$m-f(b)=n+f(b)$$

$$\therefore m-n=2f(b) \qquad\qquad \cdots\cdots ㉡$$

$$g'(x)=\begin{cases} f'(x) & (x<a) \\ -f'(x) & (a<x<b) \\ f'(x) & (x>b) \end{cases}$$

에서 미분계수 $f'(a)$, $f'(b)$가 존재하므로

$\lim_{x\to a-}f'(x)=\lim_{x\to a+}\{-f'(x)\}$에서 $f'(a)=-f'(a)$

$$\therefore f'(a)=0$$

$\lim_{x\to b-}\{-f'(x)\}=\lim_{x\to b+}f'(x)$에서 $-f'(b)=f'(b)$

$$\therefore f'(b)=0$$

$f'(x)=e^{-x}(x^2+2x-3)=e^{-x}(x+3)(x-1)$이므로

$f'(x)=0$에서 $x=-3$ 또는 $x=1$

$a<b$이므로 $a=-3$, $b=1$

이것을 ㉠, ㉡에 각각 대입하면

$$m=2f(-3)=2\times 2e^3=4e^3$$

$$n=m-2f(1)=4e^3-2\times(-6e^{-1})=4e^3+\dfrac{12}{e}$$

$$\therefore m+n=4e^3+\left(4e^3+\dfrac{12}{e}\right)=8e^3+\dfrac{12}{e} \qquad\qquad \blacksquare\ ⑤$$

01 원점 O와 점 P$(-4, 3)$에 대하여

$\overline{OP}=\sqrt{(-4)^2+3^2}=5$

이므로

$\csc\theta=\dfrac{5}{3}$, $\tan\theta=\dfrac{3}{-4}$

$\therefore 3\csc\theta+4\tan\theta$

$\quad=3\times\dfrac{5}{3}+4\times\left(-\dfrac{3}{4}\right)=2$

답 2

02 $\cos\alpha=\dfrac{1}{3}$이므로

$\sin\alpha=\sqrt{1-\cos^2\alpha}=\sqrt{1-\left(\dfrac{1}{3}\right)^2}$

$\quad=\dfrac{2\sqrt{2}}{3}\left(\because 0<\alpha<\dfrac{\pi}{2}\right)$

$\therefore \sin\left(\alpha-\dfrac{\pi}{3}\right)=\sin\alpha\cos\dfrac{\pi}{3}-\cos\alpha\sin\dfrac{\pi}{3}$

$\quad=\dfrac{2\sqrt{2}}{3}\times\dfrac{1}{2}-\dfrac{1}{3}\times\dfrac{\sqrt{3}}{2}$

$\quad=\dfrac{2\sqrt{2}-\sqrt{3}}{6}$

답 ②

03 $2x-y-3=0$에서 $y=2x-3$

$x-3y+2=0$에서 $y=\dfrac{1}{3}x+\dfrac{2}{3}$

두 직선 $2x-y-3=0$, $x-3y+2=0$이 x축의 양의 방향과 이루는 각의 크기를 각각 α, β라 하면

$\tan\alpha=2$, $\tan\beta=\dfrac{1}{3}$

두 직선이 이루는 예각의 크기는 $\alpha-\beta$이므로

$\tan(\alpha-\beta)=\dfrac{\tan\alpha-\tan\beta}{1+\tan\alpha\tan\beta}$

$\quad=\dfrac{2-\dfrac{1}{3}}{1+2\times\dfrac{1}{3}}=1$

$\therefore \alpha-\beta=45°$

따라서 두 직선이 이루는 예각의 크기는 $45°$이다.

답 $45°$

04 $f(x)=\sin x-a\cos x+2$

$\quad=\sqrt{1+a^2}\left(\dfrac{1}{\sqrt{1+a^2}}\sin x-\dfrac{a}{\sqrt{1+a^2}}\cos x\right)+2$

$\quad=\sqrt{1+a^2}(\sin x\cos\theta-\cos x\sin\theta)+2$

$\quad=\sqrt{1+a^2}\sin(x-\theta)+2$

$\quad\left(\text{단}, \cos\theta=\dfrac{1}{\sqrt{1+a^2}}, \sin\theta=\dfrac{a}{\sqrt{1+a^2}}\right)$

$-1\leq\sin(x-\theta)\leq 1$이므로

$-\sqrt{1+a^2}+2\leq\sqrt{1+a^2}\sin(x-\theta)+2\leq\sqrt{1+a^2}+2$

따라서 함수 $f(x)$의 최댓값은 $\sqrt{1+a^2}+2$이므로

$\sqrt{1+a^2}+2=4$, $a^2=3$

$\therefore a=\sqrt{3}\ (\because a>0)$

답 $\sqrt{3}$

05 $\displaystyle\lim_{x\to 0}\dfrac{\sin 2x-\sin 8x}{\sin 4x}$

$=\displaystyle\lim_{x\to 0}\left(\dfrac{\sin 2x}{\sin 4x}-\dfrac{\sin 8x}{\sin 4x}\right)$

$=\displaystyle\lim_{x\to 0}\left(\dfrac{\sin 2x}{2x}\times\dfrac{4x}{\sin 4x}\times\dfrac{2}{4}-\dfrac{\sin 8x}{8x}\times\dfrac{4x}{\sin 4x}\times\dfrac{8}{4}\right)$

$=1\times 1\times\dfrac{1}{2}-1\times 1\times 2=-\dfrac{3}{2}$

답 $-\dfrac{3}{2}$

06 $\displaystyle\lim_{x\to 0}\dfrac{12x}{\tan x+\tan 2x+\tan 3x}$

$=\displaystyle\lim_{x\to 0}\dfrac{12}{\dfrac{\tan x+\tan 2x+\tan 3x}{x}}$

$=\displaystyle\lim_{x\to 0}\dfrac{12}{\dfrac{\tan x}{x}+\dfrac{\tan 2x}{2x}\times 2+\dfrac{\tan 3x}{3x}\times 3}$

$=\dfrac{12}{1+1\times 2+1\times 3}=2$

답 2

07 $\displaystyle\lim_{x\to 0}\dfrac{1-\cos 2x}{4x^2}=\lim_{x\to 0}\dfrac{(1-\cos 2x)(1+\cos 2x)}{4x^2(1+\cos 2x)}$

$\quad=\displaystyle\lim_{x\to 0}\dfrac{1-\cos^2 2x}{4x^2(1+\cos 2x)}$

$\quad=\displaystyle\lim_{x\to 0}\dfrac{\sin^2 2x}{4x^2(1+\cos 2x)}$

$\quad=\displaystyle\lim_{x\to 0}\left(\dfrac{\sin 2x}{2x}\right)^2\times\dfrac{1}{1+\cos 2x}$

$\quad=1^2\times\dfrac{1}{2}=\dfrac{1}{2}$

답 $\dfrac{1}{2}$

08 $f'(x)=-\sin x+\cos x$에서

$f'\left(\dfrac{\pi}{3}\right)=-\sin\dfrac{\pi}{3}+\cos\dfrac{\pi}{3}$

$\quad=-\dfrac{\sqrt{3}}{2}+\dfrac{1}{2}=\dfrac{1-\sqrt{3}}{2}$

답 ②

09 원 $x^2+y^2=4$와 직선 $y=-2x$의 교점의 x좌표는

$x^2+4x^2=4$, $x^2=\dfrac{4}{5}$ $\therefore x=-\dfrac{2}{\sqrt{5}}\ (\because x<0)$

즉, 점 P의 좌표는 $\left(-\dfrac{2}{\sqrt{5}}, \dfrac{4}{\sqrt{5}}\right)$이므로

$\overline{OP}=\sqrt{\dfrac{4}{5}+\dfrac{16}{5}}=2$

$\therefore \csc\theta\sec\theta=\dfrac{2}{\dfrac{4}{\sqrt{5}}}\times\dfrac{2}{-\dfrac{2}{\sqrt{5}}}=-\dfrac{5}{2}$

답 $-\dfrac{5}{2}$

10 $\tan\theta+\cot\theta=\tan\theta+\dfrac{1}{\tan\theta}=-2$에서

$\tan^2\theta+2\tan\theta+1=0$

$(\tan\theta+1)^2=0$ $\therefore \tan\theta=-1$

즉, $\tan\theta=\dfrac{\sin\theta}{\cos\theta}=-1$이므로

$\sin\theta=-\cos\theta$

$\therefore \sin\theta+\cos\theta=0$

답 ③

$$\tan\theta+\cot\theta=\frac{\sin\theta}{\cos\theta}+\frac{\cos\theta}{\sin\theta}=\frac{\sin^2\theta+\cos^2\theta}{\sin\theta\cos\theta}=-2\text{에서}$$

$$\sin^2\theta+2\sin\theta\cos\theta+\cos^2\theta=0$$

$$(\sin\theta+\cos\theta)^2=0 \qquad \therefore \sin\theta+\cos\theta=0$$

11 이차방정식 $2x^2-5x+a=0$의 두 근이 $\tan\theta$, $\cot\theta$이므로 근과 계수의 관계에서

$$\tan\theta+\cot\theta=\frac{5}{2} \qquad \cdots\cdots ㉠$$

$$\tan\theta\cot\theta=\frac{a}{2} \qquad \cdots\cdots ㉡$$

㉠에서

$$\frac{\sin\theta}{\cos\theta}+\frac{\cos\theta}{\sin\theta}=\frac{\sin^2\theta+\cos^2\theta}{\sin\theta\cos\theta}=\frac{1}{\sin\theta\cos\theta}=\frac{5}{2}$$

$$\therefore \sin\theta\cos\theta=\frac{2}{5}$$

㉡에서 $\dfrac{\sin\theta}{\cos\theta}\times\dfrac{\cos\theta}{\sin\theta}=1=\dfrac{a}{2}$이므로 $a=2$

$$\therefore \frac{\sin\theta\cos\theta}{a}=\frac{1}{5} \qquad\qquad \text{답}\ \frac{1}{5}$$

12 $\sin\left(\dfrac{\pi}{6}+\theta\right)+\sin\left(\dfrac{\pi}{6}-\theta\right)$

$$=\sin\frac{\pi}{6}\cos\theta+\cos\frac{\pi}{6}\sin\theta+\sin\frac{\pi}{6}\cos\theta-\cos\frac{\pi}{6}\sin\theta$$

$$=2\sin\frac{\pi}{6}\cos\theta$$

$$=2\times\frac{1}{2}\times\cos\theta=\cos\theta \qquad\qquad \text{답}\ ②$$

13 삼각형 ABC가 예각삼각형이므로

$$\cos A=\sqrt{1-\sin^2 A}=\sqrt{1-\left(\frac{3}{5}\right)^2}=\frac{4}{5}$$

$$\sin B=\sqrt{1-\cos^2 B}=\sqrt{1-\left(\frac{12}{13}\right)^2}=\frac{5}{13}$$

$$\therefore \sin C=\sin\{\pi-(A+B)\}$$

$$=\sin(A+B)$$

$$=\sin A\cos B+\cos A\sin B$$

$$=\frac{3}{5}\times\frac{12}{13}+\frac{4}{5}\times\frac{5}{13}$$

$$=\frac{56}{65} \qquad\qquad \text{답}\ \frac{56}{65}$$

14 $x^2+y^2=5$ 위의 점 $P(2,-1)$에서의 접선의 방정식은

$2x-y=5$, 즉 $y=2x-5$이므로

$$\tan\alpha=2$$

$x^2+y^2=5$ 위의 점 $Q(-1,2)$에서의 접선의 방정식은

$-x+2y=5$, 즉 $y=\dfrac{1}{2}x+\dfrac{5}{2}$이므로

$$\tan\beta=\frac{1}{2}$$

$$\therefore \tan(\alpha-\beta)=\frac{\tan\alpha-\tan\beta}{1+\tan\alpha\tan\beta}$$

$$=\frac{2-\frac{1}{2}}{1+2\times\frac{1}{2}}=\frac{3}{4} \qquad\qquad \text{답}\ \frac{3}{4}$$

15 $\sin 15°=\sin(60°-45°)$

$$=\sin 60°\cos 45°-\cos 60°\sin 45°$$

$$=\frac{\sqrt3}{2}\times\frac{\sqrt2}{2}-\frac{1}{2}\times\frac{\sqrt2}{2}$$

$$=\frac{\sqrt6-\sqrt2}{4}$$

$\sin 75°=\sin(45°+30°)$

$$=\sin 45°\cos 30°+\cos 45°\sin 30°$$

$$=\frac{\sqrt2}{2}\times\frac{\sqrt3}{2}+\frac{\sqrt2}{2}\times\frac{1}{2}$$

$$=\frac{\sqrt6+\sqrt2}{4}$$

$$\therefore \sin 15°+\sin 75°=\frac{2\sqrt6}{4}=\frac{\sqrt6}{2}$$

$$\sin 15°\sin 75°=\frac{4}{16}=\frac{1}{4}$$

이차방정식 $8x^2+2ax+b=0$의 근과 계수의 관계에서

$$\sin 15°+\sin 75°=-\frac{2a}{8}=\frac{\sqrt6}{2}$$

$$\therefore a=-2\sqrt6$$

$$\sin 15°\sin 75°=\frac{b}{8}=\frac{1}{4}$$

$$\therefore b=2$$

$$\therefore a^2+b^2=24+4=28 \qquad\qquad \text{답}\ 28$$

16 $\overline{AH}=x$, $\angle BAH=\alpha$, $\angle CAH=\beta$ 라 하면

$$\tan\alpha=\frac{1}{x},\ \tan\beta=\frac{3}{x}$$

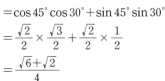

$$\therefore \tan A=\tan(\alpha+\beta)$$

$$=\frac{\tan\alpha+\tan\beta}{1-\tan\alpha\tan\beta}$$

$$=\frac{\frac{1}{x}+\frac{3}{x}}{1-\frac{1}{x}\times\frac{3}{x}}=\frac{4x}{x^2-3}=2$$

$$2x^2-4x-6=0,\ (x-3)(x+1)=0$$

$$\therefore x=3\ (\because x>0)$$

따라서 삼각형 ABC의 넓이는

$$\frac{1}{2}\times\overline{BC}\times\overline{AH}=\frac{1}{2}\times4\times3=6 \qquad\qquad \text{답}\ 6$$

17 그림의 직각삼각형 ADE에서

$\overline{AD}=2$, $\overline{AE}=1$이므로

$$\angle DAE=60°$$

$$\therefore \angle BAC=\angle BAD=15°$$

$\cos 15°=\cos(45°-30°)$

$$=\cos 45°\cos 30°+\sin 45°\sin 30°$$

$$=\frac{\sqrt2}{2}\times\frac{\sqrt3}{2}+\frac{\sqrt2}{2}\times\frac{1}{2}$$

$$=\frac{\sqrt6+\sqrt2}{4}$$

삼각형 ABC에서 $\cos 15°=\dfrac{2}{\overline{AB}}$

$$\therefore \overline{AB}=\frac{2}{\cos 15°}=\frac{8}{\sqrt6+\sqrt2}$$

$$=2(\sqrt6-\sqrt2) \qquad\qquad \text{답}\ ②$$

18
$$y=3\cos x-2\cos\left(x+\frac{\pi}{3}\right)$$
$$=3\cos x-2\left(\cos x\cos\frac{\pi}{3}-\sin x\sin\frac{\pi}{3}\right)$$
$$=3\cos x-2\left(\frac{1}{2}\cos x-\frac{\sqrt{3}}{2}\sin x\right)$$
$$=\sqrt{3}\sin x+2\cos x$$
$$=\sqrt{7}\left(\frac{\sqrt{3}}{\sqrt{7}}\sin x+\frac{2}{\sqrt{7}}\cos x\right)$$
$$=\sqrt{7}\left(\sin x\cos\alpha+\cos x\sin\alpha\right)$$
$$=\sqrt{7}\sin\left(x+\alpha\right)\left(\text{단, }\cos\alpha=\frac{\sqrt{3}}{\sqrt{7}},\ \sin\alpha=\frac{2}{\sqrt{7}}\right)$$
$-1\le\sin\left(x+\alpha\right)\le1$이므로
$-\sqrt{7}\le\sqrt{7}\sin\left(x+\alpha\right)\le\sqrt{7}$
따라서 구하는 최댓값은 $\sqrt{7}$이다. 답 ④

19
$$f(\theta)=a\sin\theta+b\cos\theta$$
$$=\sqrt{a^2+b^2}\sin\left(\theta+\alpha\right)$$
$$\left(\text{단, }\cos\alpha=\frac{a}{\sqrt{a^2+b^2}},\ \sin\alpha=\frac{b}{\sqrt{a^2+b^2}}\right)$$
조건 ㈎에서 $f\left(\frac{\pi}{4}\right)=\sqrt{2}$이므로
$$f\left(\frac{\pi}{4}\right)=a\sin\frac{\pi}{4}+b\cos\frac{\pi}{4}$$
$$=\frac{1}{\sqrt{2}}(a+b)=\sqrt{2}$$
$\therefore a+b=2$ ⋯⋯㉠
조건 ㈏에서 $f(\theta)$는 $\sin\left(\theta+\alpha\right)=1$일 때, 최댓값 $\sqrt{a^2+b^2}$을 가지므로
$\sqrt{a^2+b^2}=\sqrt{10},\ a^2+b^2=10$ ⋯⋯㉡
㉠에서 $b=2-a$
이것을 ㉡에 대입하면
$a^2+(2-a)^2=10$
$(a+1)(a-3)=0$
$\therefore a=3\ (\because a>0)$
㉠에서 $b=-1$
$\therefore 10(a-b)=10(3+1)=40$ 답 40

20
$\angle\text{PAB}=\alpha$라 하면
$\overline{\text{BP}}=2\sin\alpha,\ \overline{\text{AP}}=2\cos\alpha$
이므로

$$\overline{\text{AP}}+2\overline{\text{BP}}=2\cos\alpha+2\times2\sin\alpha$$
$$=4\sin\alpha+2\cos\alpha$$
$$=2\sqrt{5}\left(\frac{2\sqrt{5}}{5}\sin\alpha+\frac{\sqrt{5}}{5}\cos\alpha\right)$$
$$=2\sqrt{5}\left(\sin\alpha\cos\beta+\cos\alpha\sin\beta\right)$$
$$=2\sqrt{5}\sin\left(\alpha+\beta\right)$$
$$\left(\text{단, }\cos\beta=\frac{2\sqrt{5}}{5},\ \sin\beta=\frac{\sqrt{5}}{5}\right)$$
$-1\le\sin\left(\alpha+\beta\right)\le1$이므로
$-2\sqrt{5}\le2\sqrt{5}\sin\left(\alpha+\beta\right)\le2\sqrt{5}$
따라서 $\overline{\text{AP}}+2\overline{\text{BP}}$의 최댓값은 $2\sqrt{5}$이다. 답 $2\sqrt{5}$

21
$x\to0$일 때, (분모)$\to0$이고 극한값이 존재하므로 (분자)$\to0$
이어야 한다.

즉, $\lim\limits_{x\to0}(x^2+ax+b)=0$에서 $b=0$
$$\therefore \lim_{x\to0}\frac{x^2+ax+b}{\sin x}=\lim_{x\to0}\frac{x(x+a)}{\sin x}$$
$$=\lim_{x\to0}\frac{x}{\sin x}\times(x+a)$$
$$=1\times a=2$$
따라서 $a=2,\ b=0$이므로
$a+b=2$ 답 ②

22
$$\lim_{x\to0}\frac{\sin x+\sin 2x+\sin 3x+\cdots+\sin 20x}{x}$$
$$=\lim_{x\to0}\left(\frac{\sin x}{x}+\frac{\sin 2x}{x}+\frac{\sin 3x}{x}+\cdots+\frac{\sin 20x}{x}\right)$$
$$=\lim_{x\to0}\left(\frac{\sin x}{x}+\frac{\sin 2x}{2x}\times2+\frac{\sin 3x}{3x}\times3+\cdots+\frac{\sin 20x}{20x}\times20\right)$$
$$=1+1\times2+1\times3+\cdots+1\times20$$
$$=\frac{20\times21}{2}=210$$ 답 210

23
$x\to0$일 때, (분모)$\to0$이고 극한값이 존재하므로 (분자)$\to0$
이어야 한다.
즉, $\lim\limits_{x\to0}(\sqrt{ax+b}-1)=0$에서 $\sqrt{b}-1=0$
$\therefore b=1$
$$\therefore \lim_{x\to0}\frac{\sqrt{ax+1}-1}{\sin 3x}=\lim_{x\to0}\frac{(\sqrt{ax+1}-1)(\sqrt{ax+1}+1)}{\sin 3x\,(\sqrt{ax+1}+1)}$$
$$=\lim_{x\to0}\frac{ax}{\sin 3x\,(\sqrt{ax+1}+1)}$$
$$=\lim_{x\to0}\frac{3x}{\sin 3x}\times\frac{a}{\sqrt{ax+1}+1}\times\frac{1}{3}$$
$$=1\times\frac{a}{2}\times\frac{1}{3}=\frac{1}{6}a=2$$
따라서 $a=12,\ b=1$이므로
$a+b=13$ 답 13

24
$$\lim_{x\to0}\frac{\sin 7x}{2x+\tan 3x}=\lim_{x\to0}\frac{\dfrac{\sin 7x}{x}}{2+\dfrac{\tan 3x}{x}}$$
$$=\lim_{x\to0}\frac{\dfrac{\sin 7x}{7x}\times7}{2+\dfrac{\tan 3x}{3x}\times3}$$
$$=\frac{1\times7}{2+1\times3}=\frac{7}{5}$$
따라서 $p=5,\ q=7$이므로
$p+q=12$ 답 12

25
$$\lim_{x\to0}\frac{\tan\left(\tan 3x\right)}{\tan 4x}$$
$$=\lim_{x\to0}\frac{\tan\left(\tan 3x\right)}{\tan 3x}\times\frac{4x}{\tan 4x}\times\frac{\tan 3x}{3x}\times\frac{3}{4}$$
$$=1\times1\times1\times\frac{3}{4}=\frac{3}{4}$$ 답 ③

26
$x\to0$일 때, (분모)$\to0$이고 극한값이 존재하므로 (분자)$\to0$
이어야 한다.

즉, $\lim\limits_{x\to 0}\sin(ax+b)=0$에서

$\sin b=0$

$0\le b\le\dfrac{\pi}{2}$이므로 $b=0$

$\therefore \lim\limits_{x\to 0}\dfrac{\sin(ax+b)}{\tan x}=\lim\limits_{x\to 0}\dfrac{\sin ax}{\tan x}$

$\qquad\qquad\qquad\qquad\;\;=\lim\limits_{x\to 0}\dfrac{\sin ax}{ax}\times\dfrac{x}{\tan x}\times a$

$\qquad\qquad\qquad\qquad\;\;=1\times 1\times a=4$

따라서 $a=4$, $b=0$이므로

$a+b=4$ 　　　　　　　　　　　　　　　　　　🅰 4

27 $\lim\limits_{x\to 0}\dfrac{1-\cos^3 x}{x\sin 2x}$

$=\lim\limits_{x\to 0}\dfrac{(1-\cos x)(1+\cos x+\cos^2 x)}{x\times 2\sin x\cos x}$

$=\lim\limits_{x\to 0}\dfrac{(1-\cos x)(1+\cos x)(1+\cos x+\cos^2 x)}{2x\sin x\cos x(1+\cos x)}$

$=\lim\limits_{x\to 0}\dfrac{(1-\cos^2 x)(1+\cos x+\cos^2 x)}{2x\sin x\cos x(1+\cos x)}$

$=\lim\limits_{x\to 0}\dfrac{\sin^2 x(1+\cos x+\cos^2 x)}{2x\sin x\cos x(1+\cos x)}$

$=\lim\limits_{x\to 0}\dfrac{\sin x}{x}\times\dfrac{1+\cos x+\cos^2 x}{\cos x(1+\cos x)}\times\dfrac{1}{2}$

$=1\times\dfrac{3}{2}\times\dfrac{1}{2}$

$=\dfrac{3}{4}$ 　　　　　　　　　　　　　　　　　　🅰 ③

참고 **배각의 공식**

(1) $\sin 2a=2\sin a\cos a$

(2) $\cos 2a=\cos^2 a-\sin^2 a$

$\qquad\quad\;\;=1-2\sin^2 a$

$\qquad\quad\;\;=2\cos^2 a-1$

(3) $\tan 2a=\dfrac{2\tan a}{1-\tan^2 a}$

28 $\lim\limits_{x\to 0}\dfrac{\sin x(1-\cos 4x)}{x^3}$

$=\lim\limits_{x\to 0}\dfrac{\sin x(1-\cos 4x)(1+\cos 4x)}{x^3(1+\cos 4x)}$

$=\lim\limits_{x\to 0}\dfrac{\sin x(1-\cos^2 4x)}{x^3(1+\cos 4x)}$

$=\lim\limits_{x\to 0}\dfrac{\sin x\times\sin^2 4x}{x^3(1+\cos 4x)}$

$=\lim\limits_{x\to 0}\dfrac{\sin x}{x}\times\left(\dfrac{\sin 4x}{4x}\right)^2\times\dfrac{16}{1+\cos 4x}$

$=1\times 1^2\times\dfrac{16}{2}$

$=8$ 　　　　　　　　　　　　　　　　　　🅰 8

29 $x\to 0$일 때, (분자)$\to 0$이고 0이 아닌 극한값이 존재하므로 (분모)$\to 0$이어야 한다.

즉, $\lim\limits_{x\to 0}(4+a\cos x)=0$에서

$4+a=0$

$\therefore a=-4$

$\therefore \lim\limits_{x\to 0}\dfrac{x\sin 2x}{4+a\cos x}=\lim\limits_{x\to 0}\dfrac{x\sin 2x}{4-4\cos x}$

$\qquad\qquad\qquad\qquad\;=\lim\limits_{x\to 0}\dfrac{x\times 2\sin x\cos x}{4(1-\cos x)}$

$\qquad\qquad\qquad\qquad\;=\lim\limits_{x\to 0}\dfrac{2x\sin x\cos x(1+\cos x)}{4(1-\cos x)(1+\cos x)}$

$\qquad\qquad\qquad\qquad\;=\lim\limits_{x\to 0}\dfrac{2x\sin x\cos x(1+\cos x)}{4(1-\cos^2 x)}$

$\qquad\qquad\qquad\qquad\;=\lim\limits_{x\to 0}\dfrac{x\sin x\cos x(1+\cos x)}{2\sin^2 x}$

$\qquad\qquad\qquad\qquad\;=\lim\limits_{x\to 0}\dfrac{1}{2}\times\dfrac{x}{\sin x}\times\cos x(1+\cos x)$

$\qquad\qquad\qquad\qquad\;=\dfrac{1}{2}\times 1\times 2=1=b$

$\therefore ab=(-4)\times 1=-4$ 　　　　　　　　　🅰 −4

30 $\dfrac{1}{x}=t$로 놓으면 $x\to\infty$일 때, $t\to 0$이므로

$\lim\limits_{x\to\infty}\dfrac{1}{x\tan\dfrac{1}{x}}=\lim\limits_{t\to 0}\dfrac{t}{\tan t}=1$ 　　　　　　🅰 1

31 $x+\dfrac{\pi}{4}=t$로 놓으면 $x\to-\dfrac{\pi}{4}$일 때, $t\to 0$이므로

$\lim\limits_{x\to-\frac{\pi}{4}}\dfrac{\sin x+\cos x}{x+\dfrac{\pi}{4}}$

$=\lim\limits_{t\to 0}\dfrac{\sin\left(t-\dfrac{\pi}{4}\right)+\cos\left(t-\dfrac{\pi}{4}\right)}{t}$

$=\lim\limits_{t\to 0}\dfrac{\left(\sin t\cos\dfrac{\pi}{4}-\cos t\sin\dfrac{\pi}{4}\right)+\left(\cos t\cos\dfrac{\pi}{4}+\sin t\sin\dfrac{\pi}{4}\right)}{t}$

$=\lim\limits_{t\to 0}\dfrac{\left(\dfrac{\sqrt{2}}{2}\sin t-\dfrac{\sqrt{2}}{2}\cos t\right)+\left(\dfrac{\sqrt{2}}{2}\cos t+\dfrac{\sqrt{2}}{2}\sin t\right)}{t}$

$=\lim\limits_{t\to 0}\dfrac{\sqrt{2}\sin t}{t}=\sqrt{2}$ 　　　　　　　　　🅰 $\sqrt{2}$

다른 풀이

$\sin x+\cos x=\sqrt{2}\left(\dfrac{1}{\sqrt{2}}\sin x+\dfrac{1}{\sqrt{2}}\cos x\right)$

$\qquad\qquad\quad\;\;=\sqrt{2}\left(\sin x\cos\dfrac{\pi}{4}+\cos x\sin\dfrac{\pi}{4}\right)$

$\qquad\qquad\quad\;\;=\sqrt{2}\sin\left(x+\dfrac{\pi}{4}\right)$

$x+\dfrac{\pi}{4}=t$로 놓으면 $x\to-\dfrac{\pi}{4}$일 때, $t\to 0$이므로

$\lim\limits_{x\to-\frac{\pi}{4}}\dfrac{\sin x+\cos x}{x+\dfrac{\pi}{4}}=\lim\limits_{x\to-\frac{\pi}{4}}\dfrac{\sqrt{2}\sin\left(x+\dfrac{\pi}{4}\right)}{x+\dfrac{\pi}{4}}$

$\qquad\qquad\qquad\qquad\;\;=\lim\limits_{t\to 0}\dfrac{\sqrt{2}\sin t}{t}=\sqrt{2}$

32 $x\to\dfrac{\pi}{2}$일 때, (분모)$\to 0$이고 극한값이 존재하므로 (분자)$\to 0$이어야 한다.

즉, $\lim\limits_{x\to\frac{\pi}{2}}\left(ax-\dfrac{5}{2}\pi\right)=0$에서 $\dfrac{a}{2}\pi-\dfrac{5}{2}\pi=0$ 　　$\therefore a=5$

$x-\dfrac{\pi}{2}=t$로 놓으면 $x \rightarrow \dfrac{\pi}{2}$일 때, $t \rightarrow 0$이므로

$$\lim_{x \to \frac{\pi}{2}} \frac{5x-\frac{5}{2}\pi}{\cos x} = \lim_{x \to \frac{\pi}{2}} \frac{5\left(x-\frac{\pi}{2}\right)}{\cos x}$$

$$= \lim_{t \to 0} \frac{5t}{\cos\left(\frac{\pi}{2}+t\right)}$$

$$= \lim_{t \to 0} \frac{5t}{-\sin t}$$

$$= -5 = b$$

$\therefore a+b = 5+(-5) = 0$ **답 ③**

33 삼각형 ABH에서

$\overline{BH} = \overline{AB}\cos\theta = 3\cos\theta$

삼각형 ABC에서

$\overline{BC} = \dfrac{\overline{AB}}{\cos\theta} = \dfrac{3}{\cos\theta}$

$\therefore \overline{CH} = \overline{BC} - \overline{BH} = \dfrac{3}{\cos\theta} - 3\cos\theta$

$$\therefore \lim_{\theta \to 0} \frac{\overline{CH}}{\theta^2} = \lim_{\theta \to 0} \frac{\frac{3}{\cos\theta} - 3\cos\theta}{\theta^2}$$

$$= \lim_{\theta \to 0} \frac{3(1-\cos^2\theta)}{\theta^2 \cos\theta}$$

$$= \lim_{\theta \to 0} \frac{3\sin^2\theta}{\theta^2 \cos\theta}$$

$$= \lim_{\theta \to 0} \left(\frac{\sin\theta}{\theta}\right)^2 \times \frac{3}{\cos\theta}$$

$$= 1^2 \times \frac{3}{1} = 3$$ **답 ⑤**

34 그림과 같이 점 P에서 x축에 내린 수선의 발을 H라 하면

$\overline{OH} = f(\theta)$이므로 $\tan 2\theta = \dfrac{\overline{PH}}{f(\theta)}$

$\therefore \overline{PH} = f(\theta)\tan 2\theta$ ······ ㉠

또 $\overline{AH} = 30 - f(\theta)$이므로

$\tan 3\theta = \dfrac{\overline{PH}}{30 - f(\theta)}$

$\therefore \overline{PH} = \{30 - f(\theta)\}\tan 3\theta$ ······ ㉡

㉠, ㉡에서

$f(\theta)\tan 2\theta = \{30 - f(\theta)\}\tan 3\theta$

$(\tan 2\theta + \tan 3\theta)f(\theta) = 30\tan 3\theta$

$\therefore f(\theta) = \dfrac{30\tan 3\theta}{\tan 2\theta + \tan 3\theta}$

$$\therefore \lim_{\theta \to 0} f(\theta) = \lim_{\theta \to 0} \frac{30\tan 3\theta}{\tan 2\theta + \tan 3\theta}$$

$$= \lim_{\theta \to 0} \frac{\frac{30\tan 3\theta}{3\theta}}{\frac{\tan 2\theta + \tan 3\theta}{3\theta}}$$

$$= \lim_{\theta \to 0} \frac{30 \times \frac{\tan 3\theta}{3\theta}}{\frac{\tan 2\theta}{2\theta} \times \frac{2}{3} + \frac{\tan 3\theta}{3\theta}}$$

$$= \frac{30}{\frac{2}{3}+1} = 18$$ **답 18**

35

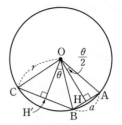

그림과 같이 길이가 a인 호에 대한 중심각의 크기를 θ라 하면 길이가 $2a$인 호에 대한 중심각의 크기는 2θ이고

$a = r\theta$

중심 O에서 현 AB에 내린 수선의 발을 H라 하면 삼각형 OAB는 이등변삼각형이므로

$\angle AOH = \dfrac{\theta}{2}$이고 $\overline{AH} = r\sin\dfrac{\theta}{2}$

$\therefore b = 2\overline{AH} = 2r\sin\dfrac{\theta}{2}$

또 중심 O에서 현 BC에 내린 수선의 발을 H'이라 하면 삼각형 OBC는 이등변삼각형이므로

$\angle BOH' = \theta$이고 $\overline{BH'} = r\sin\theta$

$\therefore c = 2\overline{BH'} = 2r\sin\theta$

그런데 $a \rightarrow 0$일 때, $\theta \rightarrow 0$이므로

$$\lim_{a \to 0} \frac{b+c}{a} = \lim_{\theta \to 0} \frac{2r\sin\frac{\theta}{2} + 2r\sin\theta}{r\theta}$$

$$= 2\lim_{\theta \to 0} \left(\frac{\sin\frac{\theta}{2}}{\theta} + \frac{\sin\theta}{\theta}\right)$$

$$= 2\lim_{\theta \to 0} \left(\frac{\sin\frac{\theta}{2}}{\frac{\theta}{2}} \times \frac{1}{2} + \frac{\sin\theta}{\theta}\right)$$

$$= 2\left(\frac{1}{2}+1\right) = 3$$ **답 3**

36 함수 $f(x)$가 $x=\pi$에서 연속이므로

$\lim\limits_{x \to \pi} f(x) = f(\pi)$에서 $\lim\limits_{x \to \pi} \dfrac{\sin x + ax}{x - \pi} = b$

$x \rightarrow \pi$일 때, (분모)$\rightarrow 0$이고 극한값이 존재하므로 (분자)$\rightarrow 0$이어야 한다.

즉, $\lim\limits_{x \to \pi} (\sin x + ax) = 0$에서 $a\pi = 0$

$\therefore a = 0$

$x - \pi = t$로 놓으면 $x \rightarrow \pi$일 때, $t \rightarrow 0$이므로

$$\lim_{x \to \pi} \frac{\sin x}{x - \pi} = \lim_{t \to 0} \frac{\sin(\pi + t)}{t}$$

$$= \lim_{t \to 0} \left(-\frac{\sin t}{t}\right)$$

$$= -1 = b$$

$\therefore a+b = 0+(-1) = -1$ **답 ②**

37 함수 $f(x)$가 $x=0$에서도 연속이므로

$\lim\limits_{x \to 0} f(x) = f(0)$에서 $\lim\limits_{x \to 0} \dfrac{ax\sin x + b}{1 - \cos x} = 1$

$x \rightarrow 0$일 때, (분모)$\rightarrow 0$이고 극한값이 존재하므로 (분자)$\rightarrow 0$이어야 한다.

즉, $\lim\limits_{x \to 0} (ax\sin x + b) = 0$에서 $b = 0$

$$\therefore \lim_{x \to 0} \frac{ax\sin x}{1-\cos x} = \lim_{x \to 0} \frac{ax\sin x(1+\cos x)}{1-\cos^2 x}$$
$$= \lim_{x \to 0} \frac{ax\sin x(1+\cos x)}{\sin^2 x}$$
$$= \lim_{x \to 0} a \times \frac{x}{\sin x} \times (1+\cos x)$$
$$= 2a = 1$$

따라서 $a = \dfrac{1}{2}$, $b = 0$이므로

$$a + b = \frac{1}{2} \qquad \qquad \boxed{답}\ \frac{1}{2}$$

38 함수 $f(x)$가 $x=0$에서 연속이려면

$\lim\limits_{x \to 0} f(x) = f(0)$에서 $\lim\limits_{x \to 0} \dfrac{e^{ax}+b}{\tan x} = 2$

$x \to 0$일 때, (분모)$\to 0$이고 극한값이 존재하므로 (분자)$\to 0$
이어야 한다.

즉, $\lim\limits_{x \to 0}(e^{ax}+b) = 0$에서 $1+b=0$

$\therefore b = -1$

$$\therefore \lim_{x \to 0} \frac{e^{ax}-1}{\tan x} = \lim_{x \to 0} \frac{x}{\tan x} \times \frac{e^{ax}-1}{ax} \times a$$
$$= a = 2$$

$\therefore a + b = 2 + (-1) = 1 \qquad \qquad \boxed{답}\ 1$

39 $f(x) = x\sin x$에서

$f'(x) = \sin x + x\cos x$

$\therefore f'(\pi) = \sin \pi + \pi \cos \pi = -\pi \qquad \boxed{답}\ -\pi$

40
$$\lim_{h \to 0} \frac{f(\pi+h)-f(\pi-h)}{h}$$
$$= \lim_{h \to 0} \frac{\{f(\pi+h)-f(\pi)\}-\{f(\pi-h)-f(\pi)\}}{h}$$
$$= \lim_{h \to 0} \frac{f(\pi+h)-f(\pi)}{h} + \lim_{h \to 0} \frac{f(\pi-h)-f(\pi)}{-h}$$
$$= f'(\pi) + f'(\pi) = 2f'(\pi)$$

$f(x) = 2\cos x$에서 $f'(x) = -2\sin x$이므로

$2f'(\pi) = 2 \times (-2\sin \pi) = 0 \qquad \qquad \boxed{답}\ ③$

41 $f(x) = \sin x - \sqrt{3}\cos x + x$에서

$$f'(x) = \cos x + \sqrt{3}\sin x + 1$$
$$= 2\left(\frac{1}{2}\cos x + \frac{\sqrt{3}}{2}\sin x\right) + 1$$
$$= 2\sin\left(x + \frac{\pi}{6}\right) + 1$$

$f'(\alpha) = \sqrt{2}+1$에서

$2\sin\left(\alpha + \dfrac{\pi}{6}\right) + 1 = \sqrt{2}+1$

$\therefore \sin\left(\alpha + \dfrac{\pi}{6}\right) = \dfrac{\sqrt{2}}{2}$

한편, $0 \le \alpha \le \dfrac{\pi}{2}$에서 $\dfrac{\pi}{6} \le \alpha + \dfrac{\pi}{6} \le \dfrac{2}{3}\pi$이므로

$\alpha + \dfrac{\pi}{6} = \dfrac{\pi}{4}$

$\therefore \alpha = \dfrac{\pi}{12} \qquad \qquad \boxed{답}\ \dfrac{\pi}{12}$

42
$$\lim_{x \to 0} \frac{f(\pi-\sin x)-f(\pi)}{x}$$
$$= \lim_{x \to 0} \frac{f(\pi-\sin x)-f(\pi)}{(\pi-\sin x)-\pi} \times \frac{-\sin x}{x}$$
$$= f'(\pi) \times (-1)$$
$$= -f'(\pi)$$

$f(x) = \sin x - \cos x$에서

$f'(x) = \cos x + \sin x$이므로

$-f'(\pi) = -\cos \pi - \sin \pi = 1 \qquad \qquad \boxed{답}\ 1$

43 $f(x) = \sin x(1+\cos x)$에서

$$f'(x) = \cos x(1+\cos x) + \sin x(-\sin x)$$
$$= \cos^2 x + \cos x - \sin^2 x$$
$$= \cos^2 x + \cos x - (1-\cos^2 x)$$
$$= 2\cos^2 x + \cos x - 1$$
$$= (2\cos x - 1)(\cos x + 1)$$

$f'(x) = 0$에서 $\cos x = \dfrac{1}{2}$ 또는 $\cos x = -1$

$\therefore x = \dfrac{\pi}{3}$ 또는 $x = \pi$ 또는 $x = \dfrac{5}{3}\pi\ (\because 0 \le x \le 2\pi)$

따라서 모든 x의 값의 합은

$\dfrac{\pi}{3} + \pi + \dfrac{5}{3}\pi = 3\pi \qquad \qquad \boxed{답}\ ③$

44 함수 $f(x)$가 $x=0$에서 미분가능하려면 $x=0$에서 연속이어야
하므로

$\lim\limits_{x \to 0-}(ae^x+b) = \lim\limits_{x \to 0+}\sin x = f(0)$

$\therefore a+b = 0 \qquad \cdots\cdots\ \bigcirc$

또 $f'(0)$이 존재해야 하므로

$f'(x) = \begin{cases} ae^x & (x<0) \\ \cos x & (x>0) \end{cases}$에서

$\lim\limits_{x \to 0-} ae^x = \lim\limits_{x \to 0+}\cos x$

$\therefore a = 1$

$a=1$을 $\bigcirc$에 대입하면 $b = -1$

$\therefore a - b = 1 - (-1) = 2 \qquad \qquad \boxed{답}\ 2$

45 $\sin\theta + \cos\theta = \dfrac{1}{3}$의 양변을 제곱하면

$1 + 2\sin\theta\cos\theta = \dfrac{1}{9}$

$\therefore \sin\theta\cos\theta = -\dfrac{4}{9}$

$$\sec\theta(\tan\theta + \cot^2\theta) = \frac{1}{\cos\theta}\left(\frac{\sin\theta}{\cos\theta} + \frac{\cos^2\theta}{\sin^2\theta}\right)$$
$$= \frac{\sin\theta}{\cos^2\theta} + \frac{\cos\theta}{\sin^2\theta}$$
$$= \frac{\sin^3\theta + \cos^3\theta}{\cos^2\theta\sin^2\theta}$$
$$= \frac{81}{16}(\sin^3\theta + \cos^3\theta)$$

$\sin^3\theta + \cos^3\theta$
$= (\sin\theta + \cos\theta)^3 - 3\sin\theta\cos\theta(\sin\theta + \cos\theta)$
$= \left(\dfrac{1}{3}\right)^3 - 3 \times \left(-\dfrac{4}{9}\right) \times \left(\dfrac{1}{3}\right) = \dfrac{13}{27}$

$\therefore \dfrac{81}{16}(\sin^3\theta + \cos^3\theta) = \dfrac{81}{16} \times \dfrac{13}{27} = \dfrac{39}{16} \qquad \boxed{답}\ ④$

46

$\dfrac{\pi}{2}<\alpha<\pi,\ 0<\beta<\dfrac{\pi}{2}$에서

$\cos\alpha<0,\ \sin\beta>0$이므로

$\cos\alpha=-\sqrt{1-\sin^2\alpha}=-\sqrt{1-\left(\dfrac{1}{3}\right)^2}=-\dfrac{2\sqrt2}{3}$

$\sin\beta=\sqrt{1-\cos^2\beta}=\sqrt{1-\left(\dfrac{1}{4}\right)^2}=\dfrac{\sqrt{15}}{4}$

$\sin(\alpha+\beta)=\sin\alpha\cos\beta+\cos\alpha\sin\beta$

$\quad=\dfrac{1}{3}\times\dfrac{1}{4}+\left(-\dfrac{2\sqrt2}{3}\right)\times\dfrac{\sqrt{15}}{4}$

$\quad=\dfrac{1-2\sqrt{30}}{12}$

$\cos(\alpha-\beta)=\cos\alpha\cos\beta+\sin\alpha\sin\beta$

$\quad=\left(-\dfrac{2\sqrt2}{3}\right)\times\dfrac{1}{4}+\dfrac{1}{3}\times\dfrac{\sqrt{15}}{4}$

$\quad=\dfrac{\sqrt{15}-2\sqrt2}{12}$

$\therefore 144\{\sin^2(\alpha+\beta)-\cos^2(\alpha-\beta)\}$

$=144\left\{\left(\dfrac{1-2\sqrt{30}}{12}\right)^2-\left(\dfrac{\sqrt{15}-2\sqrt2}{12}\right)^2\right\}$

$=(121-4\sqrt{30})-(23-4\sqrt{30})=98$

답 98

47

$g\left(\dfrac{3}{5}\right)=\alpha,\ g\left(\dfrac{4}{5}\right)=\beta$라 하면

$f(\alpha)=\dfrac{3}{5},\ f(\beta)=\dfrac{4}{5}$

$\therefore \sin\alpha=\dfrac{3}{5},\ \sin\beta=\dfrac{4}{5}$

$0\le\alpha\le\dfrac{\pi}{2},\ 0\le\beta\le\dfrac{\pi}{2}$이므로

$\cos\alpha=\sqrt{1-\sin^2\alpha}=\sqrt{1-\left(\dfrac{3}{5}\right)^2}=\dfrac{4}{5}$

$\cos\beta=\sqrt{1-\sin^2\beta}=\sqrt{1-\left(\dfrac{4}{5}\right)^2}=\dfrac{3}{5}$

$\sin(\alpha+\beta)=\sin\alpha\cos\beta+\cos\alpha\sin\beta$

$\quad=\dfrac{3}{5}\times\dfrac{3}{5}+\dfrac{4}{5}\times\dfrac{4}{5}$

$\quad=\dfrac{9}{25}+\dfrac{16}{25}=1$

따라서 $0\le\alpha+\beta\le\pi$이므로

$\alpha+\beta=\dfrac{\pi}{2}$

$\therefore g\left(\dfrac{3}{5}\right)+g\left(\dfrac{4}{5}\right)=\alpha+\beta=\dfrac{\pi}{2}$

답 $\dfrac{\pi}{2}$

48

삼각형 CAD에서 $\angle ACD=\dfrac{\pi}{2}$

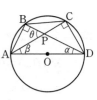

$\overline{OD}=\overline{CD}=4$이므로

$\angle ODC=\dfrac{\pi}{3}$

$\therefore \angle CAD=\dfrac{\pi}{6}$

$\angle ADB=\alpha$라 하면

$\angle APB=\theta=\dfrac{\pi}{6}+\alpha$

삼각형 BAD에서 $\angle ABD=\dfrac{\pi}{2}$이고 $\overline{AB}=3,\ \overline{AD}=8$이므로

$\overline{BD}=\sqrt{8^2-3^2}=\sqrt{55}$

$\therefore \sin\alpha=\dfrac{3}{8},\ \cos\alpha=\dfrac{\sqrt{55}}{8}$

$\therefore \cos\theta=\cos\left(\dfrac{\pi}{6}+\alpha\right)$

$\quad=\cos\dfrac{\pi}{6}\cos\alpha-\sin\dfrac{\pi}{6}\sin\alpha$

$\quad=\dfrac{\sqrt3}{2}\times\dfrac{\sqrt{55}}{8}-\dfrac{1}{2}\times\dfrac{3}{8}$

$\quad=\dfrac{\sqrt{165}-3}{16}$

답 ④

다른 풀이

$\angle ADB=\alpha,\ \angle DAC=\beta$라 하면

$\angle APB=\theta=\alpha+\beta$

삼각형 ABD에서 $\angle ABD=\dfrac{\pi}{2}$이고

$\overline{AB}=3,\ \overline{AD}=8$이므로

$\overline{BD}=\sqrt{8^2-3^2}=\sqrt{55}$

삼각형 ACD에서 $\angle ACD=\dfrac{\pi}{2}$이고

$\overline{CD}=4,\ \overline{AD}=8$이므로

$\overline{AC}=\sqrt{8^2-4^2}=4\sqrt3$

$\therefore \cos\alpha=\dfrac{\sqrt{55}}{8},\ \sin\alpha=\dfrac{3}{8}$

$\quad \cos\beta=\dfrac{\sqrt3}{2},\ \sin\beta=\dfrac{1}{2}$

$\therefore \cos\theta=\cos(\alpha+\beta)$

$\quad=\cos\alpha\cos\beta-\sin\alpha\sin\beta$

$\quad=\dfrac{\sqrt{55}}{8}\times\dfrac{\sqrt3}{2}-\dfrac{3}{8}\times\dfrac{1}{2}$

$\quad=\dfrac{\sqrt{165}-3}{16}$

49

$\angle BAE=\alpha,\ \angle DAF=\beta$라 하면

$\overline{BE}=\tan\alpha,\ \overline{DF}=\tan\beta$

$S=\dfrac{1}{2}\tan\alpha$

$S'=\dfrac{1}{2}\tan\beta$

$\therefore S+S'=\dfrac{1}{2}(\tan\alpha+\tan\beta)$

$\alpha+\beta=45°$에서 $\beta=45°-\alpha$이므로

$\tan\beta=\tan(45°-\alpha)$

$\quad=\dfrac{\tan45°-\tan\alpha}{1+\tan45°\tan\alpha}$

$\quad=\dfrac{1-\tan\alpha}{1+\tan\alpha}$

$\therefore S+S'=\dfrac{1}{2}(\tan\alpha+\tan\beta)$

$\quad=\dfrac{1}{2}\left(\tan\alpha+\dfrac{1-\tan\alpha}{1+\tan\alpha}\right)$

$\quad=\dfrac{1}{2}\left\{-2+(\tan\alpha+1)+\dfrac{2}{\tan\alpha+1}\right\}$

그런데 $0<\alpha<\dfrac{\pi}{4}$에서 $1<\tan\alpha+1<2$이므로

산술평균과 기하평균의 관계에서

$$S+S' \geq \frac{1}{2}\left\{-2+2\sqrt{(\tan\alpha+1)\times\frac{2}{\tan\alpha+1}}\right\}$$
$$=\frac{1}{2}(-2+2\sqrt{2})$$
$$=\sqrt{2}-1$$

(단, 등호는 $(\tan\alpha+1)^2=2$, 즉
$\tan\alpha+1=\sqrt{2}$ ($\because 1<\tan\alpha+1<2$)일 때 성립한다.)

따라서 $S+S'$의 최솟값은 $\sqrt{2}-1$이다.   📘 $\sqrt{2}-1$

50
$$\sin x+\sqrt{3}\cos x=2\left(\frac{1}{2}\sin x+\frac{\sqrt{3}}{2}\cos x\right)$$
$$=2\left(\sin x\cos\frac{\pi}{3}+\cos x\sin\frac{\pi}{3}\right)$$
$$=2\sin\left(x+\frac{\pi}{3}\right)$$

$0\leq x\leq\pi$에서 $\frac{\pi}{3}\leq x+\frac{\pi}{3}\leq\frac{4}{3}\pi$이므로

$x+\frac{\pi}{3}=\theta$로 놓으면 그림에서

$-\frac{\sqrt{3}}{2}\leq\sin\theta\leq1$, $-\sqrt{3}\leq2\sin\theta\leq2$

$\therefore -\sqrt{3}\leq\sin x+\sqrt{3}\cos x\leq2$

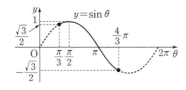

주어진 함수에서 $\sin x+\sqrt{3}\cos x=t$로 놓으면

$y=t^2+2t-4$
$\quad=(t+1)^2-5$ $(-\sqrt{3}\leq t\leq2)$

즉, 그래프는 그림과 같으므로 최댓
값과 최솟값은 각각
$M=4$, $m=-5$
$\therefore Mm=-20$

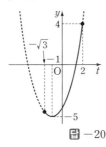

📘 -20

51
$$\overline{PQ}^2=(\alpha-\beta)^2+(\sin\alpha+\sin\beta)^2$$
$$=\left(\frac{\pi}{2}\right)^2+\left\{\sin\alpha+\sin\left(\alpha-\frac{\pi}{2}\right)\right\}^2$$
$$=\frac{\pi^2}{4}+(\sin\alpha-\cos\alpha)^2$$
$$=\frac{\pi^2}{4}+\left\{\sqrt{2}\sin\left(\alpha-\frac{\pi}{4}\right)\right\}^2$$
$$=\frac{\pi^2}{4}+2\sin^2\left(\alpha-\frac{\pi}{4}\right)$$

$0\leq\alpha\leq\pi$에서 $-\frac{\pi}{4}\leq\alpha-\frac{\pi}{4}\leq\frac{3}{4}\pi$이므로

$\alpha-\frac{\pi}{4}=\frac{\pi}{2}$일 때, $2\sin^2\left(\alpha-\frac{\pi}{4}\right)$는 최댓값을 갖는다.

따라서 $\overline{PQ}^2$의 최댓값은 $\frac{\pi^2}{4}+2$이다.   📘 $\frac{\pi^2}{4}+2$

52 $\displaystyle\lim_{x\to0}\frac{\sin x}{f(x)}=\lim_{x\to0}\frac{\frac{\sin x}{x}}{\frac{f(x)}{x}}=2$에서 $\displaystyle\lim_{x\to0}\frac{f(x)}{x}=\frac{1}{2}$

ㄱ. $\displaystyle\lim_{x\to0}\frac{1-\cos x}{\{f(x)\}^2}=\lim_{x\to0}\frac{1-\cos^2 x}{\{f(x)\}^2(1+\cos x)}$
$$=\lim_{x\to0}\frac{\sin^2 x}{\{f(x)\}^2(1+\cos x)}$$
$$=\lim_{x\to0}\frac{\left(\frac{\sin x}{x}\right)^2}{\left\{\frac{f(x)}{x}\right\}^2\times(1+\cos x)}$$
$$=\lim_{x\to0}\frac{1}{\frac{1}{4}\times2}=2 \text{ (거짓)}$$

ㄴ. $\displaystyle\lim_{x\to0}\frac{f(x)}{\ln(1+x)}=\lim_{x\to0}\frac{\frac{f(x)}{x}}{\frac{\ln(1+x)}{x}}=\frac{1}{2}$ (참)

ㄷ. $\displaystyle\lim_{x\to0}\frac{f(\sin x)}{\ln(1+x)}=\lim_{x\to0}\frac{\sin x\times\frac{f(\sin x)}{\sin x}}{x\times\frac{\ln(1+x)}{x}}$
$$=\lim_{x\to0}\frac{\sin x}{x}\times\frac{\frac{f(\sin x)}{\sin x}}{\frac{\ln(1+x)}{x}}=\frac{1}{2}\text{ (참)}$$

따라서 옳은 것은 ㄴ, ㄷ이다.   📘 ④

53
$$\lim_{\theta\to0}\frac{\sec\theta-1}{\sec3\theta-1}$$
$$=\lim_{\theta\to0}\frac{(\sec\theta-1)(\sec\theta+1)(\sec3\theta+1)}{(\sec3\theta-1)(\sec3\theta+1)(\sec\theta+1)}$$
$$=\lim_{\theta\to0}\frac{(\sec^2\theta-1)(\sec3\theta+1)}{(\sec^2 3\theta-1)(\sec\theta+1)}$$
$$=\lim_{\theta\to0}\frac{\tan^2\theta(\sec3\theta+1)}{\tan^2 3\theta(\sec\theta+1)}$$
$$=\lim_{\theta\to0}\left(\frac{\tan\theta}{\theta}\right)^2\times\left(\frac{3\theta}{\tan3\theta}\right)^2\times\frac{\sec3\theta+1}{\sec\theta+1}\times\frac{1}{9}$$
$$=1^2\times1^2\times\frac{2}{2}\times\frac{1}{9}=\frac{1}{9} \qquad 📘\ \frac{1}{9}$$

54
$$\lim_{x\to0}\frac{f_1(x)}{x}=\lim_{x\to0}\frac{\tan\frac{1}{3}x}{x}=\frac{1}{3}$$
$$\lim_{x\to0}\frac{f_2(x)}{x}=\lim_{x\to0}\frac{f_1(f_1(x))}{x}$$
$$=\lim_{x\to0}\frac{\tan\left\{\frac{1}{3}f_1(x)\right\}}{x}$$
$$=\lim_{x\to0}\frac{\tan\left\{\frac{1}{3}f_1(x)\right\}}{\frac{1}{3}f_1(x)}\times\frac{\frac{1}{3}f_1(x)}{x}=\left(\frac{1}{3}\right)^2$$
$$\lim_{x\to0}\frac{f_3(x)}{x}=\lim_{x\to0}\frac{f_1(f_2(x))}{x}$$
$$=\lim_{x\to0}\frac{\tan\left\{\frac{1}{3}f_2(x)\right\}}{x}$$
$$=\lim_{x\to0}\frac{\tan\left\{\frac{1}{3}f_2(x)\right\}}{\frac{1}{3}f_2(x)}\times\frac{\frac{1}{3}f_2(x)}{x}=\left(\frac{1}{3}\right)^3$$
$$\vdots$$
$$\therefore \lim_{x\to0}\frac{f_n(x)}{x}=\left(\frac{1}{3}\right)^n$$

$$\therefore \sum_{n=1}^{\infty}\left\{\lim_{x\to 0}\frac{f_n(x)}{x}\right\}=\sum_{n=1}^{\infty}\left(\frac{1}{3}\right)^n$$

$$=\frac{\frac{1}{3}}{1-\frac{1}{3}}=\frac{1}{2}$$

답 ②

55

$$\lim_{x\to 0}\frac{f(x)}{x^p}$$

$$=\lim_{x\to 0}\frac{f(x)}{1-\cos x^2}\times\frac{1-\cos x^2}{x^p}$$

$$=\lim_{x\to 0}\frac{f(x)}{1-\cos x^2}\times\frac{1-\cos^2 x^2}{x^p(1+\cos x^2)}$$

$$=\lim_{x\to 0}\frac{f(x)}{1-\cos x^2}\times\frac{\sin^2 x^2}{x^p(1+\cos x^2)}$$

$$=\lim_{x\to 0}\frac{f(x)}{1-\cos x^2}\times\left(\frac{\sin x^2}{x^2}\right)^2\times\frac{1}{(1+\cos x^2)}\times\frac{x^4}{x^p}$$

$$=2\times 1^2\times\frac{1}{2}\times\lim_{x\to 0}x^{4-p}=q$$

$p\neq 4$이면 $q=0$이므로 조건을 만족시키지 않는다.
따라서 $p=4$, $q=1$이므로
$p+q=5$

답 5

56

$\dfrac{1}{x}=t$로 놓으면 $x\to\infty$일 때, $t\to 0$이므로

$$\lim_{x\to\infty}\tan\left(\sin\frac{1}{x}\right)\csc\frac{1}{x}=\lim_{t\to 0}\tan(\sin t)\csc t$$

$$=\lim_{t\to 0}\frac{\tan(\sin t)}{\sin t}$$

$$=1$$

답 1

57

$f(x)=ax+b\ (a\neq 0)$로 놓으면 주어진 식은

$$\lim_{x\to -\frac{\pi}{2}}\frac{\cos(\pi+x)}{ax+b}=\frac{1}{2}\qquad\cdots\cdots\ \bigcirc$$

$x\to -\dfrac{\pi}{2}$일 때, (분자)$\to 0$이고 0이 아닌 극한값이 존재하므로
(분모)$\to 0$이어야 한다.

즉, $\lim\limits_{x\to -\frac{\pi}{2}}(ax+b)=0$에서 $-\dfrac{\pi}{2}a+b=0$

$$\therefore b=\frac{\pi}{2}a\qquad\cdots\cdots\ \bigcirc$$

$\bigcirc$을 $\bigcirc$에 대입하면 $\lim\limits_{x\to -\frac{\pi}{2}}\dfrac{\cos(\pi+x)}{ax+\frac{\pi}{2}a}$

$x+\dfrac{\pi}{2}=t$로 놓으면 $x\to -\dfrac{\pi}{2}$일 때, $t\to 0$이므로

$$\lim_{x\to -\frac{\pi}{2}}\frac{\cos(\pi+x)}{ax+\frac{\pi}{2}a}=\lim_{t\to 0}\frac{\cos\left(\frac{\pi}{2}+t\right)}{at}$$

$$=\lim_{t\to 0}\frac{-\sin t}{at}$$

$$=-\frac{1}{a}=\frac{1}{2}$$

$$\therefore a=-2$$

$a=-2$를 $\bigcirc$에 대입하면 $b=-\pi$
따라서 $f(x)=-2x-\pi$이므로
$f(2\pi)=-4\pi-\pi=-5\pi$

답 ①

58

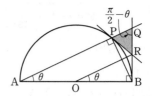

반원의 중심을 O라 하면 그림에서 두 삼각형 ABQ와 OBR는
닮음비가 $2:1$이다.

$\overline{QB}=2\tan\theta$이므로 $\overline{QR}=\dfrac{1}{2}\overline{QB}=\tan\theta$

또 $\overline{AQ}=\dfrac{2}{\cos\theta}$, $\overline{AP}=2\cos\theta$이므로

$$\overline{PQ}=\overline{AQ}-\overline{AP}=2\left(\frac{1}{\cos\theta}-\cos\theta\right)$$

$\angle AQB=\dfrac{\pi}{2}-\theta$이므로

$$S(\theta)=\frac{1}{2}\times\overline{QR}\times\overline{PQ}\times\sin\left(\frac{\pi}{2}-\theta\right)$$

$$=\frac{1}{2}\times\tan\theta\times 2\left(\frac{1}{\cos\theta}-\cos\theta\right)\times\cos\theta$$

$$=\tan\theta(1-\cos^2\theta)$$

$$=\tan\theta\sin^2\theta$$

$$\therefore \lim_{\theta\to 0+}\frac{S(\theta)}{\theta^3}=\lim_{\theta\to 0+}\frac{\tan\theta\sin^2\theta}{\theta^3}$$

$$=\lim_{\theta\to 0+}\frac{\tan\theta}{\theta}\times\left(\frac{\sin\theta}{\theta}\right)^2=1$$

답 1

59

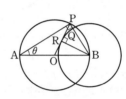

원 C_2와 선분 OP의 접점을 R라 하면
$\overline{BP}=2\sin\theta$, $\angle POB=2\theta$이므로
$\overline{BR}=\sin 2\theta=\overline{BQ}$

$$\therefore \overline{PQ}=\overline{BP}-\overline{BQ}$$

$$=2\sin\theta-\sin 2\theta$$

$$=2\sin\theta-2\sin\theta\cos\theta$$

$$=2\sin\theta(1-\cos\theta)$$

$$\therefore \lim_{\theta\to 0+}\frac{\overline{PQ}}{\theta^3}=\lim_{\theta\to 0+}\frac{2\sin\theta(1-\cos\theta)}{\theta^3}$$

$$=\lim_{\theta\to 0+}\frac{2\sin\theta(1-\cos^2\theta)}{\theta^3(1+\cos\theta)}$$

$$=\lim_{\theta\to 0+}\frac{2\sin^3\theta}{\theta^3(1+\cos\theta)}$$

$$=\lim_{\theta\to 0+}2\times\left(\frac{\sin\theta}{\theta}\right)^3\times\frac{1}{1+\cos\theta}$$

$$=2\times 1^3\times\frac{1}{2}=1$$

답 1

60

$\angle PAT=\theta$, $\angle OAT=\dfrac{\pi}{2}$, $\overline{AP}=\overline{AT}$이므로 삼각형 AOP

에서 $\angle OAP=\angle OPA=\dfrac{\pi}{2}-\theta$이고,

$$\overline{AT}=\overline{AP}=2\overline{OA}\cos\angle OAP$$

$$=2\times 6\cos\left(\frac{\pi}{2}-\theta\right)$$

$$=12\sin\theta$$

또 삼각형 APT는 이등변삼각형이므로

$$\angle \text{ATP} = \angle \text{APT} = \frac{\pi}{2} - \frac{\theta}{2}$$

$$\therefore \overline{\text{AQ}} = \overline{\text{AT}} \tan \angle \text{ATP}$$

$$= \overline{\text{AT}} \tan\left(\frac{\pi}{2} - \frac{\theta}{2}\right)$$

$$= 12 \sin\theta \times \cot\frac{\theta}{2}$$

$$= 24 \sin\frac{\theta}{2} \cos\frac{\theta}{2} \times \frac{\cos\frac{\theta}{2}}{\sin\frac{\theta}{2}}$$

$$= 24 \cos^2\frac{\theta}{2}$$

$$= 12(1 + \cos\theta)$$

즉, $f(\theta) = 12(1 + \cos\theta)$ 이므로 $f'(\theta) = -12 \sin\theta$

$$\therefore f'\left(\frac{\pi}{6}\right) = (-12) \times \frac{1}{2} = -6 \qquad \text{답} \ -6$$

61 함수 $f(x)$가 모든 실수 x에 대하여 연속이므로 $f(x)$는 $x=0$, $x=1$에서도 연속이다.

(ⅰ) 함수 $f(x)$가 $x=0$에서 연속이므로

$$\lim_{x \to 0} f(x) = f(0) \text{에서}$$

$$\lim_{x \to 0+} \frac{ax^3 + bx^2 + c}{1 - \cos\pi x} = \lim_{x \to 0-} 2\cos x = f(0)$$

$x \to 0+$ 일 때, (분모) $\to 0$이고 극한값이 존재하므로 (분자) $\to 0$이어야 한다.

즉, $\lim\limits_{x \to 0+}(ax^3 + bx^2 + c) = 0$에서 $c = 0$

$$\therefore \lim_{x \to 0+} \frac{ax^3 + bx^2}{1 - \cos\pi x}$$

$$= \lim_{x \to 0+} \frac{x^2(ax + b)}{1 - \cos\pi x}$$

$$= \lim_{x \to 0+} \frac{x^2(ax + b)(1 + \cos\pi x)}{1 - \cos^2\pi x}$$

$$= \lim_{x \to 0+} \frac{x^2(ax + b)(1 + \cos\pi x)}{\sin^2\pi x}$$

$$= \lim_{x \to 0+} \left(\frac{\pi x}{\sin\pi x}\right)^2 \times \frac{(ax + b)(1 + \cos\pi x)}{\pi^2}$$

$$= 1^2 \times \frac{2b}{\pi^2} = \frac{2b}{\pi^2} = 2$$

$$\therefore b = \pi^2$$

(ⅱ) 함수 $f(x)$가 $x=1$에서 연속이므로

$$\lim_{x \to 1} f(x) = f(1) \text{에서}$$

$$\lim_{x \to 1-} \frac{ax^3 + bx^2 + c}{1 - \cos\pi x} = \lim_{x \to 1+} \sin\pi x = f(1)$$

$$\frac{a + \pi^2}{2} = 0 \qquad \therefore a = -\pi^2$$

(ⅰ), (ⅱ)에서 $f(x) = \begin{cases} 2\cos x & (x \le 0) \\ \dfrac{-\pi^2 x^3 + \pi^2 x^2}{1 - \cos\pi x} & (0 < x < 1) \\ \sin\pi x & (x \ge 1) \end{cases}$ 이므로

$$f\left(\frac{1}{2}\right) = -\pi^2 \times \frac{1}{8} + \pi^2 \times \frac{1}{4} = \frac{\pi^2}{8} \qquad \text{답} \ \frac{\pi^2}{8}$$

01 $f(x) = \dfrac{x^2 + 2x + 3}{2x}$ 에서

$$f'(x) = \frac{(x^2 + 2x + 3)' \times 2x - (x^2 + 2x + 3)(2x)'}{(2x)^2}$$

$$= \frac{(2x + 2) \times 2x - (x^2 + 2x + 3) \times 2}{4x^2}$$

$$= \frac{2x^2 - 6}{4x^2}$$

$$= \frac{x^2 - 3}{2x^2}$$

$$\therefore f'(1) = -1 \qquad \text{답} \ -1$$

02 $f(x) = \dfrac{1}{x} + \dfrac{2}{x^2} + \dfrac{3}{x^3} + \cdots + \dfrac{7}{x^7}$

$$= x^{-1} + 2x^{-2} + 3x^{-3} + \cdots + 7x^{-7}$$

$$f'(x) = -x^{-2} - 2^2 x^{-3} - 3^2 x^{-4} - \cdots - 7^2 x^{-8}$$

$$\therefore f'(1) = -1^2 - 2^2 - 3^2 - \cdots - 7^2$$

$$= -(1^2 + 2^2 + 3^2 + \cdots + 7^2)$$

$$= -\sum_{k=1}^{7} k^2$$

$$= -\frac{7 \times 8 \times 15}{6} = -140 \qquad \text{답} \ -140$$

03 $f(x) = \dfrac{\cos x + 1}{\cos x - 1}$ 에서

$$f'(x) = \frac{(\cos x + 1)'(\cos x - 1) - (\cos x + 1)(\cos x - 1)'}{(\cos x - 1)^2}$$

$$= \frac{(-\sin x)(\cos x - 1) - (\cos x + 1)(-\sin x)}{(\cos x - 1)^2}$$

$$= \frac{2\sin x}{(\cos x - 1)^2}$$

$$\therefore f'\left(\frac{\pi}{4}\right) = \frac{2\sin\frac{\pi}{4}}{\left(\cos\frac{\pi}{4} - 1\right)^2}$$

$$= \frac{2 \times \frac{\sqrt{2}}{2}}{\left(\frac{\sqrt{2}}{2} - 1\right)^2} = \frac{\sqrt{2}}{\frac{3 - 2\sqrt{2}}{2}}$$

$$= \frac{2\sqrt{2}(3 + 2\sqrt{2})}{(3 - 2\sqrt{2})(3 + 2\sqrt{2})}$$

$$= 8 + 6\sqrt{2} \qquad \text{답} \ ⑤$$

04 $f(x) = 6\tan 2x$ 에서

$$f'(x) = 12\sec^2 2x$$

$$\therefore f'\left(\frac{\pi}{6}\right) = 12\sec^2\frac{\pi}{3}$$

$$= 12 \times 4 = 48 \qquad \text{답} \ 48$$

05 $g(x) = f(3x - 1)$ 에서

$$g'(x) = 3f'(3x - 1)$$

한편, $f(x) = x^3 - 2x^2 + 1$ 에서

$$f'(x) = 3x^2 - 4x$$ 이므로

$$f'(2) = 12 - 8 = 4$$

$$\therefore g'(1) = 3f'(2) = 3 \times 4 = 12 \qquad \text{답} \ 12$$

06 $f(x)=\ln{(x^2+6x)}$에서

$$f'(x)=\frac{(x^2+6x)'}{x^2+6x}=\frac{2x+6}{x^2+6x}$$

$$\therefore f'(2)=\frac{5}{8}$$ 　　답 $\dfrac{5}{8}$

07 $f(x)=7^{\cos x}$에서

$$f'(x)=7^{\cos x}\ln 7\times(\cos x)'$$
$$=-7^{\cos x}\ln 7\times\sin x$$

$$\therefore f'\left(\frac{\pi}{2}\right)=-7^0\ln 7\times 1=-\ln 7$$ 　　답 ②

08 $f(x)=\sqrt{x^3+1}=(x^3+1)^{\frac{1}{2}}$에서

$$f'(x)=\frac{1}{2}(x^3+1)^{-\frac{1}{2}}\times 3x^2$$
$$=\frac{3x^2}{2\sqrt{x^3+1}}$$

$$\therefore f'(2)=\frac{12}{2\times 3}=2$$ 　　답 2

09 $f(x)=\dfrac{e^x}{x}$에서

$$f'(x)=\frac{(e^x)'\times x-e^x\times(x)'}{x^2}$$
$$=\frac{e^x\times x-e^x\times 1}{x^2}=\frac{(x-1)e^x}{x^2}$$

$$\therefore f'(2)=\frac{e^2}{4}$$ 　　답 ①

10 $f(x)=\dfrac{x+1}{x^2+3}$에서

$$f'(x)=\frac{(x+1)'(x^2+3)-(x+1)(x^2+3)'}{(x^2+3)^2}$$
$$=\frac{x^2+3-(x+1)\times 2x}{(x^2+3)^2}$$
$$=\frac{-x^2-2x+3}{(x^2+3)^2}$$

$f'(x)\geq 0$에서 $(x^2+3)^2>0$이므로
$-x^2-2x+3\geq 0$
$x^2+2x-3\leq 0$, $(x+3)(x-1)\leq 0$
$\therefore -3\leq x\leq 1$
따라서 $f'(x)\geq 0$을 만족시키는 정수 x의 개수는
$-3,\ -2,\ -1,\ 0,\ 1$의 5이다. 　　답 5

11 $f(x)=\dfrac{x\sin x}{e^x}$에서

$$f'(x)=\frac{(x\sin x)'e^x-x\sin x(e^x)'}{(e^x)^2}$$
$$=\frac{(\sin x+x\cos x)e^x-x\sin x\times e^x}{(e^x)^2}$$
$$=\frac{\sin x+x\cos x-x\sin x}{e^x}$$

$$\therefore \lim_{x\to 0}\frac{f'(x)}{x}=\lim_{x\to 0}\frac{\sin x+x\cos x-x\sin x}{xe^x}$$
$$=\lim_{x\to 0}\left(\frac{1}{e^x}\times\frac{\sin x}{x}+\frac{\cos x}{e^x}-\frac{\sin x}{e^x}\right)$$
$$=1\times 1+1-0=2$$ 　　답 2

12 $f(x)=\dfrac{ax}{2x-1}$에서

$$f'(x)=\frac{(ax)'(2x-1)-ax(2x-1)'}{(2x-1)^2}$$
$$=\frac{a(2x-1)-2ax}{(2x-1)^2}$$
$$=\frac{-a}{(2x-1)^2}$$

$$\lim_{x\to 1}\frac{f(x)-f(1)}{x-1}=6$$에서

$f'(1)=6$이므로 $-a=6$
$\therefore a=-6$

$$\lim_{h\to 0}\frac{f(h)}{h}=\lim_{h\to 0}\frac{f(h)-f(0)}{h-0}=b$$에서

$f'(0)=b$이므로 $-a=b$
$\therefore b=6$
$\therefore a^2+b^2=(-6)^2+6^2=72$ 　　답 72

13 $f(x)=\dfrac{x}{g(x)+3}$에서

$$f'(x)=\frac{(x)'\{g(x)+3\}-x\{g(x)+3\}'}{\{g(x)+3\}^2}$$
$$=\frac{g(x)+3-xg'(x)}{\{g(x)+3\}^2}$$

$f'(0)=\dfrac{1}{7}$이므로

$$\frac{g(0)+3}{\{g(0)+3\}^2}=\frac{1}{7}$$에서 $g(0)+3=7$

$\therefore g(0)=4$ 　　답 4

14 양수 x에 대하여 $0<\dfrac{1}{1+x^2}<1$이므로

$$F(x)=\frac{f(x)}{1+x^2}+\frac{f(x)}{(1+x^2)^2}+\cdots+\frac{f(x)}{(1+x^2)^n}+\cdots$$
$$=\frac{\dfrac{f(x)}{1+x^2}}{1-\dfrac{1}{1+x^2}}=\frac{f(x)}{x^2}$$

$$F'(x)=\frac{f'(x)\times x^2-f(x)\times 2x}{x^4}$$
$$=\frac{xf'(x)-2f(x)}{x^3}$$

$$\therefore F'(2)=\frac{2f'(2)-2f(2)}{2^3}=\frac{10-(-6)}{8}=2$$ 　　답 ②

15 $f(x)=\sin x+\tan x$에서
$f'(x)=\cos x+\sec^2 x$

$$\therefore f'\left(\frac{\pi}{3}\right)=\cos\frac{\pi}{3}+\sec^2\frac{\pi}{3}=\frac{1}{2}+4=\frac{9}{2}$$ 　　답 $\dfrac{9}{2}$

16 $f(x)=\csc x\cot x$에서

$$f'(x)=-\csc x\cot x\times\cot x+\csc x\times(-\csc^2 x)$$
$$=-\csc x(\cot^2 x+\csc^2 x)$$

$$\therefore f'\left(\frac{\pi}{4}\right)=-\csc\frac{\pi}{4}\left(\cot^2\frac{\pi}{4}+\csc^2\frac{\pi}{4}\right)$$
$$=-\sqrt{2}\{1^2+(\sqrt{2})^2\}$$
$$=-3\sqrt{2}$$ 　　답 $-3\sqrt{2}$

17

$$\lim_{h \to 0} \frac{f\left(\frac{\pi}{3}+h\right)-f\left(\frac{\pi}{3}-h\right)}{h}$$

$$=\lim_{h \to 0} \frac{f\left(\frac{\pi}{3}+h\right)-f\left(\frac{\pi}{3}\right)-\left\{f\left(\frac{\pi}{3}-h\right)-f\left(\frac{\pi}{3}\right)\right\}}{h}$$

$$=\lim_{h \to 0}\left\{\frac{f\left(\frac{\pi}{3}+h\right)-f\left(\frac{\pi}{3}\right)}{h}+\frac{f\left(\frac{\pi}{3}-h\right)-f\left(\frac{\pi}{3}\right)}{-h}\right\}$$

$$=f'\left(\frac{\pi}{3}\right)+f'\left(\frac{\pi}{3}\right)=2f'\left(\frac{\pi}{3}\right)$$

한편, $f(x)=\dfrac{\tan x}{1+\sec x}$ 에서

$$f'(x)=\frac{\sec^2 x\,(1+\sec x)-\tan x \times \sec x \tan x}{(1+\sec x)^2}$$

$$=\frac{\sec x\,(\sec x+\sec^2 x-\tan^2 x)}{(1+\sec x)^2}$$

$$=\frac{\sec x\,(\sec x+1)}{(1+\sec x)^2}\;(\because 1+\tan^2 x=\sec^2 x)$$

$$=\frac{\sec x}{1+\sec x}$$

$$\therefore 2f'\left(\frac{\pi}{3}\right)=2 \times \frac{\sec\frac{\pi}{3}}{1+\sec\frac{\pi}{3}}=2 \times \frac{2}{1+2}=\frac{4}{3}$$ 　답 ⑤

18 $f(x)=\left(\dfrac{2x+1}{x^2+1}\right)^3$ 에서

$$f'(x)=3\left(\frac{2x+1}{x^2+1}\right)^2 \times \left(\frac{2x+1}{x^2+1}\right)'$$

$$=3\left(\frac{2x+1}{x^2+1}\right)^2 \times \frac{2(x^2+1)-(2x+1)\times 2x}{(x^2+1)^2}$$

$$=3\left(\frac{2x+1}{x^2+1}\right)^2 \times \frac{-2x^2-2x+2}{(x^2+1)^2}$$

$$\therefore f'(0)=3 \times 1 \times 2=6$$ 　답 ④

19 $f(x)=\cos^2\left(2x-\dfrac{\pi}{4}\right)$ 에서

$$f'(x)=2\cos\left(2x-\frac{\pi}{4}\right)\left\{\cos\left(2x-\frac{\pi}{4}\right)\right\}'$$

$$=2\cos\left(2x-\frac{\pi}{4}\right)\left\{-\sin\left(2x-\frac{\pi}{4}\right)\right\}\left(2x-\frac{\pi}{4}\right)'$$

$$=-4\cos\left(2x-\frac{\pi}{4}\right)\sin\left(2x-\frac{\pi}{4}\right)$$

$$\therefore f'\left(\frac{\pi}{4}\right)=-4\cos\frac{\pi}{4}\sin\frac{\pi}{4}$$

$$=-4 \times \frac{\sqrt{2}}{2} \times \frac{\sqrt{2}}{2}$$

$$=-2$$ 　답 -2

20 $f(x)=\displaystyle\sum_{k=1}^{n}(2x-1)^{1-k}$ 에서

$f'(x)=\displaystyle\sum_{k=1}^{n}2(1-k)(2x-1)^{-k}$ 이므로

$$f'(1)=\sum_{k=1}^{n}2(1-k)$$

$$=2\left\{n-\frac{n(n+1)}{2}\right\}$$

$$=-n^2+n$$

$$\therefore \lim_{n \to \infty}\frac{f'(1)}{n^2+2n+3}=\lim_{n \to \infty}\frac{-n^2+n}{n^2+2n+3}=-1$$ 　답 -1

21 $f(x)=\dfrac{1-x}{1+x}$ 에서

$$f'(x)=\frac{-(1+x)-(1-x)}{(1+x)^2}=-\frac{2}{(1+x)^2}$$

$g(x)=\cos x$ 에서 $g'(x)=-\sin x$

$h(x)=(f \circ g)(x)=f(g(x))$ 에서

$$h'(x)=f'(g(x))g'(x)$$

$$\therefore h'\left(\frac{\pi}{3}\right)=f'\left(g\left(\frac{\pi}{3}\right)\right)g'\left(\frac{\pi}{3}\right)$$

$$=f'\left(\frac{1}{2}\right)g'\left(\frac{\pi}{3}\right)$$

$$=\left(-\frac{8}{9}\right) \times \left(-\frac{\sqrt{3}}{2}\right)$$

$$=\frac{4\sqrt{3}}{9}$$ 　답 ④

22 $h(x)=f(g(x))$ 로 놓으면

$$h(x)=\sin(\tan x)$$

$$\therefore h(0)=\sin 0=0$$

$$\lim_{x \to 0}\frac{f(g(x))}{x}=\lim_{x \to 0}\frac{h(x)}{x}$$

$$=\lim_{x \to 0}\frac{h(x)-h(0)}{x-0}=h'(0)$$

한편, $h(x)=\sin(\tan x)$ 에서

$$h'(x)=\cos(\tan x)\sec^2 x$$

$$=\frac{\cos(\tan x)}{\cos^2 x}$$

$$\therefore h'(0)=\frac{1}{1}=1$$ 　답 1

23 $(2x-3)^{10}$ 을 $(x-2)^2$ 으로 나누었을 때의 몫을 $Q(x)$ 라 하면 나머지가 $ax+b$ 이므로

$$(2x-3)^{10}=(x-2)^2Q(x)+ax+b \quad \cdots\cdots \text{㉠}$$

㉠의 양변에 $x=2$ 를 대입하면

$$1=2a+b \quad \cdots\cdots \text{㉡}$$

㉠의 양변을 x 에 대하여 미분하면

$$10(2x-3)^9 \times 2=2(x-2)Q(x)+(x-2)^2Q'(x)+a$$

위의 식의 양변에 $x=2$ 를 대입하면

$$a=20$$

$a=20$ 을 ㉡에 대입하면

$$b=-39$$

$$\therefore a-b=20-(-39)=59$$ 　답 59

24 $f(x)=xe^{\sin x}$ 에서

$$f'(x)=e^{\sin x}+xe^{\sin x}(\sin x)'$$

$$=e^{\sin x}+xe^{\sin x}\cos x$$

$$=e^{\sin x}(1+x\cos x)$$

$$\therefore f'\left(\frac{\pi}{2}\right)=e^{\sin\frac{\pi}{2}}\left(1+\frac{\pi}{2}\cos\frac{\pi}{2}\right)$$

$$=e^1\left(1+\frac{\pi}{2} \times 0\right)=e$$ 　답 ④

25 $f(x)=\ln(x^2+x)$ 에서 $f'(x)=\dfrac{2x+1}{x^2+x}$ 이므로

$$f'(n)=\frac{2n+1}{n^2+n}=\frac{2n+1}{n(n+1)}$$

$$\therefore \sum_{n=1}^{\infty} \frac{f'(n)}{2n+1} = \sum_{n=1}^{\infty} \frac{\dfrac{2n+1}{n(n+1)}}{2n+1}$$

$$= \sum_{n=1}^{\infty} \frac{1}{n(n+1)}$$

$$= \lim_{n\to\infty} \sum_{k=1}^{n} \frac{1}{k(k+1)}$$

$$= \lim_{n\to\infty} \sum_{k=1}^{n} \left(\frac{1}{k} - \frac{1}{k+1}\right)$$

$$= \lim_{n\to\infty} \left\{\left(1-\frac{1}{2}\right)+\left(\frac{1}{2}-\frac{1}{3}\right)+\left(\frac{1}{3}-\frac{1}{4}\right)+\cdots\right.$$
$$\left.+\left(\frac{1}{n}-\frac{1}{n+1}\right)\right\}$$

$$= \lim_{n\to\infty}\left(1-\frac{1}{n+1}\right)=1 \qquad \text{답 } 1$$

26 함수 $f(x)$가 $x=1$에서 미분가능하려면 $x=1$에서 연속이고 미분계수가 존재해야 한다.

$x=1$에서 연속이어야 하므로

$$\lim_{x\to 1-}(e^{x^2-1}+a)=\lim_{x\to 1+}\{b\ln(2x-1)+3\}=f(1)$$

$1+a=3$ $\therefore a=2$

또한, $x=1$에서의 미분계수가 존재해야 하므로

$$f'(x)=\begin{cases} 2xe^{x^2-1} & (x<1) \\ \dfrac{2b}{2x-1} & (x>1) \end{cases} \text{에서}$$

$$\lim_{x\to 1-} 2xe^{x^2-1}=\lim_{x\to 1+}\frac{2b}{2x-1}$$

$2=2b$ $\therefore b=1$

$$\therefore a+b=2+1=3 \qquad \text{답 } 3$$

27 $f(x)=\dfrac{x(x+2)^3}{(x+1)^4}$ 의 양변의 절댓값에 자연로그를 취하면

$$\ln|f(x)|=\ln\left|\frac{x(x+2)^3}{(x+1)^4}\right|$$

$$=\ln|x|+3\ln|x+2|-4\ln|x+1|$$

양변을 x에 대하여 미분하면

$$\frac{f'(x)}{f(x)}=\frac{1}{x}+\frac{3}{x+2}-\frac{4}{x+1}=\frac{2-2x}{x(x+1)(x+2)}$$

$$\therefore f'(x)=\frac{2-2x}{x(x+1)(x+2)}\times f(x)=\frac{(2-2x)(x+2)^2}{(x+1)^5}$$

$$\therefore f'(0)=8 \qquad \text{답 } 8$$

28 $f(x)=\sqrt{\dfrac{(x-1)(x+3)}{(x+1)^2}}$ 의 양변에 자연로그를 취하면

$$\ln f(x)=\ln\sqrt{\frac{(x-1)(x+3)}{(x+1)^2}}$$

$$=\frac{1}{2}(\ln|x-1|+\ln|x+3|-2\ln|x+1|)$$

양변을 x에 대하여 미분하면

$$\frac{f'(x)}{f(x)}=\frac{1}{2}\left(\frac{1}{x-1}+\frac{1}{x+3}-\frac{2}{x+1}\right)$$

$$=\frac{4}{(x-1)(x+1)(x+3)}$$

$$\therefore f'(x)=f(x)\times\frac{4}{(x-1)(x+1)(x+3)}$$

따라서 $g(x)=\dfrac{4}{(x-1)(x+1)(x+3)}$ 이므로

$$g(3)=\frac{4}{2\times 4\times 6}=\frac{1}{12} \qquad \text{답 } \frac{1}{12}$$

29
$$\lim_{x\to 0}\frac{f(e+3x)-f(e-3x)}{x}$$

$$=\lim_{x\to 0}\frac{f(e+3x)-f(e)-\{f(e-3x)-f(e)\}}{x}$$

$$=\lim_{x\to 0}\left\{\frac{f(e+3x)-f(e)}{3x}\times 3+\frac{f(e-3x)-f(e)}{-3x}\times 3\right\}$$

$$=3f'(e)+3f'(e)$$

$$=6f'(e)$$

한편, $f(x)=x^{2\ln x}$의 양변에 자연로그를 취하면

$$\ln f(x)=\ln x^{2\ln x}=2(\ln x)^2$$

양변을 x에 대하여 미분하면

$$\frac{f'(x)}{f(x)}=4\ln x\times\frac{1}{x}\text{이므로}$$

$$f'(x)=\frac{4\ln x}{x}\times f(x)$$

$$=\frac{4\ln x}{x}\times x^{2\ln x}$$

$$\therefore 6f'(e)=6\times\frac{4}{e}\times e^2=24e \qquad \text{답 } ⑤$$

30
$$\lim_{h\to 0}\frac{f(2+h)-f(2-h)}{h}$$

$$=\lim_{h\to 0}\frac{f(2+h)-f(2)-\{f(2-h)-f(2)\}}{h}$$

$$=\lim_{h\to 0}\left\{\frac{f(2+h)-f(2)}{h}+\frac{f(2-h)-f(2)}{-h}\right\}$$

$$=f'(2)+f'(2)=2f'(2)$$

$f(x)=x^2+x^{-1}$이므로

$$f'(x)=2x-x^{-2}$$

$$\therefore 2f'(2)=2\left(4-\frac{1}{4}\right)=\frac{15}{2} \qquad \text{답 } \frac{15}{2}$$

31 $f(x)=\sqrt[3]{4x-x^2}=(4x-x^2)^{\frac{1}{3}}$에서

$$f'(x)=\frac{1}{3}(4x-x^2)^{-\frac{2}{3}}\times(4-2x)$$

$$=\frac{4-2x}{3\sqrt[3]{(4x-x^2)^2}}$$

$$\therefore f'(1)=\frac{2}{3\sqrt[3]{9}} \qquad \text{답 } ②$$

32 $f(x)=\sqrt{2-x^2}=(2-x^2)^{\frac{1}{2}}$에서

$$f'(x)=\frac{1}{2}(2-x^2)^{-\frac{1}{2}}\times(-2x)$$

$$=\frac{-x}{\sqrt{2-x^2}}$$

$g(x)=\tan x$에서 $g'(x)=\sec^2 x$

$h(x)=f(g(x))$에서

$h'(x)=f'(g(x))g'(x)$이므로

$$h'\left(\frac{\pi}{4}\right)=f'\left(g\left(\frac{\pi}{4}\right)\right)g'\left(\frac{\pi}{4}\right)$$

$$=f'(1)g'\left(\frac{\pi}{4}\right)$$

$$=-\sec^2\frac{\pi}{4}=-2 \qquad \text{답 } -2$$

33 $F(x)=\dfrac{f(x)}{g(x)}$ 로 놓으면

$$\lim_{h\to0}\frac{1}{h}\left\{\frac{f(2+h)}{g(2+h)}-\frac{f(2)}{g(2)}\right\}=\lim_{h\to0}\frac{F(2+h)-F(2)}{h}$$
$$=F'(2)$$

$F'(x)=\dfrac{f'(x)g(x)-f(x)g'(x)}{\{g(x)\}^2}$ 이므로

$$F'(2)=\frac{f'(2)g(2)-f(2)g'(2)}{\{g(2)\}^2}$$
$$=\frac{2\times4-3\times4}{4^2}=-\frac{1}{4}$$

답 $-\dfrac{1}{4}$

34 삼각형 ABC에 내접하는 원의 중심을 O라 하고, 점 O에서 변 BC에 내린 수선의 발을 H라 하자.

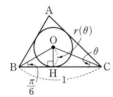

점 O는 삼각형 ABC의 내심이므로

$\angle\mathrm{OBH}=\dfrac{\pi}{6}$, $\angle\mathrm{OCH}=\theta$

$\dfrac{\overline{\mathrm{OH}}}{\overline{\mathrm{BH}}}=\tan\dfrac{\pi}{6}$ 에서 $\dfrac{r(\theta)}{\overline{\mathrm{BH}}}=\dfrac{1}{\sqrt{3}}$ 이므로

$\overline{\mathrm{BH}}=\sqrt{3}\,r(\theta)$

$\dfrac{\overline{\mathrm{OH}}}{\overline{\mathrm{CH}}}=\tan\theta$ 에서 $\dfrac{r(\theta)}{\overline{\mathrm{CH}}}=\tan\theta$ 이므로

$\overline{\mathrm{CH}}=\dfrac{r(\theta)}{\tan\theta}$

$\overline{\mathrm{BH}}+\overline{\mathrm{CH}}=\overline{\mathrm{BC}}$ 이므로

$\sqrt{3}\,r(\theta)+\dfrac{r(\theta)}{\tan\theta}=1$

$\therefore r(\theta)=\dfrac{\tan\theta}{1+\sqrt{3}\tan\theta}$

$h(\theta)=\dfrac{r(\theta)}{\tan\theta}$ 이므로

$h(\theta)=\dfrac{1}{1+\sqrt{3}\tan\theta}$

$h(\theta)$ 를 θ 에 대하여 미분하면

$h'(\theta)=-\dfrac{\sqrt{3}\sec^2\theta}{(1+\sqrt{3}\tan\theta)^2}$

$\therefore h'\left(\dfrac{\pi}{6}\right)=-\dfrac{\sqrt{3}\times\left(\dfrac{2}{\sqrt{3}}\right)^2}{\left(1+\sqrt{3}\times\dfrac{1}{\sqrt{3}}\right)^2}$

$\quad\quad\quad\quad =-\dfrac{\sqrt{3}}{3}$

답 ②

35 $f(x)=2\sin x+\cos x$ 에서

$f'(x)=2\cos x-\sin x$

$p(x)=(h\circ g\circ f)(x)=h(g(f(x)))$ 에서

$p'(x)=h'(g(f(x)))g'(f(x))f'(x)$ 이므로

$p'(0)=h'(g(f(0)))g'(f(0))f'(0)$
$\quad\quad=h'(g(1))g'(1)\times2=12$

$\therefore h'(g(1))g'(1)=6$

답 6

36 $f(x)=2^x+2^{2x}+2^{3x}+\cdots+2^{10x}$ 으로 놓으면

$f(0)=10$ 이므로

$$\lim_{x\to0}\frac{2^x+2^{2x}+2^{3x}+\cdots+2^{10x}-10}{x}=\lim_{x\to0}\frac{f(x)-f(0)}{x-0}$$
$$=f'(0)$$

$f'(x)=2^x\ln2+2\times2^{2x}\ln2+3\times2^{3x}\ln2+\cdots+10\times2^{10x}\ln2$
$\quad\quad=(2^x+2\times2^{2x}+3\times2^{3x}+\cdots+10\times2^{10x})\ln2$

이므로

$f'(0)=(1+2+3+\cdots+10)\ln2=55\ln2$

답 ④

37 $F(x)=f(\ln(1+3x))$, $G(x)=f(e^{2x}-1)$ 이라 하면

$F'(x)=f'(\ln(1+3x))\times\dfrac{3}{1+3x}$

$G'(x)=f'(e^{2x}-1)\times2e^{2x}$

$F(0)=G(0)=f(0)$ 이므로

$$\lim_{x\to0}\frac{f(\ln(1+3x))-f(e^{2x}-1)}{x}$$
$$=\lim_{x\to0}\frac{F(x)-G(x)}{x}$$
$$=\lim_{x\to0}\frac{F(x)-f(0)-G(x)+f(0)}{x}$$
$$=\lim_{x\to0}\left\{\frac{F(x)-F(0)}{x}-\frac{G(x)-G(0)}{x}\right\}$$
$$=F'(0)-G'(0)$$
$$=3f'(0)-2f'(0)$$
$$=f'(0)=4$$

답 4

38 $f(x)=(1+e^x)(1+e^{2x})(1+e^{3x})\cdots(1+e^{11x})$ 의 양변에 자연로그를 취하면

$\ln f(x)=\ln(1+e^x)+\ln(1+e^{2x})+\cdots+\ln(1+e^{11x})$

양변을 x 에 대하여 미분하면

$\dfrac{f'(x)}{f(x)}=\dfrac{e^x}{1+e^x}+\dfrac{2e^{2x}}{1+e^{2x}}+\dfrac{3e^{3x}}{1+e^{3x}}+\cdots+\dfrac{11e^{11x}}{1+e^{11x}}$

$\therefore \lim_{x\to0}\dfrac{f'(x)}{f(x)}=\lim_{x\to0}\left(\dfrac{e^x}{1+e^x}+\dfrac{2e^{2x}}{1+e^{2x}}+\cdots+\dfrac{11e^{11x}}{1+e^{11x}}\right)$

$\quad\quad\quad\quad\quad =\dfrac{1}{2}+\dfrac{2}{2}+\dfrac{3}{2}+\cdots+\dfrac{11}{2}$

$\quad\quad\quad\quad\quad =\dfrac{1}{2}(1+2+3+\cdots+11)$

$\quad\quad\quad\quad\quad =\dfrac{1}{2}\times66=33$

답 33

01 $x=t^2+1$에서 $\dfrac{dx}{dt}=2t$

$y=2-t-t^2$에서 $\dfrac{dy}{dt}=-1-2t$

$\therefore \dfrac{dy}{dx}=\dfrac{\dfrac{dy}{dt}}{\dfrac{dx}{dt}}=\dfrac{-1-2t}{2t}$ (단, $t\neq 0$)

$x=t^2+1=2$에서 $t^2=1$

$\therefore t=-1$ 또는 $t=1$ ……㉠

$y=2-t-t^2=0$에서

$t^2+t-2=0$

$(t+2)(t-1)=0$

$\therefore t=-2$ 또는 $t=1$ ……㉡

㉠, ㉡에서 $t=1$이므로 구하는 접선의 기울기는

$\dfrac{-1-2\times 1}{2\times 1}=-\dfrac{3}{2}$

답 $-\dfrac{3}{2}$

02 $x=\cos\theta+3$에서 $\dfrac{dx}{d\theta}=-\sin\theta$

$y=1-2\sin\theta$에서 $\dfrac{dy}{d\theta}=-2\cos\theta$

$\therefore \dfrac{dy}{dx}=\dfrac{\dfrac{dy}{d\theta}}{\dfrac{dx}{d\theta}}=\dfrac{-2\cos\theta}{-\sin\theta}=\dfrac{2\cos\theta}{\sin\theta}$ (단, $\sin\theta\neq 0$)

따라서 $\theta=\dfrac{\pi}{6}$일 때

$\dfrac{dy}{dx}=\dfrac{2\cos\dfrac{\pi}{6}}{\sin\dfrac{\pi}{6}}=\dfrac{2\times\dfrac{\sqrt{3}}{2}}{\dfrac{1}{2}}=2\sqrt{3}$

답 $2\sqrt{3}$

03 $5x+xy+y^2=5$의 양변을 x에 대하여 미분하면

$5+y+x\dfrac{dy}{dx}+2y\dfrac{dy}{dx}=0$

$(x+2y)\dfrac{dy}{dx}=-(y+5)$

$\therefore \dfrac{dy}{dx}=-\dfrac{y+5}{x+2y}$ (단, $x+2y\neq 0$)

따라서 점 $(1, -1)$에서의 접선의 기울기는

$-\dfrac{-1+5}{1+2\times(-1)}=4$

답 4

04 $\ln y=2e^{-3x}$의 양변을 x에 대하여 미분하면

$\dfrac{1}{y}\times\dfrac{dy}{dx}=-6e^{-3x}$

$\therefore \dfrac{dy}{dx}=-6e^{-3x}y$

따라서 점 $(0, e^2)$에서의 접선의 기울기는 $-6e^2$이다.

답 ①

05 $g(1)=a$라 하면 $f(a)=1$이므로

$a^3+2a+1=1$, $a^3+2a=0$

$a(a^2+2)=0$에서 $a^2+2>0$이므로

$a=0$

따라서 $g(1)=0$이고, $f'(x)=3x^2+2$이므로

$24g'(1)=24\times\dfrac{1}{f'(g(1))}=24\times\dfrac{1}{f'(0)}$

$=24\times\dfrac{1}{2}=12$

답 12

06 $x=\dfrac{1}{2y^2+1}$의 양변을 y에 대하여 미분하면

$\dfrac{dx}{dy}=-\dfrac{4y}{(2y^2+1)^2}$

$\therefore \dfrac{dy}{dx}=\dfrac{1}{\dfrac{dx}{dy}}=-\dfrac{(2y^2+1)^2}{4y}$

답 ②

07 $f(1)=3$이므로 $g(3)=1$

$\therefore g'(3)=\dfrac{1}{f'(g(3))}=\dfrac{1}{f'(1)}=\dfrac{1}{4}$

답 $\dfrac{1}{4}$

08 $f(x)=e^x\cos x$에서

$f'(x)=e^x\cos x-e^x\sin x=e^x(\cos x-\sin x)$

$f''(x)=e^x(\cos x-\sin x)+e^x(-\sin x-\cos x)$

$=-2e^x\sin x$

$\therefore \dfrac{f'\left(\dfrac{\pi}{2}\right)}{f''\left(\dfrac{\pi}{2}\right)}=\dfrac{e^{\frac{\pi}{2}}\left(\cos\dfrac{\pi}{2}-\sin\dfrac{\pi}{2}\right)}{-2e^{\frac{\pi}{2}}\sin\dfrac{\pi}{2}}=\dfrac{-e^{\frac{\pi}{2}}}{-2e^{\frac{\pi}{2}}}=\dfrac{1}{2}$

답 $\dfrac{1}{2}$

09 $x=t^2+t+1$에서 $\dfrac{dx}{dt}=2t+1$

$y=\dfrac{1}{2}t^3+at$에서 $\dfrac{dy}{dt}=\dfrac{3}{2}t^2+a$

$\therefore \dfrac{dy}{dx}=\dfrac{\dfrac{dy}{dt}}{\dfrac{dx}{dt}}=\dfrac{\dfrac{3}{2}t^2+a}{2t+1}$ (단, $2t+1\neq 0$)

$t=1$일 때 $\dfrac{dy}{dx}=3$이므로

$\dfrac{\dfrac{3}{2}+a}{3}=3$

$a+\dfrac{3}{2}=9$

$\therefore a=\dfrac{15}{2}$

답 ②

10 $x=t-\dfrac{1}{t}$에서 $\dfrac{dx}{dt}=1+\dfrac{1}{t^2}=\dfrac{t^2+1}{t^2}$

$y=t+\dfrac{1}{t}$에서 $\dfrac{dy}{dt}=1-\dfrac{1}{t^2}=\dfrac{t^2-1}{t^2}$

$\therefore \dfrac{dy}{dx}=\dfrac{\dfrac{dy}{dt}}{\dfrac{dx}{dt}}=\dfrac{t^2-1}{t^2+1}$

따라서 $t=3$일 때

$\dfrac{dy}{dx}=\dfrac{3^2-1}{3^2+1}=\dfrac{4}{5}$

답 $\dfrac{4}{5}$

11 $x=\sqrt{t}+\dfrac{1}{t}$ 에서 $\dfrac{dx}{dt}=\dfrac{1}{2\sqrt{t}}-\dfrac{1}{t^2}$

$y=\sqrt{t}-\dfrac{1}{t}$ 에서 $\dfrac{dy}{dt}=\dfrac{1}{2\sqrt{t}}+\dfrac{1}{t^2}$

$\therefore \dfrac{dy}{dx}=\dfrac{\dfrac{dy}{dt}}{\dfrac{dx}{dt}}=\dfrac{\dfrac{1}{2\sqrt{t}}+\dfrac{1}{t^2}}{\dfrac{1}{2\sqrt{t}}-\dfrac{1}{t^2}}$

$=\dfrac{t^2+2\sqrt{t}}{t^2-2\sqrt{t}}$ (단, $t^2-2\sqrt{t}\neq0$)

따라서 $t=4$에 대응하는 점에서의 접선의 기울기는

$\dfrac{16+4}{16-4}=\dfrac{20}{12}=\dfrac{5}{3}$ 　　　답 $\dfrac{5}{3}$

12 $x=e^t\sin t$ 에서 $\dfrac{dx}{dt}=e^t\sin t+e^t\cos t=e^t(\sin t+\cos t)$

$y=t\cos t$ 에서 $\dfrac{dy}{dt}=\cos t-t\sin t$

$\therefore \dfrac{dy}{dx}=\dfrac{\dfrac{dy}{dt}}{\dfrac{dx}{dt}}$

$=\dfrac{\cos t-t\sin t}{e^t(\sin t+\cos t)}$ (단, $\sin t+\cos t\neq0$)

따라서 $t=\pi$에서의 접선의 기울기는

$\dfrac{-1-\pi\times0}{e^{\pi}(0-1)}=\dfrac{1}{e^{\pi}}$ 　　　답 $\dfrac{1}{e^{\pi}}$

13 $x=t^2+\dfrac{4}{3}t^3+2t^4+\cdots+\dfrac{2^n}{n+1}t^{n+1}$ 에서

$\dfrac{dx}{dt}=2t+4t^2+8t^3+\cdots+2^n t^n$

$y=t+t^2+\dfrac{4}{3}t^3+\cdots+\dfrac{2^{n-1}}{n}t^n$ 에서

$\dfrac{dy}{dt}=1+2t+4t^2+\cdots+2^{n-1}t^{n-1}$

$\therefore \dfrac{dy}{dx}=\dfrac{\dfrac{dy}{dt}}{\dfrac{dx}{dt}}=\dfrac{1+2t+4t^2+\cdots+2^{n-1}t^{n-1}}{2t+4t^2+8t^3+\cdots+2^n t^n}$

$\therefore \lim_{t\to1}\dfrac{dy}{dx}=\lim_{t\to1}\dfrac{1+2t+4t^2+\cdots+2^{n-1}t^{n-1}}{2t+4t^2+8t^3+\cdots+2^n t^n}$

$=\dfrac{1+2+4+\cdots+2^{n-1}}{2+4+8+\cdots+2^n}$

$=\dfrac{\dfrac{2^n-1}{2-1}}{\dfrac{2(2^n-1)}{2-1}}$

$=\dfrac{1}{2}$ 　　　답 $\dfrac{1}{2}$

14 그림과 같이 방파제의 윗끝점 A에서
부표까지의 거리를 x m, 아랫끝점 B
에서 부표까지의 거리를 y m라 하면
$x^2=y^2+3^2$ 　　　……㉠
㉠의 양변을 t에 대하여 미분하면

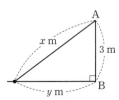

$2x\dfrac{dx}{dt}=2y\dfrac{dy}{dt}$

$x=2y\dfrac{dy}{dt}$ $\left(\because \dfrac{dx}{dt}=0.5\right)$

$\therefore \dfrac{dy}{dt}=\dfrac{x}{2y}$ (단, $y\neq0$) 　……㉡

$x=5$일 때 $y=4$이므로 $x=5$, $y=4$를 ㉡에 대입하면

$\dfrac{dy}{dt}=\dfrac{5}{2\times4}=\dfrac{5}{8}$

따라서 부표가 끌려오는 속력은 $\dfrac{5}{8}$ m/s이다. 　　　답 ③

15 $x^3-3xy^2+y^3=1$의 양변을 x에 대하여 미분하면

$3x^2-\left(3y^2+6xy\dfrac{dy}{dx}\right)+3y^2\dfrac{dy}{dx}=0$

$(6xy-3y^2)\dfrac{dy}{dx}=3x^2-3y^2$

$\therefore \dfrac{dy}{dx}=\dfrac{3x^2-3y^2}{6xy-3y^2}=\dfrac{x^2-y^2}{2xy-y^2}$ (단, $2xy-y^2\neq0$)

따라서 점 $(2,-1)$에서의 접선의 기울기는

$\dfrac{2^2-(-1)^2}{2\times2\times(-1)-(-1)^2}=-\dfrac{3}{5}$ 　　　답 ②

16 $x^2-y^2-y=1$의 양변을 x에 대하여 미분하면

$2x-2y\dfrac{dy}{dx}-\dfrac{dy}{dx}=0$

$(2y+1)\dfrac{dy}{dx}=2x$

$\therefore \dfrac{dy}{dx}=\dfrac{2x}{2y+1}$ $\left(단, y\neq-\dfrac{1}{2}\right)$

따라서 점 $A(a,b)$에서의 접선의 기울기가 $\dfrac{2}{15}a$이므로

$\dfrac{2a}{2b+1}=\dfrac{2}{15}a$

$2b+1=15$

$\therefore b=7$ 　　　답 7

17 점 $(1,2)$는 곡선 $x^3+y^2+axy+b=0$ 위의 점이므로
$1+4+2a+b=0$
$\therefore 2a+b=-5$ 　　……㉠
한편, $x^3+y^2+axy+b=0$의 양변을 x에 대하여 미분하면

$3x^2+2y\dfrac{dy}{dx}+\left(ay+ax\dfrac{dy}{dx}\right)=0$

$(ax+2y)\dfrac{dy}{dx}=-(3x^2+ay)$

$\therefore \dfrac{dy}{dx}=-\dfrac{3x^2+ay}{ax+2y}$ (단, $ax+2y\neq0$)

점 $(1,2)$에서의 $\dfrac{dy}{dx}$의 값이 -1이어야 하므로

$-\dfrac{3+2a}{a+4}=-1$

$\therefore a=1$

$a=1$을 ㉠에 대입하면 $b=-7$

$\therefore a+b=-6$ 　　　답 -6

18 점 $(1, 0)$은 곡선 $ax-2e^y+y=0$ 위의 점이므로

$a-2=0$

$\therefore a=2$

한편, $2x-2e^y+y=0$의 양변을 x에 대하여 미분하면

$2-2e^y \dfrac{dy}{dx}+\dfrac{dy}{dx}=0$

$(2e^y-1)\dfrac{dy}{dx}=2$

$\therefore \dfrac{dy}{dx}=\dfrac{2}{2e^y-1}$ (단, $2e^y-1\neq 0$)

따라서 점 $(1, 0)$에서의 접선의 기울기는

$\dfrac{2}{2\times 1-1}=2$ 🅰 2

19 점 $(4, b)$는 곡선 $\sqrt{x}+a\sqrt{y}=20$ 위의 점이므로

$2+a\sqrt{b}=20$ ······㉠

한편, $\sqrt{x}+a\sqrt{y}=20$의 양변을 x에 대하여 미분하면

$\dfrac{1}{2\sqrt{x}}+\dfrac{a}{2\sqrt{y}}\times\dfrac{dy}{dx}=0$

$\therefore \dfrac{dy}{dx}=-\dfrac{\sqrt{y}}{a\sqrt{x}}$ (단, $a\sqrt{x}\neq 0$)

점 $(4, b)$에서의 접선의 기울기가 $-\dfrac{1}{4}$이므로

$-\dfrac{\sqrt{b}}{2a}=-\dfrac{1}{4}$

$\therefore a=2\sqrt{b}$ ······㉡

㉡을 ㉠에 대입하면

$2+2\sqrt{b}\times\sqrt{b}=20$

$2b=18$ $\therefore b=9$

$b=9$를 ㉡에 대입하면 $a=6$

$\therefore ab=54$ 🅰 ⑤

20 $x^2+xy+y^2=12$의 양변을 x에 대하여 미분하면

$2x+y+x\dfrac{dy}{dx}+2y\dfrac{dy}{dx}=0$

$\therefore \dfrac{dy}{dx}=-\dfrac{2x+y}{x+2y}$ (단, $x+2y\neq 0$)

점 $\mathrm{P}(a, b)$에서의 접선의 기울기는

$-\dfrac{2a+b}{a+2b}$

접선과 직선 OP가 서로 수직이므로

$\dfrac{b}{a}\left(-\dfrac{2a+b}{a+2b}\right)=-1$에서 $a^2=b^2$

$\therefore a=b$ ($\because a>0, b>0$)

한편, 점 $\mathrm{P}(a, b)$는 곡선 $x^2+xy+y^2=12$ 위의 점이므로

$a^2+ab+b^2=12$

즉, $a^2+ab+b^2=3a^2=12$이므로 $a^2=4$

$\therefore a=2, b=2$ ($\because a>0, b>0$)

$\therefore a+b=4$ 🅰 4

21 $f^{-1}(6)=2$에서 $f(2)=6$이므로

$f(2)=8-4+2a$

$\quad\quad =4+2a=6$

$\therefore a=1$

즉, $f^{-1}(6)=2$이고, $f'(x)=3x^2-2x+1$이므로

$(f^{-1})'(6)=\dfrac{1}{f'(f^{-1}(6))}=\dfrac{1}{f'(2)}$

$\quad\quad\quad\quad =\dfrac{1}{12-4+1}=\dfrac{1}{9}$ 🅰 $\dfrac{1}{9}$

22 $g\left(\dfrac{1}{2}\right)=a$라 하면 $f(a)=\dfrac{1}{2}$이므로

$\sin a=\dfrac{1}{2}$

$\therefore a=\dfrac{\pi}{6}\left(\because -\dfrac{\pi}{2}<a<\dfrac{\pi}{2}\right)$

따라서 $g\left(\dfrac{1}{2}\right)=\dfrac{\pi}{6}$이고, $f'(x)=\cos x$이므로

$g'\left(\dfrac{1}{2}\right)=\dfrac{1}{f'\left(g\left(\dfrac{1}{2}\right)\right)}=\dfrac{1}{f'\left(\dfrac{\pi}{6}\right)}$

$\quad\quad =\dfrac{2}{\sqrt{3}}=\dfrac{2\sqrt{3}}{3}$ 🅰 ②

23 $g(e)=a$라 하면 $f(a)=e$이므로

$ae^a+e=e$

$\therefore a=0$

따라서 $g(e)=0$이고, $f'(x)=e^x+xe^x=(x+1)e^x$이므로

$g'(e)=\dfrac{1}{f'(g(e))}=\dfrac{1}{f'(0)}=1$ 🅰 1

24 $f(x)=\ln\sqrt{\dfrac{2+x}{2-x}}$

$\quad\quad =\dfrac{1}{2}\ln\dfrac{2+x}{2-x}$

$\quad\quad =\dfrac{1}{2}\{\ln(2+x)-\ln(2-x)\}$

이므로

$f'(x)=\dfrac{1}{2}\left(\dfrac{1}{2+x}+\dfrac{1}{2-x}\right)=\dfrac{2}{4-x^2}$

$\therefore f'(1)=\dfrac{2}{3}$

한편, $g(0)=a$라 하면 $f(a)=0$이므로

$\dfrac{1}{2}\ln\dfrac{2+a}{2-a}=0$

$\dfrac{2+a}{2-a}=1$ $\therefore a=0$

즉, $g(0)=0$이므로

$g'(0)=\dfrac{1}{f'(g(0))}=\dfrac{1}{f'(0)}$

$\quad\quad =\dfrac{1}{\dfrac{1}{2}}=2$

$\therefore \dfrac{g'(0)}{f'(1)}=\dfrac{2}{\dfrac{2}{3}}=3$ 🅰 3

25 $\displaystyle\lim_{h\to 0}\dfrac{g(5+h)-g(5)}{h}=g'(5)$

$g(5)=a$라 하면 $f(a)=5$이므로

$\ln(a-1)+a^2+1=5$

$\ln(a-1)=4-a^2$

그림에서 두 곡선 $y=\ln(x-1)$과
$y=4-x^2$의 교점의 x좌표가 2이므로
$a=2$

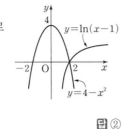

따라서 $g(5)=2$이고,
$f'(x)=\dfrac{1}{x-1}+2x$이므로
$$g'(5)=\frac{1}{f'(g(5))}=\frac{1}{f'(2)}=\frac{1}{5}$$
답 ②

26 함수 $f(2x-1)$의 역함수가 $g(x)$이므로
$$g(f(2x-1))=x \qquad\cdots\cdots ㉠$$
㉠의 양변을 x에 대하여 미분하면
$$g'(f(2x-1))\times f'(2x-1)\times 2=1 \qquad\cdots\cdots ㉡$$
㉡의 양변에 $x=1$을 대입하면
$g'(f(1))\times f'(1)\times 2=1$이므로
$$g'(f(1))=\frac{1}{2f'(1)}$$
$f'(x)=e^{x-1}+3+xe^{x-1}=(x+1)e^{x-1}+3$이므로
$f'(1)=5$
$$\therefore g'(f(1))=\frac{1}{2\times5}=\frac{1}{10}$$
답 $\dfrac{1}{10}$

27 $\displaystyle\lim_{x\to1}\dfrac{g(x)-2}{x-1}=3$에서 $x\to1$일 때, (분모) $\to0$이고
극한값이 존재하므로 (분자) $\to0$이어야 한다.
즉, $\displaystyle\lim_{x\to1}\{g(x)-2\}=0$에서 $g(1)=2$
$$\therefore f(2)=1$$
$$\lim_{x\to1}\frac{g(x)-2}{x-1}=\lim_{x\to1}\frac{g(x)-g(1)}{x-1}=g'(1)=3$$
$f(x)$의 역함수가 $g(x)$이므로 $g(f(x))=x$
양변을 x에 대하여 미분하면
$$g'(f(x))f'(x)=1 \qquad \therefore f'(x)=\frac{1}{g'(f(x))}$$
$$\therefore f'(2)=\frac{1}{g'(f(2))}=\frac{1}{g'(1)}=\frac{1}{3}$$
답 ③

28 $\displaystyle\lim_{x\to1}\dfrac{f(x)-2}{x-1}=\dfrac{1}{2}$에서 $f(1)=2$, $f'(1)=\dfrac{1}{2}$
$$\therefore g(2)=1, \ g'(2)=\frac{1}{f'(g(2))}=\frac{1}{f'(1)}=2$$
$$\lim_{x\to2}\frac{f(x)-3}{x-2}=4$$에서 $f(2)=3$, $f'(2)=4$
$$\therefore g(3)=2, \ g'(3)=\frac{1}{f'(g(3))}=\frac{1}{f'(2)}=\frac{1}{4}$$
$$\therefore \lim_{x\to3}\frac{g(g(x))-1}{x-3}$$
$$=\lim_{x\to3}\frac{g(g(x))-g(g(3))}{x-3}$$
$$=\lim_{x\to3}\frac{g(g(x))-g(g(3))}{g(x)-g(3)}\times\frac{g(x)-g(3)}{x-3}$$
$$=g'(g(3))g'(3)$$
$$=g'(2)g'(3)$$
$$=2\times\frac{1}{4}=\frac{1}{2}$$
답 $\dfrac{1}{2}$

29 $\dfrac{1}{n}=h$로 놓으면 $n\to\infty$일 때, $h\to0$이므로
$$\lim_{n\to\infty}n\left\{g\left(2+\frac{1}{n}\right)-g\left(2-\frac{1}{n}\right)\right\}$$
$$=\lim_{h\to0}\frac{g(2+h)-g(2-h)}{h}$$
$$=\lim_{h\to0}\frac{g(2+h)-g(2)-\{g(2-h)-g(2)\}}{h}$$
$$=\lim_{h\to0}\left\{\frac{g(2+h)-g(2)}{h}+\frac{g(2-h)-g(2)}{-h}\right\}$$
$$=2g'(2)=\frac{1}{3} \qquad \therefore g'(2)=\frac{1}{6}$$
따라서 $g(2)=3$에서 $f(3)=2$이므로
$$f'(3)=\frac{1}{g'(f(3))}=\frac{1}{g'(2)}=6$$
답 6

30 $f(x)=xe^{ax+b}$에서
$f'(x)=e^{ax+b}+axe^{ax+b}=(1+ax)e^{ax+b}$
$f''(x)=ae^{ax+b}+a(1+ax)e^{ax+b}$
$\qquad=(a^2x+2a)e^{ax+b}$
$$f'(0)=e^b=7 \qquad\cdots\cdots ㉠$$
$$f''(0)=2ae^b=28 \qquad\cdots\cdots ㉡$$
㉠을 ㉡에 대입하면 $a=2$
$$\therefore a+e^b=2+7=9$$
답 9

31 $f(x)=e^x\sin2x$에서
$f'(x)=e^x\sin2x+2e^x\cos2x=e^x(\sin2x+2\cos2x)$
$f''(x)=e^x(\sin2x+2\cos2x)+e^x(2\cos2x-4\sin2x)$
$\qquad=e^x(-3\sin2x+4\cos2x)$
$f''(x)+5f(x)=e^x(-3\sin2x+4\cos2x)+5e^x\sin2x$
$\qquad\qquad=2e^x(\sin2x+2\cos2x)$
$\qquad\qquad=2f'(x)$
이므로 $f''(x)+af'(x)+5f(x)=0$에서
$2f'(x)+af'(x)=0$
$$\therefore a=-2$$
답 -2

32 $f(x)=\tan x$에서 $f'(x)=\sec^2x$이므로
$f\left(\dfrac{\pi}{4}\right)=1$, $f'\left(\dfrac{\pi}{4}\right)=2$
또 $f''(x)=2\tan x\sec^2x$
$$\therefore \lim_{x\to\frac{\pi}{4}}\frac{f(x)-1}{f'(x)-2}$$
$$=\lim_{x\to\frac{\pi}{4}}\frac{f(x)-f\left(\frac{\pi}{4}\right)}{f'(x)-f'\left(\frac{\pi}{4}\right)}$$
$$=\lim_{x\to\frac{\pi}{4}}\frac{\dfrac{f(x)-f\left(\frac{\pi}{4}\right)}{x-\dfrac{\pi}{4}}}{\dfrac{f'(x)-f'\left(\frac{\pi}{4}\right)}{x-\dfrac{\pi}{4}}}$$
$$=\frac{f'\left(\frac{\pi}{4}\right)}{f''\left(\frac{\pi}{4}\right)}=\frac{2}{2\tan\frac{\pi}{4}\sec^2\frac{\pi}{4}}=\frac{2}{4}=\frac{1}{2}$$
답 ③

33 $x=\sqrt{3}\tan\beta,\ y=2\sqrt{3}\sec\beta$에서

$$\frac{dx}{d\beta}=\sqrt{3}\sec^2\beta,\ \frac{dy}{d\beta}=2\sqrt{3}\sec\beta\tan\beta$$

$$\therefore \frac{dy}{dx}=\frac{\dfrac{dy}{d\beta}}{\dfrac{dx}{d\beta}}$$

$$=\frac{2\sqrt{3}\sec\beta\tan\beta}{\sqrt{3}\sec^2\beta}$$

$$=2\sin\beta$$

$x=\sqrt{3}\tan\beta=1,\ y=2\sqrt{3}\sec\beta=4$에서

$$\sin\beta=\frac{\tan\beta}{\sec\beta}=\frac{1}{\sqrt{3}}\times\frac{2\sqrt{3}}{4}=\frac{1}{2}$$

$$\therefore \frac{dy}{dx}=2\sin\beta=1$$

즉, 곡선 $x=a\cos\alpha,\ y=b\sin\alpha$ 위의 점 $\mathrm{P}(1,\ 4)$에서의 접선의 기울기는 -1이다.

$x=a\cos\alpha,\ y=b\sin\alpha$에서

$$\frac{dx}{d\alpha}=-a\sin\alpha,\ \frac{dy}{d\alpha}=b\cos\alpha$$

$$\therefore \frac{dy}{dx}=\frac{\dfrac{dy}{d\alpha}}{\dfrac{dx}{d\alpha}}$$

$$=-\frac{b\cos\alpha}{a\sin\alpha}$$

$$=-\frac{b}{a}\cot\alpha\ (단,\ \sin\alpha\neq0)$$

즉, $-\dfrac{b}{a}\cot\alpha=-1$이므로

$$\frac{b}{a}=\tan\alpha\quad \cdots\cdots ㉠$$

$a\cos\alpha=1,\ b\sin\alpha=4$에서

$$a=\frac{1}{\cos\alpha},\ b=\frac{4}{\sin\alpha}$$

이 값을 ㉠에 대입하면

$$\frac{4\cos\alpha}{\sin\alpha}=\frac{\sin\alpha}{\cos\alpha}$$

$$4\cos^2\alpha-\sin^2\alpha=0$$

$$4(1-\sin^2\alpha)-\sin^2\alpha=0$$

$$4=5\sin^2\alpha$$

$$\therefore \sin^2\alpha=\frac{4}{5}$$

따라서 $\cos^2\alpha=\dfrac{1}{5}$이므로

$$a^2=\frac{1}{\cos^2\alpha}=5,\ b^2=\frac{16}{\sin^2\alpha}=20$$

$$\therefore a^2+b^2=25 \qquad\qquad 답\ ⑤$$

34 $x=\displaystyle\sum_{k=1}^{n}(1+t)^{1-k}$에서

$$\frac{dx}{dt}=\sum_{k=1}^{n}(1-k)(1+t)^{-k}$$

$y=\displaystyle\sum_{k=1}^{n}\left(2-\frac{1}{k}\right)(1-t)^k$에서

$$\frac{dy}{dt}=\sum_{k=1}^{n}(1-2k)(1-t)^{k-1}$$

$t=0$에서 $\dfrac{dx}{dt}=-3$이므로

$$\sum_{k=1}^{n}(1-k)=n-\frac{n(n+1)}{2}$$

$$=-\frac{(n-1)n}{2}=-3$$

$$\therefore n=3$$

즉, $t=0$에서 $\dfrac{dy}{dt}$의 값은

$$\sum_{k=1}^{3}(1-2k)=3-2\times\frac{3\times4}{2}=-9$$

따라서 $t=0$에서 $\dfrac{dy}{dx}$의 값은

$$\frac{dy}{dx}=\frac{\dfrac{dy}{dt}}{\dfrac{dx}{dt}}=\frac{-9}{-3}=3 \qquad 답\ 3$$

35 $(x+1)^2-(x^2+1)y^3=0$에서 $y^3=\dfrac{(x+1)^2}{x^2+1}$이므로 양변을 x에 대하여 미분하면

$$3y^2\frac{dy}{dx}=\frac{2(x+1)(x^2+1)-(x+1)^2\times2x}{(x^2+1)^2}$$

$$=\frac{-2x^2+2}{(x^2+1)^2}$$

$$\therefore \frac{dy}{dx}=\frac{-2(x+1)(x-1)}{3y^2(x^2+1)^2}\ (단,\ y\neq0)$$

$\dfrac{dy}{dx}>0$에서 $(x+1)(x-1)<0$

$$\therefore -1<x<1\quad \cdots\cdots ㉠$$

㉠을 해로 갖고 이차항의 계수가 1인 이차부등식은

$$(x+1)(x-1)<0$$

$$\therefore x^2-1<0$$

따라서 $a=0,\ b=-1$이므로

$$a+b=-1 \qquad\qquad 답\ -1$$

36

$$\lim_{h\to0}\frac{\displaystyle\sum_{k=1}^{n}g(1+kh)-ng(1)}{h}$$

$$=\lim_{h\to0}\frac{\displaystyle\sum_{k=1}^{n}\{g(1+kh)-g(1)\}}{h}$$

$$=\sum_{k=1}^{n}\lim_{h\to0}\frac{g(1+kh)-g(1)}{kh}\times k$$

$$=g'(1)\sum_{k=1}^{n}k$$

$$=g'(1)\times\frac{n(n+1)}{2}=33\quad \cdots\cdots ㉠$$

$g(1)=a$라 하면 $f(a)=1$이므로

$$a^3-a^2+a=1,\ (a-1)(a^2+1)=0$$

$$\therefore a=1$$

즉, $g(1)=1$이고, $f'(x)=3x^2-2x+1$이므로

$$g'(1)=\frac{1}{f'(g(1))}=\frac{1}{f'(1)}=\frac{1}{2}$$

㉠에서 $\dfrac{1}{2}\times\dfrac{n(n+1)}{2}=33$이므로

$$n(n+1)=11\times12$$

$$\therefore n=11 \qquad\qquad 답\ 11$$

37 $h(x)=\dfrac{1}{g(x)}$ 이라 하면 $h'(x)=-\dfrac{g'(x)}{\{g(x)\}^2}$ 이므로

$$\lim_{x\to\beta}\dfrac{\dfrac{1}{g(x)}-\dfrac{1}{g(\beta)}}{x-\beta}=\lim_{x\to\beta}\dfrac{h(x)-h(\beta)}{x-\beta}$$
$$=h'(\beta)$$
$$=-\dfrac{g'(\beta)}{\{g(\beta)\}^2}$$

한편, $f(\alpha)=f'(\alpha)=\beta$ 에서 $g(\beta)=\alpha$ 이므로

$$g'(\beta)=\dfrac{1}{f'(g(\beta))}=\dfrac{1}{f'(\alpha)}=\dfrac{1}{\beta}$$

$$\therefore \lim_{x\to\beta}\dfrac{\dfrac{1}{g(x)}-\dfrac{1}{g(\beta)}}{x-\beta}=-\dfrac{g'(\beta)}{\{g(\beta)\}^2}$$
$$=-\dfrac{\dfrac{1}{\beta}}{\alpha^2}$$
$$=-\dfrac{1}{\alpha^2\beta}$$

답 ②

38 그림과 같이 점 $\mathrm{P}(x,y)$에서 x축에 내린 수선의 발을 H, 점 Q 에서 선분 PH에 내린 수선의 발을 M이라 하고, $\angle\mathrm{PQR}=\theta$ 라 하자.

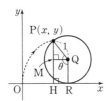

$\overline{\mathrm{OR}}=\widehat{\mathrm{PR}}=\theta$ 이므로
$\mathrm{Q}(\theta,1),\ \mathrm{R}(\theta,0)$

$\dfrac{\pi}{2}<\theta<\pi$ 일 때,

$$x=\overline{\mathrm{OR}}-\overline{\mathrm{HR}}=\overline{\mathrm{OR}}-\overline{\mathrm{QM}}$$
$$=\theta-\overline{\mathrm{PQ}}\cos\left(\theta-\dfrac{\pi}{2}\right)$$
$$=\theta-\sin\theta$$
$$y=\overline{\mathrm{MH}}+\overline{\mathrm{PM}}$$
$$=1+\overline{\mathrm{PQ}}\sin\left(\theta-\dfrac{\pi}{2}\right)$$
$$=1-\cos\theta$$

이므로

$$\dfrac{dx}{d\theta}=1-\cos\theta,\ \dfrac{dy}{d\theta}=\sin\theta$$

$$\therefore \dfrac{dy}{dx}=\dfrac{\dfrac{dy}{d\theta}}{\dfrac{dx}{d\theta}}=\dfrac{\sin\theta}{1-\cos\theta}$$

따라서 $\theta=\dfrac{2}{3}\pi$ 일 때, $\dfrac{dy}{dx}$ 의 값은

$$\dfrac{\sin\dfrac{2}{3}\pi}{1-\cos\dfrac{2}{3}\pi}=\dfrac{\dfrac{\sqrt{3}}{2}}{1+\dfrac{1}{2}}=\dfrac{\sqrt{3}}{3}$$

답 $\dfrac{\sqrt{3}}{3}$

---

01 $f(x)=e^{x-1}$ 이라 하면 $f'(x)=e^{x-1}$
점 $(2,e)$ 에서의 접선의 기울기는 $f'(2)=e$ 이므로 접선의 방정식은
$$y-e=e(x-2)$$
$$\therefore y=ex-e$$
따라서 $m=e,\ n=-e$ 이므로
$$mn=-e^2$$

답 ⑤

02 $f(x)=\sin x$ 라 하면 $f'(x)=\cos x$

접점의 좌표를 $(a,\sin a)$ 라 하면 직선 $y=\dfrac{1}{2}x-3$ 에 평행한

직선의 기울기는 $\dfrac{1}{2}$ 이므로

$$f'(a)=\cos a=\dfrac{1}{2}\qquad\therefore a=\dfrac{\pi}{3}\ (\because 0\le a\le\pi)$$

즉, 접점의 좌표가 $\left(\dfrac{\pi}{3},\dfrac{\sqrt{3}}{2}\right)$ 이므로 구하는 접선의 방정식은

$$y-\dfrac{\sqrt{3}}{2}=\dfrac{1}{2}\left(x-\dfrac{\pi}{3}\right)$$
$$\therefore y=\dfrac{1}{2}x-\dfrac{\pi}{6}+\dfrac{\sqrt{3}}{2}$$

답 $y=\dfrac{1}{2}x-\dfrac{\pi}{6}+\dfrac{\sqrt{3}}{2}$

03 $f(x)=\dfrac{1}{x}$ 이라 하면 $f'(x)=-\dfrac{1}{x^2}$

접점의 좌표를 $\left(a,\dfrac{1}{a}\right)$ 이라 하면 이 점에서의 접선의 기울기는

$f'(a)=-\dfrac{1}{a^2}$ 이므로 접선의 방정식은

$$y-\dfrac{1}{a}=-\dfrac{1}{a^2}(x-a)$$

이 직선이 점 $\left(3,\dfrac{1}{4}\right)$ 을 지나므로

$$\dfrac{1}{4}-\dfrac{1}{a}=-\dfrac{1}{a^2}(3-a)$$
$$a^2-8a+12=0,\ (a-2)(a-6)=0$$
$$\therefore a=2\ \text{또는}\ a=6$$

기울기가 가장 작은 것은 $a=2$ 일 때이므로 구하는 접선의 방정식은

$$y-\dfrac{1}{2}=-\dfrac{1}{4}(x-2)$$
$$\therefore y=-\dfrac{1}{4}x+1$$

따라서 y절편은 1이다.

답 1

04 $f(x)=\dfrac{e^x}{4x^2+3}$ 에서

$$f'(x)=\dfrac{e^x(4x^2+3)-e^x\times 8x}{(4x^2+3)^2}$$
$$=\dfrac{e^x(4x^2-8x+3)}{(4x^2+3)^2}$$

$f'(x)=0$ 에서 $(4x^2+3)^2>0,\ e^x>0$ 이므로
$$4x^2-8x+3=0,\ (2x-1)(2x-3)=0$$

$$\therefore x=\dfrac{1}{2}\ \text{또는}\ x=\dfrac{3}{2}$$

함수 $f(x)$의 증가, 감소를 표로 나타내면 다음과 같다.

x	$\cdots$	$\dfrac{1}{2}$	$\cdots$	$\dfrac{3}{2}$	$\cdots$
$f'(x)$	$+$	0	$-$	0	$+$
$f(x)$	↗		↘		↗

따라서 함수 $f(x)$가 감소하는 구간은 $\dfrac{1}{2} \le x \le \dfrac{3}{2}$이므로

$\alpha = \dfrac{1}{2}$, $\beta = \dfrac{3}{2}$

$\therefore \beta - \alpha = \dfrac{3}{2} - \dfrac{1}{2} = 1$ **답** 1

05 $f(x) = \dfrac{2x}{x^2+1}$에서

$f'(x) = \dfrac{2(x^2+1) - 2x \times 2x}{(x^2+1)^2} = \dfrac{-2x^2+2}{(x^2+1)^2}$

$\qquad = \dfrac{-2(x+1)(x-1)}{(x^2+1)^2}$

$f'(x) = 0$에서 $x = -1$ 또는 $x = 1$
함수 $f(x)$의 증가, 감소를 표로 나타내면 다음과 같다.

x	$\cdots$	-1	$\cdots$	1	$\cdots$
$f'(x)$	$-$	0	$+$	0	$-$
$f(x)$	↘	극소	↗	극대	↘

즉, 함수 $f(x)$는 $x = -1$에서 극소이고 극솟값은
$f(-1) = -1$, $x = 1$에서 극대이고 극댓값은 $f(1) = 1$이다.
따라서 극댓값과 극솟값의 합은
$1 + (-1) = 0$ **답** 0

다른 풀이

$f(x) = \dfrac{2x}{x^2+1}$에서

$f'(x) = \dfrac{-2x^2+2}{(x^2+1)^2} = \dfrac{-2(x+1)(x-1)}{(x^2+1)^2}$

$f''(x) = \dfrac{-4x(x^2+1)^2 + 8x(x^2+1)(x^2-1)}{(x^2+1)^4}$

$\qquad = \dfrac{4x(x^2-3)}{(x^2+1)^3}$

$f'(x) = 0$에서 $x = -1$ 또는 $x = 1$
$f''(-1) = 1 > 0$, $f''(1) = -1 < 0$이므로
함수 $f(x)$의 극댓값은 $f(1) = 1$,
극솟값은 $f(-1) = -1$이다.
따라서 극댓값과 극솟값의 합은
$1 + (-1) = 0$

참고
이계도함수를 갖는 함수 $f(x)$에 대하여 $f'(a) = 0$일 때,
(1) $f''(a) < 0$이면 $f(x)$는 $x = a$에서 극대이고, 극댓값은
$\quad f(a)$이다.
(2) $f''(a) > 0$이면 $f(x)$는 $x = a$에서 극소이고, 극솟값은
$\quad f(a)$이다.

06 $f(x) = (x^2 - x - 1)e^x$에서
$f'(x) = (2x-1)e^x + (x^2-x-1)e^x$
$\qquad = (x^2+x-2)e^x$
$\qquad = (x+2)(x-1)e^x$
$f'(x) = 0$에서 $x = -2$ 또는 $x = 1$

함수 $f(x)$의 증가, 감소를 표로 나타내면 다음과 같다.

x	$\cdots$	-2	$\cdots$	1	$\cdots$
$f'(x)$	$+$	0	$-$	0	$+$
$f(x)$	↗	극대	↘	극소	↗

따라서 함수 $f(x)$는 $x = -2$에서 극대이고 극댓값은

$f(-2) = \dfrac{5}{e^2}$, $x = 1$에서 극소이고 극솟값은 $f(1) = -e$이므로

구하는 곱은

$\dfrac{5}{e^2} \times (-e) = -\dfrac{5}{e}$ **답** ②

07 $f(x) = \dfrac{x-1}{x^2} = \dfrac{1}{x} - \dfrac{1}{x^2}$에서

$f'(x) = -\dfrac{1}{x^2} + \dfrac{2}{x^3} = \dfrac{2-x}{x^3}$

$f'(x) = 0$에서 $x = 2$
$x > 0$에서 함수 $f(x)$의 증가, 감소를 표로 나타내면 다음과
같다.

x	(0)	$\cdots$	2	$\cdots$
$f'(x)$		$+$	0	$-$
$f(x)$		↗	$\dfrac{1}{4}$	↘

따라서 함수 $f(x)$는 $x = 2$에서 최댓값 $f(2) = \dfrac{1}{4}$을 가지므로

$a = 2$, $M = \dfrac{1}{4}$

$\therefore aM = \dfrac{1}{2}$ **답** $\dfrac{1}{2}$

08 $f(x) = \dfrac{\ln x}{x}$에서 $f'(x) = \dfrac{1 - \ln x}{x^2}$

$f'(x) = 0$에서 $x = e$
$1 \le x \le e^2$에서 함수 $f(x)$의 증가, 감소를 표로 나타내면 다음
과 같다.

x	1	$\cdots$	e	$\cdots$	e^2
$f'(x)$		$+$	0	$-$	
$f(x)$	0	↗	$\dfrac{1}{e}$	↘	$\dfrac{2}{e^2}$

따라서 함수 $f(x)$의 최댓값은 $M = f(e) = \dfrac{1}{e}$,

최솟값은 $m = f(1) = 0$이므로

$M + m = \dfrac{1}{e} + 0 = \dfrac{1}{e}$ **답** $\dfrac{1}{e}$

09 $x = 1 - t^2$, $y = 2 + t + t^2$에서

$\dfrac{dx}{dt} = -2t$, $\dfrac{dy}{dt} = 1 + 2t$이므로

$\dfrac{dy}{dx} = \dfrac{\dfrac{dy}{dt}}{\dfrac{dx}{dt}} = -\dfrac{1+2t}{2t}$ (단, $t \ne 0$)

한편, 접점의 좌표가 $(0, 4)$이므로
$1 - t^2 = 0$, $2 + t + t^2 = 4$에서 $t = 1$

즉, $t = 1$일 때 접선의 기울기는 $-\dfrac{3}{2}$이므로 접선의 방정식은

$$y - 4 = -\frac{3}{2}x$$

$$\therefore y = -\frac{3}{2}x + 4$$

따라서 $a = -\frac{3}{2}$, $b = 4$이므로

$$a + b = \frac{5}{2}$$

답 $\dfrac{5}{2}$

10 $x^3 + y^3 = 8(xy + 1)$의 양변을 x에 대하여 미분하면

$$3x^2 + 3y^2 \frac{dy}{dx} = 8\left(y + x\frac{dy}{dx}\right)$$

$$(8x - 3y^2)\frac{dy}{dx} = 3x^2 - 8y$$

$$\therefore \frac{dy}{dx} = \frac{3x^2 - 8y}{8x - 3y^2} \ (\text{단}, \ 8x - 3y^2 \neq 0)$$

점 $(0, 2)$에서의 접선의 기울기는

$$\frac{0 - 16}{0 - 12} = \frac{4}{3}$$

따라서 구하는 접선의 방정식은

$$y - 2 = \frac{4}{3}x$$

$$\therefore 4x - 3y + 6 = 0$$

답 ②

11 $y = \sin 3x$에서 $y' = 3\cos 3x$이므로 점 $\mathrm{P}(\theta, \sin 3\theta)$에서의 접선의 기울기는 $3\cos 3\theta$이다.

점 P에서의 접선에 수직인 직선의 기울기는

$-\dfrac{1}{3\cos 3\theta}$이므로 직선의 방정식은

$$y - \sin 3\theta = -\frac{1}{3\cos 3\theta}(x - \theta)$$

$y = 0$이면 $f(\theta) = 3\sin 3\theta \cos 3\theta + \theta$이므로

$$\lim_{\theta \to 0} \frac{f(\theta)}{\theta} = \lim_{\theta \to 0} \frac{3\sin 3\theta \cos 3\theta + \theta}{\theta}$$

$$= \lim_{\theta \to 0}\left(9 \times \frac{\sin 3\theta}{3\theta} \times \cos 3\theta + 1\right)$$

$$= 9 + 1 = 10$$

답 10

12 곡선 $y = \sqrt{2x^2 + ax + b}$ 위의 $x = 1$인 점에서의 접선의 방정식이 $3x + y - 4 = 0$이므로

$$3 \times 1 + y - 4 = 0$$

$$\therefore y = 1$$

즉, 곡선 $y = \sqrt{2x^2 + ax + b}$가 점 $(1, 1)$을 지나므로

$$\sqrt{2 + a + b} = 1$$

$$\therefore b = -a - 1 \qquad \cdots\cdots \ \bigcirc$$

한편, $y' = \dfrac{4x + a}{2\sqrt{2x^2 + ax + b}}$이고 점 $(1, 1)$에서의 접선의 기울기가 -3이므로

$$\frac{4 + a}{2\sqrt{2 + a + b}} = -3 \qquad \cdots\cdots \ \bigcirc$$

$\bigcirc$을 $\bigcirc$에 대입하면

$$\frac{4 + a}{2\sqrt{2 + a - a - 1}} = -3$$

$$4 + a = -6 \qquad \therefore a = -10$$

$a = -10$을 $\bigcirc$에 대입하면 $b = 9$

$$\therefore b - a = 9 - (-10) = 19$$

답 19

13 $f(x) = e^{x-b}$, $g(x) = \ln x + 1$이라 하면

$$f'(x) = e^{x-b}, \quad g'(x) = \frac{1}{x}$$

두 곡선이 $x = a$인 점에서 공통인 접선을 가지므로

$f(a) = g(a)$에서 $e^{a-b} = \ln a + 1 \qquad \cdots\cdots \ \bigcirc$

$f'(a) = g'(a)$에서 $e^{a-b} = \dfrac{1}{a} \qquad \cdots\cdots \ \bigcirc$

$\bigcirc$, $\bigcirc$에서 $\ln a + 1 = \dfrac{1}{a}$

즉, $\ln a = \dfrac{1}{a} - 1$이므로 a는 두 곡선

$y = \ln x$, $y = \dfrac{1}{x} - 1$의 교점의 x좌표

이다.

그림과 같이 두 곡선은 점 $(1, 0)$에서 만나므로 $a = 1$

$a = 1$을 $\bigcirc$에 대입하면

$$e^{1-b} = 1 \qquad \therefore b = 1$$

$$\therefore a + b = 2$$

답 2

14 $f(x) = e^{-x}\sin x \ (x > 0)$와 x축의 교점의 x좌표는

$e^{-x}\sin x = 0$에서 $\sin x = 0$

$$\therefore x_n = n\pi \ (n = 1, 2, 3, \cdots)$$

$$f'(x) = -e^{-x}\sin x + e^{-x}\cos x$$

$$= e^{-x}(\cos x - \sin x)$$

이므로 $x_n = n\pi$인 점에서의 접선의 기울기는

$$f'(n\pi) = e^{-n\pi}(\cos n\pi - \sin n\pi)$$

$$= e^{-n\pi}\{(-1)^n - 0\}$$

$$= (-1)^n e^{-n\pi}$$

즉, 점 $(n\pi, 0)$에서의 접선의 방정식은

$$y = (-1)^n e^{-n\pi}(x - n\pi)$$

이므로 접선의 y절편은

$$y_n = (-1)^n e^{-n\pi} \times (-n\pi) = (-1)^{n+1} e^{-n\pi} \times n\pi$$

$$\therefore \sum_{n=1}^{\infty} \frac{y_n}{n} = \sum_{n=1}^{\infty} \frac{(-1)^{n+1} e^{-n\pi} \times n\pi}{n}$$

$$= \pi \sum_{n=1}^{\infty} \{(-1)^{n+1} e^{-n\pi}\}$$

$$= \pi\left(\frac{1}{e^{\pi}} - \frac{1}{e^{2\pi}} + \frac{1}{e^{3\pi}} - \cdots\right)$$

$$= \pi \times \frac{\dfrac{1}{e^{\pi}}}{1 - \left(-\dfrac{1}{e^{\pi}}\right)} = \frac{\pi}{e^{\pi} + 1}$$

답 ⑤

15 $f(x) = \ln(x - 1)$이라 하면

$$f'(x) = \frac{1}{x - 1}$$

접점의 좌표를 $(a, \ln(a-1))$이라 하면 직선 $y = -x$에 수직인 직선의 기울기는 1이므로

$$f'(a) = \frac{1}{a - 1} = 1 \qquad \therefore a = 2$$

즉, 접점의 좌표가 $(2, 0)$이므로 구하는 접선의 방정식은

$$y = x - 2$$

따라서 y절편은 -2이다.

답 -2

16 곡선 $y=(x+1)e^x$ 위의 점과 직선 $y=2x-4$ 사이의 거리의 최솟값은 이 직선과 평행한 접선의 접점과 직선 사이의 거리와 같다.

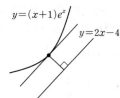

$f(x)=(x+1)e^x$이라 하면
$$f'(x)=e^x+(x+1)e^x=(x+2)e^x$$
접점의 좌표를 $(a,\ (a+1)e^a)$이라 하면 접선의 기울기가 2이므로
$$f'(a)=(a+2)e^a=2 \quad \cdots\cdots \ ㉠$$
㉠에서 $e^a=\dfrac{2}{a+2}$이므로 a는 두 곡선 $y=e^x$, $y=\dfrac{2}{x+2}$의 교점의 x좌표이다.

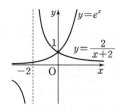

그림과 같이 두 곡선은 점 $(0,1)$에서 만나므로 $a=0$
즉, 접점의 좌표가 $(0,1)$이므로 점 $(0,1)$과 직선 $2x-y-4=0$ 사이의 거리는
$$\frac{|0-1-4|}{\sqrt{2^2+(-1)^2}}=\frac{5}{\sqrt5}=\sqrt5$$
답 $\sqrt5$

17 점 $(1,1)$은 곡선 $\dfrac{a}{x}+\dfrac{b}{y}=2xy$ 위의 점이므로
$$a+b=2 \quad \cdots\cdots \ ㉠$$
한편, $\dfrac{a}{x}+\dfrac{b}{y}=2xy$, 즉 $ay+bx=2x^2y^2$의 양변을 x에 대하여 미분하면
$$a\frac{dy}{dx}+b=4xy^2+4x^2y\frac{dy}{dx}$$
$$(4x^2y-a)\frac{dy}{dx}=b-4xy^2$$
$$\therefore \frac{dy}{dx}=\frac{b-4xy^2}{4x^2y-a} \ (단,\ 4x^2y-a\neq0)$$
점 $(1,1)$에서의 접선의 기울기가 2이므로
$$\frac{b-4}{4-a}=2$$
$$\therefore 2a+b=12 \quad \cdots\cdots \ ㉡$$
㉠, ㉡을 연립하여 풀면 $a=10,\ b=-8$
점 $(c,1)$도 곡선 $\dfrac{10}{x}-\dfrac{8}{y}=2xy$ 위의 점이므로
$$\frac{10}{c}-8=2c,\ 10-8c=2c^2$$
$$c^2+4c-5=0,\ (c+5)(c-1)=0$$
$$\therefore c=-5\ (\because c<0)$$
즉, 점 $(-5,1)$에서의 접선의 기울기는
$$\frac{-8-4\times(-5)\times1}{4\times25\times1-10}=\frac{2}{15}$$

이므로 접선의 방정식은
$$y-1=\frac{2}{15}(x+5)$$
$$\therefore y=\frac{2}{15}x+\frac{5}{3}$$
$$\therefore mn=\frac{2}{15}\times\frac{5}{3}=\frac{2}{9}$$
답 ③

18 $f(x)=e^{x-k}$이라 하면 $f'(x)=e^{x-k}$
접점의 좌표를 $(a,\ e^{a-k})$이라 하면 이 점에서의 접선의 기울기는 $f'(a)=e^{a-k}$이므로 접선의 방정식은
$$y-e^{a-k}=e^{a-k}(x-a) \quad \cdots\cdots \ ㉠$$
직선 ㉠이 원점을 지나므로
$$0-e^{a-k}=e^{a-k}(0-a)$$
$$\therefore a=1$$
또 직선 ㉠이 점 $(2,8)$을 지나므로
$$8-e^{1-k}=e^{1-k}(2-1)$$
$$2e^{1-k}=8,\ 1-k=\ln4$$
$$\therefore k=1-\ln4=\ln\frac{e}{4}$$
답 ③

다른 풀이

$f(x)=e^{x-k}$이라 하면 $f'(x)=e^{x-k}$
한편, 원점과 점 $(2,8)$을 지나는 직선의 방정식은 $y=4x$
접점의 좌표를 $(a,\ e^{a-k})$이라 하면 접선의 기울기가 4이므로
$$f'(a)=e^{a-k}=4 \quad \cdots\cdots \ ㉠$$
또 점 $(a,\ e^{a-k})$은 직선 $y=4x$ 위의 점이므로
$$e^{a-k}=4a \quad \cdots\cdots \ ㉡$$
㉠, ㉡에서 $4=4a$ $\quad \therefore a=1$
$a=1$을 ㉠에 대입하면
$$e^{1-k}=4,\ 1-k=\ln4$$
$$\therefore k=1-\ln4=\ln\frac{e}{4}$$

19 $f(x)=\ln x+1$이라 하면 $f'(x)=\dfrac{1}{x}$
접점 A의 좌표를 $(a,\ \ln a+1)$이라 하면 이 점에서의 접선의 기울기는 $f'(a)=\dfrac{1}{a}$이므로 접선의 방정식은
$$y-(\ln a+1)=\frac{1}{a}(x-a)$$
이 직선이 원점을 지나므로
$$0-(\ln a+1)=\frac{1}{a}(0-a)$$
$$\ln a=0$$
$$\therefore a=1$$
즉, 점 A의 좌표는 $(1,1)$이므로 접선의 방정식은
$$y-1=x-1 \quad \therefore y=x$$
한편, 점 A를 지나고 접선에 수직인 직선의 기울기는 -1이므로 직선의 방정식은
$$y-1=-(x-1)$$
$$\therefore y=-x+2$$
따라서 점 B의 좌표는 $(2,0)$이므로 삼각형 OAB의 넓이는
$$\frac{1}{2}\times2\times1=1$$
답 1

20 $f(x)=(x-a)e^{-x}$이라 하면

$f'(x)=e^{-x}+(x-a)(-e^{-x})$
$\qquad =-(x-a-1)e^{-x}$

접점의 좌표를 $(t,\ (t-a)e^{-t})$이라 하면 이 점에서의 접선의 기울기는 $f'(t)=-(t-a-1)e^{-t}$이므로 접선의 방정식은

$y-(t-a)e^{-t}=-(t-a-1)e^{-t}(x-t)$

$\therefore y=-(t-a-1)e^{-t}x+(t^2-at-a)e^{-t}$

이 직선이 원점을 지나므로

$(t^2-at-a)e^{-t}=0$

$e^{-t}>0$이므로

$t^2-at-a=0 \qquad \cdots\cdots \ \bigcirc$

원점에서 곡선 $y=(x-a)e^{-x}$에 오직 하나의 접선을 그을 수 있으므로 이차방정식 $\bigcirc$이 중근을 가진다.

즉, $\bigcirc$의 판별식을 D라 하면

$D=a^2+4a=0$

$a(a+4)=0$

$\therefore a=-4\ (\because a\neq0)$ 　　　　📋 -4

21 두 함수 $f(x),\ g(x)$는 서로 역함수 관계이므로

$g(5)=k$라 하면 $f(k)=5$

$2k^3+3k-5=0$

$(k-1)(2k^2+2k+5)=0$

$\therefore k=1\ (\because 2k^2+2k+5>0)$

즉, 곡선 $y=g(x)$ 위의 접점의 좌표는 $(5,\ 1)$이고 이 점에서의 접선의 기울기는

$g'(5)=\dfrac{1}{f'(g(5))}=\dfrac{1}{f'(1)}$

$f'(x)=6x^2+3$이므로 $f'(1)=9$

$\therefore g'(5)=\dfrac{1}{9}$

즉, 곡선 $y=g(x)$ 위의 점 $(5,\ 1)$에서의 접선의 방정식은

$y-1=\dfrac{1}{9}(x-5) \qquad \therefore y=\dfrac{1}{9}x+\dfrac{4}{9}$

이 직선이 점 $(2,\ a)$를 지나므로

$a=\dfrac{2}{9}+\dfrac{4}{9}=\dfrac{2}{3}$ 　　　　📋 $\dfrac{2}{3}$

22 두 함수 $f(x),\ g(x)$는 서로 역함수 관계이므로

$g(\sqrt{2})=k$라 하면 $f(k)=\sqrt{2}$

$\sqrt{k^2+1}=\sqrt{2},\ k^2=1$

$\therefore k=1\ (\because k>0)$

즉, 곡선 $y=g(x)$ 위의 접점의 좌표는 $(\sqrt{2},\ 1)$이고 이 점에서의 접선의 기울기는

$g'(\sqrt{2})=\dfrac{1}{f'(g(\sqrt{2}))}=\dfrac{1}{f'(1)}$

$f'(x)=\dfrac{x}{\sqrt{x^2+1}}$이므로 $f'(1)=\dfrac{1}{\sqrt{2}}$

$\therefore g'(\sqrt{2})=\sqrt{2}$

즉, 곡선 $y=g(x)$ 위의 점 $(\sqrt{2},\ 1)$에서의 접선의 방정식은

$y-1=\sqrt{2}(x-\sqrt{2})$

$\therefore y=\sqrt{2}x-1$ 　　　　📋 ①

23 곡선 $y=g(x)$ 위의 점 $(e^2,\ 2)$이므로 $g(e^2)=2$

$f(x)$의 역함수가 $g(x)$이므로 $f(2)=e^2$

$f'(x)=e^x+(x-1)e^x=xe^x$이므로 $f'(2)=2e^2$

즉, 곡선 $y=g(x)$ 위의 점 $(e^2,\ 2)$에서의 접선의 기울기는

$g'(e^2)=\dfrac{1}{f'(g(e^2))}=\dfrac{1}{f'(2)}=\dfrac{1}{2e^2}$

곡선 $y=g(x)$ 위의 점 $(e^2,\ 2)$에서의 접선의 방정식은

$y-2=\dfrac{1}{2e^2}(x-e^2)$

$y=\dfrac{1}{2e^2}x+\dfrac{3}{2}$

따라서 접선의 y절편은 $\dfrac{3}{2}$이다. 　　　📋 $\dfrac{3}{2}$

24 $f(x)=e^{-x}\sin x$에서

$f'(x)=-e^{-x}\sin x+e^{-x}\cos x=e^{-x}(\cos x-\sin x)$

$f'(x)=0$에서 $e^{-x}>0$이므로 $\cos x-\sin x=0,\ \cos x=\sin x$

$\therefore x=\dfrac{\pi}{4}\ (\because 0\leq x\leq\pi)$

$0\leq x\leq\pi$에서 함수 $f(x)$의 증가, 감소를 표로 나타내면 다음과 같다.

x	0	$\cdots$	$\dfrac{\pi}{4}$	$\cdots$	π
$f'(x)$		$+$	0	$-$	
$f(x)$		$\nearrow$		$\searrow$	

따라서 함수 $f(x)$가 증가하는 구간은 $\left[0,\ \dfrac{\pi}{4}\right]$이다. 　📋 ①

25 $f(x)=-x^2+4x-2a\ln x$에서

$f'(x)=-2x+4-\dfrac{2a}{x}=\dfrac{-2x^2+4x-2a}{x}$

함수 $f(x)$가 구간 $(0,\ \infty)$에서 감소하려면 $x>0$에서 $f'(x)\leq0$이어야 하므로

$-2x^2+4x-2a\leq0$, 즉 $x^2-2x+a\geq0$

$x^2-2x+a=(x-1)^2+a-1\geq0$이므로

$a-1\geq0 \qquad \therefore a\geq1$

따라서 실수 a의 최솟값은 1이다. 　　　　📋 1

26 $f(x)$가 $x_1<x_2$이면 $f(x_1)<f(x_2)$를 만족하므로 구간 $[0,\ 1]$에서 증가하는 함수이다.

즉, $f'(x)=a\cos(ax+1)$이 구간 $[0,\ 1]$에서 $f'(x)\geq0$이어야 한다.

(i) $a>0$일 때,

$f'(0)=a\cos(0+1)=a\cos 1>0$이고

$f'(1)=a\cos(a+1)\geq0$이 성립해야 한다.

즉, $1<a+1\leq\dfrac{\pi}{2}$

$\therefore 0<a\leq\dfrac{\pi}{2}-1$

(ii) $a<0$일 때, $f'(0)=a\cos(0+1)=a\cos 1<0$이므로 모순이다.

(i), (ii)에서 $0<a\leq\dfrac{\pi}{2}-1$

따라서 실수 a의 최댓값은 $\dfrac{\pi}{2}-1$이다. 　　📋 $\dfrac{\pi}{2}-1$

27 $f(x)=\dfrac{ax+1}{x^2-x+1}$ 에서

$f'(x)=\dfrac{a(x^2-x+1)-(ax+1)(2x-1)}{(x^2-x+1)^2}$

$=\dfrac{-ax^2-2x+a+1}{(x^2-x+1)^2}$

함수 $f(x)$가 $x=2$에서 극솟값 b를 가지므로

$f(2)=b$에서 $\dfrac{2a+1}{3}=b$ $\qquad$ ……㉠

$f'(2)=0$에서 $\dfrac{-3a-3}{9}=0$ $\quad\therefore a=-1$

$a=-1$을 ㉠에 대입하면 $b=-\dfrac{1}{3}$

$\therefore a+b=(-1)+\left(-\dfrac{1}{3}\right)=-\dfrac{4}{3}$ $\qquad$ 🖹 $-\dfrac{4}{3}$

28 $f(x)=\dfrac{1}{\sqrt{x-2}-x}$ 에서 $x\geq2$이고,

$f'(x)=\dfrac{-\dfrac{1}{2\sqrt{x-2}}+1}{(\sqrt{x-2}-x)^2}=\dfrac{2\sqrt{x-2}-1}{2\sqrt{x-2}(\sqrt{x-2}-x)^2}$

$f'(x)=0$에서 $2\sqrt{x-2}-1=0$

$\sqrt{x-2}=\dfrac{1}{2}$, $x-2=\dfrac{1}{4}$ $\quad\therefore x=\dfrac{9}{4}$

함수 $f(x)$의 증가, 감소를 표로 나타내면 다음과 같다.

x	2	$\cdots$	$\dfrac{9}{4}$	$\cdots$
$f'(x)$		$-$	0	$+$
$f(x)$		$\searrow$	극소	$\nearrow$

따라서 함수 $f(x)$는 $x=\dfrac{9}{4}$에서 극소이고 극솟값은

$f\left(\dfrac{9}{4}\right)=\dfrac{1}{\dfrac{1}{2}-\dfrac{9}{4}}=-\dfrac{4}{7}$ $\qquad$ 🖹 ①

29 $f(x)=\ln x+\dfrac{a}{x}-x$ 에서

$f'(x)=\dfrac{1}{x}-\dfrac{a}{x^2}-1=\dfrac{-x^2+x-a}{x^2}$

함수 $f(x)$가 $x=2$에서 극댓값 m을 가지므로

$f(2)=m$에서 $\ln 2+\dfrac{a}{2}-2=m$ $\qquad$ ……㉠

$f'(2)=0$에서 $\dfrac{-4+2-a}{4}=0$ $\quad\therefore a=-2$

$a=-2$를 ㉠에 대입하면 $m=\ln 2-3$

$\therefore a+m=-2+\ln 2-3=\ln 2-5$ $\qquad$ 🖹 $\ln 2-5$

30 $f(x)=\sin^4 2x+3$ 에서

$f'(x)=4\sin^3 2x\times 2\cos 2x$

$=8\sin^3 2x\cos 2x$

$f'(x)=0$에서 $\sin 2x=0$ 또는 $\cos 2x=0$

한편, $0<x<2\pi$에서 $0<2x<4\pi$

$\sin 2x=0$에서

$2x=\pi$ 또는 $2x=2\pi$ 또는 $2x=3\pi$

$\therefore x=\dfrac{\pi}{2}$ 또는 $x=\pi$ 또는 $x=\dfrac{3}{2}\pi$

$\cos 2x=0$에서

$2x=\dfrac{\pi}{2}$ 또는 $2x=\dfrac{3}{2}\pi$ 또는 $2x=\dfrac{5}{2}\pi$ 또는 $2x=\dfrac{7}{2}\pi$

$\therefore x=\dfrac{\pi}{4}$ 또는 $x=\dfrac{3}{4}\pi$ 또는 $x=\dfrac{5}{4}\pi$ 또는 $x=\dfrac{7}{4}\pi$

$0<x<2\pi$에서 함수 $f(x)$의 증가, 감소를 표로 나타내면 다음과 같다.

x	(0)	$\cdots$	$\dfrac{\pi}{4}$	$\cdots$	$\dfrac{\pi}{2}$	$\cdots$	$\dfrac{3}{4}\pi$	$\cdots$
$f'(x)$		$+$	0	$-$	0	$+$	0	$-$
$f(x)$		$\nearrow$	극대	$\searrow$	극소	$\nearrow$	극대	$\searrow$

π	$\cdots$	$\dfrac{5}{4}\pi$	$\cdots$	$\dfrac{3}{2}\pi$	$\cdots$	$\dfrac{7}{4}\pi$	$\cdots$	(2π)
0	$+$	0	$-$	0	$+$	0	$-$	
극소	$\nearrow$	극대	$\searrow$	극소	$\nearrow$	극대	$\searrow$	

따라서 극대 또는 극소가 되는 점의 개수는 7이다. $\qquad$ 🖹 7

31 $f(x)=e^x+ke^{-x}$ 에서

$f'(x)=e^x-ke^{-x}=\dfrac{(e^x)^2-k}{e^x}=\dfrac{(e^x+\sqrt{k})(e^x-\sqrt{k})}{e^x}$

$f'(x)=0$에서 $e^x=\sqrt{k}$ ($\because e^x>0$)

$\therefore x=\ln\sqrt{k}=\dfrac{1}{2}\ln k$

함수 $f(x)$의 증가, 감소를 표로 나타내면 다음과 같다.

x	$\cdots$	$\dfrac{1}{2}\ln k$	$\cdots$
$f'(x)$	$-$	0	$+$
$f(x)$	$\searrow$	$2\sqrt{k}$	$\nearrow$

ㄱ. 함수 $f(x)$는 극댓값을 갖지 않는다. (거짓)

ㄴ. $x=\dfrac{1}{2}\ln k$에서 극솟값 $2\sqrt{k}$를 가진다. (참)

ㄷ. 극솟값이 $2\sqrt{k}$이므로 $2\sqrt{k}=2e$

$\sqrt{k}=e$ $\quad\therefore k=e^2$ (참)

따라서 옳은 것은 ㄴ, ㄷ이다. $\qquad$ 🖹 ④

32 $f(x)=e^x(\sin x+\cos x)$ 에서

$f'(x)=e^x(\sin x+\cos x)+e^x(\cos x-\sin x)$

$=2e^x\cos x$

$f'(x)=0$에서 $\cos x=0$

$\therefore x=\dfrac{\pi}{2}$ 또는 $x=\dfrac{3}{2}\pi$ ($\because 0<x<2\pi$)

$0<x<2\pi$에서 함수 $f(x)$의 증가, 감소를 표로 나타내면 다음과 같다.

x	(0)	$\cdots$	$\dfrac{\pi}{2}$	$\cdots$	$\dfrac{3}{2}\pi$	$\cdots$	(2π)
$f'(x)$		$+$	0	$-$	0	$+$	
$f(x)$		$\nearrow$	극대	$\searrow$	극소	$\nearrow$	

따라서 함수 $f(x)$는 $x=\dfrac{\pi}{2}$에서 극대이고 극댓값은

$M=f\left(\dfrac{\pi}{2}\right)=e^{\frac{\pi}{2}}$, $x=\dfrac{3}{2}\pi$에서 극소이고 극솟값은

$m=f\left(\dfrac{3}{2}\pi\right)=-e^{\frac{3}{2}\pi}$

$\therefore Mm=e^{\frac{\pi}{2}}\times(-e^{\frac{3}{2}\pi})=-e^{2\pi}$ $\qquad$ 🖹 $-e^{2\pi}$

33 $f(x)=e^x(x^2+x+k)$에서
$f'(x)=e^x(x^2+x+k)+e^x(2x+1)$
$\quad=e^x(x^2+3x+k+1)$
$e^x>0$이므로 함수 $f(x)$가 극값을 갖지 않기 위해서는 모든
실수 x에 대하여 $x^2+3x+k+1\geq0$이어야 한다.
이차방정식 $x^2+3x+k+1=0$의 판별식을 D라 하면
$D=9-4(k+1)\leq0,\ 5\leq4k$
$\therefore k\geq\dfrac{5}{4}$　　　　　　　　　　　　　　　🖉 ⑤

34 $f(x)=2\ln x+\dfrac{a}{x}-x$에서 $x>0$이고,
$f'(x)=\dfrac{2}{x}-\dfrac{a}{x^2}-1=\dfrac{-x^2+2x-a}{x^2}$
함수 $f(x)$가 극댓값과 극솟값을 모두 가지려면 이차방정식
$-x^2+2x-a=0$이 $x>0$에서 서로 다른 두 실근을 가져야 한다.
(ⅰ) 이차방정식 $-x^2+2x-a=0$의 판별식을 D라 하면
$\quad\dfrac{D}{4}=1-a>0$
$\quad\therefore a<1$
(ⅱ) 이차방정식 $-x^2+2x-a=0$의 서로 다른 두 실근을
$\quad \alpha,\ \beta$라 하면 근과 계수의 관계에서
$\quad \alpha+\beta=2>0,\ \alpha\beta=a>0$
(ⅰ), (ⅱ)에서 실수 a의 값의 범위는
$0<a<1$　　　　　　　　　　　　　🖉 $0<a<1$

35 $f(x)=kx+\sin x$에서 $f'(x)=k+\cos x$
함수 $f(x)$가 극값을 갖지 않으려면
(ⅰ) $f(x)$가 증가하는 함수일 때,
$\quad f'(x)=k+\cos x\geq0$
$\quad -1\leq\cos x\leq1$이므로
$\quad k-1\leq k+\cos x\leq k+1$
$\quad$즉, $k-1\geq0$이므로 $k\geq1$
(ⅱ) $f(x)$가 감소하는 함수일 때,
$\quad f'(x)=k+\cos x\leq0$
$\quad -1\leq\cos x\leq1$이므로
$\quad k-1\leq k+\cos x\leq k+1$
$\quad$즉, $k+1\leq0$이므로 $k\leq-1$
(ⅰ), (ⅱ)에서 실수 k의 값의 범위는
$k\leq-1$ 또는 $k\geq1$　　　🖉 $k\leq-1$ 또는 $k\geq1$

36 $f(x)=\dfrac{ax+b}{x^2-x+1}$에서
$f'(x)=\dfrac{a(x^2-x+1)-(ax+b)(2x-1)}{(x^2-x+1)^2}$
$\quad=\dfrac{-ax^2-2bx+a+b}{(x^2-x+1)^2}$
함수 $f(x)$가 $x=1$에서 최댓값 6을 가지므로 $f(x)$는 $x=1$에서 극대이다.
즉, $f(1)=6$에서 $a+b=6$　　$\cdots\cdots$ ㉠
$f'(1)=0$에서 $-a-2b+a+b=0$
$\therefore b=0$
$b=0$을 ㉠에 대입하면 $a=6$
$\therefore a^2+b^2=36+0=36$　　　　　　　🖉 36

37 $f(x)=x+\sqrt{1+2x-x^2}$에서 정의역은
$1+2x-x^2\geq0$, 즉 $x^2-2x-1\leq0$이므로
$1-\sqrt{2}\leq x\leq1+\sqrt{2}$
$f'(x)=1+\dfrac{2-2x}{2\sqrt{1+2x-x^2}}$
$\quad=1+\dfrac{1-x}{\sqrt{1+2x-x^2}}$
$f'(x)=0$에서 $\dfrac{1-x}{\sqrt{1+2x-x^2}}=-1$
$(x-1)^2=1+2x-x^2,\ 2x^2-4x=0$
$2x(x-2)=0$　　$\therefore x=2$
$1-\sqrt{2}\leq x\leq1+\sqrt{2}$에서 함수 $f(x)$의 증가, 감소를 표로 나타내면 다음과 같다.

x	$1-\sqrt{2}$	$\cdots$	2	$\cdots$	$1+\sqrt{2}$
$f'(x)$		$+$	0	$-$	
$f(x)$	$1-\sqrt{2}$	↗	3	↘	$1+\sqrt{2}$

따라서 함수 $f(x)$의 최댓값은 $M=f(2)=3$,
최솟값은 $m=f(1-\sqrt{2})=1-\sqrt{2}$이므로
$M-m=3-(1-\sqrt{2})=2+\sqrt{2}$　　　　🖉 ④

38 $f(x)=\dfrac{x(x+k)}{e^x}=\dfrac{x^2+kx}{e^x}$에서
$f'(x)=\dfrac{(2x+k)e^x-(x^2+kx)e^x}{(e^x)^2}$
$\quad=\dfrac{-x^2+(2-k)x+k}{e^x}$
함수 $f(x)$가 $x=2$에서 극댓값을 가지므로
$f'(2)=0$에서 $-\dfrac{k}{e^2}=0$
$\therefore k=0$
$\therefore f'(x)=-\dfrac{x^2-2x}{e^x}=-\dfrac{x(x-2)}{e^x}$
$f'(x)=0$에서 $x=0$ 또는 $x=2$
$0\leq x\leq3$에서 함수 $f(x)$의 증가, 감소를 표로 나타내면 다음과 같다.

x	0	$\cdots$	2	$\cdots$	3
$f'(x)$	0	$+$	0	$-$	
$f(x)$	0	↗	$\dfrac{4}{e^2}$	↘	$\dfrac{9}{e^3}$

따라서 함수 $f(x)$는 $x=0$일 때, 최솟값 0을 갖는다.
$\therefore a=0$　　　　　　　　　　　　　🖉 0

39 $F(x)=(f\circ g)(x)$라 하면
$F(x)=e^{2x}-2e^x-1$
$F'(x)=2e^{2x}-2e^x=2e^x(e^x-1)$
$F'(x)=0$에서 $e^x=1$　　$\therefore x=0$
$-2\leq x\leq3$에서 함수 $F(x)$의 증가, 감소를 표로 나타내면 다음과 같다.

x	-2	$\cdots$	0	$\cdots$	3
$F'(x)$		$-$	0	$+$	
$F(x)$	$e^{-4}-2e^{-2}-1$	↘	-2	↗	e^6-2e^3-1

따라서 구하는 최솟값은 -2이다.　　　🖉 -2

다른 풀이

$g(x)=t$로 놓으면

$-2 \le x \le 3$에서 $e^{-2} \le t \le e^3$ ...... ㉠

$(f \circ g)(x)=f(t)=t^2-2t-1$

$\qquad = (t-1)^2-2$

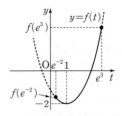

즉, ㉠의 범위에서 함수 $f(t)$의 최솟값은 $f(1)=-2$

40 $f(x)=\dfrac{e^x}{\sin x}$에서

$f'(x)=\dfrac{e^x \sin x - e^x \cos x}{(\sin x)^2}$

$\qquad = \dfrac{(\sin x - \cos x)e^x}{\sin^2 x}$

$f'(x)=0$에서 $\sin x = \cos x$

$\therefore x=\dfrac{\pi}{4} \ (\because 0<x<\pi)$

$0<x<\pi$에서 함수 $f(x)$의 증가, 감소를 표로 나타내면 다음과 같다.

x	(0)	$\cdots$	$\dfrac{\pi}{4}$	$\cdots$	(π)
$f'(x)$		$-$	0	$+$	
$f(x)$		$\searrow$	최소	$\nearrow$	

따라서 함수 $f(x)$의 최솟값은

$f\left(\dfrac{\pi}{4}\right)=\dfrac{e^{\frac{\pi}{4}}}{\sin \frac{\pi}{4}}=\sqrt{2}\,e^{\frac{\pi}{4}}$ **답 ④**

41 $f(x)=a(x-\sin 2x)+\pi$에서

$f'(x)=a(1-2\cos 2x)$

$f'(x)=0$에서 $\cos 2x=\dfrac{1}{2}$

$2x=\dfrac{\pi}{3}$

$\therefore x=\dfrac{\pi}{6}\left(\because 0 \le x \le \dfrac{\pi}{2}\right)$

$a>0$이므로 $0 \le x \le \dfrac{\pi}{2}$에서 함수 $f(x)$의 증가, 감소를 표로 나타내면 다음과 같다.

x	0	$\cdots$	$\dfrac{\pi}{6}$	$\cdots$	$\dfrac{\pi}{2}$
$f'(x)$		$-$	0	$+$	
$f(x)$	π	$\searrow$	극소	$\nearrow$	$\left(\dfrac{a}{2}+1\right)\pi$

함수 $f(x)$의 최댓값이 2π이므로

$f\left(\dfrac{\pi}{2}\right)=\left(\dfrac{a}{2}+1\right)\pi=2\pi$

$\dfrac{a}{2}+1=2$

$\therefore a=2$ **답 2**

42 $\overline{BC}=x \ (x>0)$, $\angle ABC=\alpha$, $\angle DBC=\beta$라 하면

$\tan \alpha = \dfrac{2}{x}$, $\tan \beta = \dfrac{1}{x}$

$\therefore \tan \theta = \tan(\alpha-\beta)$

$\qquad = \dfrac{\tan \alpha - \tan \beta}{1+\tan \alpha \tan \beta}$

$\qquad = \dfrac{\dfrac{2}{x}-\dfrac{1}{x}}{1+\dfrac{2}{x}\times\dfrac{1}{x}}=\dfrac{x}{x^2+2}$

$f(x)=\dfrac{x}{x^2+2}$라 하면

$f'(x)=\dfrac{x^2+2-x\times 2x}{(x^2+2)^2}=\dfrac{-x^2+2}{(x^2+2)^2}$

$\qquad = \dfrac{-(x+\sqrt{2})(x-\sqrt{2})}{(x^2+2)^2}$

$f'(x)=0$에서 $x=\sqrt{2} \ (\because x>0)$

$x>0$에서 함수 $f(x)$의 증가, 감소를 표로 나타내면 다음과 같다.

x	(0)	$\cdots$	$\sqrt{2}$	$\cdots$
$f'(x)$		$+$	0	$-$
$f(x)$		$\nearrow$	극대	$\searrow$

즉, 함수 $f(x)$는 $x=\sqrt{2}$일 때, 극대이면서 최대이므로 $\tan \theta$의 값이 최대일 때 선분 BC의 길이는 $\sqrt{2}$이다. **답 ②**

43 $y=e^{-x^2+1}$에서

$y'=-2xe^{-x^2+1}$

점 $P(a, e^{-a^2+1})$에서 그은 접선의 방정식은

$y-e^{-a^2+1}=-2ae^{-a^2+1}(x-a)$

이므로 x절편은 $\dfrac{1}{2a}+a$이다.

삼각형 PQH의 넓이를 $S(a)$라 하면

$S(a)=\dfrac{1}{2}\times\overline{QH}\times\overline{PH}$

$\qquad = \dfrac{1}{2}\left(-\dfrac{1}{2a}\right)e^{-a^2+1}$

$\qquad = -\dfrac{1}{4a}e^{-a^2+1}$

$S'(a)=\dfrac{1}{4a^2}e^{-a^2+1}+\dfrac{1}{2}e^{-a^2+1}$

$\qquad = \left(\dfrac{1}{4a^2}+\dfrac{1}{2}\right)e^{1-a^2}$

$S'(a)>0$이므로 $a \le -1$에서 함수 $S(a)$는 증가하고, $a=-1$에서 최댓값을 갖는다. **답 -1**

44 $\overline{OA}=x\left(0<x<\dfrac{\pi}{2}\right)$라 하면

$\overline{AB}=\pi-2x$, $\overline{AD}=4\sin x$이므로 직사각형 ABCD의 둘레의 길이 $f(x)$는

$f(x)=2(\pi-2x+4\sin x)$

$f'(x)=2(-2+4\cos x)=4(2\cos x-1)$

$f'(x)=0$에서 $\cos x=\dfrac{1}{2}$

$\therefore x=\dfrac{\pi}{3}\left(\because 0<x<\dfrac{\pi}{2}\right)$

$0 < x < \dfrac{\pi}{2}$에서 함수 $f(x)$의 증가, 감소를 표로 나타내면 다음과 같다.

x	(0)	$\cdots$	$\dfrac{\pi}{3}$	$\cdots$	$\left(\dfrac{\pi}{2}\right)$
$f'(x)$		$+$	0	$-$	
$f(x)$		$\nearrow$	극대	$\searrow$	

따라서 함수 $f(x)$는 $x = \dfrac{\pi}{3}$일 때, 극대이면서 최대이므로

$$\overline{AB} = \pi - 2x = \pi - \dfrac{2}{3}\pi = \dfrac{\pi}{3}$$

🔲 $\dfrac{\pi}{3}$

45 $f(x) = \dfrac{1}{1+x}$이라 하면 $f'(x) = -\dfrac{1}{(1+x)^2}$

점 $\left(t, \dfrac{1}{1+t}\right)$에서의 접선의 기울기는 $f'(t) = -\dfrac{1}{(1+t)^2}$이므로 접선의 방정식은

$$y - \dfrac{1}{1+t} = -\dfrac{1}{(1+t)^2}(x-t) \qquad \cdots\cdots \text{㉠}$$

㉠의 x절편은

$$0 - \dfrac{1}{1+t} = -\dfrac{1}{(1+t)^2}(x-t)$$

$$\therefore x = 2t+1$$

㉠의 y절편은

$$y = \dfrac{t}{(1+t)^2} + \dfrac{1}{1+t}$$

즉, 삼각형의 넓이 $S(t)$는

$$S(t) = \dfrac{1}{2}(2t+1)\left\{\dfrac{t}{(1+t)^2} + \dfrac{1}{1+t}\right\}$$

$$= \dfrac{4t^2+4t+1}{2t^2+4t+2}$$

$$\therefore \lim_{t\to\infty} S(t) = \lim_{t\to\infty} \dfrac{4t^2+4t+1}{2t^2+4t+2} = 2$$

🔲 2

46 $f(x) = a_n x^n$, $g(x) = \ln x$라 하면

$$f'(x) = na_n x^{n-1}, \quad g'(x) = \dfrac{1}{x}$$

두 곡선 $y = f(x)$와 $y = g(x)$가 접하는 한 점의 x좌표를 $x = t$라 하면

$f(t) = g(t)$에서 $a_n t^n = \ln t$

$$\therefore a_n = \dfrac{\ln t}{t^n} \qquad \cdots\cdots \text{㉠}$$

$f'(t) = g'(t)$에서 $na_n t^{n-1} = \dfrac{1}{t}$

$$\therefore a_n = \dfrac{1}{nt^n} \qquad \cdots\cdots \text{㉡}$$

㉠, ㉡에서 $\ln t = \dfrac{1}{n}$

$$\therefore t = e^{\frac{1}{n}}$$

$t = e^{\frac{1}{n}}$을 ㉡에 대입하면

$$a_n = \dfrac{1}{n(e^{\frac{1}{n}})^n} = \dfrac{1}{ne}$$

$$\therefore \sum_{n=1}^{10} \dfrac{1}{a_n} = \sum_{n=1}^{10} ne = e\sum_{n=1}^{10} n$$

$$= e \times \dfrac{10 \times 11}{2} = 55e$$

🔲 ⑤

47 $y = \cos 4x$와 원이 접하므로 직선 AP는 점 P에서의 접선에 수직이다.

$g(x) = \cos 4x$라 하면

$$g'(x) = -4\sin 4x$$

점 $P(a, \cos 4a)$에서의 접선의 기울기는 $g'(a) = -4\sin 4a$이므로 직선 AP의 기울기는 $\dfrac{1}{4\sin 4a}$이다.

즉, 직선 AP의 방정식은

$$y - \cos 4a = \dfrac{1}{4\sin 4a}(x-a)$$

이 직선의 y절편은

$$y - \cos 4a = \dfrac{1}{4\sin 4a} \times (-a)$$

$$y = \cos 4a - \dfrac{a}{4\sin 4a}$$

$$\therefore f(a) = \cos 4a - \dfrac{a}{4\sin 4a}$$

$$\therefore \lim_{a\to 0+} f(a) = \lim_{a\to 0+}\left(\cos 4a - \dfrac{a}{4\sin 4a}\right)$$

$$= \lim_{a\to 0+}\left(\cos 4a - \dfrac{1}{16} \times \dfrac{4a}{\sin 4a}\right)$$

$$= 1 - \dfrac{1}{16} = \dfrac{15}{16}$$

🔲 $\dfrac{15}{16}$

48 $f(x) = \sqrt{x}$라 하면

$$f'(x) = \dfrac{1}{2\sqrt{x}}$$

접점의 좌표를 $(t, \sqrt{t})$라 하면 이 점에서의 접선의 기울기는 $f'(t) = \dfrac{1}{2\sqrt{t}}$이므로 접선의 방정식은

$$y - \sqrt{t} = \dfrac{1}{2\sqrt{t}}(x-t)$$

$$\therefore y = \dfrac{1}{2\sqrt{t}}x + \dfrac{\sqrt{t}}{2} \qquad \cdots\cdots \text{㉠}$$

㉠의 y절편은 $\dfrac{\sqrt{t}}{2}$

$x = 8$을 ㉠에 대입하면

$$y = \dfrac{1}{2\sqrt{t}} \times 8 + \dfrac{\sqrt{t}}{2}$$

$$= \dfrac{8+t}{2\sqrt{t}}$$

즉, 사다리꼴의 넓이는

$$\dfrac{1}{2} \times \left(\dfrac{\sqrt{t}}{2} + \dfrac{8+t}{2\sqrt{t}}\right) \times 8 = 4 \times \dfrac{2t+8}{2\sqrt{t}}$$

$$= 4\left(\sqrt{t} + \dfrac{4}{\sqrt{t}}\right)$$

$t > 0$이므로 산술평균과 기하평균의 관계에서

$$\sqrt{t} + \dfrac{4}{\sqrt{t}} \geq 2\sqrt{\sqrt{t} \times \dfrac{4}{\sqrt{t}}} = 4 \text{ (단, 등호는 } t=4 \text{일 때 성립한다.)}$$

따라서 사다리꼴의 넓이의 최솟값은

$$4 \times 4 = 16$$

🔲 16

49 $f(x) = \dfrac{1}{x^2+1}$이라 하면

$$f'(x) = -\dfrac{2x}{(x^2+1)^2}$$

접점의 좌표를 $\left(t, \dfrac{1}{t^2+1}\right)$이라 하면 이 점에서의 접선의 기울기는

$f'(t)=-\dfrac{2t}{(t^2+1)^2}$이므로 접선의 방정식은

$y-\dfrac{1}{t^2+1}=-\dfrac{2t}{(t^2+1)^2}(x-t)$

이 직선의 y절편이 1이므로

$1-\dfrac{1}{t^2+1}=-\dfrac{2t}{(t^2+1)^2}\times(-t)$

양변에 $(t^2+1)^2$을 곱하면

$(t^2+1)^2-(t^2+1)=2t^2$

$t^4-t^2=0,\ t^2(t+1)(t-1)=0$

$\therefore t=-1$ 또는 $t=0$ 또는 $t=1$

따라서 접선의 기울기는

$f'(-1)=\dfrac{1}{2}$ 또는 $f'(0)=0$ 또는 $f'(1)=-\dfrac{1}{2}$

$\therefore \tan\theta=\dfrac{1}{2}\left(\because 0<\theta<\dfrac{\pi}{2}\right)$ 　　답 $\dfrac{1}{2}$

50 $f(x)=e^x$, $g(x)=\ln x$라 하고, 원점에서 두 곡선 $y=f(x)$, $y=g(x)$에 그은 두 접선이 x축의 양의 방향과 이루는 각의 크기를 각각 θ_1, θ_2 $(\theta_1>\theta_2)$라 하자.

$f(x)=e^x$에서 $f'(x)=e^x$

접점의 좌표를 (t, e^t)이라 하면 이 점에서의 접선의 기울기는 $f'(t)=e^t$이므로 접선의 방정식은

$y-e^t=e^t(x-t)$

이 직선이 원점을 지나므로

$0-e^t=e^t(0-t)$ 　　$\therefore t=1$

즉, 접선의 기울기는 $f'(1)=e$이다.

$\therefore \tan\theta_1=e$

한편, 두 함수 $f(x)$, $g(x)$는 서로 역함수 관계이므로 원점에서 곡선 $y=g(x)$에 그은 접선의 기울기는 $\dfrac{1}{e}$이다.

$\therefore \tan\theta_2=\dfrac{1}{e}$

두 접선이 이루는 예각의 크기가 θ이므로

$\theta=\theta_1-\theta_2\ (\because \theta_1>\theta_2)$

$\therefore \tan\theta=\tan(\theta_1-\theta_2)$

$\qquad =\dfrac{\tan\theta_1-\tan\theta_2}{1+\tan\theta_1\tan\theta_2}$

$\qquad =\dfrac{e-\dfrac{1}{e}}{1+e\times\dfrac{1}{e}}$

$\qquad =\dfrac{1}{2}\left(e-\dfrac{1}{e}\right)$ 　　답 ②

51 $f(x)=xe^x$이라 하면

$f'(x)=e^x+xe^x=e^x(1+x)$

접점의 좌표를 (t, te^t)이라 하면 이 점에서의 접선의 기울기는 $f'(t)=e^t(1+t)$이므로 접선의 방정식은

$y-te^t=e^t(1+t)(x-t)$

이 직선이 점 $\mathrm{A}(-4, 0)$을 지나므로

$0-te^t=e^t(1+t)(-4-t)$

$t=(1+t)(4+t)$

$(t+2)^2=0$

$\therefore t=-2$

즉, 접선의 방정식은

$y=-e^{-2}x-4e^{-2}$이므로

y절편은 $-4e^{-2}$

$\therefore \mathrm{B}(0, -4e^{-2})$

따라서 삼각형 OAB의 넓이는

$\dfrac{1}{2}\times4\times4e^{-2}=8e^{-2}=\dfrac{8}{e^2}$ 　　답 $\dfrac{8}{e^2}$

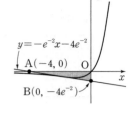

52 $f(x)=\dfrac{kx^2+(2k+1)x+k}{x+2}$에서

$f'(x)=\dfrac{(2kx+2k+1)(x+2)-\{kx^2+(2k+1)x+k\}}{(x+2)^2}$

$\qquad =\dfrac{kx^2+4kx+3k+2}{(x+2)^2}$

$x\neq-2$인 모든 실수 x에 대하여 $f'(x)\geq0$이 성립하려면 $kx^2+4kx+3k+2\geq0$이어야 한다.

(i) $k\neq0$일 때 이차방정식 $kx^2+4kx+3k+2=0$의 판별식을 D라 하면

$\dfrac{D}{4}=4k^2-k(3k+2)\leq0$

$k^2-2k\leq0,\ k(k-2)\leq0$

$\therefore 0<k\leq2$

(ii) $k=0$일 때 $2\geq0$이므로 성립한다.

(i), (ii)에서 $0\leq k\leq2$ 　　답 $0\leq k\leq2$

53 ㄱ. $f(x)=\sin(\ln x)$에서

$f'(x)=\cos(\ln x)\times\dfrac{1}{x}$ (거짓)

ㄴ. $f'(e^{\frac{\pi}{2}})=\cos(\ln e^{\frac{\pi}{2}})\times\dfrac{1}{e^{\frac{\pi}{2}}}$

$\qquad =\cos\dfrac{\pi}{2}\times\dfrac{1}{e^{\frac{\pi}{2}}}=0$ (참)

ㄷ. $f'(x)=\dfrac{\cos(\ln x)}{x}$에서

$f''(x)=\dfrac{-\sin(\ln x)\times\dfrac{1}{x}\times x-\cos(\ln x)\times1}{x^2}$

$\qquad =-\dfrac{1}{x^2}\{\sin(\ln x)+\cos(\ln x)\}$

$f'(e^{\frac{\pi}{2}})=\dfrac{\cos(\ln e^{\frac{\pi}{2}})}{e^{\frac{\pi}{2}}}=\dfrac{\cos\dfrac{\pi}{2}}{e^{\frac{\pi}{2}}}=0$

$f''(e^{\frac{\pi}{2}})=-\dfrac{1}{e^{\pi}}\{\sin(\ln e^{\frac{\pi}{2}})+\cos(\ln e^{\frac{\pi}{2}})\}$

$\qquad =-\dfrac{1}{e^{\pi}}\left(\sin\dfrac{\pi}{2}+\cos\dfrac{\pi}{2}\right)=-\dfrac{1}{e^{\pi}}<0$

즉, 함수 $f(x)$는 $x=e^{\frac{\pi}{2}}$에서 극댓값을 갖는다. (참)

따라서 옳은 것은 ㄴ, ㄷ이다. 　　답 ⑤

54 $y=\ln x$를 x에 대하여 미분하면 $y'=\dfrac{1}{x}$

점 $\mathrm{P}(t, \ln t)$에서의 접선의 방정식은

$y-\ln t=\dfrac{1}{t}(x-t)$

$\therefore r(t)=t-t\ln t$

점 $Q(2t, \ln 2t)$에서의 접선의 방정식은

$y - \ln 2t = \dfrac{1}{2t}(x - 2t)$

$\therefore s(t) = 2t - 2t \ln 2t$

$f(t) = r(t) - s(t) = (2\ln 2 - 1)t + t\ln t$

$f'(t) = 2\ln 2 + \ln t = 0$에서 $t = \dfrac{1}{4}$

$t > 0$에서 함수 $f(t)$의 증가, 감소를 표로 나타내면 다음과 같다.

t	(0)	$\cdots$	$\dfrac{1}{4}$	$\cdots$
$f'(t)$		$-$	0	$+$
$f(t)$		$\searrow$	$-\dfrac{1}{4}$	$\nearrow$

따라서 함수 $f(t)$의 극솟값은 $f\left(\dfrac{1}{4}\right) = -\dfrac{1}{4}$이다. 　　답 $-\dfrac{1}{4}$

55 $f(x) = e^x(\sin x + \cos x)$에서

$f'(x) = e^x(\sin x + \cos x) + e^x(\cos x - \sin x)$
　　　$= 2e^x \cos x$

$f''(x) = 2e^x \cos x - 2e^x \sin x$
　　　$= 2e^x(\cos x - \sin x)$

$f'(x) = 0$에서 $\cos x = 0$

$\therefore x = n\pi + \dfrac{\pi}{2}\,(n = 0, 1, 2, \cdots)$

$x = \dfrac{\pi}{2}, \dfrac{5}{2}\pi, \cdots$일 때 $f''(x) < 0$

$x = \dfrac{3}{2}\pi, \dfrac{7}{2}\pi, \cdots$일 때 $f''(x) > 0$

즉, $f(x)$가 극댓값을 갖는 x의 값은

$\dfrac{\pi}{2}, \dfrac{5}{2}\pi, \dfrac{9}{2}\pi, \cdots$

이므로 첫째항이 $\dfrac{\pi}{2}$, 공차가 2π인 등차수열이다.

제9항은 $\dfrac{\pi}{2} + 8 \times 2\pi = 16\pi + \dfrac{\pi}{2}$

제10항은 $\dfrac{\pi}{2} + 9 \times 2\pi = 18\pi + \dfrac{\pi}{2}$

$\therefore \dfrac{y_{10}}{y_9} = \dfrac{f\left(18\pi + \dfrac{\pi}{2}\right)}{f\left(16\pi + \dfrac{\pi}{2}\right)} = \dfrac{e^{18\pi + \frac{\pi}{2}}}{e^{16\pi + \frac{\pi}{2}}} = e^{2\pi}$ 　답 ④

56 $f(x) = \sin x + 2\cos x + kx$에서

$f'(x) = \cos x - 2\sin x + k$

　　　$= \sqrt{5}\cos(x - \beta) + k$ $\left(\text{단, } \sin\beta = \dfrac{-2}{\sqrt{5}}, \cos\beta = \dfrac{1}{\sqrt{5}}\right)$

함수 $f(x)$가 극값을 갖지 않으려면

(i) $f(x)$가 증가하는 함수일 때,

　$f'(x) = \sqrt{5}\cos(x - \beta) + k \geq 0$

　$-1 \leq \cos(x - \beta) \leq 1$이므로

　$-\sqrt{5} + k \leq \sqrt{5}\cos(x - \beta) + k \leq \sqrt{5} + k$

　즉, $-\sqrt{5} + k \geq 0$이므로 $k \geq \sqrt{5}$

(ii) $f(x)$가 감소하는 함수일 때,

　$f'(x) = \sqrt{5}\cos(x - \beta) + k \leq 0$

　$-1 \leq \cos(x - \beta) \leq 1$이므로

　$-\sqrt{5} + k \leq \sqrt{5}\cos(x - \beta) + k \leq \sqrt{5} + k$

　즉, $\sqrt{5} + k \leq 0$이므로 $k \leq -\sqrt{5}$

(i), (ii)에서 k의 값의 범위는

$k \leq -\sqrt{5}$ 또는 $k \geq \sqrt{5}$

따라서 양수 k의 최솟값은 $\sqrt{5}$이다. 　　답 $\sqrt{5}$

57 $f(x) = x + k\sin x$에서

$f'(x) = 1 + k\cos x$

$f''(x) = -k\sin x$

함수 $f(x)$가 극값을 갖기 위해서는 방정식 $f'(x) = 0$이 실근을 가져야 한다.

$-1 \leq \cos x \leq 1$이므로

$1 - |k| \leq 1 + k\cos x \leq 1 + |k|$

즉, $1 - |k| \leq 0$, $1 + |k| \geq 0$이어야 하므로

$|k| \geq 1$

또 $f'(x) = 0$일 때, $f''(x) \neq 0$이어야 한다.

(i) $k = 1$이면 $f'(x) = 1 + \cos x = 0$에서

　$\cos x = -1$이므로

　$\sin x = 0$

　$\therefore f''(x) = -\sin x = 0$

(ii) $k = -1$이면 $f'(x) = 1 - \cos x = 0$에서

　$\cos x = 1$이므로

　$\sin x = 0$

　$\therefore f''(x) = \sin x = 0$

(i), (ii)에서 $k = -1$ 또는 $k = 1$이면 함수 $f(x)$는 극값을 갖지 않는다.

$\therefore |k| > 1$ 　　답 ②

다른 풀이

$f'(x) = 1 + k\cos x$이므로

$1 - |k| \leq f'(x) \leq 1 + |k|$

함수 $f(x)$가 극값을 갖기 위해서는 도함수 $y = f'(x)$의 그래프가 x축과 만날 때 $f'(x) > 0$인 부분과 $f'(x) < 0$인 부분이 함께 존재해야 한다.

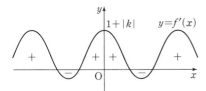

즉, $1 - |k| < 0$에서 $|k| > 1$

58 $f(x) = (1 + \cos x)\sin x$에서

$f'(x) = -\sin^2 x + \cos x + \cos^2 x$

　　　$= 2\cos^2 x + \cos x - 1$

　　　$= (2\cos x - 1)(\cos x + 1)$

$f'(x) = 0$에서 $\cos x = -1$ 또는 $\cos x = \dfrac{1}{2}$

$\therefore x = \dfrac{\pi}{3}$ 또는 $x = \pi\ (\because 0 \leq x \leq \pi)$

$0 \leq x \leq \pi$에서 함수 $f(x)$의 증가, 감소를 표로 나타내면 다음과 같다.

x	0	$\cdots$	$\dfrac{\pi}{3}$	$\cdots$	π
$f'(x)$		$+$	0	$-$	0
$f(x)$	0	$\nearrow$	극대	$\searrow$	0

즉, 함수 $f(x)$는 $x=\dfrac{\pi}{3}$일 때, 극대이면서 최대이므로 최댓값은

$$M=f\left(\dfrac{\pi}{3}\right)=\left(1+\dfrac{1}{2}\right)\times\dfrac{\sqrt{3}}{2}=\dfrac{3\sqrt{3}}{4}$$

$g(x)=2x-x\ln x$에서

$g'(x)=1-\ln x$

$g'(x)=0$에서 $x=e$

$x>0$에서 $g''(x)=-\dfrac{1}{x}<0$이므로 곡선 $y=g(x)$는 위로 볼록하다.

즉, 함수 $g(x)$의 최댓값은 $m=g(e)=e$

$\therefore 4M+m=3\sqrt{3}+e$ **답** $3\sqrt{3}+e$

59 구와 원뿔 모양의 용기의 단면을 그린 그림에서 $\overline{OA}=h$, $\overline{OD}=r$이고 $\overline{OC}=x$라 하면 $\overline{AD}=\sqrt{h^2-r^2}$

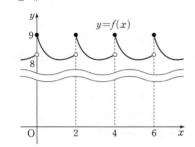

$\triangle AOC \backsim \triangle ADO$이므로

$\overline{OA}:\overline{OC}=\overline{AD}:\overline{OD}$

$h:x=\sqrt{h^2-r^2}:r$

$\therefore x=\dfrac{hr}{\sqrt{h^2-r^2}}$

원뿔 모양의 용기의 부피를 $V(h)$라 하면

$$V(h)=\dfrac{\pi}{3}x^2h=\dfrac{\pi}{3}\times\dfrac{h^3r^2}{h^2-r^2}$$

$$V'(h)=\dfrac{\pi}{3}\times\dfrac{3h^2r^2(h^2-r^2)-h^3r^2\times 2h}{(h^2-r^2)^2}$$

$$=\dfrac{\pi}{3}\times\dfrac{h^2r^2(h^2-3r^2)}{(h^2-r^2)^2}$$

$V'(h)=0$에서 $h=0$ 또는 $h^2=3r^2$

$\therefore h=\sqrt{3}r\ (\because h>0, r>0)$

$h>0$에서 함수 $V(h)$의 증가, 감소를 표로 나타내면 다음과 같다.

h	(0)	$\cdots$	$\sqrt{3}r$	$\cdots$
$V'(h)$		$-$	0	$+$
$V(h)$		$\searrow$	극소	$\nearrow$

따라서 함수 $V(h)$는 $h=\sqrt{3}r$일 때, 극소이면서 최소이므로 원뿔 모양의 용기의 부피가 최소가 된다.

$\therefore h=\sqrt{3}r$ **답** ③

60 $a=-1$일 때 구간 $[0, 2)$에서 $f(x)=x+1$이므로 $x=0$에서 극댓값을 갖지 않는다.

이것은 모순이므로 $a\neq -1$

구간 $[0, 2)$에서 $f(x)$가 극솟값을 갖도록 하는 a의 값의 범위를 구하면

$f(x)=\dfrac{(x-a)^2}{x+1}$에서 $f'(x)=\dfrac{(x-a)(x+2+a)}{(x+1)^2}$

$f'(x)=0$에서 $x=a$ 또는 $x=-a-2$

(i) $a<-a-2$일 때

$a<-a-2$에서 $a<-1$이고,

$x=-a-2$의 좌우에서 $f'(x)$의 부호가 음에서 양으로 바뀌므로 $x=-a-2$에서 $f(x)$는 극솟값을 갖는다. 함수 $f(x)$는 $x=0$에서 극댓값을 가지므로 구간 $(0, 2)$에서 극솟값을 갖는다.

즉, $0<-a-2<2$, $-4<a<-2$

a는 정수이므로 $a=-3$

(ii) $a>-a-2$일 때

$a>-a-2$에서 $a>-1$이고, $x=a$의 좌우에서 $f'(x)$의 부호가 음에서 양으로 바뀌므로 $x=a$에서 $f(x)$는 극솟값을 갖는다. 함수 $f(x)$는 $x=0$에서 극댓값을 가지므로 구간 $(0, 2)$에서 극솟값을 갖는다.

즉, $0<a<2$

a는 정수이므로 $a=1$

(i), (ii)에서 조건을 만족시키는 정수 a의 값은 -3 또는 1

따라서 모든 정수 a의 값의 곱은 $(-3)\times 1=-3$ **답** -3

참고

(i) $a=-3$일 때

(ii) $a=1$일 때

61 $\overline{BP}=x\ (0\le x\le 2)$, $\angle APC=\theta$, $\angle BAP=\alpha$, $\angle DCP=\beta$라 하면 $\theta=\alpha+\beta$이고

$\tan\alpha=x$, $\tan\beta=\dfrac{2-x}{3}$

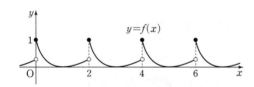

θ의 값이 최대일 때 $\tan\theta$의 값도 최대이다.

$\tan\theta=\tan(\alpha+\beta)$

$$=\dfrac{x+\dfrac{2-x}{3}}{1-x\times\dfrac{2-x}{3}}=\dfrac{2x+2}{3-2x+x^2}$$

$f(x)=\dfrac{2x+2}{3-2x+x^2}$라 하면

$f'(x)=-\dfrac{2(x^2+2x-5)}{(3-2x+x^2)^2}=0$에서 $x^2+2x-5=0$

$\therefore x=-1+\sqrt{6}\ (\because 0\le x\le 2)$

$0\le x\le 2$에서 함수 $f(x)$의 증가, 감소를 표로 나타내면 다음과 같다.

x	0	$\cdots$	$-1+\sqrt{6}$	$\cdots$	2
$f'(x)$		$+$	0	$-$	
$f(x)$	$\dfrac{2}{3}$	$\nearrow$	극대	$\searrow$	2

따라서 함수 $f(x)$는 $x=\sqrt{6}-1$일 때, 극대이면서 최대이므로 선분 BP의 길이는 $\sqrt{6}-1$이다.   **답** ④

01 $f(x)=x^2(\ln x-2)$라 하면

$$f'(x)=2x(\ln x-2)+x^2\times\frac{1}{x}=x(2\ln x-3)$$

$$f''(x)=2\ln x-3+x\times\frac{2}{x}=2\ln x-1$$

곡선 $y=f(x)$가 위로 볼록하려면 $f''(x)<0$이어야 하므로

$2\ln x-1<0,\ \ln x<\frac{1}{2}$

$x<e^{\frac{1}{2}}$ $\quad\therefore x<\sqrt{e}$

로그의 진수 조건에서 $x>0$이므로

$0<x<\sqrt{e}$

답 $0<x<\sqrt{e}$

02 $f(x)=xe^{2x}$이라 하면

$$\begin{aligned}f'(x)&=e^{2x}+2xe^{2x}\\&=(2x+1)e^{2x}\end{aligned}$$

$$\begin{aligned}f''(x)&=2e^{2x}+(2x+1)\times 2e^{2x}\\&=4(x+1)e^{2x}\end{aligned}$$

$f''(x)=0$에서 $x=-1$

$f''(x)$의 부호는 $x<-1$일 때 $f''(x)<0$,

$x>-1$일 때 $f''(x)>0$이므로 변곡점의 좌표는

$(-1,\ f(-1))$, 즉 $(-1,\ -e^{-2})$

따라서 $a=-1,\ b=-e^{-2}$이므로

$\ln ab=\ln e^{-2}=-2$

답 -2

03 $f(x)=x-\ln x$에서

$f'(x)=1-\frac{1}{x},\ f''(x)=\frac{1}{x^2}>0$

$f'(x)=0$에서 $1-\frac{1}{x}=0$ $\quad\therefore x=1$

함수 $f(x)$의 증가와 감소, 오목과 볼록을 표로 나타내면 다음과 같다.

x	(0)	$\cdots$	1	$\cdots$
$f'(x)$		$-$	0	$+$
$f''(x)$		$+$	$+$	$+$
$f(x)$		$\searrow$	1	$\nearrow$

$\lim\limits_{x\to 0+}(x-\ln x)=\infty,\ \lim\limits_{x\to\infty}(x-\ln x)=\infty$이므로

함수 $y=f(x)$의 그래프는 그림과 같다.

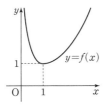

ㄱ. $0<x<1$에서 함수 $y=f(x)$의 그래프는 아래로 볼록하고 감소한다. (거짓)

ㄴ. $x>1$에서 함수 $y=f(x)$의 그래프는 아래로 볼록하고 증가한다. (참)

ㄷ. $f''(x)>0$이므로 변곡점은 존재하지 않는다. (거짓)

따라서 옳은 것은 ㄴ뿐이다.

답 ②

04 $\dfrac{x-1}{e^x}=a$가 서로 다른 두 실근을 가지려면 곡선 $y=\dfrac{x-1}{e^x}$과 직선 $y=a$가 서로 다른 두 점에서 만나야 한다.

$f(x)=\dfrac{x-1}{e^x}$이라 하면

$$f'(x)=\frac{e^x-(x-1)e^x}{e^{2x}}=\frac{2-x}{e^x}$$

$f'(x)=0$에서 $x=2$

함수 $f(x)$의 증가, 감소를 표로 나타내면 다음과 같다.

x	$\cdots$	2	$\cdots$
$f'(x)$	$+$	0	$-$
$f(x)$	$\nearrow$	$\dfrac{1}{e^2}$	$\searrow$

$\lim\limits_{x\to-\infty}\left(\dfrac{x-1}{e^x}\right)=-\infty,\ \lim\limits_{x\to\infty}\left(\dfrac{x-1}{e^x}\right)=0$이므로 함수 $y=f(x)$의 그래프는 그림과 같다.

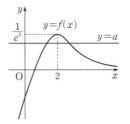

따라서 곡선 $y=f(x)$와 직선 $y=a$가 서로 다른 두 점에서 만나야 하므로 실수 a의 값의 범위는

$0<a<\dfrac{1}{e^2}$

답 $0<a<\dfrac{1}{e^2}$

05 $f(x)=x^2\ln x+a$라 하면

$f'(x)=2x\ln x+x=x(2\ln x+1)$

$f'(x)=0$에서 $\ln x=-\dfrac{1}{2}(\because x>0)$ $\quad\therefore x=e^{-\frac{1}{2}}$

$x>0$에서 함수 $f(x)$의 증가, 감소를 표로 나타내면 다음과 같다.

x	(0)	$\cdots$	$e^{-\frac{1}{2}}$	$\cdots$
$f'(x)$		$-$	0	$+$
$f(x)$		$\searrow$	극소	$\nearrow$

함수 $f(x)$의 최솟값은

$f\left(e^{-\frac{1}{2}}\right)=e^{-1}\times\left(-\dfrac{1}{2}\right)+a=-\dfrac{1}{2e}+a$

$f\left(e^{-\frac{1}{2}}\right)\geq 0$이어야 하므로 $-\dfrac{1}{2e}+a\geq 0$

$\therefore a\geq\dfrac{1}{2e}$

따라서 상수 a의 최솟값은 $\dfrac{1}{2e}$이다.

답 $\dfrac{1}{2e}$

06 점 P의 시각 t에서의 속도를 $v(t)$, 가속도를 $a(t)$라 하면

$v(t)=f'(t)=2\pi\cos\dfrac{\pi}{2}t-\dfrac{3}{2}\pi\sin\dfrac{\pi}{2}t$

$a(t)=f''(t)=-\pi^2\sin\dfrac{\pi}{2}t-\dfrac{3}{4}\pi^2\cos\dfrac{\pi}{2}t$

따라서 시각 $t=10$에서의 점 P의 속도와 가속도는 각각

$v(10)=2\pi\cos 5\pi-\dfrac{3}{2}\pi\sin 5\pi=-2\pi$

$a(10)=-\pi^2\sin 5\pi -\dfrac{3}{4}\pi^2\cos 5\pi =\dfrac{3}{4}\pi^2$

이므로 구하는 값은

$v(10)+a(10)=-2\pi +\dfrac{3}{4}\pi^2$

$\boxed{\text{달}}\;-2\pi +\dfrac{3}{4}\pi^2$

07 $x=e^t\cos t,\; y=e^t\sin t$에서

$\dfrac{dx}{dt}=e^t\cos t-e^t\sin t=e^t(\cos t-\sin t)$

$\dfrac{dy}{dt}=e^t\sin t+e^t\cos t=e^t(\sin t+\cos t)$

이므로 시각 $t=\dfrac{\pi}{2}$에서의 점 P의 속도는

$\left(-e^{\frac{\pi}{2}},\; e^{\frac{\pi}{2}}\right)$

따라서 시각 $t=\dfrac{\pi}{2}$에서의 점 P의 속력은

$\sqrt{(-e^{\frac{\pi}{2}})^2+(e^{\frac{\pi}{2}})^2}=\sqrt{e^\pi+e^\pi}$
$=\sqrt{2e^\pi}$
$=\sqrt{2}\,e^{\frac{\pi}{2}}$

$\boxed{\text{달}}$ ③

08 $\dfrac{dx}{dt}=2,\;\dfrac{dy}{dt}=\dfrac{1}{t}$

이므로 점 P의 시각 $t=2$에서의 속도는 $\left(2,\dfrac{1}{2}\right)$

$\dfrac{d^2x}{dt^2}=0,\;\dfrac{d^2y}{dt^2}=-\dfrac{1}{t^2}$

이므로 점 P의 시각 $t=2$에서의 가속도는 $\left(0,-\dfrac{1}{4}\right)$

$\boxed{\text{달}}$ 속도 : $\left(2,\dfrac{1}{2}\right)$, 가속도 : $\left(0,-\dfrac{1}{4}\right)$

09 $f(x)=e^x\sin x$에서

$f'(x)=e^x\sin x+e^x\cos x=e^x(\sin x+\cos x)$
$f''(x)=e^x(\sin x+\cos x)+e^x(\cos x-\sin x)=2e^x\cos x$
$f''(x)=0$에서 $\cos x=0$

$\therefore x=\dfrac{\pi}{2}\;(\because 0<x<\pi)$

따라서 곡선 $y=f(x)$는 $\dfrac{\pi}{2}<x<\pi$에서 $f''(x)<0$이므로 위로 볼록한 구간은

$\left(\dfrac{\pi}{2},\pi\right)$

$\boxed{\text{달}}$ ③

10 $f(x)=\dfrac{1}{4}x^4+ax^3+3ax^2+2x+4$라 하면

$f'(x)=x^3+3ax^2+6ax+2$
$f''(x)=3x^2+6ax+6a$

곡선 $y=f(x)$가 실수 전체의 집합에서 아래로 볼록하므로

$f''(x)=3x^2+6ax+6a\geq 0$

이차방정식 $3x^2+6ax+6a=0$의 판별식을 D라 하면

$\dfrac{D}{4}=(3a)^2-3\times 6a\leq 0,\; 9a^2-18a\leq 0$

$9a(a-2)\leq 0$

$\therefore 0\leq a\leq 2$

$\boxed{\text{달}}\; 0\leq a\leq 2$

11 $f(x)=\ln x+x^2$이라 하면

$f'(x)=\dfrac{1}{x}+2x$

$f''(x)=-\dfrac{1}{x^2}+2$

$f''(x)=0$에서 $\dfrac{1}{x^2}=2$

$x^2=\dfrac{1}{2}\qquad \therefore x=\dfrac{1}{\sqrt{2}}\;(\because x>0)$

$x=\dfrac{1}{\sqrt{2}}$의 좌우에서 $f''(x)$의 부호가 바뀌므로 변곡점의 좌표는

$\left(\dfrac{1}{\sqrt{2}},\;\dfrac{1}{2}-\dfrac{1}{2}\ln 2\right)$

한편, $x=\dfrac{1}{\sqrt{2}}$에서의 접선의 기울기는 $2\sqrt{2}$이므로

변곡점에서의 접선의 방정식은

$y-\left(\dfrac{1}{2}-\dfrac{1}{2}\ln 2\right)=2\sqrt{2}\left(x-\dfrac{1}{\sqrt{2}}\right)$

$\therefore y=2\sqrt{2}x-\dfrac{1}{2}\ln 2-\dfrac{3}{2}$

따라서 $p=-\dfrac{1}{2},\;q=-\dfrac{3}{2}$이므로

$p-q=-\dfrac{1}{2}-\left(-\dfrac{3}{2}\right)=1$

$\boxed{\text{달}}\;1$

12 $f(x)=\dfrac{x^2+ax+b}{x^2-1}$라 하면

$f'(x)=\dfrac{(2x+a)(x^2-1)-(x^2+ax+b)\times 2x}{(x^2-1)^2}$
$=\dfrac{-ax^2-2(b+1)x-a}{(x^2-1)^2}$

$f''(x)=\dfrac{2ax^3+6(b+1)x^2+6ax+2(b+1)}{(x^2-1)^3}$

곡선 $y=f(x)$의 변곡점의 좌표가 $(2,5)$이므로

$f(2)=\dfrac{4+2a+b}{3}=5$

$\therefore 2a+b=11\qquad\cdots\cdots\;㉠$

$f''(2)=\dfrac{16a+24(b+1)+12a+2(b+1)}{3^3}=0$

$\therefore 14a+13b=-13\qquad\cdots\cdots\;㉡$

㉠, ㉡을 연립하여 풀면

$a=13,\;b=-15$

$\therefore a+b=-2$

$\boxed{\text{달}}$ ②

13 $f(x)=(2x+a)e^{-bx}$에서

$f'(x)=2e^{-bx}+(2x+a)(-b)\times e^{-bx}$
$=e^{-bx}(-2bx-ab+2)$
$f''(x)=-be^{-bx}(-2bx-ab+2)+e^{-bx}(-2b)$
$=e^{-bx}(2b^2x+ab^2-4b)$

함수 $f(x)$가 $x=-2$에서 극값을 가지므로

$f'(-2)=e^{2b}(4b-ab+2)=0$

$\therefore 4b-ab+2=0\qquad\cdots\cdots\;㉠$

곡선 $y=f(x)$가 $x=-1$에서 변곡점을 가지므로

$f''(-1)=e^b(-2b^2+ab^2-4b)=0$에서

$-2b^2+ab^2-4b=0$

$\therefore 2b-ab+4=0 \ (\because b>0)$ ······ ㉡

㉠, ㉡을 연립하여 풀면 $a=6$, $b=1$

$\therefore a+b=7$ **답** 7

14 $f(x)=x^4+ax^3+6x^2$이라 하면

$f'(x)=4x^3+3ax^2+12x$

$f''(x)=12x^2+6ax+12=6(2x^2+ax+2)$

곡선 $y=f(x)$가 변곡점을 갖지 않으려면 방정식 $f''(x)=0$이 실근을 갖지 않거나, $f''(x)=0$의 실근의 좌우에서 $f''(x)$의 부호가 바뀌지 않아야 한다.

$2x^2+ax+2=0$의 판별식을 D라 하면

$D=a^2-4\times2\times2<0$, $a^2-16<0$ $\therefore -4<a<4$

$a=-4$ 또는 $a=4$이면

$f''(x)=12(x-1)^2$ 또는 $f''(x)=12(x+1)^2$

$\therefore f''(x)\geq0$

즉, $f''(x)=0$을 만족시키는 x의 값의 좌우에서 $f''(x)$의 부호가 바뀌지 않으므로 변곡점이 될 수 없다.

$\therefore -4\leq a\leq4$

따라서 구하는 정수 a의 개수는 $-4, -3, \cdots, 3, 4$의 9이다.

답 9

15 점 A, B, C, D, E, F에서의 x좌표를 각각 a, b, c, d, e, f라 하고, $f'(x)$, $f''(x)$의 부호를 표로 나타내면 다음과 같다.

x	a	b	c	d	e	f
$f'(x)$	$-$	0	$+$	$+$	0	$-$
$f''(x)$	$+$	$+$	$+$	0	$-$	$-$

따라서 $f'(x)f''(x)>0$을 만족시키는 점은 C, F이다.

답 ②

16 ㄱ. $b<x<c$에서 $f'(x)\geq0$이므로 함수 $f(x)$는 이 구간에서 증가한다. (참)

ㄴ. $f'(x)=0$에서 $x=a$ 또는 $x=0$ 또는 $x=d$ 또는 $x=f$이고, 이들 각각의 점의 좌우에서 $f'(x)$의 부호가 바뀌는 점은 $x=a$ 또는 $x=d$ 또는 $x=f$이므로 극값을 가지는 점의 개수는 3이다. (거짓)

ㄷ. $y=f'(x)$의 그래프에서 기울기는 $f''(x)$이므로 $f''(x)=0$을 만족시키는 x의 값은 $b, 0, c, e$이다. 즉, 변곡점의 개수는 4이다. (참)

따라서 옳은 것은 ㄱ, ㄷ이다. **답** ④

17 $f(x)=xe^{-x}$에서

$f'(x)=e^{-x}-xe^{-x}=e^{-x}(1-x)$

$f''(x)=-e^{-x}(1-x)-e^{-x}=e^{-x}(x-2)$

$f'(x)=0$에서 $x=1$

$f''(x)=0$에서 $x=2$

함수 $f(x)$의 증가와 감소, 오목과 볼록을 표로 나타내면 다음과 같다.

x	$\cdots$	1	$\cdots$	2	$\cdots$
$f'(x)$	$+$	0	$-$	$-$	$-$
$f''(x)$	$-$	$-$	$-$	0	$+$
$f(x)$	↗	극대	↘	변곡점	↘

또 $\lim\limits_{x\to-\infty}xe^{-x}=-\infty$,

$\lim\limits_{x\to\infty}xe^{-x}=0$이므로 $y=f(x)$의 그래프는 그림과 같다.

ㄱ. 극솟값은 존재하지 않는다. (거짓)

ㄴ. 극댓값은 $f(1)=e^{-1}$이다. (참)

ㄷ. 변곡점의 좌표는 $(2, f(2))$, 즉 $\left(2, \dfrac{2}{e^2}\right)$이다. (거짓)

따라서 옳은 것은 ㄴ뿐이다. **답** ㄴ

18 $f(x)=\dfrac{\ln x}{x}$라 하면

$f'(x)=\dfrac{1-\ln x}{x^2}$

$f''(x)=\dfrac{-x-2x(1-\ln x)}{x^4}$

$\qquad=\dfrac{-3+2\ln x}{x^3}$

$f'(x)=0$에서 $x=e$

$f''(x)=0$에서 $x=e^{\frac{3}{2}}$

$x>0$에서 함수 $f(x)$의 증가와 감소, 오목과 볼록을 표로 나타내면 다음과 같다.

x	(0)	$\cdots$	e	$\cdots$	$e^{\frac{3}{2}}$	$\cdots$
$f'(x)$		$+$	0	$-$	$-$	$-$
$f''(x)$		$-$	$-$	$-$	0	$+$
$f(x)$		↗	극대	↘	변곡점	↘

또 $\lim\limits_{x\to0+}\dfrac{\ln x}{x}=-\infty$,

$\lim\limits_{x\to\infty}\dfrac{\ln x}{x}=0$이므로 $y=f(x)$의 그래프는 그림과 같다.

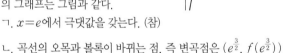

ㄱ. $x=e$에서 극댓값을 갖는다. (참)

ㄴ. 곡선의 오목과 볼록이 바뀌는 점, 즉 변곡점은 $\left(e^{\frac{3}{2}}, f\left(e^{\frac{3}{2}}\right)\right)$이다. (거짓)

ㄷ. 점근선은 x축과 y축이다. (참)

따라서 옳은 것은 ㄱ, ㄷ이다. **답** ③

19 $f(x)=x+\sin x$에서

$f'(x)=1+\cos x$

$f''(x)=-\sin x$

$f'(x)=0$에서 $\cos x=-1$

$\therefore x=\pi \ (\because 0\leq x\leq2\pi)$

$f''(x)=0$에서 $\sin x=0$

$\therefore x=0$ 또는 $x=\pi$ 또는 $x=2\pi$

$0\leq x\leq2\pi$에서 함수 $f(x)$의 증가와 감소, 오목과 볼록을 표로 나타내면 다음과 같다.

x	0	$\cdots$	π	$\cdots$	2π
$f'(x)$		$+$	0	$+$	
$f''(x)$	0	$-$	0	$+$	0
$f(x)$	0	↗	변곡점	↗	2π

즉, 함수 $y=f(x)$의 그래프는 그림과 같다.

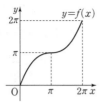

ㄱ. $f''(\pi)=0$이고, $x=\pi$의 좌우에서 $f''(x)$의 부호가 바뀌므로 점 (π, π)는 변곡점이다. (참)

ㄴ. 구간 $(\pi, 2\pi)$에서 $f''(x)>0$이므로 이 구간에서 곡선 $y=f(x)$는 아래로 볼록하다. (참)

ㄷ. $f(\pi)=f(0)+\pi f'(\theta)$에서

$$f'(\theta)=\frac{f(\pi)-f(0)}{\pi-0}=\frac{\pi}{\pi}=1$$

즉, $1+\cos\theta=1$에서

$\cos\theta=0$

$\therefore \theta=\frac{\pi}{2}$ 또는 $\theta=\frac{3}{2}\pi$ ($\because 0\leq\theta\leq2\pi$) (참)

따라서 ㄱ, ㄴ, ㄷ 모두 옳다.　　답 ㄱ, ㄴ, ㄷ

20 $x=3(\ln x+k)$에서 $x-3\ln x=3k$ ······㉠

방정식 ㉠이 실근을 가지려면 곡선 $y=x-3\ln x$와 직선 $y=3k$가 만나야 한다.

$f(x)=x-3\ln x$로 놓으면

$$f'(x)=1-\frac{3}{x}=\frac{x-3}{x}$$

$f'(x)=0$에서 $x=3$

$x>0$에서 함수 $f(x)$의 증가, 감소를 표로 나타내면 다음과 같다.

x	(0)	$\cdots$	3	$\cdots$
$f'(x)$		$-$	0	$+$
$f(x)$		$\searrow$	$3-3\ln3$	$\nearrow$

$\lim\limits_{x\to0+}(x-3\ln x)=\infty$, $\lim\limits_{x\to\infty}(x-3\ln x)=\infty$이므로 함수 $y=f(x)$의 그래프는 그림과 같다.

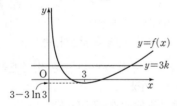

즉, 곡선 $y=f(x)$와 직선 $y=3k$가 만나려면

$3k\geq3-3\ln3$

$\therefore k\geq1-\ln3$

따라서 k의 최솟값은 $1-\ln3$이다.　　답 $1-\ln3$

21 $k\sin x+\cos x-2k=0$에서

$k\sin x+\cos x=2k$

$\therefore \dfrac{\cos x}{2-\sin x}=k$ ······㉠

방정식 ㉠이 서로 다른 두 실근을 가지려면 곡선 $y=\dfrac{\cos x}{2-\sin x}$와 직선 $y=k$가 서로 다른 두 점에서 만나야 한다.

$f(x)=\dfrac{\cos x}{2-\sin x}$라 하면

$$f'(x)=\frac{-\sin x\times(2-\sin x)-\cos x\times(-\cos x)}{(2-\sin x)^2}$$

$$=\frac{\sin^2 x+\cos^2 x-2\sin x}{(2-\sin x)^2}$$

$$=\frac{1-2\sin x}{(2-\sin x)^2}$$

$f'(x)=0$에서 $\sin x=\dfrac{1}{2}$

$\therefore x=\dfrac{\pi}{6}\left(\because 0\leq x\leq\dfrac{\pi}{2}\right)$

$0\leq x\leq\dfrac{\pi}{2}$에서 함수 $f(x)$의 증가, 감소를 표로 나타내고 그래프를 그리면 다음과 같다.

x	0	$\cdots$	$\dfrac{\pi}{6}$	$\cdots$	$\dfrac{\pi}{2}$
$f'(x)$		$+$	0	$-$	
$f(x)$	$\dfrac{1}{2}$	$\nearrow$	$\dfrac{\sqrt{3}}{3}$	$\searrow$	0

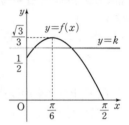

따라서 곡선 $y=f(x)$와 직선 $y=k$가 서로 다른 두 점에서 만나려면

$$\frac{1}{2}\leq k<\frac{\sqrt{3}}{3}$$

$\therefore \alpha\beta=\dfrac{1}{2}\times\dfrac{\sqrt{3}}{3}=\dfrac{\sqrt{3}}{6}$　　답 $\dfrac{\sqrt{3}}{6}$

22 방정식 $\ln(e^x-1)=2x+a$가 실근을 가지려면 그림과 같이 곡선 $y=\ln(e^x-1)$과 직선 $y=2x+a$가 만나야 한다.

$f(x)=\ln(e^x-1)$, $g(x)=2x+a$라 하면

$f'(x)=\dfrac{e^x}{e^x-1}$, $g'(x)=2$

곡선 $y=f(x)$와 직선 $y=g(x)$가 접할 때, 접점의 x좌표를 t라 하면

$f(t)=g(t)$에서

$\ln(e^t-1)=2t+a$ ······㉠

$f'(t)=g'(t)$에서

$\dfrac{e^t}{e^t-1}=2$

$e^t=2$

$\therefore t=\ln2$

$t=\ln2$를 ㉠에 대입하면

$0=2\ln2+a$

$\therefore a=-2\ln2=-\ln4$

따라서 방정식 $\ln(e^x-1)=2x+a$가 실근을 가지려면

$a\leq-\ln4$　　답 ⑤

23

$\dfrac{f'(x)}{g'(x)} + \dfrac{g'(x)}{f'(x)} = 2$의 양변에 $f'(x)g'(x)$를 곱하면

$\{f'(x)\}^2 + \{g'(x)\}^2 = 2f'(x)\,g'(x)$

$\{f'(x) - g'(x)\}^2 = 0$

$\therefore f'(x) - g'(x) = 0$

$f(x) - g(x) = \sin x - \dfrac{x^2}{20}$에서

$f'(x) - g'(x) = \cos x - \dfrac{x}{10}$

즉, $\cos x - \dfrac{x}{10} = 0$에서 $\cos x = \dfrac{x}{10}$

따라서 곡선 $y = \cos x$와 직선 $y = \dfrac{x}{10}$의 그래프는 그림과 같으므로 주어진 방정식의 양의 실근의 개수는 3이다.

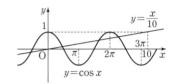

답 3

24

함수 $f(x)$의 정의역은 $5 - x > 0$에서 $x < 5$

$f'(x) = \dfrac{-2}{5-x} + \dfrac{x}{2} = 0$에서 $x = 1$ 또는 $x = 4$

$f''(x) = \dfrac{-2}{(5-x)^2} + \dfrac{1}{2} = 0$에서 $x = 3 (\because x < 5)$이므로

함수 $f(x)$의 증가, 감소를 표로 나타내면 다음과 같다.

x	$\cdots$	1	$\cdots$	3	$\cdots$	4	$\cdots$	(5)
$f'(x)$	$-$	0	$+$	$+$	$+$	0	$-$	
$f''(x)$	$+$	$+$	$+$	0	$-$	$-$	$-$	
$f(x)$	$\searrow$	극소	$\nearrow$	변곡점	$\nearrow$	극대	$\searrow$	

$\left(\text{단, } f(1) = \dfrac{1}{4} + 4\ln 2, \ f(3) = \dfrac{9}{4} + 2\ln 2, \ f(4) = 4\right)$

ㄱ. 함수 $f(x)$는 $x = 4$에서 극댓값을 갖는다. (참)

ㄴ. 곡선 $y = f(x)$의 변곡점의 개수는 1이다. (거짓)

ㄷ. 함수 $y = f(x)$의 그래프와 직선 $y = \dfrac{1}{4}$은 그림과 같으므로

방정식 $f(x) = \dfrac{1}{4}$의 실근의 개수는 1이다. (참)

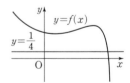

따라서 옳은 것은 ㄱ, ㄷ이다.

답 ③

25

$f(x) = e^{2x} - x - k$라 하면

$f'(x) = 2e^{2x} - 1$

$f''(x) = 4e^{2x}$

$f''(x) \geq 0$이므로 $f'(x)$는 모든 실수 x에 대하여 증가한다.

또한, $f'(0) = 2e^0 - 1 = 1$이므로 $x > 0$에서 $f'(x) > 0$

즉, 함수 $f(x)$는 $x > 0$에서 증가한다.

따라서 $x > 0$에서 $f(x) > 0$이 성립하기 위해서는

$f(0) = e^0 - k = 1 - k \geq 0$

$\therefore k \leq 1$

답 $k \leq 1$

26

부등식 $\sqrt{x} > k\ln x$가 성립하려면 그림과 같이 곡선 $y = \sqrt{x}$가 곡선 $y = k\ln x$보다 위쪽에 있어야 한다.

$f(x) = \sqrt{x}, \ g(x) = k\ln x$라 하면

$f'(x) = \dfrac{1}{2\sqrt{x}}, \ g'(x) = \dfrac{k}{x}$

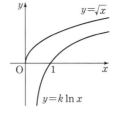

두 곡선이 접할 때의 접점의 x좌표를 $t \ (t > 0)$라 하면

$f(t) = g(t)$에서 $\sqrt{t} = k\ln t$ $\cdots\cdots$ ㉠

$f'(t) = g'(t)$에서 $\dfrac{1}{2\sqrt{t}} = \dfrac{k}{t}$ $\cdots\cdots$ ㉡

㉡에서 $k = \dfrac{t}{2\sqrt{t}}$를 ㉠에 대입하면

$\sqrt{t} = \dfrac{t}{2\sqrt{t}}\ln t, \ \ln t = 2$ $\therefore t = e^2$

$\therefore k = \dfrac{e^2}{2e} = \dfrac{e}{2}$

따라서 양수 k의 값의 범위는

$0 < k < \dfrac{e}{2}$

답 ②

27

$\cos x > k - \dfrac{1}{2}x^2$에서 $\cos x + \dfrac{1}{2}x^2 - k > 0$

$f(x) = \cos x + \dfrac{1}{2}x^2 - k$라 하면

$f'(x) = -\sin x + x$

$f''(x) = -\cos x + 1$

$x > 0$에서 $f''(x) \geq 0$이므로 함수 $f'(x)$는 이 구간에서 증가한다.

또한, $f'(0) = 0$이므로 $x > 0$에서 $f'(x) > 0$

즉, 함수 $f(x)$도 $x > 0$에서 증가한다.

따라서 $x > 0$에서 $f(x) > 0$이 성립하기 위해서는

$f(0) = 1 - k \geq 0$

$\therefore k \leq 1$

답 $k \leq 1$

28

$x = 3t, \ y = -2t^2 + 4t$에서

$\dfrac{dx}{dt} = 3, \ \dfrac{dy}{dt} = -4t + 4$

이므로 점 P의 시각 t에서의 속도는

$(3, -4t+4)$

점 P의 시각 t에서의 속력은

$\sqrt{\left(\dfrac{dx}{dt}\right)^2 + \left(\dfrac{dy}{dt}\right)^2} = \sqrt{3^2 + (-4t+4)^2}$

$= \sqrt{9 + 16(t-1)^2}$

따라서 $t = 1$일 때 속력이 최소이므로 $t = 1$에서의 점 P의 좌표는

$(3, 2)$

답 ②

29

$x = at - \sin t, \ y = 1 - \cos t$에서

$\dfrac{dx}{dt} = a - \cos t, \ \dfrac{dy}{dt} = \sin t$

이므로 점 P의 시각 t에서의 속도는

$(a - \cos t, \sin t)$

$t = \dfrac{\pi}{3}$일 때, (속도) $= \left(a - \dfrac{1}{2}, \dfrac{\sqrt{3}}{2}\right)$이고 (속력) $= 1$이므로

$$\sqrt{\left(a-\frac{1}{2}\right)^2+\left(\frac{\sqrt{3}}{2}\right)^2}=1$$
$$a^2-a=0$$
$$a(a-1)=0$$
$$\therefore a=1\ (\because a\neq0) \qquad \boxed{\text{답}}\ 1$$

30 $x=2(t-\sin t),\ y=2(1-\cos t)$에서

$$\frac{dx}{dt}=2(1-\cos t)$$

$$\frac{dy}{dt}=2\sin t$$

이므로 점 P의 시각 t에서의 속력은

$$\sqrt{\left(\frac{dx}{dt}\right)^2+\left(\frac{dy}{dt}\right)^2}$$
$$=\sqrt{4(1-\cos t)^2+4\sin^2 t}$$
$$=2\sqrt{2-2\cos t}$$

$\cos t=-1$, 즉 $t=\pi\ (\because 0\leq t<2\pi)$일 때, 속력이 최대가 된다.
따라서 $t=\pi$에서의 점 P의 좌표는
$$(2\pi,\ 4) \qquad \boxed{\text{답}}\ (2\pi,\ 4)$$

31 $\dfrac{dx}{dt}=1-\cos t,\ \dfrac{dy}{dt}=1-\sin t$에서

$$\frac{d^2x}{dt^2}=\sin t,\ \frac{d^2y}{dt^2}=-\cos t$$

이므로 점 P의 시각 t에서의 가속도는
$$(\sin t,\ -\cos t)$$

따라서 $t=\dfrac{\pi}{3}$에서의 가속도와 가속도의 크기를 각각 구하면
다음과 같다.

가속도: $\left(\dfrac{\sqrt{3}}{2},\ -\dfrac{1}{2}\right)$, 가속도의 크기: $\sqrt{\left(\dfrac{\sqrt{3}}{2}\right)^2+\left(-\dfrac{1}{2}\right)^2}=1$

$\boxed{\text{답}}$ 가속도: $\left(\dfrac{\sqrt{3}}{2},\ -\dfrac{1}{2}\right)$, 가속도의 크기: 1

32 $\dfrac{dx}{dt}=2at-a\cos t,\ \dfrac{dy}{dt}=1+a\sin t$에서

$$\frac{d^2x}{dt^2}=2a+a\sin t,\ \frac{d^2y}{dt^2}=a\cos t$$

이므로 점 P의 시각 t에서의 가속도는
$$(2a+a\sin t,\ a\cos t)$$

즉, 시각 $t=\pi$에서의 가속도는 $(2a,\ -a)$이므로 이때의 가속도
의 크기는
$$\sqrt{4a^2+a^2}=\sqrt{5a^2}$$

가속도의 크기가 $3\sqrt{5}$이므로
$$\sqrt{5a^2}=3\sqrt{5},\ 5a^2=45$$
$$a^2=9$$
$$\therefore a=3\ (\because a>0) \qquad \boxed{\text{답}}\ 3$$

33 $x=t+2\cos t,\ y=\sin t$에서

$$\frac{dx}{dt}=1-2\sin t,\ \frac{dy}{dt}=\cos t$$

이므로 점 P의 시각 t에서의 속력은

$$\sqrt{\left(\frac{dx}{dt}\right)^2+\left(\frac{dy}{dt}\right)^2}$$
$$=\sqrt{1-4\sin t+4\sin^2 t+\cos^2 t}$$
$$=\sqrt{3\sin^2 t-4\sin t+2}$$
$$=\sqrt{3\left(\sin t-\frac{2}{3}\right)^2+\frac{2}{3}}$$

따라서 $\sin t=\dfrac{2}{3}$일 때, 속력이 최소이고 이때의 가속도의 크기는

$$\frac{d^2x}{dt^2}=-2\cos t,\ \frac{d^2y}{dt^2}=-\sin t$$에서

$$(\text{가속도의 크기})=\sqrt{\left(\frac{d^2x}{dt^2}\right)^2+\left(\frac{d^2y}{dt^2}\right)^2}$$
$$=\sqrt{4\cos^2 t+\sin^2 t}$$
$$=\sqrt{4-3\sin^2 t}$$
$$=\sqrt{4-3\times\frac{4}{9}}\ \left(\because \sin t=\frac{2}{3}\right)$$
$$=\frac{2\sqrt{6}}{3} \qquad \boxed{\text{답}}\ \frac{2\sqrt{6}}{3}$$

34 $\dfrac{dx}{dt}=20\cos\theta,\ \dfrac{dy}{dt}=20\sin\theta-20t$

이므로 점 P의 시각 t에서의 속도는
$$(20\cos\theta,\ 20\sin\theta-20t)$$

최고 높이에 오르면 $\dfrac{dy}{dt}=0$이므로 이때의 속도는

$$(20\cos\theta,\ 0)$$
따라서 구하는 속력은
$$\sqrt{(20\cos\theta)^2}=20\cos\theta\ (\text{m/s})\left(\because 0<\theta<\frac{\pi}{2}\right) \qquad \boxed{\text{답}}\ ①$$

35 그림과 같이 $\overline{OA}=y,\ \overline{OB}=x$라 하면
$$x^2+y^2=144 \qquad \cdots\cdots\ ㉠$$
기둥의 아랫부분을 매초 $3\,\text{m}$의 속력
으로 미는 것이므로

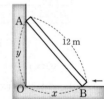

$$\frac{dx}{dt}=-3$$

㉠의 양변을 시각 t에 대하여 미분하면

$$2x\frac{dx}{dt}+2y\frac{dy}{dt}=0$$

$$\therefore \frac{dy}{dt}=-\frac{x}{y}\times\frac{dx}{dt}$$

㉠에서 $x=6$일 때, $y=6\sqrt{3}$이므로 기둥의 윗부분이 상승하는
속력은

$$\left|-\frac{6}{6\sqrt{3}}\times(-3)\right|=\sqrt{3}\ (\text{m/s}) \qquad \boxed{\text{답}}\ \sqrt{3}\ \text{m/s}$$

36 $0<x<3$에서 부등식

$$f\left(\frac{a+b}{2}\right)>\frac{f(a)+f(b)}{2}$$

를 만족시키는 함수
$y=f(x)$의 그래프는 위로
볼록하므로 $0<x<3$에서
$f''(x)<0$을 만족시킨다.
ㄱ. $f(x)=x+e^{-x}$에서
　$f'(x)=1-e^{-x},\ f''(x)=e^{-x}$

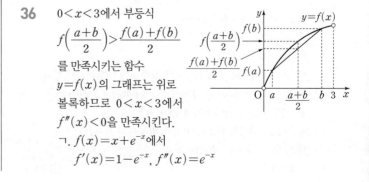

즉, $0<x<3$에서 $f''(x)>0$

ㄴ. $f(x)=\ln x-x^2$에서

$$f'(x)=\frac{1}{x}-2x,\ f''(x)=-\frac{1}{x^2}-2$$

즉, $0<x<3$에서 $f''(x)<0$

ㄷ. $f(x)=\frac{1}{2}x+\sin x$에서

$$f'(x)=\frac{1}{2}+\cos x,\ f''(x)=-\sin x$$

즉, $0<x<3$에서 $f''(x)<0$

따라서 주어진 부등식을 만족시키는 것은 ㄴ, ㄷ이다. 🄰 ④

참고

임의의 두 실수 a, b에 대하여

$$f\left(\frac{a+b}{2}\right)<\frac{f(a)+f(b)}{2}$$

를 만족시키려면 함수
$y=f(x)$의 그래프는 그림과
같이 아래로 볼록해야 한다.

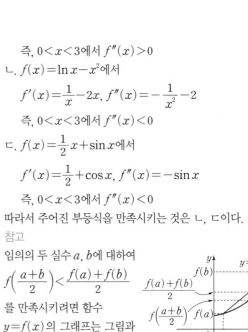

37 $f(x)=\ln(x^2+ax+b)$에서

$$f'(x)=\frac{2x+a}{x^2+ax+b}$$

$$f''(x)=\frac{2(x^2+ax+b)-(2x+a)^2}{(x^2+ax+b)^2}$$

$$=\frac{-2x^2-2ax-a^2+2b}{(x^2+ax+b)^2}$$

변곡점의 좌표는 $(2,\ln 2)$이므로

$f(2)=\ln(4+2a+b)=\ln 2$

$4+2a+b=2$ ∴ $b=-2a-2$ ······ ㉠

$$f''(2)=\frac{-8-4a-a^2+2b}{(4+2a+b)^2}=0$$

∴ $-8-4a-a^2+2b=0$ ······ ㉡

㉠을 ㉡에 대입하면

$-8-4a-a^2+2(-2a-2)=0$

$a^2+8a+12=0$

$(a+2)(a+6)=0$

∴ $a=-2$ 또는 $a=-6$

한편, $f'(2)>0$이므로

$$f'(2)=\frac{4+a}{4+2a+b}=\frac{4+a}{2}>0\ (\because ㉠)$$

∴ $a>-4$

즉, $a=-2$, $b=2$이므로

$$f'(x)=\frac{2x-2}{x^2-2x+2}$$

$f'(x)=0$에서 $x=1$

$x=1$의 좌우에서 $f'(x)$의 부호가 음에서 양으로 바뀌므로
$x=1$에서 극솟값을 갖는다.

∴ $c=1$

∴ $a+b+c=-2+2+1=1$ 🄰 1

38 $f(x)=\sin^n x$라 하면

$f'(x)=n\sin^{n-1}x\times\cos x$

$f''(x)=n(n-1)\sin^{n-2}x\times\cos^2 x+n\sin^{n-1}x\times(-\sin x)$

$\quad\ =n\sin^{n-2}x\{(n-1)\cos^2 x-\sin^2 x\}$

$\quad\ =n\sin^{n-2}x(n-1-n\sin^2 x)$

$f''(x)=0$에서 $\sin^2 x=\dfrac{n-1}{n}$

$$\sin x=\sqrt{\frac{n-1}{n}}=\sqrt{1-\frac{1}{n}}\ (\because 0<\sin x\leq 1)$$

즉, $\sin a_n=\sqrt{1-\dfrac{1}{n}}$이므로

$$\lim_{n\to\infty}\sin a_n=\lim_{n\to\infty}\sqrt{1-\frac{1}{n}}=1$$

$$\lim_{n\to\infty}a_n=\frac{\pi}{2}\left(\because 0<x\leq\frac{\pi}{2}\right)$$

∴ $k=2$ 🄰 2

39 ㄱ. $f(x)=px^3+qx^2+rx\ (p>0)$, $g(x)=mx\ (m\neq 0)$라 하면

$f'(x)=3px^2+2qx+r$

$f''(x)=6px+2q$

$f''(x)=0$에서 $x=-\dfrac{q}{3p}$

곡선 $y=f(x)$의 변곡점의 x좌표가 a이므로

$$-\frac{q}{3p}=a$$

$F(x)=f(x)-g(x)$라 하면

$F(x)=px^3+qx^2+(r-m)x$

$F'(x)=3px^2+2qx+r-m$

$F''(x)=6px+2q$

$F''(x)=0$에서 $x=-\dfrac{q}{3p}=a$

즉, 곡선 $y=f(x)-g(x)$의 변곡점의 x좌표는 a이다. (참)

ㄴ. 주어진 그림에서 함수
$y=f(x)-g(x)$의 그래프는
$f(x)-g(x)=px(x-b)^2$으
로 놓을 수 있다.

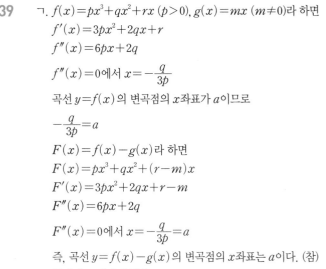

$\{f(x)-g(x)\}'$
$=p(x-b)(3x-b)$

이므로 함수 $f(x)-g(x)$는 $x=\dfrac{b}{3}$에서 극댓값을 갖는다.

(참)

ㄷ. $h(x)=f(x)-g(x)=px(x-b)^2$이라 하면

$h'(x)=p(x-b)(3x-b)$

$h''(x)=p(6x-4b)$

$h''(x)=0$에서 $x=\dfrac{2}{3}b$

ㄱ에서 $h''(a)=0$이므로 $a=\dfrac{2}{3}b$

∴ $\dfrac{b-a}{a}=\dfrac{b}{2b}=\dfrac{1}{2}$ (참)

따라서 ㄱ, ㄴ, ㄷ 모두 옳다. 🄰 ⑤

40 ㄱ. $x=0$의 좌우에서 $f'(x)$의 부호가 음에서 양으로 바뀌므로
$x=0$에서 극솟값 1개를 갖는다. (거짓)

ㄴ. $x=6$의 좌우에서 $f''(x)$의 부호가 바뀌므로 변곡점의 좌표
는 $(6, f(6))$의 1개뿐이다. (거짓)

ㄷ. $0<x<7$에서 $f'(x)\geq 0$이므로 함수 $f(x)$는 증가한다.

(참)

따라서 옳은 것은 ㄷ뿐이다. 🄰 ③

41 ㄱ. 점 $(a, f(a))$에서의 접선의 기울기는 양수이므로
$f'(a) > 0$ (참)

ㄴ. 주어진 곡선은 위로 볼록이므로
$f''(a) < 0$, $f''(b) < 0$
∴ $f''(a)f''(b) > 0$ (거짓)

ㄷ. 함수 $f(x)$가 구간 $[1, 2]$에서 연속이고 구간 $(1, 2)$에서 미분가능하므로 평균값 정리에 의하여
$$\frac{f(2) - f(1)}{2 - 1} = f'(c), \text{ 즉 } f(2) = f'(c)$$
를 만족시키는 실수 c가 구간 $(1, 2)$에 존재한다. (참)
따라서 옳은 것은 ㄱ, ㄷ이다. 　　　　답 ④

42 ㄱ. $f(x) = x + \sin x$에서
$f'(x) = 1 + \cos x$
$f''(x) = -\sin x$
구간 $(0, \pi)$에서 $f''(x) < 0$이므로
함수 $y = f(x)$의 그래프는 이 구간에서 위로 볼록하다. (참)

ㄴ. $g(x) = f(f(x))$에서
$g'(x) = f'(f(x)) \times f'(x)$
$= \{1 + \cos(x + \sin x)\}(1 + \cos x)$
$g'(x) = 0$에서 $x = \pi$ ($\because 0 \le x \le \pi$)
주어진 구간 $[0, \pi]$에서 함수 $g(x)$의 증가, 감소를 표로 나타내면 다음과 같다.

x	0	$\cdots$	π
$g'(x)$		$+$	0
$g(x)$		↗	

따라서 구간 $[0, \pi]$에서 함수 $g(x)$는 증가한다. (참)

ㄷ. $g(\pi) = f(f(\pi)) = f(\pi) = \pi$,
$g(0) = f(f(0)) = f(0) = 0$
이므로 $\dfrac{g(\pi) - g(0)}{\pi - 0} = 1$
함수 $g(x)$는 구간 $[0, \pi]$에서 연속이고 구간 $(0, \pi)$에서 미분가능하므로 평균값 정리에 의하여
$$\frac{g(\pi) - g(0)}{\pi - 0} = g'(c), \text{ 즉 } g'(c) = 1$$
을 만족시키는 실수 c가 구간 $(0, \pi)$에 존재한다. (참)
따라서 ㄱ, ㄴ, ㄷ 모두 옳다. 　　　답 ㄱ, ㄴ, ㄷ

43 ㄱ. $f'(\alpha) = 0$이고 함수 $f(x)$가 $x = \alpha$를 기준으로 증가하다가 감소하므로 $f(\alpha)$는 극댓값이다. (참)

ㄴ. [반례] $f(0) = 0$일 때는 홀수 개의 실근을 갖는다. (거짓)

ㄷ. $f''(\beta) = 0$이면 $0 < x < \beta$에서 $f''(x) < 0$이므로
곡선 $y = f(x)$는 위로 볼록하다. (참)

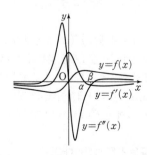

따라서 옳은 것은 ㄱ, ㄷ이다. 　　　답 ④

44 ㄱ. $f(x) = 2x \cos x$에서 $f'(x) = 2\cos x - 2x\sin x$
$f'(\alpha) = 2\cos\alpha - 2\alpha\sin\alpha = 0$이므로
$\cos\alpha = \alpha\sin\alpha$
∴ $\tan\alpha = \dfrac{\sin\alpha}{\cos\alpha}$
$= \dfrac{\sin\alpha}{\alpha\sin\alpha} = \dfrac{1}{\alpha}$ (참)

ㄴ.

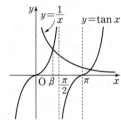

$f'(x) = 2\cos x(1 - x\tan x) = 0$에서
$\cos x = 0$ 또는 $\tan x = \dfrac{1}{x}$
$\tan x = \dfrac{1}{x}$의 근을 β라 하면 $0 < \beta < \dfrac{\pi}{2}$
구간 $[0, \pi]$에서 함수 $f(x)$의 증가, 감소를 표로 나타내면 다음과 같다.

x	0	$\cdots$	β	$\cdots$	$\dfrac{\pi}{2}$	$\cdots$	π
$f'(x)$		$+$	0	$-$	0	$-$	
$f(x)$		↗	극대	↘		↘	

따라서 함수 $f(x)$는 $x = \beta$에서 극댓값을 가진다.
구간 $\left(0, \dfrac{\pi}{2}\right)$에서 $y = \dfrac{1}{x}$은 감소하고, $y = \tan x$는 증가하므로 $g(x) = \tan x - \dfrac{1}{x}$은
구간 $\left(0, \dfrac{\pi}{2}\right)$에서 증가한다.
$g\left(\dfrac{\pi}{4}\right) = 1 - \dfrac{4}{\pi} < 0$,
$g\left(\dfrac{\pi}{3}\right) = \sqrt{3} - \dfrac{3}{\pi} > 0$이므로
사잇값의 정리에 의하여
$\dfrac{\pi}{4} < \beta < \dfrac{\pi}{3}$ (참)

ㄷ. $f\left(\dfrac{\pi}{3}\right) = \dfrac{2}{3}\pi \times \dfrac{1}{2} > 1$이므로 $f(\beta) > 1$
구간 $\left[0, \dfrac{\pi}{2}\right]$에서 방정식 $f(x) = 1$의 서로 다른 실근의 개수는 2이다. (참)
따라서 ㄱ, ㄴ, ㄷ 모두 옳다. 　　　답 ㄱ, ㄴ, ㄷ

45 $f(x) = x^2 e^{-x+2}$에서 $f'(x) = (-x^2 + 2x)e^{-x+2}$
$f'(x) = 0$에서 $x = 0$ 또는 $x = 2$
$y = (f \circ f)(x)$에서 $\dfrac{dy}{dx} = f'(f(x))f'(x)$
$\dfrac{dy}{dx} = 0$인 x의 값을 구하면
(ⅰ) $f'(x) = 0$에서 $x = 0$ 또는 $x = 2$
(ⅱ) $f'(f(x)) = 0$에서
　$f(x) = 0$일 때, $x = 0$
　$f(x) = 2$일 때,
　$x = \alpha$ 또는 $x = \beta$ 또는 $x = \gamma$ (단, $\alpha < \beta < \gamma$)

함수 $y=(f\circ f)(x)$의 증가, 감소를 표로 나타내고 그래프를 그리면 다음과 같다.

x	$\cdots$	α	$\cdots$	0	$\cdots$
$f'(x)$	$-$	$-$	$-$	0	$+$
$f'(f(x))$	$-$	0	$+$	0	$+$
$\dfrac{dy}{dx}$	$+$	0	$-$	0	$+$
$(f\circ f)(x)$	$\nearrow$	4	$\searrow$	0	$\nearrow$

β	$\cdots$	2	$\cdots$	γ	$\cdots$
$+$	$+$	0	$-$	$-$	$-$
0	$-$	$-$	$-$	0	$+$
0	$-$	0	$+$	0	$-$
4	$\searrow$	$\dfrac{16}{e^2}$	$\nearrow$	4	$\searrow$

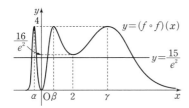

따라서 함수 $y=(f\circ f)(x)$의 그래프와 직선 $y=\dfrac{15}{e^2}$의 교점의 개수는 4이다.

답 ③

46 $f(x)=\dfrac{\ln x^2}{x}$에 대하여

(i) $x>0$일 때

$$f(x)=\frac{2\ln x}{x},\ f'(x)=\frac{2-2\ln x}{x^2}$$

$f'(x)=0$에서 $x=e$

함수 $f(x)$의 증가, 감소를 표로 나타내면 다음과 같다.

x	(0)	$\cdots$	e	$\cdots$
$f'(x)$		$+$	0	$-$
$f(x)$		$\nearrow$	$\dfrac{2}{e}$	$\searrow$

따라서 함수 $f(x)$의 극댓값 $a=\dfrac{2}{e}$

(ii) $x\neq 0$인 모든 실수 x에 대하여 $f(-x)=-f(x)$가 성립하므로 $f(x)$는 원점에 대하여 대칭이다.

(i), (ii)에서 $y=f(x)$의 그래프는 그림과 같다.

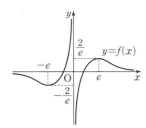

$y=\dfrac{2}{en}x$는 원점을 지나는 직선이고 원점에서 곡선 $y=\dfrac{2\ln x}{x}$에 그은 접선의 접점을 $(t, f(t))$라 하면 접선의 방정식은

$$y=\frac{2-2\ln t}{t^2}(x-t)+\frac{2\ln t}{t}$$이고 원점을 지나므로

$$0=\frac{2-2\ln t}{t^2}(0-t)+\frac{2\ln t}{t}$$

$$\therefore t=\sqrt{e}$$

따라서 접점은 $\left(\sqrt{e}, \dfrac{1}{\sqrt{e}}\right)$이고 접선의 방정식은

$$y=\frac{1}{e}x$$

$n=1$일 때, 직선 $y=\dfrac{2}{e}x$와 함수 $y=f(x)$의 그래프의 교점의 개수는 0이다.

$$\therefore a_1=0$$

$n=2$일 때, 직선 $y=\dfrac{1}{e}x$와 함수 $y=f(x)$의 그래프의 교점의 개수는 2이다.

$$\therefore a_2=2$$

$3\leq n\leq 10$일 때, 직선 $y=\dfrac{2}{en}x$와 함수 $y=f(x)$의 그래프의 교점의 개수는 4이다.

$$\therefore a_n=4$$

$$\therefore \sum_{n=1}^{10}a_n=0+2+4\times 8=34$$

답 34

47 $f(x)=(ax^2+bx+c)e^x$의 양변을 x에 대하여 미분하면

$f'(x)=\{ax^2+(2a+b)x+b+c\}e^x$

$f(x)$가 $x=-\sqrt{3}$, $x=\sqrt{3}$에서 극값을 가지므로

$ax^2+(2a+b)x+b+c=0$의 근이

$x=-\sqrt{3}$ 또는 $x=\sqrt{3}$

근과 계수의 관계에서 $-\dfrac{2a+b}{a}=0$, $\dfrac{b+c}{a}=-3$이므로

$b=-2a$, $c=-a$

$\therefore f'(x)=a(x^2-3)e^x$, $f(x)=a(x^2-2x-1)e^x$

$0\leq x_1<x_2$인 임의의 두 실수 x_1, x_2에 대하여

$f(x_2)-f(x_1)+x_2-x_1\geq 0$이므로 양변을 x_2-x_1로 나누어 식을 정리하면

$$\frac{f(x_2)-f(x_1)}{x_2-x_1}\geq -1$$

$f(x)$가 $x\geq 0$에서 연속이고 미분가능하므로 평균값 정리에 의하여

$$\frac{f(x_2)-f(x_1)}{x_2-x_1}=f'(c)\,(\text{단, } 0\leq x_1<c<x_2)$$

$$\therefore f'(c)\geq -1$$

즉, $x\geq 0$에서 $f'(x)$의 최솟값이 -1이고 $f(x)$의 변곡점에서 $f'(x)$가 최솟값을 가지므로

$f''(x)=a(x^2+2x-3)e^x=0$에서

$x=-3$ 또는 $x=1$

$x\geq 0$을 만족시키는 $x=1$에서 $f'(x)$가 최솟값을 갖는다.

$f'(1)=-2ae\geq -1$에서

$$a\leq \frac{1}{2e}$$

따라서 $abc=a(-2a)(-a)=2a^3\leq 2\left(\dfrac{1}{2e}\right)^3=\dfrac{1}{4e^3}$이므로

$$k=\frac{1}{4}$$

$$\therefore 60k=15$$

답 15

48 $f(x)=e^x-kx\,(k>0)$라 하면 $f'(x)=e^x-k$

$f'(x)=0$에서 $e^x=k$ $\therefore x=\ln k$

함수 $f(x)$의 증가, 감소를 표로 나타내면 다음과 같다.

x	$\cdots$	$\ln k$	$\cdots$
$f'(x)$	$-$	0	$+$
$f(x)$	$\searrow$	극소	$\nearrow$

$0 \leq x \leq 1$에서 함수 $f(x)$의 최댓값과 최솟값을 구하면

(i) $\ln k < 0$인 경우

　　최댓값: $f(1)=e-k$

　　최솟값: $f(0)=1$

(ii) $0 \leq \ln k \leq 1$인 경우

　　최댓값: $f(0)=1$과 $f(1)=e-k$ 중에서 큰 값

　　최솟값: $f(\ln k)=k-k\ln k=k(1-\ln k)$

(iii) $\ln k > 1$인 경우

　　최댓값: $f(0)=1$

　　최솟값: $f(1)=e-k$

즉, $0 \leq x \leq 1$에서 $|f(x)| \leq 2$가 성립하려면

$|f(1)| \leq 2$이어야 하므로

$|e-k| \leq 2,\ -2 \leq e-k \leq 2$

$\therefore e-2 \leq k \leq e+2$

따라서 $\alpha=e-2$, $\beta=e+2$이므로

$\alpha\beta=(e-2)(e+2)=e^2-4$　　📋 ②

49 부등식 $\dfrac{2}{e^x+1} \geq ax+1$에서

$f(x)=\dfrac{2}{e^x+1},\ g(x)=ax+1$이라 하면

$f'(x)=\dfrac{-2e^x}{(e^x+1)^2}<0\ (\because e^x>0)$

이므로 $x \geq 0$에서 함수 $f(x)$는 감소한다.

$\displaystyle\lim_{x\to\infty}\dfrac{2}{e^x+1}=0$이므로 점근선은 x축이고, $f(0)=1$이므로

함수 $y=f(x)$의 그래프는 점 $(0, 1)$을 지난다.

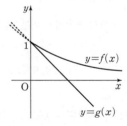

즉, $\dfrac{2}{e^x+1} \geq ax+1$이므로 곡선 $y=f(x)$가 직선 $y=g(x)$보다 항상 위쪽에 있어야 한다.

한편, 직선 $y=g(x)$는 a의 값에 관계없이 항상 점 $(0, 1)$을 지나므로 $x=0$에서 접선의 기울기는

$f'(0)=-\dfrac{1}{2}$

따라서 곡선 $y=f(x)$가 직선 $y=g(x)$보다 위쪽에 있으려면

실수 a의 값의 범위는 $a \leq -\dfrac{1}{2}$이므로 상수 a의 최댓값은 $-\dfrac{1}{2}$

이다.　　📋 $-\dfrac{1}{2}$

50 $f(t)=\cos 2t-3\cos t+2$에서

$2\cos^2 t-3\cos t+1=0$

$(2\cos t-1)(\cos t-1)=0$

$\therefore \cos t=\dfrac{1}{2}$ 또는 $\cos t=1$

$\therefore t=0$ 또는 $t=\dfrac{\pi}{3}$ 또는 $t=\dfrac{5}{3}\pi$ 또는 $t=2\pi\ (\because 0 \leq t \leq 2\pi)$

따라서 점 P가 출발 후 두 번째로 원점에 도달하는 순간은

$t=\dfrac{5}{3}\pi$일 때이고

$g(t)=\sin 2t+2\sin t$에서

$g'(t)=2\cos 2t+2\cos t$

이므로 점 Q의 $t=\dfrac{5}{3}\pi$일 때의 속도는

$g'\left(\dfrac{5}{3}\pi\right)=2\cos\dfrac{10}{3}\pi+2\cos\dfrac{5}{3}\pi$

$=2\times\left(-\dfrac{1}{2}\right)+2\times\dfrac{1}{2}$

$=0$　　📋 0

51 주자의 위치에서 1루와 홈플레이트까지의 거리를 각각 x피트, y피트라 하면

$x^2+90^2=y^2$

양변을 t에 대하여 미분하면

$2x\dfrac{dx}{dt}=2y\dfrac{dy}{dt}$

$\therefore \dfrac{dy}{dt}=\dfrac{x}{y}\times\dfrac{dx}{dt}$　　$\cdots\cdots$ ㉠

$x=60$이면 $y=\sqrt{60^2+90^2}=30\sqrt{13}$이고

$\dfrac{dx}{dt}=30$이므로 구하는 속력은 ㉠에서

$\dfrac{dy}{dt}=\dfrac{60}{30\sqrt{13}}\times 30$

$=\dfrac{60}{\sqrt{13}}$

$=\dfrac{60\sqrt{13}}{13}$　　📋 ⑤

52 점 P의 처음 위치는 $\left(3\cos\dfrac{\pi}{2},\ 3\sin\dfrac{\pi}{2}\right)$이고 매초 $\dfrac{\pi}{3}$만큼 회전하므로 t초 후의 점 P의 위치 (x, y)는

$x=3\cos\left(\dfrac{\pi}{3}t+\dfrac{\pi}{2}\right)=-3\sin\dfrac{\pi}{3}t,$

$y=3\sin\left(\dfrac{\pi}{3}t+\dfrac{\pi}{2}\right)=3\cos\dfrac{\pi}{3}t$

$\dfrac{dx}{dt}=-\pi\cos\dfrac{\pi}{3}t,\ \dfrac{dy}{dt}=-\pi\sin\dfrac{\pi}{3}t$에서

$\dfrac{d^2x}{dt^2}=\dfrac{\pi^2}{3}\sin\dfrac{\pi}{3}t$

$\dfrac{d^2y}{dt^2}=-\dfrac{\pi^2}{3}\cos\dfrac{\pi}{3}t$

따라서 $t=15$일 때의 점 P의 가속도의 크기는

$\sqrt{\left(\dfrac{\pi^2}{3}\sin 5\pi\right)^2+\left(-\dfrac{\pi^2}{3}\cos 5\pi\right)^2}$

$=\sqrt{\dfrac{\pi^4}{3^2}}=\dfrac{\pi^2}{3}$　　📋 $\dfrac{\pi^2}{3}$

53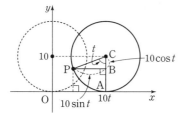

원이 평면에 접해 있을 때, 점 P가 원점, 원의 중심 C가 y축에 오도록 나타내면 그림과 같다.

점 P가 t라디안만큼 회전하면 호 AP의 길이는 선분 OA의 길이와 같으므로

$\overline{OA}=\overset{\frown}{AP}=10t$

$\therefore A(10t, 0)$

삼각형 PBC에서

$\overline{CB}=\overline{CP}\cos t=10\cos t$

$\overline{PB}=\overline{CP}\sin t=10\sin t$

즉, 점 $P(x, y)$의 좌표는 $(10t-10\sin t, 10-10\cos t)$

$\therefore \dfrac{dx}{dt}=10-10\cos t,\ \dfrac{dy}{dt}=10\sin t$

점 P의 속도는 $(10-10\cos t, 10\sin t)$이므로 속력은

$\sqrt{(10-10\cos t)^2+(10\sin t)^2}$

$=\sqrt{100(\cos^2 t+\sin^2 t)-200\cos t+100}$

$=\sqrt{200-200\cos t}\leq 20(\text{cm/s})$

따라서 점 P의 최대 속력은 $20\,\text{cm/s}$이다. 🔲 ③

11 여러 가지 적분법

본책 107~114쪽

01
$f(x)=\displaystyle\int \dfrac{(x+1)(x+2)}{x^2}\,dx$

$=\displaystyle\int \dfrac{x^2+3x+2}{x^2}\,dx$

$=\displaystyle\int \left(1+\dfrac{3}{x}+\dfrac{2}{x^2}\right)dx$

$=x+3\ln|x|-\dfrac{2}{x}+C$

$f(1)=0$이므로

$1-2+C=0$

$\therefore C=1$

따라서 $f(x)=x+3\ln|x|-\dfrac{2}{x}+1$이므로

$f(2)=2+3\ln 2$ 🔲 ③

02
$f(x)=\displaystyle\int \dfrac{2x^3 e^x-5}{x^3}\,dx$

$=\displaystyle\int (2e^x-5x^{-3})\,dx$

$=2e^x+\dfrac{5}{2}x^{-2}+C$

$=2e^x+\dfrac{5}{2x^2}+C$

$f(1)=2e+\dfrac{5}{2}$이므로

$2e+\dfrac{5}{2}+C=2e+\dfrac{5}{2}$

$\therefore C=0$

따라서 $f(x)=2e^x+\dfrac{5}{2x^2}$이므로

$f(2)=2e^2+\dfrac{5}{8}$ 🔲 $2e^2+\dfrac{5}{8}$

03
$2x-1=t$로 놓으면 $2=\dfrac{dt}{dx}$이므로

$f(x)=\displaystyle\int (2x-1)^3\,dx$

$=\displaystyle\int t^3\cdot\dfrac{1}{2}\,dt$

$=\dfrac{1}{8}t^4+C$

$=\dfrac{1}{8}(2x-1)^4+C$

$f(1)=\dfrac{1}{2}$이므로

$\dfrac{1}{8}+C=\dfrac{1}{2}$ $\quad\therefore C=\dfrac{3}{8}$

따라서 $f(x)=\dfrac{1}{8}(2x-1)^4+\dfrac{3}{8}$이므로

$f(x)$를 $x-\dfrac{1}{2}$로 나눈 나머지는

$f\left(\dfrac{1}{2}\right)=\dfrac{3}{8}$ 🔲 $\dfrac{3}{8}$

04
$\ln x=t$로 놓으면 $\dfrac{1}{x}=\dfrac{dt}{dx}$이므로

$$\int \frac{1}{x}\{6(\ln x)^2+1\}dx=\int (6t^2+1)dt$$
$$=2t^3+t+C$$
$$=2(\ln x)^3+\ln x+C \qquad \text{답 ④}$$

05 $1+\sin x=t$로 놓으면 $\cos x=\dfrac{dt}{dx}$이므로

$$f(x)=\int (1+\sin x)^4 \cos x\,dx$$
$$=\int t^4\,dt=\frac{1}{5}t^5+C$$
$$=\frac{1}{5}(1+\sin x)^5+C$$

$f(0)=-\dfrac{1}{5}$이므로

$$\frac{1}{5}+C=-\frac{1}{5} \qquad \therefore C=-\frac{2}{5}$$

따라서 $f(x)=\dfrac{1}{5}(1+\sin x)^5-\dfrac{2}{5}$이므로

$$f\left(\frac{\pi}{2}\right)=\frac{1}{5}\left(1+\sin\frac{\pi}{2}\right)^5-\frac{2}{5}$$
$$=\frac{32}{5}-\frac{2}{5}=6 \qquad \text{답 } 6$$

06 $f'(x)=\dfrac{e^x}{e^x+1}$이므로 $f(x)=\displaystyle\int \frac{e^x}{e^x+1}dx$

$(e^x+1)'=e^x$이므로

$$f(x)=\int \frac{e^x}{e^x+1}dx$$
$$=\int \frac{(e^x+1)'}{e^x+1}dx$$
$$=\ln (e^x+1)+C$$

$f(0)=\ln 2$이므로

$\ln 2+C=\ln 2 \quad \therefore C=0$

따라서 $f(x)=\ln (e^x+1)$이므로

$f(\ln 2)=\ln (e^{\ln 2}+1)=\ln 3 \qquad \text{답 } \ln 3$

07 $f'(x)=xe^x$이므로 $f(x)=\displaystyle\int xe^x\,dx$

$u(x)=x,\ v'(x)=e^x$으로 놓으면

$u'(x)=1,\ v(x)=e^x$이므로

$$f(x)=\int xe^x\,dx$$
$$=xe^x-\int e^x\,dx$$
$$=(x-1)e^x+C$$

$f(1)=2$이므로 $C=2$

따라서 $f(x)=(x-1)e^x+2$이므로

$f(2)=e^2+2 \qquad \text{답 } e^2+2$

08 $f'(x)=\dfrac{1}{x}$이므로

$$f(x)=\int \frac{1}{x}dx=\ln x+C_1$$

$f(1)=0$이므로 $C_1=0$

따라서 $f(x)=\ln x$이므로 구하는 답은

$$\int f(x)\,dx=\int \ln x\,dx$$

$u(x)=\ln x,\ v'(x)=1$로 놓으면

$u'(x)=\dfrac{1}{x},\ v(x)=x$이므로

$$\int f(x)\,dx=\int \ln x\,dx$$
$$=x\ln x-\int 1\,dx$$
$$=x\ln x-x+C \qquad \text{답 ③}$$

09 $$f(x)=\int \frac{(\sqrt{x}-1)^2}{\sqrt{x}}dx$$
$$=\int \frac{x-2\sqrt{x}+1}{\sqrt{x}}dx$$
$$=\int \left(\sqrt{x}+\frac{1}{\sqrt{x}}-2\right)dx$$
$$=\int \left(x^{\frac{1}{2}}+x^{-\frac{1}{2}}-2\right)dx$$
$$=\frac{2}{3}x^{\frac{3}{2}}+2x^{\frac{1}{2}}-2x+C$$
$$=\frac{2}{3}x\sqrt{x}+2\sqrt{x}-2x+C$$

$f(0)=\dfrac{4}{3}$이므로 $C=\dfrac{4}{3}$

따라서 $f(x)=\dfrac{2}{3}x\sqrt{x}+2\sqrt{x}-2x+\dfrac{4}{3}$이므로

$$f(4)=\frac{16}{3}+4-8+\frac{4}{3}=\frac{8}{3} \qquad \text{답 } \frac{8}{3}$$

10 $x=1$인 점에서의 접선의 기울기가 1이므로

$f'(1)=a=1$

즉, $f'(x)=\dfrac{1}{x^3}$이므로

$$f(x)=\int \frac{1}{x^3}dx=\int x^{-3}\,dx$$
$$=-\frac{1}{2}x^{-2}+C=-\frac{1}{2x^2}+C$$

$f(1)=1$이므로 $-\dfrac{1}{2}+C=1 \qquad \therefore C=\dfrac{3}{2}$

따라서 $f(x)=-\dfrac{1}{2x^2}+\dfrac{3}{2}$이므로

$$f(3)=-\frac{1}{18}+\frac{3}{2}=\frac{13}{9}$$

$\therefore m+n=9+13=22 \qquad \text{답 } 22$

11 $F(x)=xf(x)-x-\ln x$의 양변을 x에 대하여 미분하면

$$F'(x)=f(x)+xf'(x)-1-\frac{1}{x}$$
$$f(x)=f(x)+xf'(x)-1-\frac{1}{x}$$

즉, $f'(x)=\dfrac{1}{x}+\dfrac{1}{x^2}$이므로

$$f(x)=\int \left(\frac{1}{x}+\frac{1}{x^2}\right)dx$$
$$=\int \left(\frac{1}{x}+x^{-2}\right)dx$$
$$=\ln |x|-\frac{1}{x}+C$$

$f(1)=4$이므로

$-1+C=4 \qquad \therefore C=5$

따라서 $f(x)=\ln|x|-\dfrac{1}{x}+5$이므로

$f(e^3)=3-\dfrac{1}{e^3}+5=8-\dfrac{1}{e^3}$ **답** ⑤

12 $f'(x)=2e^{2x}-e^x$이므로

$f(x)=\displaystyle\int(2e^{2x}-e^x)\,dx=e^{2x}-e^x+C$

$f(0)=-2$이므로 $1-1+C=-2 \qquad \therefore C=-2$

즉, $f(x)=e^{2x}-e^x-2$이므로

$f(x)=0$에서 $e^{2x}-e^x-2=0$

$(e^x-2)(e^x+1)=0$

$e^x>0$이므로 $e^x=2$

$\therefore x=\ln 2$ **답** $\ln 2$

13 $f(x)=\displaystyle\int\dfrac{8^x+1}{2^x+1}\,dx$

$\qquad =\displaystyle\int\dfrac{(2^x+1)(4^x-2^x+1)}{2^x+1}\,dx$

$\qquad =\displaystyle\int(4^x-2^x+1)\,dx$

$\qquad =\dfrac{4^x}{\ln 4}-\dfrac{2^x}{\ln 2}+x+C$

$\therefore f(2)-f(1)$

$\quad =\left(\dfrac{4^2}{\ln 4}-\dfrac{2^2}{\ln 2}+2+C\right)-\left(\dfrac{4}{\ln 4}-\dfrac{2}{\ln 2}+1+C\right)$

$\quad =\dfrac{12}{2\ln 2}-\dfrac{2}{\ln 2}+1$

$\quad =\dfrac{4}{\ln 2}+1$ **답** ④

14 $\displaystyle\int(3x^2+1)\,dx=x^3+x+C_1$,

$\displaystyle\int(e^x+2x)\,dx=e^x+x^2+C_2$이므로

$f(x)=\begin{cases} x^3+x+C_1 & (x<0) \\ e^x+x^2+C_2 & (x>0) \end{cases}$

$f(2)=e^2$이므로 $e^2+4+C_2=e^2 \qquad \therefore C_2=-4$

한편, $f(x)$는 $x=0$에서 연속이므로

$\displaystyle\lim_{x\to 0-}f(x)=\lim_{x\to 0+}f(x)$

$\displaystyle\lim_{x\to 0-}(x^3+x+C_1)=\lim_{x\to 0+}(e^x+x^2-4)$

$\therefore C_1=1-4=-3$

따라서 $x<0$에서 $f(x)=x^3+x-3$이므로

$f(-1)=-1-1-3=-5$ **답** -5

15 $\displaystyle\int\dfrac{1}{1+\cos x}\,dx=\int\dfrac{1-\cos x}{(1+\cos x)(1-\cos x)}\,dx$

$\qquad =\displaystyle\int\dfrac{1-\cos x}{\sin^2 x}\,dx$

$\qquad =\displaystyle\int\left(\dfrac{1}{\sin^2 x}-\dfrac{1}{\sin x}\times\dfrac{\cos x}{\sin x}\right)dx$

$\qquad =\displaystyle\int(\csc^2 x-\csc x\cot x)\,dx$

$\qquad =-\cot x+\csc x+C$ **답** ④

16 $F(x)=xf(x)+x\cos x-\sin x$의 양변을 x에 대하여 미분하면

$F'(x)=f(x)+xf'(x)+\cos x-x\sin x-\cos x$

$f(x)=f(x)+xf'(x)-x\sin x$

$xf'(x)=x\sin x$

즉, $f'(x)=\sin x$이므로

$f(x)=\displaystyle\int\sin x\,dx=-\cos x+C$

$f(0)=1$이므로

$-1+C=1 \qquad \therefore C=2$

따라서 $f(x)=-\cos x+2$이므로

$f\left(\dfrac{\pi}{3}\right)=-\cos\dfrac{\pi}{3}+2=-\dfrac{1}{2}+2=\dfrac{3}{2}$ **답** $\dfrac{3}{2}$

17 $f'(x)=\left(\sin\dfrac{x}{2}+\cos\dfrac{x}{2}\right)^2$

$\qquad =1+2\sin\dfrac{x}{2}\cos\dfrac{x}{2}$

$\qquad =1+\sin\dfrac{x}{2}\cos\dfrac{x}{2}+\sin\dfrac{x}{2}\cos\dfrac{x}{2}$

$\qquad =1+\sin\left(\dfrac{x}{2}+\dfrac{x}{2}\right)$

$\qquad =1+\sin x$

이므로

$f(x)=\displaystyle\int(1+\sin x)\,dx$

$\qquad =x-\cos x+C$

$f(0)=-1$이므로

$-1+C=-1 \qquad \therefore C=0$

따라서 $f(x)=x-\cos x$이므로

$f\left(\dfrac{\pi}{2}\right)=\dfrac{\pi}{2}$ **답** $\dfrac{\pi}{2}$

18 $ax+2=t$로 놓으면 $a=\dfrac{dt}{dx}$이므로

$f(x)=\displaystyle\int(ax+2)^3\,dx$

$\qquad =\displaystyle\int t^3\cdot\dfrac{1}{a}\,dt$

$\qquad =\dfrac{1}{4a}t^4+C$

$\qquad =\dfrac{1}{4a}(ax+2)^4+C$

$f(0)=\dfrac{4}{a}+C$, $f(-1)=\dfrac{1}{4a}(2-a)^4+C$이고,

$f(0)=f(-1)$이므로

$\dfrac{4}{a}+C=\dfrac{1}{4a}(2-a)^4+C$

$(2-a)^4=16$

즉, $2-a=2$ 또는 $2-a=-2$에서

$a>0$이므로 $a=4$

$f(0)=0$에서

$1+C=0 \qquad \therefore C=-1$

따라서 $f(x)=\dfrac{1}{16}(4x+2)^4-1$이므로

$f(1)=\dfrac{1}{16}\times 6^4-1=81-1=80$ **답** ⑤

19 $f'(x)=(6x+3)(x^2+x-3)^2$이므로

$$f(x)=\int (6x+3)(x^2+x-3)^2\,dx$$

$x^2+x-3=t$로 놓으면 $2x+1=\dfrac{dt}{dx}$이므로

$$f(x)=\int (6x+3)(x^2+x-3)^2\,dx$$
$$=\int 3t^2\,dt=t^3+C$$
$$=(x^2+x-3)^3+C$$

$f(1)=1$이므로

$$-1+C=1 \quad \therefore C=2$$

따라서 $f(x)=(x^2+x-3)^3+2$이므로

$$f(0)=-27+2=-25$$ 답 -25

20 조건 ㈎에서 $f(x)$는 이차항의 계수가 1인 이차식이다.

조건 ㈏에서 $x\to 3$일 때, (분모)$\to 0$이고 극한값이 존재하므로
(분자)$\to 0$이어야 한다.

즉, $\lim\limits_{x\to 3}f(x)=0$에서 $f(3)=0$이므로 $f(x)$는 $x-3$을 인수로
갖는다.

$f(x)=(x-3)(x+a)$ (a는 상수)로 놓으면

$$\lim_{x\to 3}\frac{(x-3)(x+a)}{x-3}=\lim_{x\to 3}(x+a)$$
$$=3+a=4$$

$$\therefore a=1$$

즉, $f(x)=x^2-2x-3$이므로

$$F(x)=\int x\{f(x)\}^3\,dx-\int \{f(x)\}^3\,dx$$
$$=\int (x-1)\{f(x)\}^3\,dx$$
$$=\int (x-1)(x^2-2x-3)^3\,dx$$

$x^2-2x-3=t$로 놓으면 $2x-2=\dfrac{dt}{dx}$이므로

$$F(x)=\int (x-1)(x^2-2x-3)^3\,dx$$
$$=\frac{1}{2}\int t^3\,dt$$
$$=\frac{1}{8}t^4+C$$
$$=\frac{1}{8}(x^2-2x-3)^4+C$$

$$\therefore F(2)-F(-1)=\left(\frac{81}{8}+C\right)-C=\frac{81}{8}$$ 답 $\dfrac{81}{8}$

21 $\ln x+3=t$로 놓으면 $\dfrac{1}{x}=\dfrac{dt}{dx}$이므로

$$f(x)=\int \frac{1}{x\sqrt{\ln x+3}}\,dx$$
$$=\int \frac{1}{\sqrt{t}}\,dt$$
$$=\int t^{-\frac{1}{2}}\,dt$$
$$=2t^{\frac{1}{2}}+C$$
$$=2\sqrt{t}+C$$
$$=2\sqrt{\ln x+3}+C$$

$f(e)=1$이므로

$$2\sqrt{1+3}+C=1 \quad \therefore C=-3$$

따라서 $f(x)=2\sqrt{\ln x+3}-3$이므로

$$f(e^6)=2\sqrt{6+3}-3=3$$ 답 3

22 $f'(x)=(x+1)\sqrt{x^2+2x+3}$이므로

$$f(x)=\int (x+1)\sqrt{x^2+2x+3}\,dx$$

$x^2+2x+3=t$로 놓으면 $2x+2=\dfrac{dt}{dx}$이므로

$$f(x)=\int (x+1)\sqrt{x^2+2x+3}\,dx$$
$$=\int \sqrt{t}\cdot\frac{1}{2}\,dt=\int \frac{1}{2}t^{\frac{1}{2}}\,dt$$
$$=\frac{1}{3}t^{\frac{3}{2}}+C=\frac{1}{3}t\sqrt{t}+C$$
$$=\frac{1}{3}(x^2+2x+3)\sqrt{x^2+2x+3}+C$$

$f(0)=0$이므로

$$\frac{1}{3}\times 3\times\sqrt{3}+C=0 \quad \therefore C=-\sqrt{3}$$

따라서 $f(x)=\dfrac{1}{3}(x^2+2x+3)\sqrt{x^2+2x+3}-\sqrt{3}$이므로

$$a=f(4)$$
$$=\frac{1}{3}\times 27\times\sqrt{27}-\sqrt{3}$$
$$=26\sqrt{3}$$ 답 ⑤

23 $e^x+3=t$로 놓으면 $e^x=\dfrac{dt}{dx}$이므로

$$f(x)=\int e^x\sqrt{e^x+3}\,dx$$
$$=\int \sqrt{t}\,dt$$
$$=\int t^{\frac{1}{2}}\,dt$$
$$=\frac{2}{3}t^{\frac{3}{2}}+C$$
$$=\frac{2}{3}(e^x+3)^{\frac{3}{2}}+C$$

$f'(x)=e^x\sqrt{e^x+3}>0$이므로 $f(x)$는 모든 실수 x에 대하여
증가한다.

최댓값과 최솟값의 합이 24이므로

$$f(\ln 6)+f(0)=\left\{\frac{2}{3}(6+3)^{\frac{3}{2}}+C\right\}+\left\{\frac{2}{3}(1+3)^{\frac{3}{2}}+C\right\}$$
$$=(18+C)+\left(\frac{16}{3}+C\right)$$
$$=2C+\frac{70}{3}=24$$

$$2C=\frac{2}{3} \quad \therefore C=\frac{1}{3}$$

따라서 $f(x)=\dfrac{2}{3}(e^x+3)^{\frac{3}{2}}+\dfrac{1}{3}$이므로

$$f(\ln 13)=\frac{2}{3}(13+3)^{\frac{3}{2}}+\frac{1}{3}$$
$$=\frac{128}{3}+\frac{1}{3}=43$$ 답 43

24 $x^2+1=t$로 놓으면 $2x=\dfrac{dt}{dx}$이므로

$$f(x)=\int 6xe^{x^2+1}\,dx$$
$$=\int 3e^t\,dt$$
$$=3e^t+C$$
$$=3e^{x^2+1}+C$$

$f(0)=3e$이므로

$3e+C=3e$ $\therefore C=0$

따라서 $f(x)=3e^{x^2+1}$이므로

$f(-1)=3e^2$

🔖 $3e^2$

25 $f'(x)=2xe^{x^2}-3x^2+2$이므로

$$f(x)=\int(2xe^{x^2}-3x^2+2)\,dx$$
$$=\int 2xe^{x^2}\,dx-x^3+2x+C_1 \quad\cdots\cdots\,\text{㉠}$$

$\displaystyle\int 2xe^{x^2}\,dx$에서 $x^2=t$로 놓으면 $2x=\dfrac{dt}{dx}$이므로

$$\int 2xe^{x^2}\,dx=\int e^t\,dt$$
$$=e^t+C_2$$
$$=e^{x^2}+C_2 \quad\cdots\cdots\,\text{㉡}$$

㉡을 ㉠에 대입하면

$f(x)=e^{x^2}-x^3+2x+C$

$f(0)=1$이므로

$1+C=1$ $\therefore C=0$

따라서 $f(x)=e^{x^2}-x^3+2x$이므로

$f(1)=e-1+2=e+1$

🔖 $e+1$

26 $f'(x)=e^{-2x+1}$이므로

$$f(x)=\int e^{-2x+1}\,dx$$

$-2x+1=t$로 놓으면 $-2=\dfrac{dt}{dx}$이므로

$$f(x)=\int e^{-2x+1}\,dx=-\frac{1}{2}\int e^t\,dt$$
$$=-\frac{1}{2}e^t+C=-\frac{1}{2}e^{-2x+1}+C$$

$f\!\left(\dfrac{1}{2}\right)=-\dfrac{1}{2}$이므로

$-\dfrac{1}{2}+C=-\dfrac{1}{2}$ $\therefore C=0$

따라서 $f(x)=-\dfrac{1}{2}e^{-2x+1}$이므로

$$\sum_{n=1}^{\infty}f(n)=\sum_{n=1}^{\infty}\left(-\frac{1}{2}e^{-2n+1}\right)$$
$$=-\frac{1}{2}(e^{-1}+e^{-3}+e^{-5}+\cdots)$$
$$=-\frac{1}{2}\times\frac{e^{-1}}{1-e^{-2}}$$
$$=-\frac{1}{2}\times\frac{e}{e^2-1}$$
$$=\frac{e}{2(1-e^2)}$$

🔖 ③

27 $\ln x=t$로 놓으면 $\dfrac{1}{x}=\dfrac{dt}{dx}$이므로

$$f(x)=\int\frac{3(\ln x)^2}{x}\,dx$$
$$=\int 3t^2\,dt=t^3+C$$
$$=(\ln x)^3+C$$

$f(e)=4$이므로

$(\ln e)^3+C=4$ $\therefore C=3$

따라서 $f(x)=(\ln x)^3+3$이므로

$$f(e^2)=(\ln e^2)^3+3$$
$$=2^3+3=11$$

🔖 ④

28 $xf'(x)=\ln x$에서 $f'(x)=\dfrac{\ln x}{x}$이므로

$$f(x)=\int\frac{\ln x}{x}\,dx$$

$\ln x=t$로 놓으면 $\dfrac{1}{x}=\dfrac{dt}{dx}$이므로

$$f(x)=\int\frac{\ln x}{x}\,dx=\int t\,dt$$
$$=\frac{1}{2}t^2+C=\frac{1}{2}(\ln x)^2+C$$

$f(1)=\dfrac{9}{2}$이므로 $C=\dfrac{9}{2}$

$\therefore f(x)=\dfrac{1}{2}(\ln x)^2+\dfrac{9}{2}$

$f(x)=3\ln x$에서

$\dfrac{1}{2}(\ln x)^2+\dfrac{9}{2}=3\ln x$

$(\ln x)^2-6\ln x+9=0$, $(\ln x-3)^2=0$

$\ln x=3$

$\therefore x=e^3$

🔖 e^3

29 $\displaystyle\lim_{h\to 0}\frac{f(x+h)-f(x-h)}{h}$

$=\displaystyle\lim_{h\to 0}\frac{f(x+h)-f(x)-\{f(x-h)-f(x)\}}{h}$

$=\displaystyle\lim_{h\to 0}\left\{\frac{f(x+h)-f(x)}{h}+\frac{f(x-h)-f(x)}{h}\right\}$

$=f'(x)+f'(x)=2f'(x)$

즉, $2f'(x)=\dfrac{2}{x(\ln x)^3}$이므로

$$f'(x)=\frac{1}{x(\ln x)^3}$$

$\therefore f(x)=\displaystyle\int\frac{1}{x(\ln x)^3}\,dx$

$\ln x=t$로 놓으면 $\dfrac{1}{x}=\dfrac{dt}{dx}$이므로

$$f(x)=\int\frac{1}{x(\ln x)^3}\,dx$$
$$=\int\frac{1}{t^3}\,dt=\int t^{-3}\,dt$$
$$=-\frac{1}{2}t^{-2}+C=-\frac{1}{2t^2}+C$$
$$=-\frac{1}{2(\ln x)^2}+C$$

$$\therefore f(e^2)-f(e)=\left(-\frac{1}{2\times 2^2}+C\right)-\left(-\frac{1}{2\times 1^2}+C\right)$$
$$=-\frac{1}{8}+\frac{1}{2}=\frac{3}{8}$$

답 $\dfrac{3}{8}$

30
$$\int\frac{\cos^3 x}{1+\sin x}\,dx=\int\frac{\cos x\cos^2 x}{1+\sin x}\,dx$$
$$=\int\frac{\cos x(1-\sin^2 x)}{1+\sin x}\,dx$$
$$=\int\frac{\cos x(1+\sin x)(1-\sin x)}{1+\sin x}\,dx$$
$$=\int\cos x(1-\sin x)\,dx$$

$\sin x=t$로 놓으면 $\cos x=\dfrac{dt}{dx}$이므로
$$\int\frac{\cos^3 x}{1+\sin x}\,dx=\int\cos x(1-\sin x)\,dx$$
$$=\int(1-t)\,dt$$
$$=-\frac{1}{2}t^2+t+C$$
$$=-\frac{1}{2}\sin^2 x+\sin x+C$$

따라서 $a=-\dfrac{1}{2},\ b=1$이므로

$a+b=\dfrac{1}{2}$

답 $\dfrac{1}{2}$

31
$\ln x=t$로 놓으면 $\dfrac{1}{x}=\dfrac{dt}{dx}$이므로
$$f(x)=\int\frac{\sin(\ln x)}{x}\,dx$$
$$=\int\sin t\,dt$$
$$=-\cos t+C$$
$$=-\cos(\ln x)+C$$
$f(e^\pi)=0$이므로
$-\cos\pi+C=0$ $\therefore C=-1$
따라서 $f(x)=-\cos(\ln x)-1$이므로
$f(1)=-\cos 0-1=-2$

답 -2

32
$$f(x)=\int\sin^5 x\,dx=\int\sin^4 x\sin x\,dx$$
$$=\int(1-\cos^2 x)^2\sin x\,dx$$

$\cos x=t$로 놓으면 $-\sin x=\dfrac{dt}{dx}$이므로
$$f(x)=\int(1-\cos^2 x)^2\sin x\,dx$$
$$=\int\{-(1-t^2)^2\}\,dt$$
$$=\int(-t^4+2t^2-1)\,dt$$
$$=-\frac{1}{5}t^5+\frac{2}{3}t^3-t+C$$
$$=-\frac{1}{5}\cos^5 x+\frac{2}{3}\cos^3 x-\cos x+C$$

$f\left(\dfrac{\pi}{2}\right)=0$이므로 $C=0$

따라서 $f(x)=-\dfrac{1}{5}\cos^5 x+\dfrac{2}{3}\cos^3 x-\cos x$이므로

$f(0)=-\dfrac{1}{5}+\dfrac{2}{3}-1=-\dfrac{8}{15}$

답 ④

33
$f'(x)=\dfrac{x}{x^2+1}$이므로
$$f(x)=\int\frac{x}{x^2+1}\,dx$$
$(x^2+1)'=2x$이므로
$$f(x)=\int\frac{x}{x^2+1}\,dx$$
$$=\frac{1}{2}\int\frac{2x}{x^2+1}\,dx$$
$$=\frac{1}{2}\int\frac{(x^2+1)'}{x^2+1}\,dx$$
$$=\frac{1}{2}\ln(x^2+1)+C$$

$f(0)=\dfrac{1}{2}$이므로 $C=\dfrac{1}{2}$

따라서 $f(x)=\dfrac{1}{2}\ln(x^2+1)+\dfrac{1}{2}$이므로

$f(\sqrt{e-1})=\dfrac{1}{2}\ln e+\dfrac{1}{2}=1$

답 ①

34
$f'(x)=\dfrac{5^x\ln\sqrt5}{5^x+3}$이므로
$$f(x)=\int\frac{5^x\ln\sqrt5}{5^x+3}\,dx$$
$(5^x+3)'=5^x\ln 5$이므로
$$f(x)=\int\frac{5^x\ln\sqrt5}{5^x+3}\,dx$$
$$=\frac{1}{2}\int\frac{5^x\ln 5}{5^x+3}\,dx$$
$$=\frac{1}{2}\int\frac{(5^x+3)'}{5^x+3}\,dx$$
$$=\frac{1}{2}\ln(5^x+3)+C$$

$f(0)=\ln 2$이므로
$\dfrac{1}{2}\ln 4+C=\ln 2$ $\therefore C=0$

$\therefore f(x)=\dfrac{1}{2}\ln(5^x+3)$

답 $f(x)=\dfrac{1}{2}\ln(5^x+3)$

35
$f'(x)=(\cos x+\sin x)f(x)$에서 $f(x)>0$이므로
$$\frac{f'(x)}{f(x)}=\cos x+\sin x$$
양변을 x에 대하여 적분하면
$$\int\frac{f'(x)}{f(x)}\,dx=\int(\cos x+\sin x)\,dx$$
$\ln f(x)=\sin x-\cos x+C$
$f(0)=1$이므로 위의 식의 양변에 $x=0$을 대입하면
$\ln 1=-1+C$ $\therefore C=1$
즉, $\ln f(x)=\sin x-\cos x+1$이므로
$f(x)=e^{\sin x-\cos x+1}$

$$\therefore f(\pi) = e^2 \qquad \qquad \blacksquare \ e^2$$

36 $f'(x) = \dfrac{x^2+4x+1}{x+1}$ 이므로

$$f(x) = \int \frac{x^2+4x+1}{x+1}\,dx$$

$$= \int \left(x+3-\frac{2}{x+1}\right)dx$$

$$= \frac{1}{2}x^2+3x-2\ln|x+1|+C$$

$f(0) = -\dfrac{7}{2}$ 이므로 $C = -\dfrac{7}{2}$

따라서 $f(x) = \dfrac{1}{2}x^2+3x-2\ln|x+1|-\dfrac{7}{2}$ 이므로

$$f(1) = \frac{1}{2}+3-2\ln2-\frac{7}{2} = -2\ln2 \qquad \blacksquare \ -2\ln2$$

37 $\displaystyle\lim_{h\to0}\frac{f(x+h)-f(x)}{h} = f'(x)$ 이므로

$$f'(x) = \frac{1}{\sin x} = \frac{\sin x}{\sin^2 x} = \frac{\sin x}{1-\cos^2 x}$$

$$\therefore f(x) = \int \frac{\sin x}{1-\cos^2 x}\,dx$$

$\cos x = t$ 로 놓으면 $-\sin x = \dfrac{dt}{dx}$ 이므로

$$f(x) = \int \frac{\sin x}{1-\cos^2 x}\,dx$$

$$= \int \frac{1}{t^2-1}\,dt$$

$$= \int \frac{1}{(t-1)(t+1)}\,dt$$

$$= \frac{1}{2}\int \left(\frac{1}{t-1}-\frac{1}{t+1}\right)dt$$

$$= \frac{1}{2}(\ln|t-1|-\ln|t+1|)+C$$

$$= \frac{1}{2}\ln\left|\frac{t-1}{t+1}\right|+C$$

$$= \frac{1}{2}\ln\left|\frac{\cos x-1}{\cos x+1}\right|+C$$

$f\left(\dfrac{\pi}{2}\right) = 0$ 이므로

$$\frac{1}{2}\ln\left|\frac{\cos\frac{\pi}{2}-1}{\cos\frac{\pi}{2}+1}\right|+C = 0 \qquad \therefore C = 0$$

따라서 $f(x) = \dfrac{1}{2}\ln\left|\dfrac{\cos x-1}{\cos x+1}\right|$ 이므로

$$f\left(\frac{\pi}{3}\right) = \frac{1}{2}\ln\left|\frac{\cos\frac{\pi}{3}-1}{\cos\frac{\pi}{3}+1}\right|$$

$$= \frac{1}{2}\ln\frac{1}{3} = -\frac{\ln3}{2} \qquad \blacksquare \ -\frac{\ln3}{2}$$

38 $\dfrac{2x-8}{x^2+4x-5} = \dfrac{2x-8}{(x+5)(x-1)} = \dfrac{A}{x+5}+\dfrac{B}{x-1}$

라 하면

$$\frac{2x-8}{(x+5)(x-1)} = \frac{(A+B)x-(A-5B)}{(x+5)(x-1)} \text{에서}$$

$A+B=2,\ A-5B=8$

두 식을 연립하여 풀면

$A=3,\ B=-1$

$$\therefore \int \frac{2x-8}{x^2+4x-5}\,dx$$

$$= \int \left(\frac{3}{x+5}-\frac{1}{x-1}\right)dx$$

$$= 3\ln|x|5| \ \ \ln|x-1|+C \qquad \blacksquare \ ④$$

39 $f'(x) = x\ln x+\dfrac{3}{2}x$ 이므로

$$f(x) = \int \left(x\ln x+\frac{3}{2}x\right)dx$$

$$= \int x\ln x\,dx+\int \frac{3}{2}x\,dx \qquad \cdots\cdots\ \bigcirc$$

$\displaystyle\int x\ln x\,dx$ 에서 $u(x)=\ln x,\ v'(x)=x$ 로 놓으면

$u'(x) = \dfrac{1}{x},\ v(x) = \dfrac{1}{2}x^2$ 이므로

$$\int x\ln x\,dx = \ln x\times\frac{1}{2}x^2-\int \frac{1}{x}\times\frac{1}{2}x^2\,dx$$

$$= \frac{1}{2}x^2\ln x-\int \frac{1}{2}x\,dx$$

$$= \frac{1}{2}x^2\ln x-\frac{1}{4}x^2+C_1 \qquad \cdots\cdots\ \bigcirc\!\!\!\!\bigcirc$$

$\bigcirc\!\!\!\!\bigcirc$ 을 $\bigcirc$ 에 대입하면

$$f(x) = \frac{1}{2}x^2\ln x-\frac{1}{4}x^2+\frac{3}{4}x^2+C$$

$$= \frac{1}{2}x^2\ln x+\frac{1}{2}x^2+C$$

$f(1) = \dfrac{1}{2}$ 이므로

$$\frac{1}{2}+C = \frac{1}{2} \qquad \therefore C = 0$$

따라서 $f(x) = \dfrac{1}{2}x^2\ln x+\dfrac{1}{2}x^2$ 이므로

$$f(e) = \frac{1}{2}e^2\ln e+\frac{1}{2}e^2 = e^2 \qquad \blacksquare \ e^2$$

40 $\displaystyle\int \ln x^2\,dx = 2\int \ln|x|\,dx$

$$= 2x\ln x-2\int 1\,dx \ (\because x>0)$$

$$= 2x\ln x-2x+C$$

함수 $f(x)$ 가 $x=1$ 에서 연속이므로 $\displaystyle\lim_{x\to1}f(x) = 3$ 이어야 한다.

$$\lim_{x\to1}\int \ln x^2\,dx = \lim_{x\to1}(2x\ln x-2x+C)$$

$$= -2+C = 3$$

$\therefore C = 5$

따라서 $x\neq1$ 일 때, $f(x) = 2x\ln x-2x+5$ 이므로

$$f(2) = 4\ln2+1 \qquad \blacksquare \ ⑤$$

41 $\{e^{f(x)}\}' = 3xe^{f(x)+x}$ 에서

$$f'(x)\times e^{f(x)} = 3xe^x\times e^{f(x)}$$

즉, $f'(x) = 3xe^x$ 이므로

$$f(x) = \int 3xe^x\,dx$$

11. 여러 가지 적분법 **081**

$u(x)=x$, $v'(x)=e^x$으로 놓으면

$u'(x)=1$, $v(x)=e^x$이므로

$$f(x)=\int 3xe^x\,dx$$
$$=3\left(xe^x-\int e^x\,dx\right)$$
$$=3(xe^x-e^x)+C$$
$$=3(x-1)e^x+C$$

$f(1)=e$이므로 $C=e$

따라서 $f(x)=3(x-1)e^x+e$이므로

$f(\pi)=3(\pi-1)e^\pi+e$ 🔲 $3(\pi-1)e^\pi+e$

42 $\cos x=t$로 놓으면 $-\sin x=\dfrac{dt}{dx}$이므로

$$f(x)=\int \sin x\ln(\cos x)\,dx=-\int \ln t\,dt$$

$-\int \ln t\,dt$에서 $u(t)=\ln t$, $v'(t)=1$로 놓으면

$u'(t)=\dfrac{1}{t}$, $v(t)=t$이므로

$$f(x)=-\int \ln t\,dt$$
$$=-t\ln t+\int 1\,dt$$
$$=-t\ln t+t+C$$
$$=-\cos x\ln(\cos x)+\cos x+C$$

$f(0)=2$이므로

$-1\times \ln 1+1+C=2$ $\therefore C=1$

따라서 $f(x)=-\cos x\ln(\cos x)+\cos x+1$이므로

$$f\left(\frac{\pi}{3}\right)=-\frac{1}{2}\ln\frac{1}{2}+\frac{1}{2}+1$$
$$=\frac{1}{2}\ln 2+\frac{3}{2}$$ 🔲 ⑤

43 $u(x)=\cos x$, $v'(x)=e^x$으로 놓으면

$u'(x)=-\sin x$, $v(x)=e^x$이므로

$$f(x)=\int e^x\cos x\,dx$$
$$=e^x\cos x+\int e^x\sin x\,dx \quad\cdots\cdots ㉠$$

$\int e^x\sin x\,dx$에서

$p(x)=\sin x$, $q'(x)=e^x$으로 놓으면

$p'(x)=\cos x$, $q(x)=e^x$이므로

$$\int e^x\sin x\,dx=e^x\sin x-\int e^x\cos x\,dx$$
$$=e^x\sin x-f(x)+C_1 \quad\cdots\cdots ㉡$$

㉡을 ㉠에 대입하면

$$f(x)=e^x\cos x+e^x\sin x-f(x)+C_1$$
$$2f(x)=e^x(\sin x+\cos x)+C_1$$
$$\therefore f(x)=\frac{1}{2}e^x(\sin x+\cos x)+C$$

$f(0)=\dfrac{1}{2}$이므로

$\dfrac{1}{2}\times 1\times(0+1)+C=\dfrac{1}{2}$ $\therefore C=0$

즉, $f(x)=\dfrac{1}{2}e^x(\sin x+\cos x)$이므로

$$f(\pi)=\frac{1}{2}e^\pi(\sin \pi+\cos \pi)$$
$$=-\frac{1}{2}e^\pi$$ 🔲 $-\dfrac{1}{2}e^\pi$

44 $x^2f'(x)+2xf(x)=\{x^2f(x)\}'$이므로

$x^2f'(x)+2xf(x)=x(\ln x)^2$의 양변을 x에 대하여 적분하면

$$x^2f(x)=\int x(\ln x)^2\,dx$$

$u(x)=(\ln x)^2$, $v'(x)=x$로 놓으면

$u'(x)=\dfrac{2}{x}\ln x$, $v(x)=\dfrac{1}{2}x^2$이므로

$$x^2f(x)=\int x(\ln x)^2\,dx$$
$$=\frac{1}{2}x^2(\ln x)^2-\int x\ln x\,dx \quad\cdots\cdots ㉠$$

$\int x\ln x\,dx$에서 $p(x)=\ln x$, $q'(x)=x$로 놓으면

$p'(x)=\dfrac{1}{x}$, $q(x)=\dfrac{1}{2}x^2$이므로

$$\int x\ln x\,dx=\frac{1}{2}x^2\ln x-\int \frac{1}{2}x\,dx$$
$$=\frac{1}{2}x^2\ln x-\frac{1}{4}x^2+C_1 \quad\cdots\cdots ㉡$$

㉡을 ㉠에 대입하면

$$x^2f(x)=\frac{1}{2}x^2(\ln x)^2-\left(\frac{1}{2}x^2\ln x-\frac{1}{4}x^2+C_1\right)$$
$$=\frac{1}{2}x^2(\ln x)^2-\frac{1}{2}x^2\ln x+\frac{1}{4}x^2+C$$

$f(1)=\dfrac{1}{4}$이므로 위의 식의 양변에 $x=1$을 대입하면

$\dfrac{1}{4}=\dfrac{1}{4}+C$ $\therefore C=0$

따라서 $f(x)=\dfrac{1}{2}(\ln x)^2-\dfrac{1}{2}\ln x+\dfrac{1}{4}$이므로

$f(e^2)=\dfrac{1}{2}\times 4-\dfrac{1}{2}\times 2+\dfrac{1}{4}=\dfrac{5}{4}$ 🔲 $\dfrac{5}{4}$

45 $f(x)+xf'(x)=\{xf(x)\}'$이므로

$f(x)+xf'(x)=\dfrac{1}{\sqrt{x}}-\dfrac{2}{x}$의 양변을 x에 대하여 적분하면

$$xf(x)=\int\left(\frac{1}{\sqrt{x}}-\frac{2}{x}\right)dx$$
$$=\int\left(x^{-\frac{1}{2}}-\frac{2}{x}\right)dx$$
$$=2\sqrt{x}-2\ln x+C$$

$f(1)=-2$이므로 위의 식의 양변에 $x=1$을 대입하면

$1\times(-2)=2-0+C$ $\therefore C=-4$

즉, $xf(x)=2\sqrt{x}-2\ln x-4$이므로

$$f(x)=\frac{2}{\sqrt{x}}-\frac{2\ln x}{x}-\frac{4}{x}$$

$\therefore f(4)=\dfrac{2}{2}-\dfrac{2\ln 4}{4}-1=-\ln 2$ 🔲 $-\ln 2$

46 $f(xy)=f(x)+f(y)+\dfrac{1}{4}$에 $x=y=1$을 대입하면

$$f(1)=f(1)+f(1)+\frac{1}{4}$$

$$\therefore f(1)=-\frac{1}{4}$$

$$f'(x)=\lim_{h\to 0}\frac{f(x+h)-f(x)}{h}$$

$$=\lim_{h\to 0}\frac{f(x)+f\left(1+\frac{h}{x}\right)+\frac{1}{4}-f(x)}{h}$$

$$=\lim_{h\to 0}\left\{\frac{f\left(1+\frac{h}{x}\right)-f(1)}{\frac{h}{x}}\times\frac{1}{x}\right\}$$

$$=f'(1)\times\frac{1}{x}$$

$$f'\left(\frac{1}{2}\right)=2f'(1)\quad\therefore f'(1)=\frac{1}{2}f'\left(\frac{1}{2}\right)=\frac{\sqrt{e}}{2}$$

$$f'(x)=\frac{\sqrt{e}}{2}\times\frac{1}{x}\text{이므로}$$

$$f(x)=\frac{\sqrt{e}}{2}\int\frac{1}{x}dx=\frac{\sqrt{e}}{2}\ln x+C$$

$$f(1)=-\frac{1}{4}\text{이므로}\ C=-\frac{1}{4}$$

$$\text{따라서}\ f(x)=\frac{\sqrt{e}}{2}\ln x-\frac{1}{4}\text{이므로}$$

$$f(e^2)=\frac{\sqrt{e}}{2}\times 2-\frac{1}{4}=\sqrt{e}-\frac{1}{4}\qquad \text{답 ②}$$

47 $f(x)=\displaystyle\int(x-1)(x+1)^3\,dx$에서

$x+1=t$로 놓으면 $x=t-1$이고, $1=\dfrac{dt}{dx}$이므로

$$f(x)=\int(x-1)(x+1)^3\,dx$$

$$=\int(t-2)t^3\,dt$$

$$=\int(t^4-2t^3)\,dt$$

$$=\frac{1}{5}t^5-\frac{1}{2}t^4+C_1$$

$$=\frac{1}{5}(x+1)^5-\frac{1}{2}(x+1)^4+C_1$$

$g(x)=\displaystyle\int\frac{x-3}{(x-1)^3}\,dx$에서

$x-1=s$로 놓으면 $x=s+1$이고, $1=\dfrac{ds}{dx}$이므로

$$g(x)=\int\frac{x-3}{(x-1)^3}\,dx$$

$$=\int\frac{s-2}{s^3}\,ds$$

$$=\int\left(\frac{1}{s^2}-\frac{2}{s^3}\right)ds$$

$$=-\frac{1}{s}+\frac{1}{s^2}+C_2$$

$$=-\frac{1}{x-1}+\frac{1}{(x-1)^2}+C_2$$

$$\therefore h(x)$$
$$=f(x)+g(x)$$
$$=\frac{1}{5}(x+1)^5-\frac{1}{2}(x+1)^4-\frac{1}{x-1}+\frac{1}{(x-1)^2}+C$$

$h(0)=\dfrac{1}{5}$이므로

$$\frac{1}{5}-\frac{1}{2}+1+1+C=\frac{1}{5}\qquad\therefore C=-\frac{3}{2}$$

따라서

$$h(x)=\frac{1}{5}(x+1)^5-\frac{1}{2}(x+1)^4-\frac{1}{x-1}+\frac{1}{(x-1)^2}-\frac{3}{2}$$

이므로

$$h(-1)=\frac{1}{2}+\frac{1}{4}-\frac{3}{2}=-\frac{3}{4}\qquad\text{답}\ -\frac{3}{4}$$

48 $f'(x)=\dfrac{1}{x(x+1)^2}$이므로 $f(x)=\displaystyle\int\frac{1}{x(x+1)^2}\,dx$

$$\frac{1}{x(x+1)^2}=\frac{A}{x}+\frac{B}{x+1}+\frac{C}{(x+1)^2}\text{ 라 하면}$$

$$\frac{1}{x(x+1)^2}=\frac{A(x+1)^2+Bx(x+1)+Cx}{x(x+1)^2}\text{에서}$$

$1=(A+B)x^2+(2A+B+C)x+A$이므로

$A+B=0,\ 2A+B+C=0,\ A=1$

세 식을 연립하여 풀면 $A=1,\ B=-1,\ C=-1$

즉, $\dfrac{1}{x(x+1)^2}=\dfrac{1}{x}-\dfrac{1}{x+1}-\dfrac{1}{(x+1)^2}$이므로

$$f(x)=\int\frac{1}{x(x+1)^2}\,dx$$

$$=\int\left\{\frac{1}{x}-\frac{1}{x+1}-\frac{1}{(x+1)^2}\right\}dx$$

$$=\ln|x|-\ln|x+1|+\frac{1}{x+1}+C$$

$f(1)=\dfrac{1}{2}$이므로

$$-\ln 2+\frac{1}{2}+C=\frac{1}{2}\qquad\therefore C=\ln 2$$

따라서 $f(x)=\ln|x|-\ln|x+1|+\dfrac{1}{x+1}+\ln 2$이므로

$$f(2)=\ln 2-\ln 3+\frac{1}{3}+\ln 2=\ln\frac{4}{3}+\frac{1}{3}\qquad\text{답 ②}$$

49 조건 ㈎에서 $\displaystyle\lim_{h\to 0}\frac{g(x+h)-g(x)}{h}=g'(x)$이므로

$$g'(x)=f(x)$$

조건 ㈏에서 $g(x)=(x+2)f(x)-x^2e^x$의 양변을 x에 대하여 미분하면

$$g'(x)=f(x)+(x+2)f'(x)-2xe^x-x^2e^x$$

즉, $f(x)=f(x)+(x+2)f'(x)-xe^x(x+2)$이므로

$$f'(x)=xe^x\qquad\therefore f(x)=\int xe^x\,dx$$

$u(x)=x,\ v'(x)=e^x$으로 놓으면

$u'(x)=1,\ v(x)=e^x$이므로

$$f(x)=\int xe^x\,dx$$

$$=xe^x-\int e^x\,dx$$

$$=xe^x-e^x+C$$

조건 ㈐에서 $f'(1)=f(1)$이므로 $C=e$

$$\therefore f(x)=e^x(x-1)+e$$

조건 ㈏에서 $g(x)=(x+2)f(x)-x^2e^x$이므로

$$g(0)=2f(0)=2(e-1)=2e-2\qquad\text{답}\ 2e-2$$

50 $\ln x=t$로 놓으면 $x=e^t$에서 $1=e^t\dfrac{dt}{dx}$이므로

$$f(x)=\int \sin(\ln x)\,dx=\int e^t\sin t\,dt$$

$I(t)=\int e^t\sin t\,dt$로 놓고

$u(t)=e^t,\ v'(t)=\sin t$로 놓으면

$u'(t)=e^t,\ v(t)=-\cos t$이므로

$$I(t)=\int e^t\sin t\,dt$$
$$=-e^t\cos t+\int e^t\cos t\,dt \quad\cdots\cdots \text{㉠}$$

$\int e^t\cos t\,dt$에서 $p(t)=e^t,\ q'(t)=\cos t$로 놓으면

$p'(t)=e^t,\ q(t)=\sin t$이므로

$$\int e^t\cos t\,dt=e^t\sin t-\int e^t\sin t\,dt$$
$$=e^t\sin t-I(t) \quad\cdots\cdots \text{㉡}$$

㉡을 ㉠에 대입하면

$$I(t)=-e^t\cos t+e^t\sin t-I(t)$$
$$2I(t)=e^t(\sin t-\cos t)$$
$$\therefore I(t)=\frac{1}{2}e^t(\sin t-\cos t)+C$$

$f(1)=\dfrac{1}{2}$에서 $x=1$일 때 $t=0$이므로

$$I(0)=\frac{1}{2},\ \ \text{즉} \ -\frac{1}{2}+C=\frac{1}{2} \quad \therefore C=1$$

따라서 $I(t)=\dfrac{1}{2}e^t(\sin t-\cos t)+1$이고, $x=e^\pi$일 때

$t=\pi$이므로

$$f(e^\pi)=I(\pi)=\frac{1}{2}e^\pi+1 \qquad\qquad \text{답}\ \frac{1}{2}e^\pi+1$$

---

12 정적분

01
$$\int_0^\pi (e^{4x}-\sin x)\,dx=\left[\frac{1}{4}e^{4x}+\cos x\right]_0^\pi$$
$$=\left(\frac{1}{4}e^{4\pi}-1\right)-\left(\frac{1}{4}+1\right)$$
$$=\frac{1}{4}(e^{4\pi}-9) \qquad\qquad \text{답}\ ①$$

02
$$\int_{-\ln 2}^{\ln 2} f(x)\,dx=\int_{-\ln 2}^0 e^{2x}\,dx+\int_0^{\ln 2} e^x\,dx$$
$$=\left[\frac{1}{2}e^{2x}\right]_{-\ln 2}^0+\left[e^x\right]_0^{\ln 2}$$
$$=\left(\frac{1}{2}-\frac{1}{8}\right)+(2-1)$$
$$=\frac{11}{8} \qquad\qquad \text{답}\ \frac{11}{8}$$

03 $e^x-1=0$에서 $x=0$이므로

$$|e^x-1|=\begin{cases}1-e^x & (-1\le x\le 0)\\ e^x-1 & (0\le x\le 1)\end{cases}$$

$$\therefore \int_{-1}^1 |e^x-1|\,dx=\int_{-1}^0 (1-e^x)\,dx+\int_0^1 (e^x-1)\,dx$$
$$=\left[x-e^x\right]_{-1}^0+\left[e^x-x\right]_0^1$$
$$=e^{-1}+(e-2)$$
$$=e+\frac{1}{e}-2 \qquad\qquad \text{답}\ e+\frac{1}{e}-2$$

04 $x^2=t$로 놓으면 $2x=\dfrac{dt}{dx}$이고,

$x=0$일 때 $t=0$, $x=1$일 때 $t=1$이므로

$$2\int_0^1 xe^{-x^2}\,dx=2\int_0^1 e^{-t}\cdot\frac{1}{2}\,dt$$
$$=\int_0^1 e^{-t}\,dt=\left[-e^{-t}\right]_0^1$$
$$=-\frac{1}{e}+1 \qquad\qquad \text{답}\ -\frac{1}{e}+1$$

05 $\ln x=t$로 놓으면 $\dfrac{1}{x}=\dfrac{dt}{dx}$이고,

$x=e$일 때 $t=1$, $x=e^3$일 때 $t=3$이므로

$$\int_e^{e^3}\frac{\ln x}{x}\,dx=\int_1^3 t\,dt=\left[\frac{1}{2}t^2\right]_1^3$$
$$=\frac{1}{2}(9-1)=4 \qquad\qquad \text{답}\ 4$$

06 $\cos x=t$로 놓으면 $-\sin x=\dfrac{dt}{dx}$이고,

$x=0$일 때 $t=1$, $x=\pi$일 때 $t=-1$이므로

$$\int_0^\pi (1-\cos^3 x)\cos x\sin x\,dx$$
$$=\int_1^{-1}(1-t^3)t\cdot(-1)\,dt=\int_{-1}^1 t(1-t^3)\,dt$$
$$=\int_{-1}^1 (t-t^4)\,dt=2\int_0^1 (-t^4)\,dt$$
$$=2\left[-\frac{t^5}{5}\right]_0^1=-\frac{2}{5} \qquad\qquad \text{답}\ -\frac{2}{5}$$

084 아샘 Hi High 미적분

07

$f(x)=x$, $g'(x)=\sin x$로 놓으면 $f'(x)=1$, $g(x)=-\cos x$

$\therefore \int_{2\pi}^{3\pi} x\sin x\,dx=\Big[-x\cos x\Big]_{2\pi}^{3\pi}-\int_{2\pi}^{3\pi}(-\cos x)\,dx$

$\qquad =5\pi-\int_{2\pi}^{3\pi}(-\cos x)\,dx$

$\qquad =5\pi+\Big[\sin x\Big]_{2\pi}^{3\pi}=5\pi$ **답** ⑤

08

$\int_0^2 f(t)\,dt=k$ (k는 상수)로 놓으면

$f(x)=e^x+k$

$k=\int_0^2(e^t+k)\,dt=\Big[e^t+kt\Big]_0^2=e^2+2k-1$

즉, $k=e^2+2k-1$이므로 $k=1-e^2$

따라서 $f(x)=e^x+1-e^2$이므로

$f(2)=e^2+1-e^2=1$ **답** 1

09

$\int_0^1 \dfrac{x-2}{x-3}\,dx=\int_0^1\Big(1+\dfrac{1}{x-3}\Big)dx$

$\qquad =\Big[x+\ln|x-3|\Big]_0^1$

$\qquad =(1+\ln 2)-\ln 3$

$\qquad =1+\ln\dfrac{2}{3}$ **답** ②

10

$\int_0^{\frac{\pi}{2}}(\sin x+\cos x)^2\,dx-\int_{\frac{\pi}{2}}^0(\sin x-\cos x)^2\,dx$

$=\int_0^{\frac{\pi}{2}}(\sin x+\cos x)^2\,dx+\int_0^{\frac{\pi}{2}}(\sin x-\cos x)^2\,dx$

$=\int_0^{\frac{\pi}{2}}\{(\sin x+\cos x)^2+(\sin x-\cos x)^2\}\,dx$

$=\int_0^{\frac{\pi}{2}}2(\sin^2 x+\cos^2 x)\,dx$

$=2\int_0^{\frac{\pi}{2}}1\,dx=2\Big[x\Big]_0^{\frac{\pi}{2}}$

$=2\times\dfrac{\pi}{2}=\pi$ **답** π

11

$a_1+a_2+a_3+\cdots+a_n=\int_0^{\ln(n+2)}(e^x+1)\,dx$ $\cdots\cdots$ ㉠

㉠에 $n=10$을 대입하면

$a_1+a_2+a_3+\cdots+a_{10}=\int_0^{\ln 12}(e^x+1)\,dx$ $\cdots\cdots$ ㉡

㉠에 $n=9$를 대입하면

$a_1+a_2+a_3+\cdots+a_9=\int_0^{\ln 11}(e^x+1)\,dx$ $\cdots\cdots$ ㉢

㉡$-$㉢을 하면

$a_{10}=\int_0^{\ln 12}(e^x+1)\,dx-\int_0^{\ln 11}(e^x+1)\,dx$

$\qquad =\int_{\ln 11}^0(e^x+1)\,dx+\int_0^{\ln 12}(e^x+1)\,dx$

$\qquad =\int_{\ln 11}^{\ln 12}(e^x+1)\,dx=\Big[e^x+x\Big]_{\ln 11}^{\ln 12}$

$\qquad =(12+\ln 12)-(11+\ln 11)$

$\qquad =1+\ln\dfrac{12}{11}$

$\qquad =\ln\dfrac{12}{11}e$

즉, $\ln\dfrac{12}{11}e=\ln k$이므로

$k=\dfrac{12}{11}e$ **답** $\dfrac{12}{11}e$

12

함수 $f(x)$는 $x=0$에서 연속이므로

$\lim\limits_{x\to 0-}(e^x+a)=\lim\limits_{x\to 0+}\sqrt[3]{x}=f(0)$에서

$1+a=0$ $\therefore a=-1$

즉, $f(x)=\begin{cases} e^x-1 & (x<0) \\ \sqrt[3]{x} & (x\geq 0)\end{cases}$ 이므로

$\int_1^2 f(x)\,dx-\int_{-1}^2 f(x)\,dx$

$=\int_1^2 f(x)\,dx+\int_2^{-1}f(x)\,dx$

$=\int_1^{-1}f(x)\,dx=-\int_{-1}^1 f(x)\,dx$

$=-\Big\{\int_{-1}^0(e^x-1)\,dx+\int_0^1\sqrt[3]{x}\,dx\Big\}$

$=-\Big(\Big[e^x-x\Big]_{-1}^0+\Big[\dfrac{3}{4}x^{\frac{4}{3}}\Big]_0^1\Big)$

$=-\Big(-\dfrac{1}{e}+\dfrac{3}{4}\Big)$

$=\dfrac{1}{e}-\dfrac{3}{4}$ **답** ①

13

$f'(x)=\begin{cases}\sin 2x & (x<0) \\ 2x & (x\geq 0)\end{cases}$ 에서

$f(x)=\begin{cases}-\dfrac{1}{2}\cos 2x+C_1 & (x<0) \\ x^2+C_2 & (x\geq 0)\end{cases}$

$f(1)=2$이므로 $1+C_2=2$ $\therefore C_2=1$

함수 $f(x)$는 $x=0$에서 연속이므로

$\lim\limits_{x\to 0-}\Big(-\dfrac{1}{2}\cos 2x+C_1\Big)=\lim\limits_{x\to 0+}(x^2+1)=f(0)$에서

$-\dfrac{1}{2}+C_1=1$ $\therefore C_1=\dfrac{3}{2}$

즉, $f(x)=\begin{cases}-\dfrac{1}{2}\cos 2x+\dfrac{3}{2} & (x<0) \\ x^2+1 & (x>0)\end{cases}$ 이므로

$\int_{-2\pi}^3 f(x)\,dx$

$=\int_{-2\pi}^0\Big(-\dfrac{1}{2}\cos 2x+\dfrac{3}{2}\Big)dx+\int_0^3(x^2+1)\,dx$

$=\Big[-\dfrac{1}{4}\sin 2x+\dfrac{3}{2}x\Big]_{-2\pi}^0+\Big[\dfrac{1}{3}x^3+x\Big]_0^3$

$=3\pi+12$ **답** $3\pi+12$

14

$\int_{-1}^1 f'(x)\,dx=f(1)-f(-1)$이므로

$\int_{-1}^1|e^x-1|\,dx=f(1)-3$

$\therefore f(1)=3+\int_{-1}^1|e^x-1|\,dx$

$|e^x-1|=\begin{cases}1-e^x & (x<0) \\ e^x-1 & (x\geq 0)\end{cases}$ 이므로

$$f(1)=3+\int_{-1}^{0}(1-e^x)\,dx+\int_{0}^{1}(e^x-1)\,dx$$
$$=3+\Big[x-e^x\Big]_{-1}^{0}+\Big[e^x-x\Big]_{0}^{1}$$
$$=3+e^{-1}+(e-2)$$
$$=e+\frac{1}{e}+1$$

图 $e+\dfrac{1}{e}+1$

15 $f(x)=x(e^x+e^{-x})$으로 놓으면
$$f(-x)=-x(e^x+e^{-x})=-f(x)$$
이므로 $f(x)=x(e^x+e^{-x})$은 기함수이다.
$$\therefore \int_{-2}^{2}x(e^x+e^{-x})\,dx=0$$

图 ①

다른 풀이

$y=x$는 기함수, $y=e^x+e^{-x}$은 우함수이므로
$y=x(e^x+e^{-x})$은 기함수이다.
$$\therefore \int_{-2}^{2}x(e^x+e^{-x})\,dx=0$$

참고

일반적으로 (우함수)와 (기함수)를 연산하면 다음과 같다.
(우함수)±(우함수) ➡ 우함수
(기함수)±(기함수) ➡ 기함수
(우함수)±(기함수) ➡ 우함수도 기함수도 아니다.
(우함수)×(우함수) ➡ 우함수
(기함수)×(기함수) ➡ 우함수
(우함수)×(기함수) ➡ 기함수

16 $f(x)+f(-x)=0$의 양변에 $x=0$을 대입하면
$$f(0)+f(0)=0 \quad \therefore f(0)=0$$
또 $f(x)=-f(-x)$에서 $f(x)$는 기함수이므로 $f'(x)$는 우함수이다.
$$\int_{-3}^{3}f'(x)(1-\sin x)\,dx$$
$$=\int_{-3}^{3}f'(x)\,dx-\int_{-3}^{3}f'(x)\sin x\,dx$$
$g(x)=f'(x)\sin x$로 놓으면
$$g(-x)=f'(-x)\sin(-x)=-f'(x)\sin x=-g(x)$$
이므로 $g(x)=f'(x)\sin x$는 기함수이다.
$$\therefore \int_{-3}^{3}f'(x)\,dx-\int_{-3}^{3}f'(x)\sin x\,dx$$
$$=2\int_{0}^{3}f'(x)\,dx$$
$$=2\{f(3)-f(0)\}$$
$$=2\times 2=4$$

图 4

17 $$\int_{-1}^{1}(\sin x+2)f(x)\,dx$$
$$=\int_{-1}^{1}f(x)\sin x\,dx+\int_{-1}^{1}2f(x)\,dx$$
$f(x)$는 우함수이고, $g(x)=f(x)\sin x$로 놓으면
$$g(-x)=f(-x)\sin(-x)=-f(x)\sin x=-g(x)$$
이므로 $g(x)=f(x)\sin x$는 기함수이다.
$$\therefore \int_{-1}^{1}f(x)\sin x\,dx+\int_{-1}^{1}2f(x)\,dx=4\int_{0}^{1}f(x)\,dx$$
$$=4\times 5=20$$

图 20

18 $x^2+2=t$로 놓으면 $2x=\dfrac{dt}{dx}$이고,
$x=0$일 때 $t=2$, $x=a$일 때 $t=a^2+2$이므로
$$\int_{0}^{a}\frac{2x}{x^2+2}\,dx=\int_{2}^{a^2+2}\frac{1}{t}\,dt$$
$$=\Big[\ln|t|\Big]_{2}^{a^2+2}$$
$$=\ln(a^2+2)-\ln 2$$
$$=\ln\frac{a^2+2}{2}$$
즉, $\ln\dfrac{a^2+2}{2}=\ln 3$이므로
$$\frac{a^2+2}{2}=3,\ a^2=4$$
$$\therefore a=2\ (\because a>0)$$

图 2

19 $\sqrt{x-2}=t$로 놓으면 $t^2+2=x$에서 $2t=\dfrac{dx}{dt}$이고,
$x=3$일 때 $t=1$, $x=6$일 때 $t=2$이므로
$$\int_{3}^{6}\frac{x}{\sqrt{x-2}}\,dx=\int_{1}^{2}\frac{t^2+2}{t}\cdot 2t\,dt$$
$$=2\int_{1}^{2}(t^2+2)\,dt$$
$$=2\Big[\frac{1}{3}t^3+2t\Big]_{1}^{2}$$
$$=2\times\frac{13}{3}=\frac{26}{3}$$
$$\therefore p+q=3+26=29$$

图 29

20 $$\int_{0}^{1}(x+2)^2e^x\,dx-\int_{0}^{1}(x-2)^2e^x\,dx$$
$$=\int_{0}^{1}e^x\{(x+2)^2-(x-2)^2\}\,dx$$
$$=\int_{0}^{1}8xe^x\,dx$$
$x^2=t$로 놓으면 $2x=\dfrac{dt}{dx}$이고,
$x=0$일 때 $t=0$, $x=1$일 때 $t=1$이므로
$$\int_{0}^{1}8xe^x\,dx=\int_{0}^{1}4e^t\,dt$$
$$=\Big[4e^t\Big]_{0}^{1}$$
$$=4e-4$$

图 ①

21 $$\ln 3\int_{0}^{2}\frac{9^x}{9^x+3^x}\,dx=\ln 3\int_{0}^{2}\frac{3^{2x}}{3^{2x}+3^x}\,dx$$
$$=\ln 3\int_{0}^{2}\frac{3^x}{3^x+1}\,dx$$
$3^x+1=t$로 놓으면 $3^x\ln 3=\dfrac{dt}{dx}$이고,
$x=0$일 때 $t=2$, $x=2$일 때 $t=10$이므로
$$\ln 3\int_{0}^{2}\frac{3^x}{3^x+1}\,dx=\int_{2}^{10}\frac{1}{t}\,dt$$
$$=\Big[\ln|t|\Big]_{2}^{10}$$
$$=\ln 5$$

图 ④

22

$$\int_1^{e^2} \ln \sqrt[x]{x}\, dx = \int_1^{e^2} \frac{1}{x} \ln x\, dx$$

$\ln x = t$로 놓으면 $\dfrac{1}{x} = \dfrac{dt}{dx}$이고,

$x=1$일 때 $t=0$, $x=e^2$일 때 $t=2$이므로

$$\int_1^{e^2} \frac{1}{x} \ln x\, dx = \int_0^2 t\, dt = \left[\frac{1}{2}t^2\right]_0^2 = 2$$
답 2

23

$\ln x = t$로 놓으면 $\dfrac{1}{x} = \dfrac{dt}{dx}$이고,

$x=1$일 때 $t=0$, $x=e$일 때 $t=1$이므로

$$\int_1^e \frac{(2-3\ln x)\ln x}{x}\, dx = \int_0^1 (2-3t)t\, dt$$
$$= \int_0^1 (2t - 3t^2)\, dt$$
$$= \left[t^2 - t^3\right]_0^1 = 0$$
답 ①

24

$\sin x = t$로 놓으면 $\cos x = \dfrac{dt}{dx}$이고,

$x=\dfrac{\pi}{6}$일 때 $t=\dfrac{1}{2}$, $x=\dfrac{\pi}{2}$일 때 $t=1$이므로

$$\int_{\frac{\pi}{6}}^{\frac{\pi}{2}} \frac{\cos x(1+\sin x)}{\sin^2 x}\, dx = \int_{\frac{1}{2}}^1 \frac{1+t}{t^2}\, dt$$
$$= \int_{\frac{1}{2}}^1 \left(\frac{1}{t^2} + \frac{1}{t}\right) dt$$
$$= \left[-\frac{1}{t} + \ln|t|\right]_{\frac{1}{2}}^1$$
$$= 1 + \ln 2$$
답 ④

25

$$\int_0^{\frac{\pi}{2}} \frac{\sin x}{1+\cos x}\, dx - \int_{\frac{\pi}{2}}^0 \frac{\sin x}{1+\cos x}\, dx$$
$$= \int_0^{\frac{\pi}{2}} \frac{\sin x}{1+\cos x}\, dx + \int_0^{\frac{\pi}{2}} \frac{\sin x}{1+\cos x}\, dx$$
$$= 2\int_0^{\frac{\pi}{2}} \frac{\sin x}{1+\cos x}\, dx$$

$1+\cos x = t$로 놓으면 $-\sin x = \dfrac{dt}{dx}$이고,

$x=0$일 때 $t=2$, $x=\dfrac{\pi}{2}$일 때 $t=1$이므로

$$2\int_0^{\frac{\pi}{2}} \frac{\sin x}{1+\cos x}\, dx = 2\int_2^1 \left(-\frac{1}{t}\right) dt = 2\int_1^2 \frac{1}{t}\, dt$$
$$= 2\left[\ln|t|\right]_1^2$$
$$= 2\ln 2$$
답 $2\ln 2$

26

$\sin\theta = t$로 놓으면 $\cos\theta = \dfrac{dt}{d\theta}$이고,

$\theta=0$일 때 $t=0$, $\theta=\dfrac{\pi}{2}$일 때 $t=1$이므로

$$\int_0^{\frac{\pi}{2}} f(\sin\theta)\cos\theta\, d\theta = \int_0^1 f(t)\, dt = \int_0^1 (e^t - et + 1)\, dt$$
$$= \left[e^t - \frac{1}{2}et^2 + t\right]_0^1$$
$$= \frac{1}{2}e$$
답 $\dfrac{1}{2}e$

27

$\cos x = t$로 놓으면 $-\sin x = \dfrac{dt}{dx}$이고,

$x=0$일 때 $t=1$, $x=\dfrac{\pi}{2}$일 때 $t=0$이므로

$$\int_0^{\frac{\pi}{2}} \frac{2\sin x}{1+\cos^2 x}\, dx = \int_1^0 \left(-\frac{2}{1+t^2}\right) dt = 2\int_0^1 \frac{1}{1+t^2}\, dt$$

$t=\tan\theta \left(-\dfrac{\pi}{2} < \theta < \dfrac{\pi}{2}\right)$로 놓으면 $\dfrac{dt}{d\theta} = \sec^2\theta$이고,

$t=0$일 때 $\theta=0$, $t=1$일 때 $\theta=\dfrac{\pi}{4}$이므로

$$2\int_0^1 \frac{1}{1+t^2}\, dt = 2\int_0^{\frac{\pi}{4}} \frac{\sec^2\theta}{1+\tan^2\theta}\, d\theta$$
$$= 2\int_0^{\frac{\pi}{4}} \frac{\sec^2\theta}{\sec^2\theta}\, d\theta = 2\int_0^{\frac{\pi}{4}} 1\, d\theta$$
$$= 2\left[\theta\right]_0^{\frac{\pi}{4}} = \frac{\pi}{2}$$

$\therefore k = \dfrac{\pi}{2}$
답 $\dfrac{\pi}{2}$

28

$x = \sin\theta \left(-\dfrac{\pi}{2} \le \theta \le \dfrac{\pi}{2}\right)$로 놓으면 $\dfrac{dx}{d\theta} = \cos\theta$이고,

$x=0$일 때 $\theta=0$, $x=1$일 때 $\theta=\dfrac{\pi}{2}$이므로

$$\int_0^1 \sqrt{1-x^2}\, dx = \int_0^{\frac{\pi}{2}} \sqrt{1-\sin^2\theta}\cdot\cos\theta\, d\theta$$
$$= \int_0^{\frac{\pi}{2}} \cos^2\theta\, d\theta \ (\because \cos\theta > 0)$$
$$= \int_0^{\frac{\pi}{2}} \frac{1+\cos 2\theta}{2}\, d\theta$$
$$= \left[\frac{1}{2}\theta + \frac{1}{4}\sin 2\theta\right]_0^{\frac{\pi}{2}} = \frac{\pi}{4}$$
답 ①

29

$x = 3\tan\theta \left(-\dfrac{\pi}{2} < \theta < \dfrac{\pi}{2}\right)$로 놓으면 $\dfrac{dx}{d\theta} = 3\sec^2\theta$이고,

$x=0$일 때 $\theta=0$, $x=3$일 때 $\theta=\dfrac{\pi}{4}$이므로

$$\int_0^3 \frac{4}{x^2+9}\, dx = \int_0^{\frac{\pi}{4}} \frac{4}{9(\tan^2\theta+1)}\cdot 3\sec^2\theta\, d\theta$$
$$= \int_0^{\frac{\pi}{4}} \frac{4\sec^2\theta}{3\sec^2\theta}\, d\theta$$
$$= \frac{4}{3}\int_0^{\frac{\pi}{4}} 1\, d\theta$$
$$= \frac{4}{3}\left[\theta\right]_0^{\frac{\pi}{4}} = \frac{\pi}{3}$$

따라서 $\alpha = \dfrac{\pi}{3}$이므로 $\cos\alpha = \cos\dfrac{\pi}{3} = \dfrac{1}{2}$
답 $\dfrac{1}{2}$

30

그림과 같이 $y=|\sin x|$는 주기함수이므로

$$\int_0^{\frac{n}{2}\pi} |\sin x|\, dx = n\int_0^{\pi} \sin x\, dx = n\left[-\cos x\right]_0^{\frac{\pi}{2}}$$
$$= n(0+1) = n$$
답 ②

31 조건 (가)에서 $f(\ln 2 + x) = f(\ln 2 - x)$, $f(x) = f(-x)$이므로 함수 $y = f(x)$의 그래프는 두 직선 $x = \ln 2$, $x = 0$에 대하여 각각 대칭이다.

조건 (나)에서 $f(x) = e^x$ $(0 \le x \le \ln 2)$이므로 함수 $y = f(x)$의 그래프는 그림과 같다.

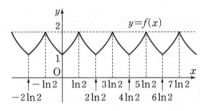

$$\therefore \int_0^{\ln 128} f(x)\,dx = \int_0^{7\ln 2} e^x\,dx$$
$$= 7 \int_0^{\ln 2} e^x\,dx$$
$$= 7 \Big[e^x \Big]_0^{\ln 2} = 7 \qquad \text{답 } 7$$

32 $\displaystyle \int_0^4 \{f(4-x) + f(x)\}\,dx = \int_0^4 f(4-x)\,dx + \int_0^4 f(x)\,dx$

$\displaystyle \int_0^4 f(4-x)\,dx$에서 $4 - x = t$로 놓으면 $-1 = \dfrac{dt}{dx}$이고,

$x = 0$일 때 $t = 4$, $x = 4$일 때 $t = 0$이므로

$$\int_0^4 f(4-x)\,dx = \int_4^0 \{-f(t)\}\,dt = \int_0^4 f(t)\,dt$$

즉, $\displaystyle \int_0^4 \{f(4-x) + f(x)\}\,dx = 2\int_0^4 f(x)\,dx$이므로

$$2\int_0^4 f(x)\,dx = \int_0^4 \left(x^2 - 4x + \cos\frac{\pi}{2}x \right)dx$$
$$= \left[\frac{1}{3}x^3 - 2x^2 + \frac{2}{\pi}\sin\frac{\pi}{2}x \right]_0^4$$
$$= \frac{64}{3} - 32$$
$$= -\frac{32}{3}$$
$$\therefore \int_0^4 f(x)\,dx = -\frac{16}{3} \qquad \text{답 } -\frac{16}{3}$$

33 $\displaystyle \int_{-1}^2 |x|\,e^x\,dx = -\int_{-1}^0 xe^x\,dx + \int_0^2 xe^x\,dx$

$f(x) = x$, $g'(x) = e^x$으로 놓으면
$f'(x) = 1$, $g(x) = e^x$

$$\therefore -\int_{-1}^0 xe^x\,dx + \int_0^2 xe^x\,dx$$
$$= -\left(\Big[xe^x \Big]_{-1}^0 - \int_{-1}^0 e^x\,dx \right) + \left(\Big[xe^x \Big]_0^2 - \int_0^2 e^x\,dx \right)$$
$$= -\left(e^{-1} - \Big[e^x \Big]_{-1}^0 \right) + \left(2e^2 - \Big[e^x \Big]_0^2 \right)$$
$$= -(2e^{-1} - 1) + (e^2 + 1)$$
$$= e^2 - \frac{2}{e} + 2 \qquad \text{답 } e^2 - \frac{2}{e} + 2$$

34 $\displaystyle \int_1^e (x + \ln x)^2\,dx - \int_1^e (x - \ln x)^2\,dx$

$$= \int_1^e \{(x + \ln x)^2 - (x - \ln x)^2\}\,dx$$
$$= \int_1^e 4x\ln x\,dx$$

$f(x) = \ln x$, $g'(x) = 4x$로 놓으면
$f'(x) = \dfrac{1}{x}$, $g(x) = 2x^2$

$$\therefore \int_1^e 4x\ln x\,dx = \Big[2x^2\ln x \Big]_1^e - \int_1^e 2x\,dx$$
$$= 2e^2 - \Big[x^2 \Big]_1^e$$
$$= 2e^2 - (e^2 - 1)$$
$$= e^2 + 1 \qquad \text{답 } e^2 + 1$$

35 $f(x) = \cos x - \sin x$, $g'(x) = e^x$으로 놓으면
$f'(x) = -\sin x - \cos x$, $g(x) = e^x$

$$\therefore \int_{-\pi}^{\pi} e^x(\cos x - \sin x)\,dx$$
$$= \Big[e^x(\cos x - \sin x) \Big]_{-\pi}^{\pi} - \int_{-\pi}^{\pi} e^x(-\sin x - \cos x)\,dx$$
$$= (-e^{\pi} + e^{-\pi}) + \int_{-\pi}^{\pi} e^x(\sin x + \cos x)\,dx \qquad \cdots\cdots \text{㉠}$$

$\displaystyle \int_{-\pi}^{\pi} e^x(\sin x + \cos x)\,dx$에서

$u(x) = \sin x + \cos x$, $v'(x) = e^x$으로 놓으면
$u'(x) = \cos x - \sin x$, $v(x) = e^x$

$$\therefore \int_{-\pi}^{\pi} e^x(\sin x + \cos x)\,dx$$
$$= \Big[e^x(\sin x + \cos x) \Big]_{-\pi}^{\pi} - \int_{-\pi}^{\pi} e^x(\cos x - \sin x)\,dx$$
$$= (-e^{\pi} + e^{-\pi}) - \int_{-\pi}^{\pi} e^x(\cos x - \sin x)\,dx \qquad \cdots\cdots \text{㉡}$$

㉡을 ㉠에 대입하면

$$\int_{-\pi}^{\pi} e^x(\cos x - \sin x)\,dx$$
$$= (-e^{\pi} + e^{-\pi}) + (-e^{\pi} + e^{-\pi}) - \int_{-\pi}^{\pi} e^x(\cos x - \sin x)\,dx$$

즉, $\displaystyle 2\int_{-\pi}^{\pi} e^x(\cos x - \sin x)\,dx = 2(-e^{\pi} + e^{-\pi})$이므로

$$\int_{-\pi}^{\pi} e^x(\cos x - \sin x)\,dx = \frac{1}{e^{\pi}} - e^{\pi} \qquad \text{답 ①}$$

36 $\displaystyle \int_0^{\frac{\pi}{2}} f(t)\cos t\,dt = k$ (k는 상수)로 놓으면

$f(x) = \sin x + 3k$

$$k = \int_0^{\frac{\pi}{2}} (\sin t + 3k)\cos t\,dt$$
$$= \int_0^{\frac{\pi}{2}} (\sin t\cos t + 3k\cos t)\,dt$$
$$= \int_0^{\frac{\pi}{2}} \left(\frac{1}{2}\sin 2t + 3k\cos t \right)dt$$
$$= \left[-\frac{1}{4}\cos 2t \right]_0^{\frac{\pi}{2}} + \Big[3k\sin t \Big]_0^{\frac{\pi}{2}}$$
$$= \frac{1}{2} + 3k$$

즉, $k = \dfrac{1}{2} + 3k$이므로 $k = -\dfrac{1}{4}$

따라서 $f(x) = \sin x - \dfrac{3}{4}$이므로

$$f\left(\frac{\pi}{2} \right) = 1 - \frac{3}{4} = \frac{1}{4} \qquad \text{답 ②}$$

37

$\int_1^e f(t)\,dt=k$ (k는 상수)로 놓으면

$f(x)=\ln x+k$

$k=\int_1^e(\ln t+k)\,dt$에서

$f(t)=\ln t+k,\ g'(t)=1$이라 하면

$f'(t)=\dfrac{1}{t},\ g(t)=t$이므로

$k=\int_1^e(\ln t+k)\,dt=\Big[t(\ln t+k)\Big]_1^e-\int_1^e 1\,dt$

$\quad=e(1+k)-k-\Big[t\Big]_1^e$

$\quad=e+ek-k-(e-1)=ek-k+1$

$(e-2)k=-1\qquad\therefore k=\dfrac{1}{2-e}$

따라서 $f(x)=\ln x+\dfrac{1}{2-e}$이므로

$f(1)=\dfrac{1}{2-e}$ 답 $\dfrac{1}{2-e}$

38

$\int_0^1 tf(t)\,dt=k$ (k는 상수)로 놓으면 $f(x)=e^x+k$

$k=\int_0^1 t(e^t+k)\,dt$에서

$f(t)=t,\ g'(t)=e^t+k$라 하면

$f'(t)=1,\ g(t)=e^t+kt$이므로

$k=\int_0^1 t(e^t+k)\,dt$

$\quad=\Big[t(e^t+kt)\Big]_0^1-\int_0^1(e^t+kt)\,dt$

$\quad=e+k-\Big[e^t+\dfrac{1}{2}kt^2\Big]_0^1=\dfrac{1}{2}k+1$

즉, $k=2$이므로 $f(x)=e^x+2$

$\therefore f(\ln 10)=10+2=12$ 답 12

39

$\int_a^x f(t)\,dt=(x-a)e^x+x-2\quad\cdots\cdots\ \bigcirc$

$\bigcirc$의 양변에 $x=a$를 대입하면

$0=a-2\qquad\therefore a=2$

$\bigcirc$의 양변을 x에 대하여 미분하면

$f(x)=e^x+(x-2)e^x+1=(x-1)e^x+1$

$\therefore f(a)=f(2)=e^2+1$ 답 ⑤

40

$\int_0^x(x-t)f(t)\,dt=x\int_0^x f(t)\,dt-\int_0^x tf(t)\,dt$이므로

$e^x-a-bx=x\int_0^x f(t)\,dt-\int_0^x tf(t)\,dt\quad\cdots\cdots\ \bigcirc$

$\bigcirc$의 양변에 $x=0$을 대입하면

$1-a=0\qquad\therefore a=1$

$\bigcirc$의 양변을 x에 대하여 미분하면

$e^x-b=\int_0^x f(t)\,dt+xf(x)-xf(x)$

$\therefore \int_0^x f(t)\,dt=e^x-b\qquad\cdots\cdots\ \bigcirc\!\!\bigcirc$

$\bigcirc\!\!\bigcirc$의 양변에 $x=0$을 대입하면

$0=1-b\qquad\therefore b=1$

$\bigcirc\!\!\bigcirc$의 양변을 x에 대하여 미분하면

$f(x)=e^x\qquad\therefore f(\ln 3)=3$

$\therefore a+b+f(\ln 3)=1+1+3=5$ 답 5

41

$\int_0^x(x+t)f'(t)\,dt=x\int_0^x f'(t)\,dt+\int_0^x tf'(t)\,dt$이므로

$2xf(x)=xe^x+x\int_0^x f'(t)\,dt+\int_0^x tf'(t)\,dt$

$\qquad=xe^x+x\{f(x)-f(0)\}+\int_0^x tf'(t)\,dt$

$\qquad=xe^x+x\Big\{f(x)-\dfrac{1}{2}\Big\}+\int_0^x tf'(t)\,dt$

$\qquad=xe^x+xf(x)-\dfrac{1}{2}x+\int_0^x tf'(t)\,dt$

즉, $xf(x)=xe^x-\dfrac{1}{2}x+\int_0^x tf'(t)\,dt$이므로 이 식의 양변을

x에 대하여 미분하면

$f(x)+xf'(x)=e^x+xe^x-\dfrac{1}{2}+xf'(x)$

따라서 $f(x)=e^x+xe^x-\dfrac{1}{2}$이므로

$f(2)=e^2+2e^2-\dfrac{1}{2}=3e^2-\dfrac{1}{2}$ 답 $3e^2-\dfrac{1}{2}$

42

$f(x)=\int_0^x e^t(t^2-7t+12)\,dt$의 양변을 x에 대하여 미분하면

$f'(x)=e^x(x^2-7x+12)=e^x(x-3)(x-4)$

$f'(x)=0$에서 $x=3$ 또는 $x=4$

함수 $f(x)$의 증가, 감소를 표로 나타내면 다음과 같다.

x	$\cdots$	3	$\cdots$	4	$\cdots$
$f'(x)$	$+$	0	$-$	0	$+$
$f(x)$	↗	극대	↘	극소	↗

즉, 함수 $f(x)$는 $x=3$에서 극댓값을 갖고, $x=4$에서 극솟값을 갖는다.

한편,

$f(x)=\int_0^x e^t(t^2-7t+12)\,dt$

$\quad=\Big[e^t(t^2-7t+12)\Big]_0^x-\int_0^x e^t(2t-7)\,dt$

$\quad=\Big[e^t(t^2-7t+12)\Big]_0^x-\Big[e^t(2t-7)\Big]_0^x+\int_0^x 2e^t\,dt$

$\quad=\Big[e^t(t^2-7t+12)\Big]_0^x-\Big[e^t(2t-7)\Big]_0^x+\Big[2e^t\Big]_0^x$

$\quad=\Big[e^t(t^2-9t+21)\Big]_0^x$

$\quad=e^x(x^2-9x+21)-21$

따라서 $f(x)$의 극댓값은 $f(3)=3e^3-21$, 극솟값은

$f(4)=e^4-21$이므로 극댓값과 극솟값의 차는

$f(3)-f(4)=3e^3-21-(e^4-21)$

$\qquad\qquad=3e^3-e^4$ 답 ①

43

$f(t)=\dfrac{2\cos t}{1+\sin t}$로 놓고, $f(t)$의 한 부정적분을 $F(t)$라 하면

$\displaystyle\lim_{x\to\pi}\dfrac{1}{x-\pi}\int_\pi^x\dfrac{2\cos t}{1+\sin t}\,dt$

$=\displaystyle\lim_{x\to\pi}\dfrac{1}{x-\pi}\int_\pi^x f(t)\,dt$

$=\displaystyle\lim_{x\to\pi}\dfrac{F(x)-F(\pi)}{x-\pi}$

$=F'(\pi)=f(\pi)$

$=-2$ 답 -2

44 $f(t)$의 한 부정적분을 $F(t)$라 하면

$$\lim_{x\to 0}\frac{1}{x}\int_{\pi-x}^{\pi+x}f(t)\,dt$$

$$=\lim_{x\to 0}\frac{F(\pi+x)-F(\pi-x)}{x}$$

$$=\lim_{x\to 0}\frac{\{F(\pi+x)-F(\pi)\}-\{F(\pi-x)-F(\pi)\}}{x}$$

$$=\lim_{x\to 0}\frac{F(\pi+x)-F(\pi)}{x}+\lim_{x\to 0}\frac{F(\pi-x)-F(\pi)}{-x}$$

$$=F'(\pi)+F'(\pi)$$

$$=2F'(\pi)$$

$$=2f(\pi)$$

$$=2e^{\pi}\times(-1)$$

$$=-2e^{\pi}$$

답 $-2e^{\pi}$

45 $f(x)=\lim\limits_{n\to\infty}\dfrac{x^n+2x-1}{x^{n+1}+1}$에서

(i) $0<x<1$일 때, $\lim\limits_{n\to\infty}x^n=0$이므로

$$f(x)=\lim_{n\to\infty}\frac{x^n+2x-1}{x^{n+1}+1}=2x-1$$

(ii) $x>1$일 때, $\lim\limits_{n\to\infty}x^n=\infty$이므로

$$f(x)=\lim_{n\to\infty}\frac{x^n+2x-1}{x^{n+1}+1}$$

$$=\lim_{n\to\infty}\frac{\dfrac{1}{x}+\dfrac{2}{x^n}-\dfrac{1}{x^{n+1}}}{1+\dfrac{1}{x^{n+1}}}$$

$$=\frac{1}{x}$$

(i), (ii)에서

$$\int_0^{e^2}f(x)\,dx=\int_0^1(2x-1)\,dx+\int_1^{e^2}\frac{1}{x}\,dx$$

$$=\Big[x^2-x\Big]_0^1+\Big[\ln|x|\Big]_1^{e^2}$$

$$=\ln e^2-\ln 1=2$$

답 ①

46 $f_n(x)=n-\displaystyle\int_1^x\Big(\dfrac{1}{t^2}+\dfrac{2}{t^3}+\dfrac{3}{t^4}+\cdots+\dfrac{n-1}{t^n}\Big)dt$

$$=n-\Big(\int_1^x\frac{1}{t^2}\,dt+\int_1^x\frac{2}{t^3}\,dt+\int_1^x\frac{3}{t^4}\,dt+\cdots$$

$$+\int_1^x\frac{n-1}{t^n}\,dt\Big)$$

$$=n-\sum_{k=1}^{n}\int_1^x\frac{k-1}{t^k}\,dt$$

$$=n-\sum_{k=1}^{n}(k-1)\Big[\frac{1}{1-k}t^{1-k}\Big]_1^x$$

$$=n-\sum_{k=1}^{n}(k-1)\times\frac{x^{1-k}-1}{1-k}$$

$$=n+\sum_{k=1}^{n}(x^{1-k}-1)$$

$$=\sum_{k=1}^{n}x^{1-k}$$

$$\therefore\ \lim_{n\to\infty}f_n\Big(\frac{4}{3}\Big)=\lim_{n\to\infty}\sum_{k=1}^{n}\Big(\frac{4}{3}\Big)^{1-k}$$

$$=\frac{1}{1-\dfrac{3}{4}}=4$$

답 4

47 $\displaystyle\int_{-\frac{\pi}{4}}^{\frac{\pi}{4}}(x^3+3\sin x+k)\cos 3x\,dx$

$$=\int_{-\frac{\pi}{4}}^{\frac{\pi}{4}}x^3\cos 3x\,dx+\int_{-\frac{\pi}{4}}^{\frac{\pi}{4}}3\sin x\cos 3x\,dx$$

$$+\int_{-\frac{\pi}{4}}^{\frac{\pi}{4}}k\cos 3x\,dx$$

$y=\cos 3x$는 우함수이고, $f(x)=x^3\cos 3x$,

$g(x)=3\sin x\cos 3x$로 놓으면

$$f(-x)=(-x)^3\cos(-3x)=-x^3\cos 3x=-f(x)$$

$$g(-x)=3\sin(-x)\cos(-3x)$$

$$=-3\sin x\cos 3x$$

$$=-g(x)$$

이므로 $f(x)=x^3\cos 3x$, $g(x)=3\sin x\cos 3x$는 기함수이다.

$$\therefore\ \int_{-\frac{\pi}{4}}^{\frac{\pi}{4}}x^3\cos 3x\,dx+\int_{-\frac{\pi}{4}}^{\frac{\pi}{4}}3\sin x\cos 3x\,dx$$

$$+\int_{-\frac{\pi}{4}}^{\frac{\pi}{4}}k\cos 3x\,dx$$

$$=2\int_0^{\frac{\pi}{4}}k\cos 3x\,dx$$

$$=2\Big[\frac{k}{3}\sin 3x\Big]_0^{\frac{\pi}{4}}=2\Big(\frac{k}{3}\times\frac{\sqrt{2}}{2}\Big)$$

$$=\frac{\sqrt{2}}{3}k=2\sqrt{2}$$

$$\therefore\ k=6$$

답 6

48 $\displaystyle\int_a^b f(x)\,dx+\int_{-a}^{-b}f(x)\,dx=0$에서

$$\int_a^b f(x)\,dx=-\int_{-a}^{-b}f(x)\,dx$$

$$\therefore\ \int_a^b f(x)\,dx=\int_{-b}^{-a}f(x)\,dx\quad\cdots\cdots\ \text{㉠}$$

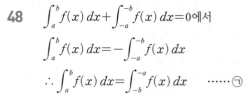

즉, 임의의 두 양수 a, b에 대하여 ㉠을 만족시키므로 그림과 같이 함수 $y=f(x)$의 그래프는 y축에 대하여 대칭인 우함수이다.

ㄱ. $f(x)=\dfrac{1}{2}x^2-1$은 우함수이다.

ㄴ. $f(-x)=(-x)^2\sin(-x)=-x^2\sin x=-f(x)$이므로
$f(x)=x^2\sin x$는 기함수이다.

ㄷ. $f(-x)=-x\tan(-x)=x\tan x=f(x)$이므로
$f(x)=x\tan x$는 우함수이다.

ㄹ. $f(-x)=\dfrac{3^{-x}+3^x}{2}=f(x)$이므로 $f(x)=\dfrac{3^{-x}+3^x}{2}$은
우함수이다.

따라서 주어진 조건을 만족시키는 함수는 ㄱ, ㄷ, ㄹ이다.

답 ㄱ, ㄷ, ㄹ

49 $x+1=t$로 놓으면 $1=\dfrac{dt}{dx}$이고,

$x=0$일 때 $t=1$, $x=3$일 때 $t=4$이므로

$$\int_0^3 e^x f(x+1)\,dx = \int_1^4 e^{t-1} f(t)\,dt$$

$1 \le t \le 4$에서 $f(t) = 4$이므로

$$\int_1^4 e^{t-1} f(t)\,dt = \int_1^4 4e^{t-1}\,dt$$
$$= \Big[\, 4e^{t-1} \,\Big]_1^4$$
$$= 4e^3 - 4$$

답 $4e^3 - 4$

50 $1+e^t = s$로 놓으면 $e^t = \dfrac{ds}{dt}$이고,

$t=0$일 때 $s=2$, $t=x$일 때 $s=1+e^x$이므로

$$f(x) = \int_0^x \frac{e^t}{1+e^t}\,dt = \int_2^{1+e^x} \frac{1}{s}\,ds$$
$$= \Big[\, \ln s \,\Big]_2^{1+e^x} = \ln \frac{1+e^x}{2}$$

$$\therefore (f \circ f)(a) = f(f(a)) = f\!\left(\ln \frac{1+e^a}{2}\right)$$
$$= \ln \frac{1+e^{\ln \frac{1+e^a}{2}}}{2} = \ln \frac{1+\frac{1+e^a}{2}}{2}$$
$$= \ln \frac{3+e^a}{4}$$

즉, $\ln \dfrac{3+e^a}{4} = \ln 7$이므로

$$\frac{3+e^a}{4} = 7, \quad e^a = 25$$

$$\therefore a = \ln 25$$

답 ④

51 $A = \displaystyle\int_1^e (x \ln x)^2\,dx$에서 $\ln x = t$로 놓으면

$x = e^t$이고, $\dfrac{dx}{dt} = e^t$

$x=1$일 때 $t=0$, $x=e$일 때 $t=1$이므로

$$A = \int_1^e (x \ln x)^2\,dx = \int_0^1 (e^t \times t)^2 \cdot e^t\,dt = \int_0^1 t^2 e^{3t}\,dt$$

$B = \displaystyle\int_{-1}^0 x^2 e^x\,dx$에서 $x = -t$로 놓으면 $\dfrac{dx}{dt} = -1$이고,

$x=-1$일 때 $t=1$, $x=0$일 때 $t=0$이므로

$$B = \int_{-1}^0 x^2 e^x\,dx = \int_1^0 t^2 e^{-t} \cdot (-1)\,dt = \int_0^1 t^2 e^{-t}\,dt$$

즉, A, B, C의 적분 구간이 모두 $[0,1]$로 같으므로
이 구간에서 피적분함수의 대소를 비교하면

$e^{-t} < e^{2t} < e^{3t}$에서 $t^2 e^{-t} < t^2 e^{2t} < t^2 e^{3t}$이므로

$$\int_0^1 t^2 e^{-t}\,dt < \int_0^1 t^2 e^{2t}\,dt < \int_0^1 t^2 e^{3t}\,dt$$

$$\therefore B < C < A$$

답 ④

52 $\overline{\mathrm{OP}} = r$라 하면

$\overline{\mathrm{OH}} = r\cos\theta$, $\overline{\mathrm{PH}} = r\sin\theta$이므로

$$f(\theta) = \frac{\overline{\mathrm{OH}}}{\overline{\mathrm{PH}}} = \frac{r\cos\theta}{r\sin\theta} = \frac{\cos\theta}{\sin\theta}$$

$$\int_{\frac{\pi}{6}}^{\frac{\pi}{3}} f(\theta)\,d\theta = \int_{\frac{\pi}{6}}^{\frac{\pi}{3}} \frac{\cos\theta}{\sin\theta}\,d\theta$$에서

$\sin\theta = t$로 놓으면 $\cos\theta = \dfrac{dt}{d\theta}$

$\theta = \dfrac{\pi}{6}$일 때 $t = \dfrac{1}{2}$, $\theta = \dfrac{\pi}{3}$일 때 $t = \dfrac{\sqrt{3}}{2}$이므로

$$\int_{\frac{\pi}{6}}^{\frac{\pi}{3}} \frac{\cos\theta}{\sin\theta}\,d\theta = \int_{\frac{1}{2}}^{\frac{\sqrt{3}}{2}} \frac{1}{t}\,dt = \Big[\, \ln t \,\Big]_{\frac{1}{2}}^{\frac{\sqrt{3}}{2}}$$
$$= \ln \frac{\sqrt{3}}{2} - \ln \frac{1}{2}$$
$$= \ln \sqrt{3} = \frac{1}{2} \ln 3$$

답 $\dfrac{1}{2}\ln 3$

53 ㄱ. $a_1 + a_3 = \displaystyle\int_0^{\frac{\pi}{4}} \tan x\,dx + \int_0^{\frac{\pi}{4}} \tan^3 x\,dx$
$$= \int_0^{\frac{\pi}{4}} \tan x(1+\tan^2 x)\,dx$$
$$= \int_0^{\frac{\pi}{4}} \tan x \sec^2 x\,dx$$

$\tan x = t$로 놓으면 $\sec^2 x = \dfrac{dt}{dx}$이고,

$x=0$일 때 $t=0$, $x=\dfrac{\pi}{4}$일 때 $t=1$이므로

$$\int_0^{\frac{\pi}{4}} \tan x \sec^2 x\,dx = \int_0^1 t\,dt$$
$$= \Big[\, \frac{1}{2} t^2 \,\Big]_0^1$$
$$= \frac{1}{2} \ (\text{참})$$

ㄴ. $a_2 + a_4 = \displaystyle\int_0^{\frac{\pi}{4}} \tan^2 x\,dx + \int_0^{\frac{\pi}{4}} \tan^4 x\,dx$
$$= \int_0^{\frac{\pi}{4}} \tan^2 x(1+\tan^2 x)\,dx$$
$$= \int_0^{\frac{\pi}{4}} \tan^2 x \sec^2 x\,dx$$

$\tan x = t$로 놓으면 $\sec^2 x = \dfrac{dt}{dx}$이고,

$x=0$일 때 $t=0$, $x=\dfrac{\pi}{4}$일 때 $t=1$이므로

$$\int_0^{\frac{\pi}{4}} \tan^2 x \sec^2 x\,dx = \int_0^1 t^2\,dt$$
$$= \Big[\, \frac{1}{3} t^3 \,\Big]_0^1 = \frac{1}{3}$$

ㄱ에서 $a_1 + a_3 = \dfrac{1}{2}$이므로

$$a_1 + a_2 + a_3 + a_4 = \frac{1}{2} + \frac{1}{3} \ (\text{참})$$

ㄷ. ㄱ, ㄴ에서 $k = 1, 2, 3, \cdots$에 대하여

$$a_{4k-3} + a_{4k-1} = \int_0^1 t^{4k-3}\,dt = \frac{1}{4k-2}$$

$$a_{4k-2} + a_{4k} = \int_0^1 t^{4k-2}\,dt = \frac{1}{4k-1}$$

$$\therefore a_{4k-3} + a_{4k-2} + a_{4k-1} + a_{4k} = \frac{1}{4k-2} + \frac{1}{4k-1}$$

$$\therefore \sum_{k=1}^{100} a_k = (a_1 + a_2 + a_3 + a_4) + (a_5 + a_6 + a_7 + a_8) + \cdots$$
$$+ (a_{97} + a_{98} + a_{99} + a_{100})$$
$$= \left(\frac{1}{2} + \frac{1}{3}\right) + \left(\frac{1}{6} + \frac{1}{7}\right) + \cdots + \left(\frac{1}{98} + \frac{1}{99}\right) \ (\text{거짓})$$

따라서 옳은 것은 ㄱ, ㄴ이다.

답 ㄱ, ㄴ

54 $f(1-x)=e^x+e^{1-x}+\cos\left(\dfrac{\pi}{2}x-\dfrac{\pi}{4}\right)-f(x)$ 에서

$f(x)+f(1-x)=e^x+e^{1-x}+\cos\left(\dfrac{\pi}{2}x-\dfrac{\pi}{4}\right)$ 이므로

$\displaystyle\int_0^1\{f(x)+f(1-x)\}dx=\int_0^1\left\{e^x+e^{1-x}+\cos\left(\dfrac{\pi}{2}x-\dfrac{\pi}{4}\right)\right\}dx$

$\displaystyle\int_0^1 f(x)\,dx+\int_0^1 f(1-x)\,dx$

$\displaystyle =\int_0^1\left\{e^x+e^{1-x}+\cos\left(\dfrac{\pi}{2}x-\dfrac{\pi}{4}\right)\right\}dx$

$\displaystyle\int_0^1 f(1-x)\,dx$ 에서 $1-x=t$ 로 놓으면 $-1=\dfrac{dt}{dx}$ 이고,

$x=0$ 일 때 $t=1$, $x=1$ 일 때 $t=0$ 이므로

$\displaystyle\int_0^1 f(1-x)\,dx=\int_1^0\{-f(t)\}dt$

$\displaystyle =\int_0^1 f(t)\,dt$

즉, $\displaystyle\int_0^1 f(x)\,dx+\int_0^1 f(1-x)\,dx=2\int_0^1 f(x)\,dx$ 이므로

$\displaystyle 2\int_0^1 f(x)\,dx=\int_0^1\left\{e^x+e^{1-x}+\cos\left(\dfrac{\pi}{2}x-\dfrac{\pi}{4}\right)\right\}dx$

$\displaystyle =\left[e^x-e^{1-x}+\dfrac{2}{\pi}\sin\left(\dfrac{\pi}{2}x-\dfrac{\pi}{4}\right)\right]_0^1$

$\displaystyle =2(e-1)+\dfrac{2\sqrt{2}}{\pi}$

$\displaystyle\therefore\int_0^1 f(x)\,dx=e-1+\dfrac{\sqrt{2}}{\pi}$ 답 ⑤

55 구간 $[1, 2]$ 에서 $f(x)$ 는 감소하므로 $f'(x)<0$

구간 $[2, 3]$ 에서 $f(x)$ 는 증가하므로 $f'(x)>0$

$\displaystyle\therefore\int_1^3 |f'(x)|\ln f(x)\,dx$

$\displaystyle =-\int_1^2 f'(x)\ln f(x)\,dx+\int_2^3 f'(x)\ln f(x)\,dx$

$f(x)=t$ 로 놓으면 $f'(x)=\dfrac{dt}{dx}$ 이고,

$x=1$ 일 때 $t=e$, $x=2$ 일 때 $t=1$, $x=3$ 일 때 $t=e^2$ 이므로

$\displaystyle -\int_1^2 f'(x)\ln f(x)\,dx+\int_2^3 f'(x)\ln f(x)\,dx$

$\displaystyle =-\int_e^1 \ln t\,dt+\int_1^{e^2}\ln t\,dt$

$\displaystyle =-\left(\left[t\ln t\right]_e^1-\int_e^1 1\,dt\right)+\left(\left[t\ln t\right]_1^{e^2}-\int_1^{e^2}1\,dt\right)$

$\displaystyle =-\left(-e-\left[t\right]_e^1\right)+\left(2e^2-\left[t\right]_1^{e^2}\right)$

$=1+(e^2+1)$

$=e^2+2$ 답 e^2+2

56 $\displaystyle\int_1^3 f(t)\,dt=k$ (k 는 상수)로 놓으면 $f(x)=e^x\ln x+\dfrac{e^x}{x}+k$

이므로

$\displaystyle k=\int_1^3\left(e^t\ln t+\dfrac{e^t}{t}+k\right)dt$

$\displaystyle =\int_1^3\left(e^t\ln t+\dfrac{e^t}{t}\right)dt+\int_1^3 k\,dt$

$\displaystyle =\int_1^3\left(e^t\ln t+\dfrac{e^t}{t}\right)dt+\left[kt\right]_1^3$

$\displaystyle =\int_1^3\left(e^t\ln t+\dfrac{e^t}{t}\right)dt+2k$

$\displaystyle\therefore k=-\int_1^3\left(e^t\ln t+\dfrac{e^t}{t}\right)dt$

$\displaystyle =-\left(\int_1^3 e^t\ln t\,dt+\int_1^3\dfrac{e^t}{t}\,dt\right)$ ······ ㉠

$\displaystyle\int_1^3 e^t\ln t\,dt$ 에서 $u(t)=\ln t$, $v'(t)=e^t$ 으로 놓으면

$u'(t)=\dfrac{1}{t}$, $v(t)=e^t$

$\displaystyle\therefore\int_1^3 e^t\ln t\,dt=\left[e^t\ln t\right]_1^3-\int_1^3\dfrac{e^t}{t}\,dt$

$\displaystyle =e^3\ln 3-\int_1^3\dfrac{e^t}{t}\,dt$ ······ ㉡

㉡을 ㉠에 대입하면 $k=-e^3\ln 3$

따라서 $f(x)=e^x\ln x+\dfrac{e^x}{x}-e^3\ln 3$ 이므로

$f(3)=e^3\ln 3+\dfrac{e^3}{3}-e^3\ln 3=\dfrac{e^3}{3}$ 답 $\dfrac{e^3}{3}$

57 $\displaystyle\int_1^x f(t)\,dt=\dfrac{1}{2}x^2-\ln x-\dfrac{1}{2}$ 에서 $f(t)$ 의 한 부정적분을

$F(t)$ 라 하면

$F(x^2)-F(1)=\dfrac{1}{2}x^2-\ln x-\dfrac{1}{2}$

위의 식의 양변을 x 에 대하여 미분하면

$2xf(x^2)=x-\dfrac{1}{x}$

$f(x^2)=\dfrac{1}{2}-\dfrac{1}{2x^2}$

$x^2=\dfrac{1}{t}$ 로 놓으면

$f\left(\dfrac{1}{t}\right)=\dfrac{1}{2}-\dfrac{t}{2}$

$\displaystyle\therefore\int_1^e\dfrac{1}{t}f\left(\dfrac{1}{t}\right)dt=\int_1^e\dfrac{1}{t}\left(\dfrac{1}{2}-\dfrac{t}{2}\right)dt$

$\displaystyle =\int_1^e\left(\dfrac{1}{2t}-\dfrac{1}{2}\right)dt$

$\displaystyle =\left[\dfrac{1}{2}\ln t-\dfrac{1}{2}t\right]_1^e$

$\displaystyle =\dfrac{1}{2}(2-e)$ 답 $\dfrac{1}{2}(2-e)$

58 $\displaystyle\int_0^x(x-t)f(t)\,dt=\ln(x+1)-x$ 에서

$\displaystyle x\int_0^x f(t)\,dt-\int_0^x tf(t)\,dt=\ln(x+1)-x$

위의 식의 양변을 x 에 대하여 미분하면

$\displaystyle\int_0^x f(t)\,dt+xf(x)-xf(x)=\dfrac{1}{x+1}-1$

$\displaystyle\therefore\int_0^x f(t)\,dt=\dfrac{1}{x+1}-1$

위의 식의 양변을 x 에 대하여 미분하면

$f(x)=-\dfrac{1}{(x+1)^2}$

ㄱ. $f(0)=-1$ (거짓)

ㄴ. $f'(x)=\dfrac{2}{(x+1)^3}$ 에서 $x>-1$ 일 때 $f'(x)>0$ 이므로

구간 $(-1, \infty)$ 에서 $f(x)$ 는 증가한다.

즉, $-1<x_1<x_2$ 이면 $f(x_1)<f(x_2)$ 이다. (참)

ㄷ. ㄴ에서 $f(x)$는 $(-1, \infty)$에서 증가하고,

$$\lim_{x \to \infty} f(x) = \lim_{x \to \infty} \left\{ -\frac{1}{(x+1)^2} \right\} = 0,$$

$$\lim_{x \to -1+} f(x) = \lim_{x \to -1+} \left\{ -\frac{1}{(x+1)^2} \right\} = -\infty$$

이므로 $x > -1$에서 함수 $y = f(x)$의 그래프는 그림과 같다.

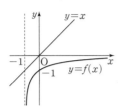

즉, $x > -1$에서 함수 $y = f(x)$의 그래프와 직선 $y = x$는 만나지 않으므로 방정식 $f(x) = x$는 실근을 갖지 않는다.

(거짓)

따라서 옳은 것은 ㄴ뿐이다.   답 ②

59 $f(t) = e^t + \cos \pi t - \sin \frac{\pi}{2} t$로 놓고, $f(t)$의 한 부정적분을 $F(t)$라 하면

$$\lim_{x \to 1} \frac{1}{x-1} \int_1^{x^2} \left(e^t + \cos \pi t - \sin \frac{\pi}{2} t \right) dt$$

$$= \lim_{x \to 1} \frac{1}{x-1} \int_1^{x^2} f(t) \, dt = \lim_{x \to 1} \frac{F(x^2) - F(1)}{x-1}$$

$$= \lim_{x \to 1} \frac{F(x^2) - F(1)}{x^2 - 1} \times (x+1)$$

$$= 2F'(1) = 2f(1) = 2(e-2)$$ 답 $2(e-2)$

60 $\int_0^1 f(x+t) \, dt$에서 $x+t = s$로 놓으면 $1 = \dfrac{ds}{dt}$이고

$t = 0$일 때 $s = x$, $t = 1$일 때 $s = x+1$이므로

$$\int_0^1 f(x+t) \, dt = \int_x^{x+1} f(s) ds$$

$$f(x) = e^x + \int_0^1 f(x+t) dt = e^x + \int_x^{x+1} f(s) ds$$

에서 양변을 x에 대하여 미분하면

$$f'(x) = e^x + f(x+1) - f(x)$$

즉, $f(x+1) = f(x) + f'(x) - e^x$ …… ㉠

$$\therefore \int_1^2 xf(x) dx - \int_0^1 xf(x) dx$$

$$= \int_0^1 (x+1) f(x+1) dx - \int_0^1 xf(x) dx$$

$$= \int_0^1 (x+1)\{f(x) + f'(x) - e^x\} dx - \int_0^1 xf(x) dx \ (\because ㉠)$$

$$= \int_0^1 (x+1) f(x) dx + \int_0^1 (x+1) f'(x) dx$$
$$\qquad - \int_0^1 (x+1)e^x dx - \int_0^1 xf(x) dx$$

$$= \int_0^1 xf(x) dx + \int_0^1 f(x) dx + \int_0^1 (x+1) f'(x) dx$$
$$\qquad - \int_0^1 (x+1)e^x dx - \int_0^1 xf(x) dx$$

$$= \int_0^1 f(x) dx + \int_0^1 (x+1) f'(x) dx - \int_0^1 (x+1)e^x dx$$

$$= \int_0^1 f(x) dx + \Big[(x+1) f(x) \Big]_0^1 - \int_0^1 f(x) dx - \Big[xe^x \Big]_0^1$$

$$= 2f(1) - f(0) - e = 2(2e+3) - 1 - e$$

$$= 3e + 5$$ 답 $3e+5$

61 ㄱ. 조건 ㈎의 $F(x) = f(x) - x$를 조건 ㈏의 $F(x)$에 대입하면

$$\int_0^1 F(x) dx = \int_0^1 \{f(x) - x\} dx$$

$$= \int_0^1 f(x) dx - \int_0^1 x \, dx$$

$$= \int_0^1 f(x) dx - \frac{1}{2}$$

$$= F(1) - \frac{1}{2}$$

이므로 $F(1) = e - \dfrac{5}{2} + \dfrac{1}{2} = e - 2$ (거짓)

ㄴ. 조건 ㈎의 $F(x) = f(x) - x$를 $\int_0^1 xF(x) dx$의 $F(x)$에 대입하면

$$\int_0^1 xF(x) dx = \int_0^1 x\{f(x) - x\} dx$$

$$= \int_0^1 \{xf(x) - x^2\} dx$$

$$= \int_0^1 xf(x) dx - \int_0^1 x^2 dx$$

$$= \Big[xF(x) \Big]_0^1 - \int_0^1 F(x) dx - \frac{1}{3}$$

$$= F(1) - \left(e - \frac{5}{2} \right) - \frac{1}{3}$$

$$= e - 2 - e + \frac{5}{2} - \frac{1}{3} = \frac{1}{6}$$ (참)

ㄷ. $F(0) = \int_0^0 f(t) dt = 0$이고, $F(x) = \int_0^x f(t) dt$의 양변을 x에 대하여 미분하면 $F'(x) = f(x)$

조건 ㈎에서

$$\int_0^1 \{F(x)\}^2 dx = \int_0^1 F(x)\{f(x) - x\} dx$$

$$= \int_0^1 F(x) f(x) dx - \int_0^1 xF(x) dx$$

$$= \int_0^1 F(x) F'(x) dx - \int_0^1 xF(x) dx$$

$$= \left[\frac{1}{2} \{F(x)\}^2 \right]_0^1 - \frac{1}{6}$$

$$= \frac{1}{2} \{F(1)\}^2 - \frac{1}{2} \{F(0)\}^2 - \frac{1}{6}$$

$$= \frac{1}{2} (e-2)^2 - \frac{1}{6}$$

$$= \frac{1}{2} e^2 - 2e + \frac{11}{6}$$ (참)

따라서 옳은 것은 ㄴ, ㄷ이다.   답 ㄴ, ㄷ

01
$$\lim_{n \to \infty} \sum_{k=1}^{n} f\left(1+\frac{k}{n}\right) \times \frac{1}{n} = \int_1^2 f(x)\,dx$$
$$= \int_1^2 e^x dx$$
$$= \left[e^x\right]_1^2$$
$$= e^2 - e$$

답 ①

02 곡선 $y=e^x$과 x축 및 두 직선 $x=0$, $x=1$로 둘러싸인 부분은 그림과 같다. 따라서 구하는 넓이 S는

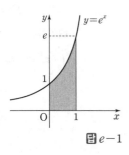

$$S = \int_0^1 e^x dx = \left[e^x\right]_0^1$$
$$= e-1$$

답 $e-1$

03 곡선 $y=\sqrt{x}-1$과 x축 및 두 직선 $x=0$, $x=2$로 둘러싸인 부분은 그림과 같다.
따라서 구하는 넓이 S는

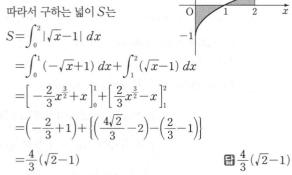

$$S = \int_0^2 |\sqrt{x}-1|\,dx$$
$$= \int_0^1 (-\sqrt{x}+1)\,dx + \int_1^2 (\sqrt{x}-1)\,dx$$
$$= \left[-\frac{2}{3}x^{\frac{3}{2}}+x\right]_0^1 + \left[\frac{2}{3}x^{\frac{3}{2}}-x\right]_1^2$$
$$= \left(-\frac{2}{3}+1\right) + \left\{\left(\frac{4\sqrt{2}}{3}-2\right)-\left(\frac{2}{3}-1\right)\right\}$$
$$= \frac{4}{3}(\sqrt{2}-1)$$

답 $\frac{4}{3}(\sqrt{2}-1)$

04 곡선 $y=xe^x$과 직선 $y=ex$의 교점의 x좌표는 $xe^x=ex$에서
$$xe^x - ex = 0$$
$$x(e^x - e) = 0$$
$$\therefore x=0 \text{ 또는 } x=1$$
따라서 구하는 넓이 S는
$$S = \int_0^1 (ex - xe^x)\,dx$$
$$= \left[\frac{e}{2}x^2\right]_0^1 - \left(\left[xe^x\right]_0^1 - \int_0^1 e^x dx\right)$$
$$= \frac{e}{2} - (e-e+1)$$
$$= \frac{e}{2} - 1$$

답 $\frac{e}{2}-1$

05 $0 \le x \le 2\pi$일 때, 두 곡선 $y=\sin x$, $y=\cos x$의 교점의 x좌표는
$\sin x = \cos x$에서

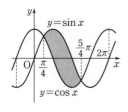

$$x = \frac{\pi}{4} \text{ 또는 } x = \frac{5}{4}\pi$$
따라서 구하는 넓이 S는

$$S = \int_{\frac{\pi}{4}}^{\frac{5}{4}\pi} (\sin x - \cos x)\,dx = \left[-\cos x - \sin x\right]_{\frac{\pi}{4}}^{\frac{5}{4}\pi}$$
$$= \left(\frac{\sqrt{2}}{2}+\frac{\sqrt{2}}{2}\right) - \left(-\frac{\sqrt{2}}{2}-\frac{\sqrt{2}}{2}\right)$$
$$= 2\sqrt{2}$$

답 $2\sqrt{2}$

06 두 곡선 $y=2^x$, $y=\left(\frac{1}{2}\right)^x$의 교점의 x좌표는 $2^x = \left(\frac{1}{2}\right)^x$에서 $x=0$
따라서 구하는 넓이 S는

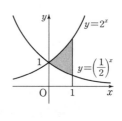

$$S = \int_0^1 \left\{2^x - \left(\frac{1}{2}\right)^x\right\}dx$$
$$= \left[\frac{2^x}{\ln 2}+\frac{2^{-x}}{\ln 2}\right]_0^1$$
$$= \frac{1}{\ln 2}\left\{\left(2+\frac{1}{2}\right)-(1+1)\right\}$$
$$= \frac{1}{2\ln 2}$$

답 ④

07 $f(x)=e^x-1$로 놓으면 $f'(x)=e^x$
점 $(1, e-1)$에서의 접선의 기울기는
$f'(1)=e$이므로 접선의 방정식은
$$y-(e-1)=e(x-1)$$
$$\therefore y=ex-1$$
즉, 구하는 넓이 S는 그림의 어두운 부분의 넓이와 같으므로

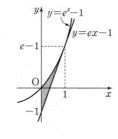

$$S = \int_0^1 \{e^x-1-(ex-1)\}dx$$
$$= \int_0^1 (e^x-ex)\,dx$$
$$= \left[e^x-\frac{e}{2}x^2\right]_0^1$$
$$= \left(e-\frac{e}{2}\right)-1 = \frac{e}{2}-1$$

답 $\frac{e}{2}-1$

08 두 함수 $f(x)$, $g(x)$는 서로 역함수 관계이므로 두 곡선 $y=f(x)$, $y=g(x)$는 직선 $y=x$에 대하여 대칭이고, 두 곡선의 교점의 x좌표는 곡선 $y=f(x)$와 직선 $y=x$의 교점의 x좌표와 같다.
$\sqrt{x-1}+1=x$에서

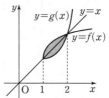

$$x-1=(x-1)^2$$
$$x^2-3x+2=0$$
$$(x-1)(x-2)=0$$
$$\therefore x=1 \text{ 또는 } x=2$$
두 곡선 $y=f(x)$, $y=g(x)$로 둘러싸인 부분의 넓이는 곡선 $y=f(x)$와 직선 $y=x$로 둘러싸인 부분의 넓이의 2배와 같으므로
$$2\int_1^2 (\sqrt{x-1}+1-x)\,dx$$
$$= 2\left[\frac{2}{3}(x-1)^{\frac{3}{2}}+x-\frac{1}{2}x^2\right]_1^2$$
$$= 2\left(\frac{2}{3}-\frac{1}{2}\right) = \frac{1}{3}$$

답 $\frac{1}{3}$

09 그림과 같이 구간 $[1, 3]$을 n등분하면 각 분점의 x좌표는 왼쪽에서부터 순서대로

$$1+\frac{2}{n}, 1+\frac{4}{n}, 1+\frac{6}{n}, \cdots,$$
$$1+\frac{2n}{n}(=3)$$

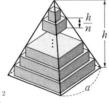

이므로 n개의 직사각형의 넓이의 합을 S_n이라 하면

$$S_n = \left(1+\frac{2}{n}\right)^2 \times \frac{2}{n} + \left(1+\frac{4}{n}\right)^2 \times \frac{2}{n} + \left(1+\frac{6}{n}\right)^2 \times \frac{2}{n} + \cdots$$
$$+ \left(1+\frac{2n}{n}\right)^2 \times \frac{2}{n}$$
$$= \sum_{k=1}^{n} \left(1+\frac{2k}{n}\right)^2 \times \frac{2}{n}$$

따라서 구하는 넓이를 S라 하면

$$S = \lim_{n \to \infty} S_n = \lim_{n \to \infty} \sum_{k=1}^{n} \left(1+\frac{2k}{n}\right)^2 \times \frac{2}{n}$$
$$= \lim_{n \to \infty} \sum_{k=1}^{n} \left(1+\frac{4k}{n}+\frac{4k^2}{n^2}\right) \times \frac{2}{n}$$

답 ②

10 그림과 같이 정사각뿔의 높이를 n등분하여 각 분점을 지나고 밑면에 평행한 평면으로 정사각뿔을 자른 단면의 넓이는 위에서부터 순서대로

$$\left(\frac{a}{n}\right)^2, \left(\frac{2a}{n}\right)^2, \left(\frac{3a}{n}\right)^2, \cdots, \left\{\frac{(n-1)a}{n}\right\}^2$$

각각의 단면을 밑면으로 하고 $\frac{h}{n}$를 높이로 하는 $(n-1)$개의 직육면체의 부피의 합을 V_n이라 하면

$$V_n = \left(\frac{a}{n}\right)^2 \times \frac{h}{n} + \left(\frac{2a}{n}\right)^2 \times \frac{h}{n} + \left(\frac{3a}{n}\right)^2 \times \frac{h}{n} + \cdots$$
$$+ \left\{\frac{(n-1)a}{n}\right\}^2 \times \frac{h}{n}$$
$$= \frac{a^2h}{n^3}\{1^2+2^2+3^2+\cdots+(n-1)^2\}$$
$$= \frac{a^2h}{n^3} \times \frac{(n-1)n(2n-1)}{6}$$
$$= \frac{1}{6}a^2h\left(1-\frac{1}{n}\right)\left(2-\frac{1}{n}\right)$$

따라서 구하는 부피를 V라 하면

$$V = \lim_{n \to \infty} V_n$$
$$= \frac{1}{6}a^2h \times 1 \times 2$$
$$= \frac{1}{3}a^2h$$

답 $\frac{1}{3}a^2h$

11 그림과 같이 반구에서 반지름의 길이 r를 n등분하여 각 분점을 지나고 단면에 평행한 평면으로 잘라 $(n-1)$개의 원기둥을 만든다. 각 원기둥의 높이는 $\frac{r}{n}$이므로 밑에서 k번째에 있는 원기둥의 밑면의 반지름의 길이를 r_k라 하면

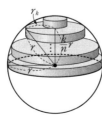

$$r_k^2 = r^2 - \left(\frac{k}{n}r\right)^2 = \left(1-\frac{k^2}{n^2}\right)r^2$$

$(n-1)$개의 원기둥의 부피의 합을 V_n이라 하면

$$V_n = \sum_{k=1}^{n-1} \pi \times \left(1-\frac{k^2}{n^2}\right)r^2 \times \frac{r}{n}$$
$$= \frac{\pi r^3}{n^3} \sum_{k=1}^{n-1} (n^2-k^2)$$
$$= \frac{\pi r^3}{n^3} \left\{n^2(n-1) - \frac{(n-1)n(2n-1)}{6}\right\}$$
$$= \frac{\pi r^3}{n^3} \times \frac{n(n-1)(4n+1)}{6}$$
$$= \frac{\pi r^3}{6}\left(1-\frac{1}{n}\right)\left(4+\frac{1}{n}\right)$$

따라서 구의 부피를 V라 하면

$$V = \lim_{n \to \infty} 2V_n$$
$$= 2 \times \frac{\pi r^3}{6} \times 1 \times 4$$
$$= \frac{4}{3}\pi r^3$$

답 $\frac{4}{3}\pi r^3$

12 $f(x) = e^x$으로 놓으면 $f(x)$는 구간 $[1, 4]$에서 연속이고, $\Delta x = \frac{3}{n}$, $x_k = 1 + k\Delta x = 1 + \frac{3k}{n}$이므로

$$\int_1^4 e^x dx = \lim_{n \to \infty} \sum_{k=1}^{n} f(x_k) \times \Delta x$$
$$= \lim_{n \to \infty} \sum_{k=1}^{n} e^{1+\frac{3k}{n}} \times \frac{3}{n}$$
$$\therefore a = 3$$

답 3

13
$$\lim_{n \to \infty} \frac{1}{n\sqrt{n}}(\sqrt{n+1}+\sqrt{n+2}+\sqrt{n+3}+\cdots+\sqrt{n+n})$$
$$= \lim_{n \to \infty} \frac{1}{n\sqrt{n}} \sum_{k=1}^{n} \sqrt{n+k}$$
$$= \lim_{n \to \infty} \sum_{k=1}^{n} \sqrt{1+\frac{k}{n}} \times \frac{1}{n}$$
$$= \int_0^1 \sqrt{1+x}\, dx$$
$$= \left[\frac{2}{3}(1+x)^{\frac{3}{2}}\right]_0^1$$
$$= \frac{4\sqrt{2}-2}{3}$$

답 ②

다른 풀이

$$\lim_{n \to \infty} \sum_{k=1}^{n} \sqrt{1+\frac{k}{n}} \times \frac{1}{n} = \int_1^2 \sqrt{x}\, dx$$
$$= \left[\frac{2}{3}x\sqrt{x}\right]_1^2$$
$$= \frac{4\sqrt{2}-2}{3}$$

14
$$\lim_{n \to \infty} \left\{\frac{e^{\left(\frac{1}{n}\right)^2}}{n^2} + \frac{2e^{\left(\frac{2}{n}\right)^2}}{n^2} + \frac{3e^{\left(\frac{3}{n}\right)^2}}{n^2} + \cdots + \frac{ne^{\left(\frac{n}{n}\right)^2}}{n^2}\right\}$$
$$= \lim_{n \to \infty} \frac{1}{n}\left\{\frac{e^{\left(\frac{1}{n}\right)^2}}{n} + \frac{2e^{\left(\frac{2}{n}\right)^2}}{n} + \frac{3e^{\left(\frac{3}{n}\right)^2}}{n} + \cdots + \frac{ne^{\left(\frac{n}{n}\right)^2}}{n}\right\}$$
$$= \lim_{n \to \infty} \sum_{k=1}^{n} \frac{k}{n} \times e^{\left(\frac{k}{n}\right)^2} \times \frac{1}{n} = \int_0^1 xe^{x^2} dx$$

$x^2=t$로 놓으면 $2x=\dfrac{dt}{dx}$이고,

$x=0$일 때 $t=0$, $x=1$일 때 $t=1$이므로

$$\int_0^1 xe^{x^2}\,dx=\dfrac{1}{2}\int_0^1 e^t\,dt$$

$$=\dfrac{1}{2}\Big[e^t\Big]_0^1$$

$$=\dfrac{1}{2}(e-1) \qquad\qquad \text{답}\ \dfrac{1}{2}(e-1)$$

15

$$\lim_{n\to\infty}\left(\dfrac{n}{n^2+1^2}+\dfrac{n}{n^2+2^2}+\dfrac{n}{n^2+3^2}+\cdots+\dfrac{n}{2n^2}\right)$$

$$=\lim_{n\to\infty}\sum_{k=1}^{n}\dfrac{n}{n^2+k^2}$$

$$=\lim_{n\to\infty}\sum_{k=1}^{n}\dfrac{1}{1+\left(\dfrac{k}{n}\right)^2}\times\dfrac{1}{n}$$

$$=\int_0^1 \dfrac{1}{1+x^2}\,dx$$

$x=\tan\theta\left(-\dfrac{\pi}{2}<\theta<\dfrac{\pi}{2}\right)$로 놓으면 $\dfrac{dx}{d\theta}=\sec^2\theta$이고,

$x=0$일 때 $\theta=0$, $x=1$일 때 $\theta=\dfrac{\pi}{4}$이므로

$$\int_0^1 \dfrac{1}{1+x^2}\,dx=\int_0^{\frac{\pi}{4}}\dfrac{\sec^2\theta}{1+\tan^2\theta}\,d\theta$$

$$=\int_0^{\frac{\pi}{4}}1\,d\theta$$

$$=\Big[\theta\Big]_0^{\frac{\pi}{4}}$$

$$=\dfrac{\pi}{4} \qquad\qquad \text{답}\ \dfrac{\pi}{4}$$

16 삼각형 AOP_k와 삼각형 BOP_k의 넓이는 같고,

$\angle\mathrm{AOP}_k=\dfrac{k\pi}{n}$이므로

$$(\text{삼각형 }\mathrm{AOP}_k\text{의 넓이})=\dfrac{1}{2}(\sqrt{2})^2\sin\dfrac{k\pi}{n}$$

$$=\sin\dfrac{k\pi}{n}$$

$$\therefore S_k=(2\times\text{삼각형 }\mathrm{AOP}_k\text{의 넓이})$$

$$=2\sin\dfrac{k\pi}{n}$$

$$\therefore \lim_{n\to\infty}\dfrac{1}{n}\sum_{k=1}^{n-1}S_k=2\lim_{n\to\infty}\dfrac{1}{n}\sum_{k=1}^{n-1}\sin\dfrac{k\pi}{n}$$

$$=2\lim_{n\to\infty}\sum_{k=1}^{n}\sin\dfrac{k\pi}{n}\times\dfrac{1}{n}\ (\because \sin\pi=0)$$

$$=2\int_0^1\sin\pi x\,dx$$

$$=2\Big[-\dfrac{1}{\pi}\cos\pi x\Big]_0^1$$

$$=2\times\dfrac{2}{\pi}$$

$$=\dfrac{4}{\pi} \qquad\qquad \text{답}\ \dfrac{4}{\pi}$$

17 $\overline{\mathrm{OA}_k}=\dfrac{k\pi}{2n}$이고, $\overline{\mathrm{A}_k\mathrm{B}_k}=\cos\dfrac{k\pi}{2n}$이므로

$$\overline{\mathrm{OB}_k}^2=\overline{\mathrm{OA}_k}^2+\overline{\mathrm{A}_k\mathrm{B}_k}^2$$

$$=\dfrac{k^2\pi^2}{4n^2}+\cos^2\dfrac{k\pi}{2n}$$

$$\therefore \lim_{n\to\infty}\dfrac{1}{n}\sum_{k=1}^{n-1}\overline{\mathrm{OB}_k}^2$$

$$=\lim_{n\to\infty}\sum_{k=1}^{n-1}\left\{\dfrac{\pi^2}{4}\left(\dfrac{k}{n}\right)^2+\cos^2\left(\dfrac{\pi}{2}\times\dfrac{k}{n}\right)\right\}\times\dfrac{1}{n}$$

$$=\int_0^1\left(\dfrac{\pi^2}{4}x^2+\cos^2\dfrac{\pi}{2}x\right)dx$$

$$=\int_0^1\left(\dfrac{\pi^2}{4}x^2+\dfrac{1+\cos\pi x}{2}\right)dx$$

$$=\left[\dfrac{\pi^2}{12}x^3+\dfrac{1}{2}x+\dfrac{1}{2\pi}\sin\pi x\right]_0^1$$

$$=\dfrac{\pi^2}{12}+\dfrac{1}{2} \qquad\qquad \text{답}\ ②$$

18 곡선 $y=\ln(x-2)$와 x축 및 직선 $x=e+2$로 둘러싸인 부분은 그림과 같다.

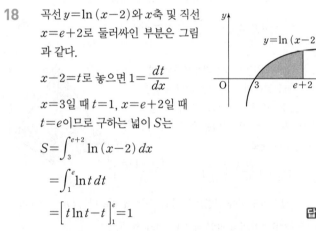

$x-2=t$로 놓으면 $1=\dfrac{dt}{dx}$

$x=3$일 때 $t=1$, $x=e+2$일 때 $t=e$이므로 구하는 넓이 S는

$$S=\int_3^{e+2}\ln(x-2)\,dx$$

$$=\int_1^e\ln t\,dt$$

$$=\Big[t\ln t-t\Big]_1^e=1 \qquad \text{답}\ 1$$

19 곡선 $y=\sqrt{x-a}$와 x축 및 직선 $x=3$으로 둘러싸인 부분은 그림과 같다.

따라서 구하는 넓이 S는

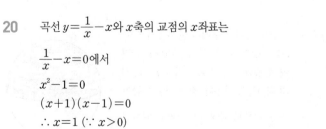

$$S=\int_a^3\sqrt{x-a}\,dx$$

$$=\left[\dfrac{2}{3}(x-a)^{\frac{3}{2}}\right]_a^3$$

$$=\dfrac{2}{3}(3-a)^{\frac{3}{2}}$$

$$=\dfrac{2}{3}$$

$$(3-a)^{\frac{3}{2}}=1$$

$$\therefore a=2 \qquad\qquad \text{답}\ 2$$

20 곡선 $y=\dfrac{1}{x}-x$와 x축의 교점의 x좌표는

$\dfrac{1}{x}-x=0$에서

$$x^2-1=0$$

$$(x+1)(x-1)=0$$

$$\therefore x=1\ (\because x>0)$$

$\dfrac{1}{2} \le x \le 1$일 때 $\dfrac{1}{x} - x \ge 0$, $1 \le x \le 2$일 때 $\dfrac{1}{x} - x \le 0$이므로 구하는 넓이 S는

$$S = \int_{\frac{1}{2}}^{2} \left| \frac{1}{x} - x \right| dx = \int_{\frac{1}{2}}^{1} \left(\frac{1}{x} - x \right) dx - \int_{1}^{2} \left(\frac{1}{x} - x \right) dx$$

$$= \left[\ln x - \frac{1}{2} x^2 \right]_{\frac{1}{2}}^{1} - \left[\ln x - \frac{1}{2} x^2 \right]_{1}^{2}$$

$$= \left(-\frac{1}{2} + \ln 2 + \frac{1}{8} \right) - \left(\ln 2 - 2 + \frac{1}{2} \right) = \frac{9}{8}$$ 📘 ③

참고

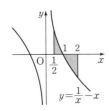

21 $-1 \le x \le 0$일 때 $\dfrac{x}{x^2+1} \le 0$, $0 \le x \le 1$일 때 $\dfrac{x}{x^2+1} \ge 0$이므로 구하는 넓이 S는

$$S = \int_{-1}^{1} \left| \frac{x}{x^2+1} \right| dx = -\int_{-1}^{0} \frac{x}{x^2+1} dx + \int_{0}^{1} \frac{x}{x^2+1} dx$$

$$= -\left[\frac{1}{2} \ln (x^2+1) \right]_{-1}^{0} + \left[\frac{1}{2} \ln (x^2+1) \right]_{0}^{1}$$

$$= \frac{1}{2} \ln 2 + \frac{1}{2} \ln 2 = \ln 2$$ 📘 $\ln 2$

22 $$S_n = \int_{(n-1)\pi}^{n\pi} \left| \left(\frac{1}{2} \right)^n \sin x \right| dx$$

$$= \left(\frac{1}{2} \right)^n \int_{(n-1)\pi}^{n\pi} |\sin x| \, dx$$

$y = |\sin x|$는 주기가 π인 주기함수이므로

$$\int_{(n-1)\pi}^{n\pi} |\sin x| \, dx = \int_{0}^{\pi} \sin x \, dx$$

$$= \left[-\cos x \right]_{0}^{\pi} = 2$$

$$\therefore S_n = \left(\frac{1}{2} \right)^n \int_{(n-1)\pi}^{n\pi} |\sin x| \, dx$$

$$= \left(\frac{1}{2} \right)^n \times 2 = \left(\frac{1}{2} \right)^{n-1}$$

$$\therefore \sum_{n=1}^{\infty} S_n = \sum_{n=1}^{\infty} \left(\frac{1}{2} \right)^{n-1}$$

$$= \frac{1}{1 - \frac{1}{2}} = 2$$

따라서 $\alpha = 2$이므로 $50\alpha = 100$ 📘 100

23 곡선 $y = \ln(x+1)$과 y축 및 직선 $y = 2$로 둘러싸인 부분은 그림과 같다.
$y = \ln(x+1)$에서 $x+1 = e^y$
$\therefore x = e^y - 1$
따라서 구하는 넓이 S는

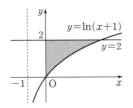

$$S = \int_{0}^{2} (e^y - 1) \, dy = \left[e^y - y \right]_{0}^{2}$$

$$= (e^2 - 2) - 1 = e^2 - 3$$ 📘 ④

24 곡선 $y = \dfrac{2x}{x^2+1}$와 직선 $y = \dfrac{1}{2}x$의 교점의 x좌표는

$\dfrac{2x}{x^2+1} = \dfrac{1}{2}x$에서 $x^3 + x = 4x$

$x^3 - 3x = 0$

$x(x+\sqrt{3})(x-\sqrt{3}) = 0$

$\therefore x = -\sqrt{3}$ 또는 $x = 0$ 또는 $x = \sqrt{3}$

곡선과 직선은 각각 원점에 대하여 대칭이므로 구하는 넓이 S는

$$S = \int_{-\sqrt{3}}^{0} \left(\frac{1}{2}x - \frac{2x}{x^2+1} \right) dx + \int_{0}^{\sqrt{3}} \left(\frac{2x}{x^2+1} - \frac{1}{2}x \right) dx$$

$$= 2 \int_{0}^{\sqrt{3}} \left(\frac{2x}{x^2+1} - \frac{1}{2}x \right) dx$$

$$= 2 \left[\ln (x^2+1) - \frac{1}{4}x^2 \right]_{0}^{\sqrt{3}}$$

$$= 2 \left(\ln 4 - \frac{3}{4} \right)$$

$$= 4 \ln 2 - \frac{3}{2}$$ 📘 $4 \ln 2 - \dfrac{3}{2}$

25 곡선 $y = \dfrac{2n}{x}$과 직선 $y = -\dfrac{x}{n} + 3$의 교점의 x좌표는

$\dfrac{2n}{x} = -\dfrac{x}{n} + 3$에서 $2n^2 = -x^2 + 3nx$

$x^2 - 3nx + 2n^2 = 0$

$(x-n)(x-2n) = 0$

$\therefore x = n$ 또는 $x = 2n$

즉, 곡선과 직선으로 둘러싸인 부분의 넓이 S_n은

$$S_n = \int_{n}^{2n} \left\{ \left(-\frac{x}{n} + 3 \right) - \frac{2n}{x} \right\} dx$$

$$= \left[-\frac{1}{2n}x^2 + 3x - 2n \ln x \right]_{n}^{2n}$$

$$= (-2n + 6n - 2n \ln 2n) - \left(-\frac{1}{2}n + 3n - 2n \ln n \right)$$

$$= \frac{3}{2}n - 2n \ln 2$$

$$\therefore S_{n+1} - S_n = \frac{3}{2}(n+1) - 2(n+1) \ln 2 - \left(\frac{3}{2}n - 2n \ln 2 \right)$$

$$= \frac{3}{2} - 2 \ln 2$$ 📘 ①

26 직선 l의 방정식은 $y = \tan \theta \times x$이므로 곡선 $y = -x^3 + x$와 직선 $y = \tan \theta \times x$의 교점의 x좌표는

$-x^3 + x = \tan \theta \times x$에서

$x(x^2 + \tan \theta - 1) = 0$

$\therefore x = 0$ 또는 $x = \sqrt{1 - \tan \theta}$ $(\because x \ge 0)$

즉, 곡선과 직선으로 둘러싸인 부분의 넓이 $S(\theta)$는

$$S(\theta) = \int_{0}^{\sqrt{1-\tan\theta}} (-x^3 + x - \tan \theta \times x) \, dx$$

$$= \int_{0}^{\sqrt{1-\tan\theta}} \{ -x^3 + (1 - \tan \theta)x \} \, dx$$

$$= \left[-\frac{1}{4}x^4 + \frac{1}{2}(1 - \tan \theta)x^2 \right]_{0}^{\sqrt{1-\tan\theta}}$$

$$= -\frac{1}{4}(1 - \tan \theta)^2 + \frac{1}{2}(1 - \tan \theta)^2$$

$$= \frac{1}{4}(1 - \tan \theta)^2$$

$$\therefore \int_0^{\frac{\pi}{6}} \{4S(\theta)+2\tan\theta\}\,d\theta$$
$$=\int_0^{\frac{\pi}{6}} \{(1-\tan\theta)^2+2\tan\theta\}\,d\theta$$
$$=\int_0^{\frac{\pi}{6}} (1-2\tan\theta+\tan^2\theta+2\tan\theta)\,d\theta$$
$$=\int_0^{\frac{\pi}{6}} (1+\tan^2\theta)\,d\theta$$
$$=\int_0^{\frac{\pi}{6}} \sec^2\theta\,d\theta$$
$$=\Big[\tan\theta\Big]_0^{\frac{\pi}{6}}$$
$$=\frac{\sqrt{3}}{3}$$

📋 $\dfrac{\sqrt{3}}{3}$

27 구간 $[0,\pi]$에서 두 곡선 $y=\sin x$, $y=\sin 2x$의 교점의 x좌표는 $\sin x=\sin 2x$에서

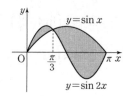

$$\sin x=2\sin x\cos x$$
$$\sin x(2\cos x-1)=0$$
$$\therefore \sin x=0 \text{ 또는 } \cos x=\frac{1}{2}$$
$$\therefore x=0 \text{ 또는 } x=\frac{\pi}{3} \text{ 또는 } x=\pi$$

따라서 두 곡선으로 둘러싸인 부분의 넓이 S는
$$S=\int_0^{\frac{\pi}{3}} (\sin 2x-\sin x)\,dx+\int_{\frac{\pi}{3}}^{\pi} (\sin x-\sin 2x)\,dx$$
$$=\Big[-\frac{1}{2}\cos 2x+\cos x\Big]_0^{\frac{\pi}{3}}+\Big[-\cos x+\frac{1}{2}\cos 2x\Big]_{\frac{\pi}{3}}^{\pi}$$
$$=\Big(\frac{1}{4}+\frac{1}{2}+\frac{1}{2}-1\Big)+\Big(1+\frac{1}{2}+\frac{1}{2}+\frac{1}{4}\Big)$$
$$=\frac{5}{2}$$
$$\therefore p+q=2+5=7$$

📋 7

28 두 함수 $y=\sqrt{ax}$, $y=\sqrt{bx}$의 그래프와 직선 $x=2$로 둘러싸인 부분의 넓이 S는
$$S=\int_0^2 (\sqrt{ax}-\sqrt{bx})\,dx$$
$$=\Big[\frac{2}{3}\sqrt{a}\,x^{\frac{3}{2}}-\frac{2}{3}\sqrt{b}\,x^{\frac{3}{2}}\Big]_0^2$$
$$=\frac{4\sqrt{2}}{3}\sqrt{a}-\frac{4\sqrt{2}}{3}\sqrt{b}$$
$$=\frac{4\sqrt{2}}{3}(\sqrt{a}-\sqrt{b})$$
$$=\frac{8}{3}$$
$$\therefore \sqrt{a}-\sqrt{b}=\sqrt{2}$$

📋 ②

29 두 곡선 $y=x\ln x$, $y=x\ln\dfrac{4}{x}$의 교점의 x좌표는
$$x\ln x=x\ln\frac{4}{x}\text{에서}$$
$$x(2\ln x-\ln 4)=0$$
$$\therefore x=2 \ (\because x>0)$$
구간 $[1,2]$에서
$$x\ln x\le x\ln\frac{4}{x}$$

구간 $[2,3]$에서
$$x\ln x\ge x\ln\frac{4}{x}$$
따라서 구하는 넓이 S는
$$S=\int_1^2 \Big(x\ln\frac{4}{x}-x\ln x\Big)\,dx+\int_2^3 \Big(x\ln x-x\ln\frac{4}{x}\Big)\,dx$$
$$=\int_1^2 2x(\ln 2-\ln x)\,dx+\int_2^3 2x(\ln x-\ln 2)\,dx$$
$$=\Big[x^2(\ln 2-\ln x)\Big]_1^2+\int_1^2 x^2\times\frac{1}{x}\,dx$$
$$\qquad+\Big[x^2(\ln x-\ln 2)\Big]_2^3-\int_2^3 x^2\times\frac{1}{x}\,dx$$
$$=-\ln 2+\Big[\frac{1}{2}x^2\Big]_1^2+9(\ln 3-\ln 2)-\Big[\frac{1}{2}x^2\Big]_2^3$$
$$=9\ln 3-10\ln 2-1$$

📋 $9\ln 3-10\ln 2-1$

참고

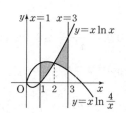

30 두 곡선 $y=\ln kx$, $y=\ln\dfrac{k}{x}$의 교점의 x좌표는
$$\ln kx=\ln\frac{k}{x}\text{에서}$$
$$kx=\frac{k}{x}$$
$$x^2=1$$
$$\therefore x=1 \ (\because x>0)$$
$1\le x\le k$일 때,
$$\ln kx\ge\ln\frac{k}{x}\text{이므로}$$
$$S(k)=\int_1^k \Big(\ln kx-\ln\frac{k}{x}\Big)\,dx$$
$$=\int_1^k (\ln k+\ln x-\ln k+\ln x)\,dx$$
$$=2\int_1^k \ln x\,dx$$
$$=2\Big[x\ln x-x\Big]_1^k$$
$$=2(k\ln k-k+1)$$
$$\therefore S(2)+S(3)+6=2(2\ln 2-1)+2(3\ln 3-2)+6$$
$$=\ln 2^4+\ln 3^6$$
$$=\ln (2^4\times 3^6)$$
$$\therefore p=2^4\times 3^6$$

📋 ③

31 두 곡선 $y=\dfrac{1}{n}\cos x$, $y=\dfrac{1}{n+1}\cos x$의 교점의 x좌표는
$$\frac{1}{n}\cos x=\frac{1}{n+1}\cos x\text{에서}$$
$$\cos x=0$$

$$\therefore x=-\frac{\pi}{2} \text{ 또는 } x=\frac{\pi}{2}\left(\because -\frac{\pi}{2}\leq x\leq\frac{\pi}{2}\right)$$

구간 $\left[-\frac{\pi}{2}, \frac{\pi}{2}\right]$에서 $\frac{1}{n}\cos x\geq\frac{1}{n+1}\cos x$이므로

$$S_n=\int_{-\frac{\pi}{2}}^{\frac{\pi}{2}}\left(\frac{1}{n}\cos x-\frac{1}{n+1}\cos x\right)dx$$

$$=\left(\frac{1}{n}-\frac{1}{n+1}\right)\int_{-\frac{\pi}{2}}^{\frac{\pi}{2}}\cos x\,dx$$

$$=\left(\frac{1}{n}-\frac{1}{n+1}\right)\left[\sin x\right]_{-\frac{\pi}{2}}^{\frac{\pi}{2}}$$

$$=2\left(\frac{1}{n}-\frac{1}{n+1}\right)$$

$$\therefore \lim_{n\to\infty}\sum_{k=1}^{n}S_k$$

$$=\lim_{n\to\infty}\sum_{k=1}^{n}2\left(\frac{1}{k}-\frac{1}{k+1}\right)$$

$$=\lim_{n\to\infty}2\left\{\left(1-\frac{1}{2}\right)+\left(\frac{1}{2}-\frac{1}{3}\right)+\left(\frac{1}{3}-\frac{1}{4}\right)+\cdots\right.$$

$$\left.+\left(\frac{1}{n}-\frac{1}{n+1}\right)\right\}$$

$$=\lim_{n\to\infty}2\left(1-\frac{1}{n+1}\right)=2 \qquad \text{답} ② $$

32 두 곡선 $y=\ln x$, $y=-\ln x$와 두 직선 $y=1$, $y=-1$로 둘러싸인 부분은 그림과 같다.

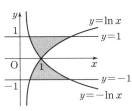

$y=\ln x$에서 $x=e^y$
$y=-\ln x$에서 $x=e^{-y}$
따라서 구하는 넓이 S는

$$S=\int_{-1}^{0}(e^{-y}-e^y)\,dy+\int_{0}^{1}(e^y-e^{-y})\,dy$$

$$=2\int_{0}^{1}(e^y-e^{-y})\,dy$$

$$=2\left[e^y+e^{-y}\right]_{0}^{1}$$

$$=2\left(e+\frac{1}{e}-2\right) \qquad \text{답} ④ $$

33 $f(x)=e\ln x$로 놓으면 $f'(x)=\dfrac{e}{x}$

점 (e, e)에서의 접선의 기울기는 $f'(e)=1$이므로 접선의 방정식은

$$y-e=1\times(x-e)$$

$$\therefore y=x$$

즉, 구하는 넓이 S는 그림의 어두운 부분의 넓이와 같으므로

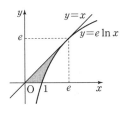

$$S=\frac{1}{2}\times e\times e-\int_{1}^{e}e\ln x\,dx$$

$$=\frac{1}{2}e^2-e\left[x\ln x-x\right]_{1}^{e}$$

$$=\frac{1}{2}e^2-e$$

$$=\frac{e(e-2)}{2} \qquad \text{답} ③ $$

34 $f(x)=e^x$으로 놓으면 $f'(x)=e^x$
점 $P(t, e^t)$에서의 접선의 기울기는 $f'(t)=e^t$이므로 접선의 방정식은

$$y-e^t=e^t(x-t)$$

$$\therefore y=e^t x+e^t(1-t)$$

즉, 구하는 넓이는 그림의 어두운 부분의 넓이와 같으므로

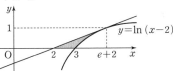

$$S(t)=\int_{0}^{t}\{e^x-e^t x-e^t(1-t)\}dx$$

$$=\left[e^x-\frac{e^t}{2}x^2+e^t(t-1)x\right]_{0}^{t}$$

$$=e^t-\frac{1}{2}t^2 e^t+e^t(t^2-t)-1$$

$$=e^t\left(\frac{1}{2}t^2-t+1\right)-1$$

$$\therefore \frac{S(t)+1}{e^t}=\frac{1}{2}t^2-t+1$$

$$=\frac{1}{2}(t-1)^2+\frac{1}{2}$$

따라서 $\dfrac{S(t)+1}{e^t}$의 최솟값은 $t=1$일 때 $\dfrac{1}{2}$이다.

$$\text{답}\ \frac{1}{2}$$

35 $f(x)=\ln(x-2)$로 놓으면 $f'(x)=\dfrac{1}{x-2}$

접점의 좌표를 $(t, \ln(t-2))$라 하면 이 점에서의 접선의 기울기는 $f'(t)=\dfrac{1}{t-2}$이므로 접선의 방정식은

$$y-\ln(t-2)=\frac{1}{t-2}(x-t)$$

이 직선이 점 $(2, 0)$을 지나므로

$$0-\ln(t-2)=\frac{1}{t-2}(2-t)$$

$$\ln(t-2)=1, \quad t-2=e$$

$$\therefore t=e+2$$

즉, 곡선 $y=f(x)$ 위의 점 $(e+2, 1)$에서의 접선의 방정식은

$$y-1=\frac{1}{e}(x-e-2)$$

$$\therefore y=\frac{1}{e}x-\frac{2}{e}$$

곡선 $y=\ln(x-2)$와 직선 $y=\dfrac{1}{e}x-\dfrac{2}{e}$ 및 x축으로 둘러싸인 부분은 그림과 같다.

$y=\dfrac{1}{e}x-\dfrac{2}{e}$에서
$x=ey+2$
$y=\ln(x-2)$에서
$x=e^y+2$
이므로 구하는 넓이 S는

$$S=\int_0^1\{(e^y+2)-(ey+2)\}\,dy$$

$$=\int_0^1(e^y-ey)\,dy=\left[e^y-\frac{e}{2}y^2\right]_0^1$$

$$=e-\frac{e}{2}-1=\frac{e}{2}-1 \qquad\qquad \text{답}\ \frac{e}{2}-1$$

36 A, B의 넓이를 각각 S_A, S_B라 하면

$$S_A=k-\int_0^k e^{-x}\,dx,$$

$$S_B=\int_k^2 e^{-x}\,dx$$

$S_A=S_B$에서 $k-\int_0^k e^{-x}\,dx=\int_k^2 e^{-x}\,dx$

$$\therefore k=\int_0^k e^{-x}\,dx+\int_k^2 e^{-x}\,dx$$

$$=\int_0^2 e^{-x}\,dx=\left[-e^{-x}\right]_0^2$$

$$=-e^{-2}+1=\frac{e^2-1}{e^2} \qquad\qquad \text{답}\ \frac{e^2-1}{e^2}$$

37 곡선 $y=(x^2-a)\sin x$와 x축의 교점의 x좌표는

$(x^2-a)\sin x=0$에서

$(x+\sqrt{a})(x-\sqrt{a})\sin x=0$

$\therefore x=0$ 또는 $x=\sqrt{a}$ 또는 $x=\pi$ $(\because 0\le x\le\pi,\ 0<a<\pi)$

곡선 $y=(x^2-a)\sin x$와 x축으로 둘러싸인 두 부분의 넓이가 서로 같으므로

$$\int_0^\pi(x^2-a)\sin x\,dx$$

$$=\left[(x^2-a)(-\cos x)\right]_0^\pi+2\int_0^\pi x\cos x\,dx$$

$$=(\pi^2-a)-a+2\left[x\sin x\right]_0^\pi-2\int_0^\pi\sin x\,dx$$

$$=(\pi^2-2a)+2\left[\cos x\right]_0^\pi$$

$$=(\pi^2-2a)+2\times(-2)$$

$$=\pi^2-2a-4$$

$$=0$$

$$\therefore a=\frac{\pi^2}{2}-2 \qquad\qquad \text{답}\ ⑤$$

38 $-\frac{\pi}{2}\le x\le\frac{\pi}{2}$에서 곡선 $y=\cos x$와 x축으로 둘러싸인 부분의 넓이를 S_1이라 하면

$$S_1=\int_{-\frac{\pi}{2}}^{\frac{\pi}{2}}\cos x\,dx$$

$$=2\int_0^{\frac{\pi}{2}}\cos x\,dx$$

$$=2\left[\sin x\right]_0^{\frac{\pi}{2}}$$

$$=2$$

한편, 곡선 $y=ax^2+1$과 x축의 교점의 x좌표는

$ax^2+1=0$에서

$$x=\pm\sqrt{-\frac{1}{a}}$$

곡선 $y=ax^2+1$과 x축으로 둘러싸인 부분의 넓이를 S_2라 하면

$$S_2=\int_{-\sqrt{-\frac{1}{a}}}^{\sqrt{-\frac{1}{a}}}(ax^2+1)\,dx$$

$$=2\int_0^{\sqrt{-\frac{1}{a}}}(ax^2+1)\,dx$$

$$=2\left[\frac{1}{3}ax^3+x\right]_0^{\sqrt{-\frac{1}{a}}}$$

$$=2\left\{\frac{1}{3}a\left(\sqrt{-\frac{1}{a}}\right)^3+\sqrt{-\frac{1}{a}}\right\}$$

$$=\frac{4}{3}\sqrt{-\frac{1}{a}}\ (\because a<0)$$

$\frac{1}{3}S_1=S_2$이므로

$$\frac{1}{3}\times 2=\frac{4}{3}\sqrt{-\frac{1}{a}}$$

$$\sqrt{-\frac{1}{a}}=\frac{1}{2}$$

$$-\frac{1}{a}=\frac{1}{4}$$

$$\therefore a=-4$$

$$\text{답}\ -4$$

39 두 함수 $f(x)$, $g(x)$는 서로 역함수 관계이므로 두 함수 $y=f(x)$, $y=g(x)$의 그래프는 직선 $y=x$에 대하여 대칭이다.

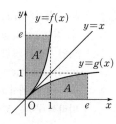

$\int_0^e g(x)\,dx=A$라 하면

그림에서 $A=A'$이므로

$$\int_0^e g(x)\,dx$$

$$=1\times e-\int_0^1 f(x)\,dx$$

$$=e-\int_0^1 xe^x\,dx$$

$$=e-\left(\left[xe^x\right]_0^1-\int_0^1 e^x\,dx\right)$$

$$=e-\left(e-\left[e^x\right]_0^1\right)$$

$$=e-e+(e-1)$$

$$=e-1$$

$$\text{답}\ e-1$$

40 함수 $y=f(x)$의 그래프와 그 역함수 $y=g(x)$의 그래프는 직선 $y=x$에 대하여 대칭이므로 그림과 같이 $\int_3^{e+2}g(x)\,dx$, 즉 B는 $y=f(x)$의 그래프와 y축 및 직선 $y=e+2$로 둘러싸인 부분 B'과 같다.

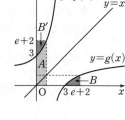

따라서 $B=B'$이므로

$$\int_0^1 f(x)\,dx+\int_3^{e+2}g(x)\,dx$$

$$=A+B=A+B'$$

$$=e+2$$

$$\text{답}\ e+2$$

41 $y=2^x$의 역함수는 $y=\log_2 x$이므로
두 함수의 그래프는 직선 $y=x$에
대하여 대칭이다.

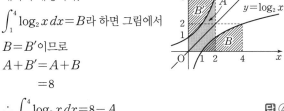

$\int_1^4 \log_2 x\,dx=B$라 하면 그림에서
$B=B'$이므로
$A+B'=A+B$
$\qquad\quad =8$
$\therefore \int_1^4 \log_2 x\,dx=8-A$ 🔲 ④

42 두 함수 $f(x)$, $g(x)$는 서로 역함수 관계이므로 두 함수
$y=f(x)$, $y=g(x)$의 그래프
는 직선 $y=x$에 대하여 대칭이다.

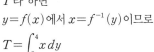

$\int_{\frac{\pi}{4}}^{\frac{\pi}{3}} f(x)\,dx=A$,

$\int_1^{\sqrt{3}} g(x)\,dx=B$라 하면

그림에서 $B=B'$이므로

$\int_{\frac{\pi}{4}}^{\frac{\pi}{3}} f(x)\,dx+\int_1^{\sqrt{3}} g(x)\,dx=A+B$
$\qquad\qquad\qquad\qquad\qquad =A+B'$
$\qquad\qquad\qquad\qquad\qquad =\dfrac{\pi}{3}\times\sqrt{3}-\dfrac{\pi}{4}\times1$
$\qquad\qquad\qquad\qquad\qquad =\left(\dfrac{\sqrt{3}}{3}-\dfrac{1}{4}\right)\pi$

🔲 $\left(\dfrac{\sqrt{3}}{3}-\dfrac{1}{4}\right)\pi$

43 $\displaystyle\lim_{n\to\infty}\sum_{k=1}^{n} g\left(2+\dfrac{3k}{n}\right)\times\dfrac{1}{n}=\dfrac{1}{3}\lim_{n\to\infty}\sum_{k=1}^{n} g\left(2+\dfrac{3k}{n}\right)\times\dfrac{3}{n}$
$\qquad\qquad\qquad\qquad\qquad\qquad\qquad =\dfrac{1}{3}\int_2^5 g(x)\,dx$

그림과 같이 함수 $y=f(x)$의
그래프와 y축 및 두 직선 $y=2$,
$y=5$로 둘러싸인 부분의 넓이를
T라 하면
$y=f(x)$에서 $x=f^{-1}(y)$이므로
$T=\int_2^5 x\,dy$

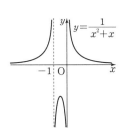

한편,
$S+T=3\times5-1\times2=13$ ······ ㉠
$\therefore \int_2^5 g(x)\,dx=\int_2^5 f^{-1}(x)\,dx$
$\qquad\qquad\qquad =\int_2^5 f^{-1}(y)\,dy$
$\qquad\qquad\qquad =\int_2^5 x\,dy$
$\qquad\qquad\qquad =T=13-S\ (\because ㉠)$
$\therefore \displaystyle\lim_{n\to\infty}\sum_{k=1}^{n} g\left(2+\dfrac{3k}{n}\right)\times\dfrac{1}{n}=\dfrac{1}{3}\int_2^5 g(x)\,dx$
$\qquad\qquad\qquad\qquad\qquad\qquad\qquad =\dfrac{1}{3}(13-S)$

🔲 ②

44 그림과 같이 함수 $y=f(x)$의
그래프와 y축 및 두 직선 $y=2$,
$y=4$로 둘러싸인 부분의 넓이를
T라 하면
$y=f(x)$에서 $x=f^{-1}(y)$이므로
$T=\int_2^4 x\,dy$

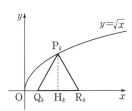

한편,
$S+T=6\times4-1\times2=22$ ······ ㉠
$\therefore \int_2^4 g(x)\,dx=\int_2^4 f^{-1}(x)\,dx$
$\qquad\qquad\qquad =\int_2^4 f^{-1}(y)\,dy$
$\qquad\qquad\qquad =\int_2^4 x\,dy$
$\qquad\qquad\qquad =T=22-S\ (\because ㉠)$
$\therefore \displaystyle\lim_{n\to\infty}\sum_{k=1}^{n} g\left(2+\dfrac{2k}{n}\right)\times\dfrac{5}{n}=\dfrac{5}{2}\lim_{n\to\infty}\sum_{k=1}^{n} g\left(2+\dfrac{2k}{n}\right)\times\dfrac{2}{n}$
$\qquad\qquad\qquad\qquad\qquad\qquad\qquad =\dfrac{5}{2}\int_2^4 g(x)\,dx$
$\qquad\qquad\qquad\qquad\qquad\qquad\qquad =\dfrac{5}{2}(22-S)$
$\qquad\qquad\qquad\qquad\qquad\qquad\qquad =55-\dfrac{5}{2}S$ 🔲 ①

45 $\displaystyle\lim_{n\to\infty}\dfrac{2}{n}\sum_{k=1}^{n} f\left(1+\dfrac{2k}{n}\right)=\int_1^3 f(x)\,dx=\int_1^3 \dfrac{1}{x^2+x}\,dx$
$\qquad\qquad\qquad\qquad\qquad\qquad =\int_1^3\left(\dfrac{1}{x}-\dfrac{1}{x+1}\right)dx$
$\qquad\qquad\qquad\qquad\qquad\qquad =\left[\ln\left|\dfrac{x}{x+1}\right|\right]_1^3$
$\qquad\qquad\qquad\qquad\qquad\qquad =\ln\dfrac{3}{2}$ 🔲 ④

참고

$y=\dfrac{1}{x^2+x}$

46

$y=\sqrt{x}$

정삼각형 $P_kQ_kR_k$의 한 변의 길이를 a라 하고 변 Q_kR_k의 중점
을 H_k라 하면
$\overline{P_kH_k}=\sqrt{x_k}$이고, $\overline{P_kQ_k}\sin 60°=\overline{P_kH_k}$이므로
$\dfrac{\sqrt{3}}{2}a=\sqrt{x_k}$에서 $a=\dfrac{2\sqrt{x_k}}{\sqrt{3}}$
$\therefore l_k=3a=2\sqrt{3x_k}=2\sqrt{\dfrac{9k}{n}}\left(\because x_k=\dfrac{3k}{n}\right)$

$$\therefore \lim_{n\to\infty} \sum_{k=1}^{n} \frac{l_k}{n}$$

$$= \lim_{n\to\infty} \sum_{k=1}^{n} \frac{2}{n} \sqrt{\frac{9k}{n}}$$

$$= \frac{2}{9} \lim_{n\to\infty} \sum_{k=1}^{n} \frac{9}{n} \sqrt{\frac{9k}{n}}$$

$$= \frac{2}{9} \int_{0}^{9} \sqrt{x}\, dx$$

$$= \frac{2}{9} \left[\frac{2}{3} x^{\frac{3}{2}} \right]_{0}^{9}$$

$$= \frac{4}{27} (27-0)$$

$$= 4$$

달 4

47 삼각형 OQ_kB에서

$\angle OBQ_k = \angle AOP_k = \dfrac{k\pi}{2n}$ 이고 $\overline{OB}=8$이므로

$$\overline{OQ_k} = 8 \sin \frac{k\pi}{2n}, \quad \overline{BQ_k} = 8 \cos \frac{k\pi}{2n}$$

$$\therefore S_k = \frac{1}{2} \times \overline{OQ_k} \times \overline{BQ_k}$$

$$= \frac{1}{2} \times 8 \sin \frac{k\pi}{2n} \times 8 \cos \frac{k\pi}{2n}$$

$$= 16 \sin \frac{k\pi}{n}$$

$$\therefore \lim_{n\to\infty} \frac{1}{n} \sum_{k=1}^{n-1} S_k = 16 \lim_{n\to\infty} \frac{1}{n} \sum_{k=1}^{n-1} \sin \frac{k\pi}{n}$$

$$= 16 \int_{0}^{1} \sin \pi x\, dx$$

$$= 16 \left[-\frac{1}{\pi} \cos \pi x \right]_{0}^{1}$$

$$= \frac{32}{\pi}$$

$$\therefore a = 32$$

달 32

48 $y = |\sin x + \cos x|$

$$= \sqrt{2} \left| \sin\left(x + \frac{\pi}{4}\right) \right|$$

이므로 곡선 $y = \sqrt{2} \left| \sin\left(x + \frac{\pi}{4}\right) \right|$ 와 x축 및 두 직선 $x=0$,

$x=2\pi$로 둘러싸인 부분은 [그림 1]과 같다.

$y = \sqrt{2} \left| \sin\left(x + \frac{\pi}{4}\right) \right|$ 의 그래프는 $y = \sqrt{2} |\sin x|$ 의 그래프를

x축의 방향으로 $-\dfrac{\pi}{4}$만큼 평행이동한 것이므로 구하는 넓이는

[그림 2]처럼 곡선 $y = \sqrt{2} |\sin x|$와 x축 및 두 직선 $x=0$,

$x=2\pi$로 둘러싸인 부분의 넓이와 같다.

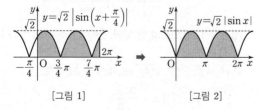

[그림 1]　　　　[그림 2]

따라서 구하는 넓이 S는

$$S = \int_{0}^{2\pi} \sqrt{2}\, |\sin x|\, dx$$

$$= 2\sqrt{2} \int_{0}^{\pi} \sin x\, dx$$

$$= 2\sqrt{2} \left[-\cos x \right]_{0}^{\pi} = 4\sqrt{2}$$

달 ①

49

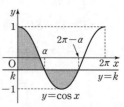

$\sin^2 \dfrac{x}{2} = \dfrac{1}{4}$에서 $\sin \dfrac{x}{2} = \dfrac{1}{2} \;(\because 0 \le x \le \pi)$

$$\frac{x}{2} = \frac{\pi}{6} \qquad \therefore x = \frac{\pi}{3}$$

따라서 구하는 넓이 S는

$$S = \pi \times 1 - \frac{\pi}{3} \times \frac{1}{4} - \int_{\frac{\pi}{3}}^{\pi} \sin^2 \frac{x}{2}\, dx$$

$$= \frac{11}{12} \pi - \int_{\frac{\pi}{3}}^{\pi} \frac{1-\cos x}{2}\, dx$$

$$= \frac{11}{12} \pi - \frac{1}{2} \left[x - \sin x \right]_{\frac{\pi}{3}}^{\pi}$$

$$= \frac{11}{12} \pi - \frac{1}{2} \left\{ \pi - \left(\frac{\pi}{3} - \frac{\sqrt{3}}{2} \right) \right\}$$

$$= \frac{7}{12} \pi - \frac{\sqrt{3}}{4}$$

$$\therefore a + b = \frac{7}{12} + \left(-\frac{1}{4} \right) = \frac{1}{3}$$

달 $\dfrac{1}{3}$

50 $g(x)$의 값이 최소가 되는 때는 구간 $[x, x+1]$에서

$f(x) < 0$이고, $y = f(x)$의 그래프와 x축으로 둘러싸인 부분의

넓이가 최대가 될 때이다.

즉, 그림과 같이 $x = \pi - \dfrac{1}{2}$일 때

이므로 $g(x)$의 최솟값은

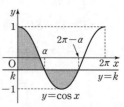

$$g\left(\pi - \frac{1}{2}\right) = \int_{\pi-\frac{1}{2}}^{\pi+\frac{1}{2}} \cos t\, dt$$

$$= \left[\sin t \right]_{\pi-\frac{1}{2}}^{\pi+\frac{1}{2}}$$

$$= \sin\left(\pi + \frac{1}{2}\right) - \sin\left(\pi - \frac{1}{2}\right)$$

$$= -\sin \frac{1}{2} - \sin \frac{1}{2}$$

$$= -2 \sin \frac{1}{2}$$

달 $-2\sin\dfrac{1}{2}$

51

그림과 같이 두 함수 $y = \cos x$, $y = k$의 그래프의 두 교점의

x좌표를 각각 α, $2\pi - \alpha \;(0 < \alpha < \pi)$라 하면

$$S=\int_0^\alpha (\cos x-k)\,dx+\int_\alpha^{2\pi-\alpha}(k-\cos x)\,dx$$

$$=\Big[\sin x-kx\Big]_0^\alpha+\Big[kx-\sin x\Big]_\alpha^{2\pi-\alpha}$$

$$=\sin\alpha-k\alpha+k(2\pi-\alpha)-\sin(2\pi-\alpha)-k\alpha+\sin\alpha$$

$$=3\sin\alpha+k(2\pi-3\alpha)$$

$k=\cos\alpha$이므로

$$S=3\sin\alpha+(2\pi-3\alpha)\cos\alpha$$

$$S'=3\cos\alpha-3\cos\alpha-(2\pi-3\alpha)\sin\alpha$$

$$=(3\alpha-2\pi)\sin\alpha$$

$S'=0$에서 $\alpha=\dfrac{2}{3}\pi$ $(\because 0<\alpha<\pi)$

S의 증가, 감소를 표로 나타내면 다음과 같다.

α	(0)	$\cdots$	$\dfrac{2}{3}\pi$	$\cdots$	(π)
S'		$-$	0	$+$	
S		$\searrow$	극소	$\nearrow$	

즉, S는 $\alpha=\dfrac{2}{3}\pi$일 때 극소이면서 최소이다.

$$\therefore k=\cos\dfrac{2}{3}\pi$$

$$=-\dfrac{1}{2}$$

$\blacksquare\ -\dfrac{1}{2}$

52

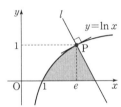

$t\to e$일 때, 점 Q는 점 P에 한없이 가까워지므로 직선 l은 점 P를 지나면서 점 P에서의 접선에 수직인 직선에 가까워진다.
즉, $\lim\limits_{t\to e}S(t)$의 값은 곡선 $y=\ln x$와 x축 및 점 P를 지나면서 점 P에서의 접선에 수직인 직선으로 둘러싸인 부분의 넓이와 같다.

$f(x)=\ln x$로 놓으면

$$f'(x)=\dfrac{1}{x}$$

점 $P(e,1)$에서의 접선의 기울기는 $f'(e)=\dfrac{1}{e}$이므로 접선에 수직인 직선의 기울기는 $-e$이다.
즉, 점 $P(e,1)$을 지나고 기울기가 $-e$인 직선의 방정식은

$$y-1=-e(x-e)$$

$$\therefore y=-ex+e^2+1$$

이 직선의 x절편은

$$x=e+\dfrac{1}{e}$$

$$\therefore \lim_{t\to e}S(t)=\int_1^e \ln x\,dx+\dfrac{1}{2}\Big(e+\dfrac{1}{e}-e\Big)\times 1$$

$$=\Big[x\ln x-x\Big]_1^e+\dfrac{1}{2e}$$

$$=1+\dfrac{1}{2e}$$

$\blacksquare\ 1+\dfrac{1}{2e}$

53

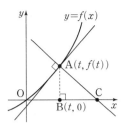

점 $A(t,f(t))$에서 x축에 내린 수선의 발은 $B(t,0)$이고 점 A에서의 접선과 수직인 직선의 방정식

$$y=-\dfrac{1}{f'(t)}(x-t)+f(t)$$가 x축과 만나는 점은

$C(f'(t)f(t)+t,0)$이다. 즉, 삼각형 ABC의 넓이는

$$\dfrac{1}{2}|f(t)f'(t)f(t)|=\dfrac{1}{2}|\{f(t)\}^2 f'(t)|$$

$$=\dfrac{1}{2}\{f(t)\}^2 f'(t)\ (\because f'(x)>0)$$

$$=\dfrac{1}{2}(e^{3t}-2e^{2t}+e^t)$$

$$\therefore f'(t)\{f(t)\}^2=e^t(e^t-1)^2$$

위의 식의 양변을 t에 대하여 적분하면

$$\dfrac{1}{3}\{f(t)\}^3=\dfrac{1}{3}(e^t-1)^3+C\ (단,\ C는\ 적분상수)이고$$

$f(0)=0$에서 $C=0$

$$\{f(t)\}^3=(e^t-1)^3$$

$$\therefore f(t)=e^t-1$$

따라서 곡선 $y=f(x)$와 x축 및 직선 $x=1$로 둘러싸인 부분의 넓이 S는

$$S=\int_0^1 (e^x-1)\,dx=\Big[e^x-x\Big]_0^1$$

$$=(e-1)-1=e-2$$

$\blacksquare\ ①$

54 곡선 $y=\dfrac{xe^x}{e^x+1}$과 직선 $y=\dfrac{2}{3}x$의 교점의 x좌표는

$$\dfrac{xe^x}{e^x+1}=\dfrac{2}{3}x$$에서 $3xe^x=2xe^x+2x$

$$xe^x-2x=0,\ x(e^x-2)=0$$

$$\therefore x=-\sqrt{\ln 2}\ \text{또는}\ x=0\ \text{또는}\ x=\sqrt{\ln 2}$$

$-\sqrt{\ln 2}\le x\le 0$일 때 $\dfrac{xe^x}{e^x+1}\ge\dfrac{2}{3}x$,

$0\le x\le\sqrt{\ln 2}$일 때 $\dfrac{xe^x}{e^x+1}\le\dfrac{2}{3}x$이므로 구하는 넓이는

$$\int_{-\sqrt{\ln 2}}^0\Big(\dfrac{xe^x}{e^x+1}-\dfrac{2}{3}x\Big)dx+\int_0^{\sqrt{\ln 2}}\Big(\dfrac{2}{3}x-\dfrac{xe^x}{e^x+1}\Big)dx$$

$$=\Big[\dfrac{1}{2}\ln(e^x+1)-\dfrac{1}{3}x^2\Big]_{-\sqrt{\ln 2}}^0+\Big[\dfrac{1}{3}x^2-\dfrac{1}{2}\ln(e^x+1)\Big]_0^{\sqrt{\ln 2}}$$

$$=\dfrac{1}{2}\ln 2-\Big(\dfrac{1}{2}\ln 3-\dfrac{1}{3}\ln 2\Big)+\Big(\dfrac{1}{3}\ln 2-\dfrac{1}{2}\ln 3\Big)+\dfrac{1}{2}\ln 2$$

$$=\dfrac{5}{3}\ln 2-\ln 3$$

$\blacksquare\ ①$

55

$$\beta=\int_p^q \log_b x\,dx=\dfrac{1}{\ln b}\int_p^q \ln x\,dx$$

$$=\dfrac{1}{\ln b}\Big[x\ln x-x\Big]_p^q$$

$$=\dfrac{1}{\ln b}(q\ln q-q-p\ln p+p)$$

$$\alpha = \int_p^q \log_a x \, dx - \beta = \frac{1}{\ln a}\int_p^q \ln x \, dx - \beta$$

$$= \frac{1}{\ln a}\Big[x\ln x - x\Big]_p^q - \beta$$

$$= \frac{1}{\ln a}(q\ln q - q - p\ln p + p)$$

$$\qquad\qquad - \frac{1}{\ln b}(q\ln q - q - p\ln p + p)$$

$$= \left(\frac{1}{\ln a} - \frac{1}{\ln b}\right)(q\ln q - q - p\ln p + p)$$

$$\therefore \frac{\alpha}{\beta} = \frac{\left(\dfrac{1}{\ln a} - \dfrac{1}{\ln b}\right)}{\dfrac{1}{\ln b}} = \frac{\ln b}{\ln a} - 1 = \log_a b - 1 \qquad \text{답 ③}$$

56

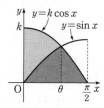

두 곡선 $y = k\cos x$, $y = \sin x$의 교점의 x좌표를
$\theta\left(0 < \theta < \dfrac{\pi}{2}\right)$라 하면

$k\cos\theta = \sin\theta$에서 $\tan\theta = k$이므로

$$\sin\theta = \frac{k}{\sqrt{1+k^2}}, \quad \cos\theta = \frac{1}{\sqrt{1+k^2}} \qquad \cdots\cdots \text{㉠}$$

$0 \le x \le \dfrac{\pi}{2}$에서 곡선 $y = k\cos x$와 x축 및 y축으로 둘러싸인

부분의 넓이를 S_1이라 하면

$$S_1 = \int_0^{\frac{\pi}{2}} k\cos x \, dx = k\Big[\sin x\Big]_0^{\frac{\pi}{2}} = k$$

$0 \le x \le \theta$에서 두 곡선 $y = k\cos x$, $y = \sin x$와 y축으로 둘러
싸인 부분의 넓이를 S_2라 하면

$$S_2 = \int_0^{\theta}(k\cos x - \sin x)\,dx$$

$$= \Big[k\sin x + \cos x\Big]_0^{\theta} = k\sin\theta + \cos\theta - 1$$

$S_2 = \dfrac{1}{2}S_1$이므로 $k\sin\theta + \cos\theta - 1 = \dfrac{k}{2}$

이 식에 ㉠을 대입하면

$$\frac{k^2}{\sqrt{1+k^2}} + \frac{1}{\sqrt{1+k^2}} - 1 = \frac{k}{2}$$

$$\frac{1+k^2}{\sqrt{1+k^2}} = \frac{k}{2} + 1, \quad \sqrt{1+k^2} = \frac{k}{2} + 1$$

$$1 + k^2 = \frac{k^2}{4} + k + 1, \quad 3k^2 - 4k = 0$$

$$k(3k-4) = 0 \qquad \therefore k = \frac{4}{3}\ (\because k > 0) \qquad \text{답 } \dfrac{4}{3}$$

57

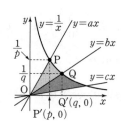

그림과 같이 곡선 $y = \dfrac{1}{x}$과 두 직선 $y = ax$, $y = bx$의 교점을

각각 $\mathrm{P}\left(p, \dfrac{1}{p}\right)$, $\mathrm{Q}\left(q, \dfrac{1}{q}\right)$이라 하고, 두 점 P, Q에서 x축에 내
린 수선의 발을 각각 $\mathrm{P}'(p, 0)$, $\mathrm{Q}'(q, 0)$이라 하자.

두 점 P, Q는 각각 두 직선 $y = ax$, $y = bx$ 위의 점이므로

$\dfrac{1}{p} = ap$, $\dfrac{1}{q} = bq$에서 $p = \dfrac{1}{\sqrt{a}}$, $q = \dfrac{1}{\sqrt{b}}$ ($\because p > 0$, $q > 0$)

곡선 $y = \dfrac{1}{x}$과 두 직선 $y = ax$, $y = bx$로 둘러싸인 부분의 넓이
S_1은

$$S_1 = (\text{삼각형 OPP′의 넓이}) + \int_p^q \frac{1}{x}\,dx - (\text{삼각형 OQQ′의 넓이})$$

$$= \frac{1}{2} \times p \times \frac{1}{p} + \Big[\ln x\Big]_p^q - \frac{1}{2} \times q \times \frac{1}{q}$$

$$= \ln q - \ln p = \ln\frac{q}{p}$$

$$= \ln\frac{\sqrt{a}}{\sqrt{b}} = \frac{1}{2}\ln\frac{a}{b}$$

같은 방법으로 S_2를 구하면

$$S_2 = \frac{1}{2}\ln\frac{b}{c}$$

a, b, c가 이 순서대로 등비수열을 이루므로 $b^2 = ac$

따라서 $\dfrac{a}{b} = \dfrac{b}{c}$이므로 $S_1 = S_2$ \qquad 답 ③

58

ㄱ. $1 \le x \le e$이므로
$0 \le \ln x \le 1$
n은 2 이상의 자연수이므로
$(\ln x)^n \ge (\ln x)^{n+1}$ (참)

ㄴ. ㄱ에서 $(\ln x)^n \ge (\ln x)^{n+1}$이므로

$$\int_1^e (\ln x)^n \, dx > \int_1^e (\ln x)^{n+1}\,dx$$

즉, $e - \displaystyle\int_1^e (\ln x)^n \, dx < e - \int_1^e (\ln x)^{n+1}\,dx$

$\therefore S_n < S_{n+1}$ (참)

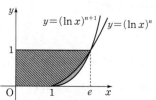

ㄷ. 두 함수 $f(x)$, $g(x)$는 서로 역함수 관계이므로 두 함수
$y = f(x)$, $y = g(x)$의 그래프는 직선 $y = x$에 대하여 대칭
이다.

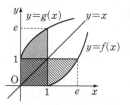

즉, 그림에서

$$S_n = \int_0^1 g(x)\,dx \text{ (참)}$$

따라서 ㄱ, ㄴ, ㄷ 모두 옳다. \qquad 답 ㄱ, ㄴ, ㄷ

59 두 함수 $f(x)$, $g(x)$는 서로 역함수 관계이므로 두 곡선 $y=f(x)$, $y=g(x)$는 직선 $y=x$에 대하여 대칭이다.

즉, 접점의 좌표는 (e, e)이고, 두 곡선 $y=f(x)$, $y=g(x)$와 x축 및 y축으로 둘러싸인 부분의 넓이는 $y=f(x)$와 y축 및 직선 $y=x$로 둘러싸인 부분의 넓이의 2배와 같다.

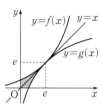

한편, 점 (e, e)는 곡선 $y=f(x)$ 위의 점이고, 점 (e, e)에서의 접선의 방정식이 $y=x$이므로

$f(e)=e$에서 $e^{ae}=e$

$f'(x)=ae^{ax}$에서 $f'(e)=1$이므로 $ae^{ae}=1$

$\therefore a=\dfrac{1}{e^{ae}}=\dfrac{1}{e}$

따라서 구하는 넓이는

$2\displaystyle\int_0^e \left(e^{\frac{x}{e}}-x\right)dx=2\left[e\times e^{\frac{x}{e}}-\dfrac{1}{2}x^2\right]_0^e$

$\qquad\qquad\qquad\quad=2\left\{\left(e^2-\dfrac{1}{2}e^2\right)-e\right\}$

$\qquad\qquad\qquad\quad=e^2-2e$

📖 e^2-2e

60 (ⅰ) $(2x)^2>\pi^2$, 즉 $x<-\dfrac{\pi}{2}$ 또는 $x>\dfrac{\pi}{2}$일 때,

$\qquad f(x)=ax^2+b$

(ⅱ) $(2x)^2=\pi^2$, 즉 $x=-\dfrac{\pi}{2}$ 또는 $x=\dfrac{\pi}{2}$일 때,

$\qquad f\left(-\dfrac{\pi}{2}\right)=f\left(\dfrac{\pi}{2}\right)=\dfrac{a\pi^2+4b}{8}$

(ⅲ) $(2x)^2<\pi^2$, 즉 $-\dfrac{\pi}{2}<x<\dfrac{\pi}{2}$일 때, $f(x)=\cos x$

(ⅰ)~(ⅲ)에서 $f(x)=\begin{cases} ax^2+b & \left(x<-\dfrac{\pi}{2} \text{ 또는 } x>\dfrac{\pi}{2}\right) \\ \dfrac{a\pi^2+4b}{8} & \left(x=-\dfrac{\pi}{2} \text{ 또는 } x=\dfrac{\pi}{2}\right) \\ \cos x & \left(-\dfrac{\pi}{2}<x<\dfrac{\pi}{2}\right) \end{cases}$

함수 $f(x)$가 실수 전체의 집합에서 미분가능하므로 $x=-\dfrac{\pi}{2}$ 또는 $x=\dfrac{\pi}{2}$에서 연속이다.

즉, $\displaystyle\lim_{x\to\frac{\pi}{2}+}f(x)=\lim_{x\to\frac{\pi}{2}-}f(x)=f\left(\dfrac{\pi}{2}\right)$이고

$\displaystyle\lim_{x\to-\frac{\pi}{2}+}f(x)=\lim_{x\to-\frac{\pi}{2}-}f(x)=f\left(-\dfrac{\pi}{2}\right)$이므로

$\dfrac{a\pi^2+4b}{4}=0=\dfrac{a\pi^2+4b}{8}$ $\quad\therefore a\pi^2+4b=0$ ……㉠

한편,

$f'(x)=\begin{cases} 2ax & \left(x<-\dfrac{\pi}{2} \text{ 또는 } x>\dfrac{\pi}{2}\right) \\ -\sin x & \left(-\dfrac{\pi}{2}<x<\dfrac{\pi}{2}\right) \end{cases}$

함수 $f(x)$가 $x=-\dfrac{\pi}{2}$ 또는 $x=\dfrac{\pi}{2}$에서 미분가능하므로

$2a\times\dfrac{\pi}{2}=-\sin\dfrac{\pi}{2}=-1$ $\quad\therefore a=-\dfrac{1}{\pi}$

$a=-\dfrac{1}{\pi}$를 ㉠에 대입하면 $b=\dfrac{\pi}{4}$

한편, 곡선 $y=f(x)$의 그래프가 그림과 같으므로

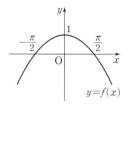

$S=\displaystyle\int_{-\frac{\pi}{2}}^{\frac{\pi}{2}}\cos x\,dx$

$\quad=2\displaystyle\int_0^{\frac{\pi}{2}}\cos x\,dx$

$\quad=2\left[\sin x\right]_0^{\frac{\pi}{2}}=2$

$\therefore abS=-\dfrac{1}{\pi}\times\dfrac{\pi}{4}\times2=-\dfrac{1}{2}$

📖 $-\dfrac{1}{2}$

61

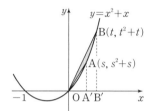

점 A와 점 B에서 x축에 내린 수선의 발을 각각 A′, B′이라 하면 두 직선 OA, OB와 곡선 $y=x^2+x$로 둘러싸인 부분의 넓이 k는

$k=$(삼각형 OBB′의 넓이) $-$ (삼각형 OAA′의 넓이)

$\qquad\qquad\qquad\qquad\qquad -\displaystyle\int_s^t(x^2+x)dx$

$\quad=\dfrac{1}{2}\times t\times(t^2+t)-\dfrac{1}{2}\times s\times(s^2+s)-\left[\dfrac{1}{3}x^3+\dfrac{1}{2}x^2\right]_s^t$

$\quad=\dfrac{1}{2}(t^3+t^2)-\dfrac{1}{2}(s^3+s^2)-\left(\dfrac{1}{3}t^3+\dfrac{1}{2}t^2\right)+\left(\dfrac{1}{3}s^3+\dfrac{1}{2}s^2\right)$

$\quad=\dfrac{1}{6}t^3-\dfrac{1}{6}s^3=\dfrac{1}{6}(t^3-s^3)$

즉, $\dfrac{t^3-s^3}{6}=k$에서 $t^3-s^3=6k$이므로 점 (s, t)가 나타내는 곡선 C는

$y^3=x^3+6k$ ……㉠

곡선 C 위의 점 (x, y)와 점 $(1, 0)$ 사이의 거리를 d라 하면

$d^2=(x-1)^2+y^2$

$\quad=(x-1)^2+(x^3+6k)^{\frac{2}{3}}$ $(\because ㉠)$

이고 d가 최소일 때, d^2도 최소이다.

$f(x)=(x-1)^2+(x^3+6k)^{\frac{2}{3}}$으로 놓으면

$x=\dfrac{2}{3}$일 때, $f(x)$가 최소이므로 $f'\left(\dfrac{2}{3}\right)=0$이다.

$f'(x)=2(x-1)+\dfrac{2}{3}(x^3+6k)^{-\frac{1}{3}}\times3x^2$에서

$f'\left(\dfrac{2}{3}\right)=-\dfrac{2}{3}+\dfrac{2}{3}\left(\dfrac{8}{27}+6k\right)^{-\frac{1}{3}}\times\dfrac{4}{3}=0$

$\left(\dfrac{8}{27}+6k\right)^{-\frac{1}{3}}=\dfrac{3}{4}$, $\dfrac{8}{27}+6k=\dfrac{64}{27}$

$\therefore k=\dfrac{28}{81}$

📖 ②

14 정적분의 활용

정적분의 활용   본책 141~147쪽

01 물의 깊이가 $t\,\mathrm{cm}$일 때, 수면의 넓이를 $S(t)=3t^2+2t\,(\mathrm{cm}^2)$ 라 하면 물의 깊이가 $x\,\mathrm{cm}$일 때, 물의 부피 $V(x)$는

$$V(x)=\int_0^x S(t)\,dt=\int_0^x (3t^2+2t)\,dt$$

따라서 물의 깊이가 $4\,\mathrm{cm}$일 때 물의 부피는

$$V(4)=\int_0^4 (3t^2+2t)\,dt$$
$$=\Big[t^3+t^2\Big]_0^4=80\,(\mathrm{cm}^3) \qquad \text{답}\ 80\,\mathrm{cm}^3$$

02 단면의 넓이를 $S(t)$라 하면
$$S(t)=(\sqrt{10-t}\,)^2=10-t\,(\mathrm{cm}^2)$$
따라서 구하는 부피 V는
$$V=\int_0^8 S(t)\,dt=\int_0^8 (10-t)\,dt=\Big[10t-\frac{1}{2}t^2\Big]_0^8=48\,(\mathrm{cm}^3)$$
$$\text{답}\ 48\,\mathrm{cm}^3$$

03 직선 $x=t\,(0\le t\le 1)$를 포함하고 x축에 수직인 평면으로 자른 단면의 넓이를 $S(t)$라 하면
$$S(t)=(\sqrt{t}+1)^2=t+2\sqrt{t}+1$$
따라서 구하는 부피 V는
$$V=\int_0^1 S(t)\,dt=\int_0^1 (t+2\sqrt{t}+1)\,dt$$
$$=\Big[\frac{1}{2}t^2+\frac{4}{3}t\sqrt{t}+t\Big]_0^1=\frac{1}{2}+\frac{4}{3}+1=\frac{17}{6} \qquad \text{답}\ \frac{17}{6}$$

04 단면의 넓이를 $S(t)$라 하면 $S(t)=4\pi e^{2t}$
따라서 구하는 입체도형의 부피 V는
$$V=\int_0^1 S(t)\,dt=\int_0^1 4\pi e^{2t}\,dt$$
$$=\pi\Big[2e^{2t}\Big]_0^1=\pi(2e^2-2)$$
$$=2\pi(e^2-1) \qquad \text{답}\ ⑤$$

05
$$\int_0^2 (t-1)e^t\,dt=\Big[(t-1)e^t\Big]_0^2-\int_0^2 e^t\,dt$$
$$=(e^2+1)-\Big[e^t\Big]_0^2=e^2+1-e^2+1=2$$
$$\text{답}\ ③$$

06 $\dfrac{dx}{dt}=-3,\ \dfrac{dy}{dt}=4$이므로
$t=0$에서 $t=1$까지 점 P가 움직인 거리 s는
$$s=\int_0^1 \sqrt{(-3)^2+4^2}\,dt=\int_0^1 5\,dt=\Big[5t\Big]_0^1=5 \qquad \text{답}\ 5$$

07 $t=0$에서 $t=1$까지 점 P가 움직인 거리 s는
$$s=\int_0^1 \sqrt{(-\sin t)^2+(\cos t)^2}\,dt=\int_0^1 1\,dt=\Big[t\Big]_0^1=1 \qquad \text{답}\ 1$$

08 $y=x\sqrt{x}$에서 $\dfrac{dy}{dx}=\dfrac{3}{2}x^{\frac{1}{2}}$
따라서 구하는 곡선의 길이 l은

$$l=\int_0^4 \sqrt{1+\Big(\frac{dy}{dx}\Big)^2}\,dx$$
$$=\int_0^4 \sqrt{1+\frac{9}{4}x}\,dx$$
$$=\Big[\frac{8}{27}\Big(1+\frac{9}{4}x\Big)^{\frac{3}{2}}\Big]_0^4$$
$$=\frac{8}{27}(10\sqrt{10}-1) \qquad \text{답}\ \frac{8}{27}(10\sqrt{10}-1)$$

09 물의 깊이가 $t\,\mathrm{cm}$일 때, 수면의 넓이를 $S(t)=\ln(t+1)\,(\mathrm{cm}^2)$ 이라 하면 물의 깊이가 $x\,\mathrm{cm}$인 물의 부피 $V(x)$는

$$V(x)=\int_0^x S(t)\,dt=\int_0^x \ln(t+1)\,dt$$

따라서 물의 깊이가 $5\,\mathrm{cm}$일 때 물의 부피는

$$V(5)=\int_0^5 \ln(t+1)\,dt$$

$t+1=k$로 놓으면 $dt=dk$이고, $t=0$일 때 $k=1$, $t=5$일 때 $k=6$이므로

$$\int_0^5 \ln(t+1)\,dt=\int_1^6 \ln k\,dk=\Big[k\ln k-k\Big]_1^6$$
$$=6\ln 6-6+1$$
$$=6\ln 6-5\,(\mathrm{cm}^3) \qquad \text{답}\ (6\ln 6-5)\,\mathrm{cm}^3$$

10 수면의 넓이가 $\dfrac{3}{2}\,\mathrm{m}^2$일 때 물의 깊이는

$1+\sin^2\dfrac{\pi x}{8}-\cos\dfrac{\pi x}{4}=\dfrac{3}{2}$에서

$$1+\frac{1-\cos\dfrac{\pi x}{4}}{2}-\cos\frac{\pi x}{4}=\frac{3}{2},\ \cos\frac{\pi x}{4}=0$$

$$\frac{\pi x}{4}=n\pi+\frac{\pi}{2}\ (\text{단},\ n\text{은 정수이다.})$$

$$\therefore\ x=4n+2$$

$0\le x\le 3$이므로 $n=0$일 때 $x=2$이다.
따라서 구하는 물의 부피 V는

$$V=\int_0^2 \Big(1+\sin^2\frac{\pi x}{8}-\cos\frac{\pi x}{4}\Big)dx$$
$$=\int_0^2 \Big(1+\frac{1-\cos\dfrac{\pi x}{4}}{2}-\cos\frac{\pi x}{4}\Big)dx$$
$$=\frac{3}{2}\int_0^2 \Big(1-\cos\frac{\pi x}{4}\Big)dx$$
$$=\frac{3}{2}\Big[x-\frac{4}{\pi}\sin\frac{\pi x}{4}\Big]_0^2$$
$$=\frac{3}{2}\Big(2-\frac{4}{\pi}\Big)$$
$$=3-\frac{6}{\pi}\,(\mathrm{m}^3) \qquad \text{답}\ ③$$

참고
$$\sin^2\frac{\alpha}{2}=\frac{1-\cos\alpha}{2}$$

11 물의 깊이가 $t\,\mathrm{cm}$일 때, 수면의 넓이를 $S(t)$라 하면 물의 깊이가 $x\,\mathrm{cm}$인 물의 부피는
$$\int_0^x S(t)\,dt=\frac{1}{2\ln 2}(4^x+2^{x+1}-3)$$
양변을 x에 대하여 미분하면 $S(x)=4^x+2^x$

$S(x)=72$에서

$4^x+2^x-72=0$, $(2^x-8)(2^x+9)=0$

즉, $2^x=8$에서 $x=3$

따라서 구하는 물의 깊이는 $3\,\mathrm{cm}$이다.　　　　　📋 $3\,\mathrm{cm}$

12

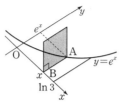

그림에서 점 A의 좌표를 $A(x,\,e^x)$이라 하면 점 B의 좌표는

$B(x,\,0)$이므로 $\overline{AB}=e^x$

즉, 한 변의 길이가 e^x인 정사각형의 넓이 $S(x)$는

$S(x)=(e^x)^2=e^{2x}$

따라서 구하는 입체도형의 부피 $V(x)$는

$V(x)=\displaystyle\int_0^{\ln 3} e^{2x}\,dx=\left[\dfrac{1}{2}e^{2x}\right]_0^{\ln 3}=4$　　📋 4

13

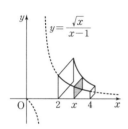

곡선 $y=\dfrac{\sqrt{x}}{x-1}$ 위의 임의의 점 x에서 x축에 내린 수선을 한 변

으로 하는 정사각형은 한 변의 길이가 $\dfrac{\sqrt{x}}{x-1}$이므로 그 넓이

$S(x)$는

$S(x)=\left(\dfrac{\sqrt{x}}{x-1}\right)^2=\dfrac{x}{(x-1)^2}$

따라서 $x-1=t$로 놓으면 $1=\dfrac{dt}{dx}$이고,

$x=2$일 때 $t=1$, $x=4$일 때 $t=3$이므로

구하는 입체도형의 부피 $V(x)$는

$V(x)=\displaystyle\int_2^4 \dfrac{x}{(x-1)^2}\,dx=\int_1^3 \dfrac{t+1}{t^2}\,dt$

$\qquad=\displaystyle\int_1^3 \dfrac{1}{t}\,dt+\int_1^3 \dfrac{1}{t^2}\,dt$

$\qquad=\Big[\ln t\Big]_1^3+\left[-\dfrac{1}{t}\right]_1^3$

$\qquad=\ln 3+\left(-\dfrac{1}{3}+1\right)=\ln 3+\dfrac{2}{3}$　　📋 ⑤

14

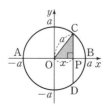

그림과 같이 원의 중심을 원점, 지름 AB를 x축으로 잡고 점 P

의 좌표를 $P(x,\,0)$이라 하면

$\overline{CD}=2\overline{CP}=2\sqrt{\overline{OC}^2-\overline{OP}^2}$

$\qquad=2\sqrt{a^2-x^2}$

즉, 한 변의 길이가 $2\sqrt{a^2-x^2}$인 정삼각형의 넓이는

$\dfrac{\sqrt{3}}{4}(2\sqrt{a^2-x^2})^2=\sqrt{3}\,(a^2-x^2)$

따라서 구하는 입체도형의 부피는

$\displaystyle\int_{-a}^{a}\sqrt{3}\,(a^2-x^2)\,dx=2\int_0^a \sqrt{3}\,(a^2-x^2)\,dx$

$\qquad=2\sqrt{3}\left[a^2 x-\dfrac{1}{3}x^3\right]_0^a$

$\qquad=2\sqrt{3}\times\dfrac{2}{3}a^3$

$\qquad=\dfrac{4\sqrt{3}}{3}a^3$　　📋 $\dfrac{4\sqrt{3}}{3}a^3$

15

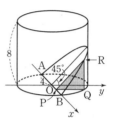

그림과 같이 밑면의 중심을 원점, 밑면의 지름을 x축, y축으로

잡고 x축 위의 점 $P(x,\,0)\,(-4\le x\le 4)$을 지나 x축에 수직인

평면으로 입체도형을 자른 단면을 삼각형 PQR라 하면

$\overline{PQ}=\sqrt{\overline{OQ}^2-\overline{OP}^2}=\sqrt{16-x^2}$

$\overline{RQ}=\overline{PQ}=\sqrt{16-x^2}$

삼각형 PQR의 넓이를 $S(t)$라 하면

$S(t)=\dfrac{1}{2}\times\overline{PQ}\times\overline{RQ}=\dfrac{1}{2}(16-t^2)$

따라서 구하는 입체도형의 부피는

$\displaystyle\int_{-4}^{4} S(t)\,dt=\int_{-4}^{4}\dfrac{1}{2}(16-t^2)\,dt$

$\qquad=\displaystyle\int_0^4 (16-t^2)\,dt$

$\qquad=\left[16t-\dfrac{1}{3}t^3\right]_0^4=\dfrac{128}{3}$　　📋 $\dfrac{128}{3}$

16 그림과 같이 선분 AB 위의 점 $P(x,\,0)$

을 지나고 선분 AB에 수직인 직선이

원과 만나는 점을 Q라 하면 삼각형

OPQ에서

$\overline{PQ}=\sqrt{\overline{OQ}^2-\overline{OP}^2}=\sqrt{25-x^2}$

점 Q에서 그릇의 밑면에 수직이 되도록

그은 직선이 수면과 만나는 점을 R라 하면

$\overline{QR}=\overline{PQ}\tan 45°=\sqrt{25-x^2}$

삼각형 PQR의 넓이를 $S(t)$라 하면

$S(t)=\dfrac{1}{2}(\sqrt{25-t^2})^2$

$\qquad=\dfrac{1}{2}(25-t^2)$

따라서 구하는 물의 부피 V는

$V=\displaystyle\int_{-5}^{5} S(t)\,dt=\int_{-5}^{5}\dfrac{1}{2}(25-t^2)\,dt$

$\ \ =\dfrac{1}{2}\left[25t-\dfrac{1}{3}t^3\right]_{-5}^{5}=\dfrac{250}{3}$　　📋 $\dfrac{250}{3}$

17

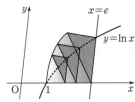

$y=e^x$의 역함수는 $y=\ln x$이므로

점 $(0, 1)$은 점 $(1, 0)$으로 점 $(0, e)$는 점 $(e, 0)$으로 이동한다.

$x=t$ $(1 \leq t \leq e)$일 때 정삼각형의 한 변의 길이는 $\ln t$이므로 정삼각형의 넓이를 $S(t)$라 하면

$$S(t) = \frac{\sqrt{3}}{4} \times (\ln t)^2$$

따라서 구하는 부피는

$$\int_1^e S(t)\,dt = \frac{\sqrt{3}}{4} \int_1^e (\ln t)^2\,dt$$

$$= \frac{\sqrt{3}}{4}\left\{ \left[t(\ln t)^2 \right]_1^e - \int_1^e t\left(2 \times \frac{1}{t} \times \ln t\right) dt \right\}$$

$$= \frac{\sqrt{3}}{4}\left\{ \left[t(\ln t)^2 \right]_1^e - 2\int_1^e \ln t\,dt \right\}$$

$$= \frac{\sqrt{3}}{4}\left\{ \left[t(\ln t)^2 \right]_1^e - 2\left[t\ln t - t \right]_1^e \right\}$$

$$= \frac{\sqrt{3}}{4}(e-2)$$

🔺⑤

다른 풀이1

$\int \ln x\,dx = x\ln x - x + C$ (C는 적분상수)이므로

$$\int_1^e S(t)\,dt = \frac{\sqrt{3}}{4} \int_1^e (\ln t)^2\,dt$$

$$= \frac{\sqrt{3}}{4}\left\{ \left[\ln t\,(t\ln t - t) \right]_1^e - \int_1^e (\ln t - 1)\,dt \right\}$$

$$= \frac{\sqrt{3}}{4}\left\{ \left[\ln t\,(t\ln t - t) \right]_1^e - \left[t\ln t - 2t \right]_1^e \right\}$$

$$= \frac{\sqrt{3}}{4}(e-2)$$

다른 풀이2

함수 $f(x)=e^x$의 역함수를 $f^{-1}(x)$라 하고, 입체도형의 부피를 V라 하면

$$V = \int_1^e \frac{\sqrt{3}}{4}\{f^{-1}(y)\}^2\,dy$$

$y=f(x)$에서 $f^{-1}(y)=x$이고 $y=f(x)$의 양변을 x에 대하여 미분하면 $\dfrac{dy}{dx}=f'(x)=e^x$이므로

$$V = \int_0^1 \frac{\sqrt{3}}{4} x^2 \cdot e^x\,dx$$

$$= \frac{\sqrt{3}}{4}\left(\left[x^2 e^x \right]_0^1 - 2\int_0^1 x e^x\,dx \right)$$

$$= \frac{\sqrt{3}}{4}\left\{ \left[x^2 e^x \right]_0^1 - 2\left(\left[x e^x \right]_0^1 - \int_0^1 e^x\,dx \right) \right\}$$

$$= \frac{\sqrt{3}}{4}\left\{ \left[x^2 e^x \right]_0^1 - 2\left(\left[x e^x \right]_0^1 - \left[e^x \right]_0^1 \right) \right\}$$

$$= \frac{\sqrt{3}}{4}(e-2)$$

18 단면의 넓이를 $S(x)$라 하면

$$S(x) = \frac{1}{2}\pi \times \left(\frac{1}{2}\sqrt{x\sin x} \right)^2 = \frac{\pi}{8} x\sin x$$

따라서 구하는 입체도형의 부피 V는

$$V = \int_0^\pi S(x)\,dx = \frac{\pi}{8} \int_0^\pi x\sin x\,dx$$

$$= \frac{\pi}{8}\left(\left[-x\cos x \right]_0^\pi + \int_0^\pi \cos x\,dx \right)$$

$$= \frac{\pi}{8}\left(\pi + \left[\sin x \right]_0^\pi \right)$$

$$= \frac{\pi}{8} \times \pi = \frac{\pi^2}{8}$$

🔺④

19

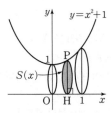

점 P의 좌표를 $P(x, x^2+1)$이라 하면

$\overline{PH}=x^2+1$

즉, 선분 PH를 지름으로 하는 원의 넓이는

$$\pi\left(\frac{x^2+1}{2} \right)^2 = \frac{\pi}{4}(x^4+2x^2+1)$$

$0 \leq x \leq 1$에서 입체도형의 부피가 $\dfrac{k}{15}\pi$이므로

$$\int_0^1 \frac{\pi}{4}(x^4+2x^2+1)\,dx = \frac{\pi}{4}\left[\frac{1}{5}x^5 + \frac{2}{3}x^3 + x \right]_0^1$$

$$= \frac{7}{15}\pi$$

$\therefore k=7$

🔺7

20 그림과 같이 구의 중심 O로부터 x cm $(4 \leq x \leq 8)$만큼 떨어진 평면으로 자른 단면은 중심이 P이고 지름이 AB인 원이므로

$\overline{OP}=x$ cm, $\overline{OB}=8$ cm에서

$\overline{PB}=\sqrt{64-x^2}$ (cm)

그러므로 단면의 넓이를 $S(x)$라 하면

$$S(x) = \pi(64-x^2) \text{ (cm}^2\text{)}$$

따라서 구하는 부피 V는

$$V = \int_4^8 S(x)\,dx = \pi \int_4^8 (64-x^2)\,dx = \pi\left[64x - \frac{x^3}{3} \right]_4^8$$

$$= \pi\left(512 - \frac{512}{3} - 256 + \frac{64}{3} \right) = \frac{320}{3}\pi \text{ (cm}^3\text{)}$$

이므로 남아 있는 물의 양은 $\dfrac{320}{3}\pi$ cm^{3}이다.

따라서 $k=\dfrac{320}{3}$이므로

$$3k = 3 \times \frac{320}{3} = 320$$

🔺320

21 $v(t)=4t-\dfrac{1}{2\sqrt{t}}$에서 점 P가 진행 방향을 바꾸는 순간은

$v(t)=0$에서 $4t - \dfrac{1}{2\sqrt{t}}=0$

$(\sqrt{t})^3 = \left(\dfrac{1}{2}\right)^3$ $\therefore t=\dfrac{1}{4}$

따라서 점 P가 진행 방향을 바꾸는 $t=\dfrac{1}{4}$일 때부터 $t=1$이 될 때까지 움직인 거리는

$$\int_{\frac{1}{4}}^{1}\left|4t-\dfrac{1}{2\sqrt{t}}\right|dt=\int_{\frac{1}{4}}^{1}\left(4t-\dfrac{1}{2\sqrt{t}}\right)dt$$
$$=\left[2t^2-\sqrt{t}\right]_{\frac{1}{4}}^{1}$$
$$=(2-1)-\left(\dfrac{1}{8}-\dfrac{1}{2}\right)$$
$$=\dfrac{11}{8}$$

답 ④

22 위치의 변화량은 $\displaystyle\int_{0}^{2\pi}5\sin^2 t\cos t\,dt$

$f(t)=5\sin^2 t$, $g'(t)=\cos t$로 놓으면

$f'(t)=10\sin t\cos t$, $g(t)=\sin t$

$$\int_{0}^{2\pi}5\sin^2 t\cos t\,dt=\left[5\sin^3 t\right]_{0}^{2\pi}-\int_{0}^{2\pi}10\sin^2 t\cos t\,dt$$
$$=\left[5\sin^3 t\right]_{0}^{2\pi}-2\int_{0}^{2\pi}5\sin^2 t\cos t\,dt$$

즉, $3\displaystyle\int_{0}^{2\pi}5\sin^2 t\cos t\,dt=\left[5\sin^3 t\right]_{0}^{2\pi}$

$\therefore \displaystyle\int_{0}^{2\pi}5\sin^2 t\cos t\,dt=\left[\dfrac{5}{3}\sin^3 t\right]_{0}^{2\pi}=0$

$0\le t\le 2\pi$에서 $\sin^2 t\ge 0$이고, $0\le t\le\dfrac{\pi}{2}$일 때 $\cos t\ge 0$,

$\dfrac{\pi}{2}\le t\le\dfrac{3}{2}\pi$일 때 $\cos t\le 0$, $\dfrac{3}{2}\pi\le t\le 2\pi$일 때 $\cos t\ge 0$

이므로 움직인 거리는

$$\int_{0}^{2\pi}|5\sin^2 t\cos t|\,dt$$
$$=\int_{0}^{\frac{\pi}{2}}5\sin^2 t\cos t\,dt-\int_{\frac{\pi}{2}}^{\frac{3}{2}\pi}5\sin^2 t\cos t\,dt$$
$$\qquad\qquad\qquad\qquad+\int_{\frac{3}{2}\pi}^{2\pi}5\sin^2 t\cos t\,dt$$
$$=\left[\dfrac{5}{3}\sin^3 t\right]_{0}^{\frac{\pi}{2}}-\left[\dfrac{5}{3}\sin^3 t\right]_{\frac{\pi}{2}}^{\frac{3}{2}\pi}+\left[\dfrac{5}{3}\sin^3 t\right]_{\frac{3}{2}\pi}^{2\pi}$$
$$=\dfrac{5}{3}+\dfrac{10}{3}+\dfrac{5}{3}=\dfrac{20}{3}$$

따라서 이 물체의 위치의 변화량과 움직인 거리의 차는

$\left|0-\dfrac{20}{3}\right|=\dfrac{20}{3}$

답 $\dfrac{20}{3}$

23 출발 후 t초가 지났을 때 점 P의 위치는

$$\int_{0}^{t}2\cos t\,dt=\left[2\sin t\right]_{0}^{t}=2\sin t$$

이고, 점 Q의 위치는

$$\int_{0}^{t}\cos 2t\,dt=\left[\dfrac{1}{2}\sin 2t\right]_{0}^{t}=\dfrac{1}{2}\sin 2t$$

$2\sin t=\dfrac{1}{2}\sin 2t$에서 $2\sin t=\sin t\cos t$

$\sin t(2-\cos t)=0$ $\therefore \sin t=0$

$0<t\le 7\pi$이므로 $\sin t=0$에서

$t=\pi$, 2π, 3π, 4π, 5π, 6π, 7π

따라서 두 점 P와 Q가 만난 횟수는 7이다.

답 7

24 $\dfrac{dx}{dt}=2\sqrt{t}$, $\dfrac{dy}{dt}=1-t$

이므로 $t=1$에서 $t=5$까지 점 P가 움직인 거리는

$$\int_{1}^{5}\sqrt{(2\sqrt{t})^2+(1-t)^2}\,dt=\int_{1}^{5}\sqrt{(t+1)^2}\,dt$$
$$=\int_{1}^{5}(t+1)\,dt$$
$$=\left[\dfrac{1}{2}t^2+t\right]_{1}^{5}$$
$$=\left(\dfrac{25}{2}+5\right)-\left(\dfrac{1}{2}+1\right)$$
$$=16$$

답 16

25 $\dfrac{dx}{dt}=e^t(\cos t-\sin t)$, $\dfrac{dy}{dt}=e^t(\sin t+\cos t)$

이므로 $t=0$에서 $t=\pi$까지 점 P가 움직인 거리는

$$\int_{0}^{\pi}\sqrt{e^{2t}(\cos t-\sin t)^2+e^{2t}(\sin t+\cos t)^2}\,dt$$
$$=\int_{0}^{\pi}e^t\sqrt{(\cos t-\sin t)^2+(\sin t+\cos t)^2}\,dt$$
$$=\int_{0}^{\pi}e^t\sqrt{2(\sin^2 t+\cos^2 t)}\,dt=\int_{0}^{\pi}\sqrt{2}\,e^t\,dt$$
$$=\sqrt{2}\left[e^t\right]_{0}^{\pi}=\sqrt{2}\,(e^\pi-1)$$

답 ①

26 $\dfrac{dx}{dt}=1-\cos t$, $\dfrac{dy}{dt}=\sin t$

이므로 $t=0$에서 $t=2\pi$까지 점 P가 움직인 거리는

$$\int_{0}^{2\pi}\sqrt{(1-\cos t)^2+\sin^2 t}\,dt=\int_{0}^{2\pi}\sqrt{2(1-\cos t)}\,dt$$
$$=\int_{0}^{2\pi}\sqrt{4\sin^2\dfrac{t}{2}}\,dt$$
$$=2\int_{0}^{2\pi}\sin\dfrac{t}{2}\,dt$$
$$=2\left[-2\cos\dfrac{t}{2}\right]_{0}^{2\pi}$$
$$=2(2+2)=8$$

답 8

27 $\dfrac{dx}{dt}=2\sqrt{2}\cos t-\sin t$, $\dfrac{dy}{dt}=-2\sqrt{2}\sin t-\cos t$

이므로 $t=0$에서 $t=a$까지 점 P가 움직인 거리는

$$\int_{0}^{a}\sqrt{(2\sqrt{2}\cos t-\sin t)^2+(-2\sqrt{2}\sin t-\cos t)^2}\,dt$$
$$=\int_{0}^{a}\sqrt{9(\sin^2 t+\cos^2 t)}\,dt$$
$$=\int_{0}^{a}3\,dt=\left[3t\right]_{0}^{a}=3a$$

즉, $3a=12\pi$이므로 $a=4\pi$

답 ④

28 $\dfrac{dx}{dt}=-(2t-4)\sin(t^2-4t)$,

$\dfrac{dy}{dt}=(2t-4)\cos(t^2-4t)$

이므로 점 P의 시각 t에서의 속도는

$(-(2t-4)\sin(t^2-4t),\ (2t-4)\cos(t^2-4t))$

점 P의 시각 t에서의 속력은

$$\sqrt{\{-(2t-4)\sin(t^2-4t)\}^2+\{(2t-4)\cos(t^2-4t)\}^2}$$
$$=\sqrt{(2t-4)^2\{\sin^2(t^2-4t)+\cos^2(t^2-4t)\}}$$
$$=|2t-4|$$

출발 후 처음으로 점 P의 속력이 0이 되는 때는
$|2t-4|=0$에서 $t=2$

따라서 $t=0$에서 $t=2$까지 점 P가 실제로 움직인 거리는

$$\int_0^2 |2t-4|\,dt = -\int_0^2 (2t-4)\,dt$$

$$= -\Big[\,t^2-4t\,\Big]_0^2 = 4 \qquad \text{답 } 4$$

29 $\dfrac{dx}{dt}=t-\dfrac{1}{t},\ \dfrac{dy}{dt}=2$

이므로 점 P의 시각 t에서의 속도는

$\left(t-\dfrac{1}{t},\ 2\right)$

점 P의 시각 t에서의 속력은

$$\sqrt{\left(t-\frac{1}{t}\right)^2+2^2}=\sqrt{t^2+\frac{1}{t^2}+2}=\sqrt{\left(t+\frac{1}{t}\right)^2}=t+\frac{1}{t}$$

$t>0,\ \dfrac{1}{t}>0$이므로 산술평균과 기하평균의 관계에서

$t+\dfrac{1}{t}\geq 2\sqrt{t\times\dfrac{1}{t}}=2$ (단, 등호는 $t=\dfrac{1}{t}$, 즉 $t=1$일 때 성립한다.)

따라서 시각 $t=1$일 때 점 P의 속력이 최소가 되므로 점 P가 $t=1$에서 $t=e$까지 움직인 거리는

$$\int_1^e \left(t+\frac{1}{t}\right)dt=\left[\frac{1}{2}t^2+\ln t\right]_1^e=\frac{e^2+1}{2} \qquad \text{답 } \frac{e^2+1}{2}$$

30 $x=3t^2,\ y=3t-t^3$에서 $\dfrac{dx}{dt}=6t,\ \dfrac{dy}{dt}=3-3t^2$

따라서 구하는 곡선의 길이 l은

$$l=\int_{-\sqrt{3}}^{\sqrt{3}} \sqrt{\left(\frac{dx}{dt}\right)^2+\left(\frac{dy}{dt}\right)^2}\,dt$$

$$=\int_{-\sqrt{3}}^{\sqrt{3}} \sqrt{(6t)^2+(3-3t^2)^2}\,dt$$

$$=\int_{-\sqrt{3}}^{\sqrt{3}} \sqrt{9(t^2+1)^2}\,dt$$

$$=3\int_{-\sqrt{3}}^{\sqrt{3}} (t^2+1)\,dt=6\int_0^{\sqrt{3}} (t^2+1)\,dt$$

$$=6\left[\frac{1}{3}t^3+t\right]_0^{\sqrt{3}}=12\sqrt{3} \qquad \text{답 } ②$$

31 $x=2\cos\theta+\cos 2\theta,\ y=2\sin\theta+\sin 2\theta$에서

$\dfrac{dx}{d\theta}=-2\sin\theta-2\sin 2\theta,\ \dfrac{dy}{d\theta}=2\cos\theta+2\cos 2\theta$

따라서 구하는 곡선의 길이 l은

$$l=\int_0^\pi \sqrt{\left(\frac{dx}{d\theta}\right)^2+\left(\frac{dy}{d\theta}\right)^2}\,d\theta$$

$$=\int_0^\pi 2\sqrt{(-\sin\theta-\sin 2\theta)^2+(\cos\theta+\cos 2\theta)^2}\,d\theta$$

$$=\int_0^\pi 2\sqrt{2+2(\sin\theta\sin 2\theta+\cos\theta\cos 2\theta)}\,d\theta$$

$$=\int_0^\pi 2\sqrt{2+2\cos(\theta-2\theta)}\,d\theta=\int_0^\pi 2\sqrt{2}\sqrt{1+\cos\theta}\,d\theta$$

$$=\int_0^\pi 4\sqrt{\frac{1+\cos\theta}{2}}\,d\theta$$

$$=\int_0^\pi 4\left|\cos\frac{\theta}{2}\right|\,d\theta$$

$0\leq\theta\leq\pi$에서 $4\left|\cos\dfrac{\theta}{2}\right|=4\cos\dfrac{\theta}{2}$이므로 곡선의 길이는

$$\int_0^\pi 4\left|\cos\frac{\theta}{2}\right|\,d\theta=8\left[\sin\frac{\theta}{2}\right]_0^\pi=8 \qquad \text{답 } 8$$

32 $y=\dfrac{1}{4}(e^{2x}+e^{-2x})$에서 $\dfrac{dy}{dx}=\dfrac{1}{2}(e^{2x}-e^{-2x})$

따라서 구하는 곡선의 길이 l은

$$l=\int_0^{\ln 3} \sqrt{1+\left(\frac{dy}{dx}\right)^2}\,dx$$

$$=\int_0^{\ln 3} \sqrt{\frac{1}{4}(e^{4x}+2+e^{-4x})}\,dx=\int_0^{\ln 3} \frac{1}{2}\sqrt{(e^{2x}+e^{-2x})^2}\,dx$$

$$=\frac{1}{2}\int_0^{\ln 3} (e^{2x}+e^{-2x})\,dx=\frac{1}{4}\left[e^{2x}-e^{-2x}\right]_0^{\ln 3}$$

$$=\frac{1}{4}\{(e^{2\ln 3}-e^{-2\ln 3})-(1-1)\}$$

$$=\frac{1}{4}\left(9-\frac{1}{9}\right)=\frac{20}{9} \qquad \text{답 } \frac{20}{9}$$

33 좌표평면을 접어 두 평면이 서로 수직이 되도록 하였을 때, 삼각형 PQR는 직각삼각형이 된다.

점 P의 좌표를 $(x,\,0)\,(0\leq x\leq\pi)$이라 하면

$\overline{PQ}=\sin x,\ \overline{PR}=\dfrac{1}{2}x$

이므로 삼각형 PQR의 넓이 $S(x)$는

$$S(x)=\frac{1}{2}\times\frac{1}{2}x\times\sin x=\frac{1}{4}x\sin x$$

따라서 구하는 부피 V는

$$V=\int_0^\pi S(x)\,dx$$

$$=\int_0^\pi \frac{1}{4}x\sin x\,dx=\frac{1}{4}\left(\Big[-x\cos x\Big]_0^\pi+\int_0^\pi \cos x\,dx\right)$$

$$=\frac{1}{4}\left(\pi+\Big[\sin x\Big]_0^\pi\right)=\frac{\pi}{4} \qquad \text{답 } \frac{\pi}{4}$$

34 두 점 $P(x,\,0),\ Q(x,\,2\sin x)$에 대하여
$\overline{PQ}=2\sin x$이고, $\overline{PQ}=\overline{QR}$이므로
$\overline{PR}=2\sqrt{2}\sin x$
변 PR와 사분원의 접점을 H라 하면

$\overline{QH}=\overline{PH}=\dfrac{1}{2}\overline{PR}=\sqrt{2}\sin x$

즉, 도형 S의 넓이 $S(x)$는

$$S(x)=\frac{1}{2}\times(2\sin x)^2-\frac{\pi}{4}\times(\sqrt{2}\sin x)^2=\left(2-\frac{\pi}{2}\right)\sin^2 x$$

따라서 구하는 입체도형의 부피는

$$\int_0^{\frac{\pi}{2}} S(x)\,dx=\left(2-\frac{\pi}{2}\right)\int_0^{\frac{\pi}{2}} \sin^2 x\,dx$$

$$=\frac{1}{2}\left(2-\frac{\pi}{2}\right)\int_0^{\frac{\pi}{2}} (1-\cos 2x)\,dx$$

$$=\frac{1}{2}\left(2-\frac{\pi}{2}\right)\left[x-\frac{1}{2}\sin 2x\right]_0^{\frac{\pi}{2}}$$

$$=\frac{1}{2}\left(2-\frac{\pi}{2}\right)\times\frac{\pi}{2}$$

$$=\frac{\pi}{2}-\frac{\pi^2}{8} \qquad \text{답 } \frac{\pi}{2}-\frac{\pi^2}{8}$$

35 선분 PQ를 한 변으로 하는 정삼각형의 넓이 $S(x)$는

$$S(x) = \frac{\sqrt{3}}{4}\left\{\sqrt{x(x^2+1)\sin x^2}\right\}^2$$

구하는 입체도형의 부피 V는

$$V = \int_0^{\sqrt{\pi}} S(x)\,dx = \int_0^{\sqrt{\pi}} \frac{\sqrt{3}}{4} x(x^2+1)\sin x^2\,dx$$

$x^2 = t$라 하면 $2x\dfrac{dx}{dt} = 1$

$x = 0$일 때 $t = 0$, $x = \sqrt{\pi}$일 때 $t = \pi$이므로

$$V = \frac{\sqrt{3}}{8}\int_0^{\pi}(t+1)\sin t\,dt$$

$u(t) = t+1$, $v'(t) = \sin t$

$u'(t) = 1$, $v(t) = -\cos t$

$$V = \frac{\sqrt{3}}{8}\times\left[-(t+1)\cos t\right]_0^{\pi} - \frac{\sqrt{3}}{8}\int_0^{\pi}(-\cos t)\,dt$$

$$= \frac{\sqrt{3}(\pi+2)}{8} + \frac{\sqrt{3}}{8}\left[\sin t\right]_0^{\pi}$$

$$= \frac{\sqrt{3}(\pi+2)}{8}$$

답 $\dfrac{\sqrt{3}(\pi+2)}{8}$

36 그릇에 깊이가 $h\,\mathrm{cm}$가 되도록 물을 넣었을 때 수면의 넓이는 $\pi(\sqrt{9+h^2})^2\,(\mathrm{cm}^2)$

구하는 물의 부피 V는

$$V = \int_0^h \pi(\sqrt{9+h^2})^2\,dh = \int_0^h \pi(9+h^2)\,dh$$

$$= \pi\left[9h + \frac{1}{3}h^3\right]_0^h = \pi\left(9h + \frac{1}{3}h^3\right)(\mathrm{cm}^3)$$

$$\therefore \frac{dV}{dt} = \pi(9+h^2)\frac{dh}{dt}$$

$\dfrac{dV}{dt} = 260\pi$이고 $h = 2$이므로 $260\pi = \pi(9+4)\left[\dfrac{dh}{dt}\right]_{h=2}$

$$\therefore \left[\frac{dh}{dt}\right]_{h=2} = \frac{260\pi}{13\pi} = 20\,(\mathrm{cm/s})$$

답 $20\,\mathrm{cm/s}$

37 $t \geq 4$이면

$$P(t) = \int_0^4 (x-2)\,dx + \int_4^t 2e^{4-x}\,dx$$

$$= \left[\frac{1}{2}x^2 - 2x\right]_0^4 + \left[-2e^{4-x}\right]_4^t$$

$$= -2e^{4-t} + 2$$

$$\therefore \lim_{t\to\infty} P(t) = \lim_{t\to\infty}(2 - 2e^{4-t}) = 2$$

답 ④

38 두 점 P, Q의 시각 t에서의 위치를 각각 S_{P}, S_{Q}라 하면

$$S_{\mathrm{P}} = \int_0^t \sin\pi x\,dx = -\left[\frac{1}{\pi}\cos\pi x\right]_0^t = \frac{1}{\pi}(1-\cos\pi t)$$

$$S_{\mathrm{Q}} = \int_0^t \cos\pi x\,dx = \left[\frac{1}{\pi}\sin\pi x\right]_0^t = \frac{1}{\pi}\sin\pi t$$

즉, $0 < t \leq 20$에서 $1 - \cos\pi t = \sin\pi t$를 만족시키는 t의 값의 개수는 두 점이 만나는 횟수와 같다.

$\sin\pi t + \cos\pi t = 1$에서 $\sqrt{2}\sin\left(\pi t + \dfrac{\pi}{4}\right) = 1$

$$\therefore \sin\left(\pi t + \frac{\pi}{4}\right) = \frac{1}{\sqrt{2}}$$

따라서 $y = \sin\left(\pi t + \dfrac{\pi}{4}\right)$의 그래프와 직선 $y = \dfrac{1}{\sqrt{2}}$의 교점은 그림과 같으므로 두 점이 만나는 횟수는 20이다.

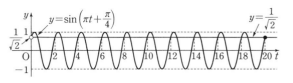

답 20

39 $v_x(t) = \dfrac{dx}{dt} = \dfrac{1}{2\sqrt{t+1}}$,

$$v_y(t) = \frac{dy}{dt} = \frac{1}{3}\times\frac{3}{2}\sqrt{t+3} = \frac{1}{2}\sqrt{t+3}$$

이므로 부등식 $v_y(t) \leq 2\sqrt{2}\,v_x(t)$에서

$$\frac{1}{2}\sqrt{t+3} \leq \frac{2\sqrt{2}}{2\sqrt{t+1}}$$

$\sqrt{(t+3)(t+1)} \leq 2\sqrt{2} \; (\because \sqrt{t+1} > 0)$

$t^2 + 4t + 3 \leq 8$, $t^2 + 4t - 5 \leq 0$

$(t+5)(t-1) \leq 0$

$\therefore 0 \leq t \leq 1 \; (\because t \geq 0)$

따라서 $t = 0$에서 $t = 1$까지 점 P가 움직인 거리는

$$\int_0^1 \sqrt{\left(\frac{dx}{dt}\right)^2 + \left(\frac{dy}{dt}\right)^2}\,dt$$

$$= \int_0^1 \sqrt{\left(\frac{1}{2\sqrt{t+1}}\right)^2 + \left(\frac{\sqrt{t+3}}{2}\right)^2}\,dt$$

$$= \int_0^1 \sqrt{\frac{(t+2)^2}{4(t+1)}}\,dt$$

$$= \frac{1}{2}\int_0^1 \frac{t+2}{\sqrt{t+1}}\,dt$$

$$= \frac{1}{2}\int_0^1 \left(\sqrt{t+1} + \frac{1}{\sqrt{t+1}}\right)dt$$

$$= \frac{1}{2}\left[\frac{2}{3}(t+1)\sqrt{t+1} + 2\sqrt{t+1}\right]_0^1$$

$$= \frac{1}{2}\left\{\frac{2}{3}(2\sqrt{2}-1) + 2(\sqrt{2}-1)\right\}$$

$$= \frac{5\sqrt{2}}{3} - \frac{4}{3}$$

답 $\dfrac{5\sqrt{2}}{3} - \dfrac{4}{3}$

40 $x = 4\cos^3 t$, $y = 4\sin^3 t$로 놓으면

$$\frac{dx}{dt} = -12\cos^2 t\sin t, \quad \frac{dy}{dt} = 12\sin^2 t\cos t$$

점 P의 처음 위치는 $x = 4$, $y = 0$이므로 점 P가 처음 위치로 돌아올 때의 t의 값은

$4\cos^3 t = 4$, $4\sin^3 t = 0$

$\therefore t = 2\pi$

따라서 $t = 0$에서 $t = 2\pi$까지 점 P가 움직인 거리는

$$\int_0^{2\pi} \sqrt{(-12\cos^2 t\sin t)^2 + (12\sin^2 t\cos t)^2}\,dt$$

$$= \int_0^{2\pi} \sqrt{144\sin^2 t\cos^2 t(\cos^2 t + \sin^2 t)}\,dt$$

$$= \int_0^{2\pi} |12\sin t\cos t|\,dt$$

$$= \int_0^{2\pi} |6\sin 2t|\,dt$$

함수 $f(t) = |6\sin 2t|$의 주기는 $\dfrac{\pi}{2}$이고,

$0 \leq t \leq \dfrac{\pi}{2}$일 때 $\sin 2t \geq 0$이므로

$$\int_0^{2\pi} |6\sin 2t|\, dt = 4\int_0^{\frac{\pi}{2}} 6\sin 2t\, dt$$
$$= 4\left[-3\cos 2t\right]_0^{\frac{\pi}{2}} = 24$$

🖪 24

41 $y = \dfrac{e^{nx}+e^{-nx}}{2n}$ 에서

$$\frac{dy}{dx} = \frac{ne^{nx}-ne^{-nx}}{2n} = \frac{e^{nx}-e^{-nx}}{2}$$

$$a_n = \int_{-\frac{1}{n}}^{\frac{1}{n}} \sqrt{1+\left(\frac{dy}{dx}\right)^2}\, dx = \int_{-\frac{1}{n}}^{\frac{1}{n}} \sqrt{1+\left(\frac{e^{nx}-e^{-nx}}{2}\right)^2}\, dx$$

$$= \int_{-\frac{1}{n}}^{\frac{1}{n}} \sqrt{\left(\frac{e^{nx}+e^{-nx}}{2}\right)^2}\, dx = \frac{1}{2}\int_{-\frac{1}{n}}^{\frac{1}{n}} (e^{nx}+e^{-nx})\, dx$$

$$= \int_0^{\frac{1}{n}} (e^{nx}+e^{-nx})\, dx$$

$$(\because y = e^{nx}+e^{-nx}\text{의 그래프는 }y\text{축에 대하여 대칭})$$

$$= \left[\frac{1}{n}e^{nx} - \frac{1}{n}e^{-nx}\right]_0^{\frac{1}{n}} = \frac{1}{n}(e-e^{-1})$$

$$\therefore \frac{a_n}{a_{n+2}} = \frac{\dfrac{1}{n}(e-e^{-1})}{\dfrac{1}{n+2}(e-e^{-1})} = \frac{n+2}{n}$$

$$\therefore \sum_{n=1}^{48} \ln\frac{a_n}{a_{n+2}}$$

$$= \sum_{n=1}^{48} \ln\frac{n+2}{n} = \sum_{n=1}^{48} \{\ln(n+2)-\ln n\}$$

$$= (\ln 3 - \ln 1) + (\ln 4 - \ln 2) + (\ln 5 - \ln 3) + \cdots$$
$$+ (\ln 49 - \ln 47) + (\ln 50 - \ln 48)$$

$$= -\ln 1 - \ln 2 + \ln 49 + \ln 50$$

$$= \ln\frac{49\times 50}{2} = 2(\ln 5 + \ln 7)$$

🖪 ⑤

42 $x<0$일 때, $\overline{PH} = e^{-x}$
$x\geq 0$일 때, $\overline{PH} = \sqrt{\ln(x+1)+1}$
이므로
x축에 수직인 단면의 넓이 $S(x)$는
$x<0$일 때, $S(x) = e^{-2x}$이고
$x\geq 0$일 때, $S(x) = \ln(x+1)+1$이다.
따라서 구하는 입체도형의 부피 V는

$$V = \int_{-\ln 2}^{e-1} S(x)\, dx$$
$$= \int_{-\ln 2}^{0} e^{-2x}\, dx + \int_0^{e-1} \{\ln(x+1)+1\}\, dx$$

$$V_1 = \int_{-\ln 2}^{0} e^{-2x}\, dx,$$
$$V_2 = \int_0^{e-1} \{\ln(x+1)+1\}\, dx$$
라 하면

$$V_1 = \int_{-\ln 2}^{0} e^{-2x}\, dx = -\frac{1}{2}\left[e^{-2x}\right]_{-\ln 2}^{0}$$
$$= -\frac{1}{2}(1-e^{2\ln 2}) = -\frac{1}{2}(1-4) = \frac{3}{2}$$

$$V_2 = \int_0^{e-1} \{\ln(x+1)+1\}\, dx\text{에서}$$

$x+1 = t$로 놓으면

$x = t-1$에서 $\dfrac{dx}{dt} = 1$

$x=0$일 때, $t=1$, $x=e-1$일 때 $t=e$이므로

$$V_2 = \int_1^e (\ln t+1)\, dt\text{이고}$$

$u(t) = \ln t+1$, $v'(t) = 1$로 놓으면

$$u'(t) = \frac{1}{t}, \ v(t) = t\text{이므로}$$

$$V_2 = \int_1^e (\ln t+1)\, dt$$

$$= \left[t(\ln t+1)\right]_1^e - \int_1^e \left(t\times\frac{1}{t}\right)\, dt$$

$$= 2e-1 - \left[t\right]_1^e$$

$$= 2e-1 - (e-1) = e$$

$$\therefore V = V_1 + V_2 = e + \frac{3}{2}$$

🖪 ④

43 처음 원 모양의 물체가 지평면
에 접해 있을 때, 점 P가 원점,
원의 중심이 y축 위에 오도록
나타내면 그림과 같다.
점 P가 θ만큼 회전하면 호
AP의 길이는 선분 OA의
길이와 같으므로

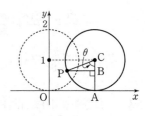

$$\overset{\frown}{AP} = 1\times\theta \qquad \therefore A(\theta, 0)$$

삼각형 PBC에서 $\overline{CB} = \overline{CP}\cos\theta = \cos\theta$,
$\overline{PB} = \overline{CP}\sin\theta = \sin\theta$이므로 점 P의 좌표는
$P(\theta-\sin\theta, 1-\cos\theta)$

$x = \theta-\sin\theta$, $y = 1-\cos\theta$에서

$$\frac{dx}{d\theta} = 1-\cos\theta, \ \frac{dy}{d\theta} = \sin\theta$$

따라서 원 모양의 물체가 한 바퀴(2π) 회전할 때, 점 P가 움직
인 모양을 나타내는 도형의 길이는

$$\int_0^{2\pi} \sqrt{(1-\cos\theta)^2 + \sin^2\theta}\, d\theta$$

$$= \int_0^{2\pi} \sqrt{1-2\cos\theta+\cos^2\theta+\sin^2\theta}\, d\theta$$

$$= \int_0^{2\pi} \sqrt{2(1-\cos\theta)}\, d\theta$$

$$= \int_0^{2\pi} \sqrt{2\times 2\sin^2\frac{\theta}{2}}\, d\theta$$

$$= \int_0^{2\pi} 2\sin\frac{\theta}{2}\, d\theta \left(\because 0\leq\theta\leq 2\pi\text{에서 }\sin\frac{\theta}{2}\geq 0\right)$$

$$= \left[-4\cos\frac{\theta}{2}\right]_0^{2\pi} = 8(\text{m})$$

🖪 8 m

아름다운 샘 BOOK LIST

개념기본서 수학의 기본을 다지는 최고의 수학 개념기본서

❖ 수학의 샘

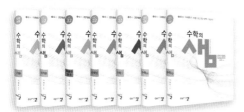

- 수학(상)
- 수학(하)
- 수학 I
- 수학 II
- 확률과 통계
- 미적분
- 기하

문제기본서 (기본, 유형), (유형, 심화)로 구성된 수준별 문제기본서

❖ 아샘 Hi Math

- 수학(상)
- 수학(하)
- 수학 I
- 수학 II
- 확률과 통계
- 미적분
- 기하

❖ 아샘 Hi High

- 수학(상)
- 수학(하)
- 수학 I
- 수학 II
- 확률과 통계
- 미적분

예비 고1 교재 고교 수학의 기본을 다지는 참 쉬운 기본서

❖ 그래 할 수 있어

- 수학(상)
- 수학(하)

단기 특강 교재 유형을 다지는 단기특강 교재

❖ 10&2

- 수학(상)
- 수학(하)
- 수학 I
- 수학 II

수능 기출유형 문제집 수능 대비하는 수준별·유형별 문제집

❖ 짱 쉬운 유형 / 확장판

- 수학 I
- 수학 II
- 확률과 통계
- 미적분
- 기하

- 수학 I
- 수학 II
- 확률과 통계

❖ 짱 중요한 유형

- 수학 I
- 수학 II
- 확률과 통계
- 미적분
- 기하

❖ 짱 어려운 유형

- 수학 I
- 수학 II
- 확률과 통계
- 미적분
- 기하

수능 실전모의고사 수능 대비 파이널 실전모의고사

❖ 짱 Final 실전모의고사

- 수학 영역

내신 기출유형 문제집 내신 대비하는 수준별·유형별 문제집

❖ 짱 쉬운 내신

- 수학(상)
- 수학(하)

❖ 짱 중요한 내신

- 수학(상)
- 수학(하)

중간·기말고사 교재 학교 시험 대비 실전모의고사

❖ 아샘 내신 FINAL (고1 수학, 고2 수학 I, 고2 수학 II)

- 1학기 중간고사
- 1학기 기말고사
- 2학기 중간고사
- 2학기 기말고사

최상위권 유형별
문제기본서 하이 하이
Hi High
미적분

펴낸이 (주)아름다운샘

펴낸곳 (주)아름다운샘

등록번호 제324-2013-41호

주소 서울시 강동구 상암로 257, 진승빌딩 3F

전화 02-892-7878

팩스 02-892-7874

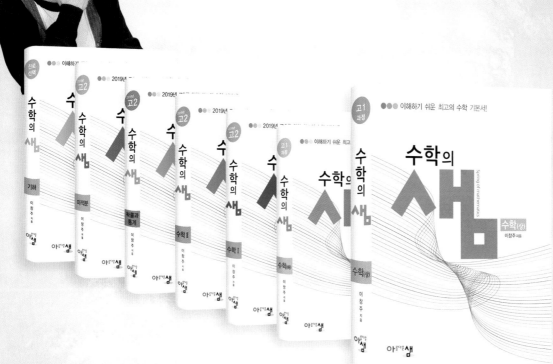

아름다운 샘 에서 장학금을 드립니다.

수학의 샘 시리즈를 통하여 얻어지는 저자 수익금 중 10%를 열심히 공부하고자 하나
형편이 어려운 학생들을 위하여 장학금으로 지급하고자 합니다.

│접수방법

하나. 주위에 열심히 공부하고자 하나 형편이 어려운 학생(고1, 고2 대상)을 찾습니다.

둘. 그 학생의 인적사항(성명, 학교, 전화번호)을 알아내어 학교 수학선생님께 달려가 추천서를 받습니다.

셋. 우편 또는 메일을 통해 인적사항과 추천 사유를 적고 추천서를 첨부하여 아름다운샘으로 보냅니다.

│접수처

주소 (05272) 서울시 강동구 상암로 257, 진승빌딩 3F
수학의 샘 시리즈 담당자 앞

e-mail assam7878@hanmail.net

※소정의 심사를 거쳐 선정된 학생에게 장학금을 지급하고자 합니다.
※제출된 서류는 심사 후 폐기 처분합니다.